## <u>ACCESO GRATIS</u> *a la Lectura en la Nube*

Para visualizar el libro electrónico en la nube de lectura envíe junto a su nombre y apellidos una fotografía del código de barras situado en la contraportada del libro y otra del ticket de compra a la dirección:

**ebooktirant@tirant.com**

En un máximo de 72 horas laborales le enviaremos el código de acceso con sus instrucciones.

# FAMILIAS MONOPARENTALES Y RELACIONES DE CONVIVENCIA

Regímenes económicos y familiares. Monoparentalidad derivada de la extinción del matrimonio y las crisis matrimoniales

(Especial atención al Derecho catalán)

VOLUMEN I

# FAMILIAS MONOPARENTALES Y RELACIONES DE CONVIVENCIA

Regímenes económicos y familiares.
Monoparentalidad derivada de la extinción
del matrimonio y las crisis matrimoniales
(Especial atención al Derecho catalán)

VOLUMEN I

JOSEP Mª FUGARDO ESTIVILL

COL·LEGI DE NOTARIS
DE CATALUNYA

tirant lo blanch

Valencia, 2018

COMITÉ CIENTÍFICO DE LA COLECCIÓN:

Comisión de estudios de Derecho Civil Catalán
del Colegio Notarial de Cataluña

Director de la colección:

Martín Garrido Melero

© Josep Mª Fugardo Estivill

© TIRANT LO BLANCH
EDITA: TIRANT LO BLANCH
C/ Artes Gráficas, 14 - 46010 - Valencia
TELFS.: 96/361 00 48 - 50
FAX: 96/369 41 51
Email:tlb@tirant.com
www.tirant.com
Librería virtual: www.tirant.es
DEPÓSITO LEGAL: V-1818-2018
ISBN: 978-84-9190-201-0
IMPRIME: RODONA Industria Gráfica, S.L.
MAQUETA: Tink Factoría de Color

Si tiene alguna queja o sugerencia, envíenos un mail a: *atencioncliente@tirant.com*. En caso de no ser atendida su sugerencia, por favor, lea en *www.tirant.net/index.php/empresa/politicas-de-empresa* nuestro Procedimiento de quejas.

Responsabilidad Social Corporativa: http://www.tirant.net/Docs/RSCTirant.pdf

*"Today, lone parents are one of the most challenging family forms"*

E. Ruspini

*Diversity in family life* (2015)

# Índice

## PARTE I
## LA FAMILIA MONOPARENTAL. INTRODUCCIÓN Y PROBLEMÁTICA SOCIO-JURÍDICA

### Capítulo I
### INTRODUCCIÓN A LA FAMILIA MONOPARENTAL

### Capítulo II
### MONOPARENTALIDAD Y DERECHO POSITIVO

## PARTE II
## MONOPARENTALIDAD POR EXTINCIÓN DEL MATRIMONIO Y
## CRISIS MATRIMONIALES

*Capítulo III*
### MONOPARENTALIDAD POR CAUSA DE VIUDEZ. RÉGIMEN
### MATRIMONIAL Y ECONOMÍA POSTMATRIMONIAL

*Capítulo IV*
### MONOPARENTALIDAD MATRIMONIAL POST MORTEM. DERECHOS
### VIUDALES Y SUCESORIOS

## Capítulo V
## LA MONOPARENTALIDAD Y LOS SUPUESTOS DE SEPARACIÓN, DIVORCIO Y NULIDAD MATRIMONIAL (I)

## Capítulo VI
## LA MONOPARENTALIDAD Y LOS SUPUESTOS DE SEPARACIÓN, DIVORCIO Y NULIDAD MATRIMONIAL (II)

# ABREVIATURAS

| | |
|---|---|
| CC | Código Civil español |
| CCC | Código Civil de Cataluña |
| CDCC | Compilación de Derecho Civil de Cataluña (1960) |
| CDFA | Código del Derecho Foral de Aragón (Decreto legislativo 1/2011, de 22 de marzo) |
| CDFUE | Carta de los Derechos Fundamentales de la Unión Europea |
| CDN | Convenio de las Naciones Unidas sobre los derechos del niño, de 20 de noviembre de 1989 |
| CEDH | Convenio Europeo de Derechos Humanos |
| CF | Ley [catalana] 9/1998, de 15 de julio, del Código de Familia |
| CGEC | Consell de Garanties Estatutàries de Catalunya |
| CS | Ley 40/1991, de 30 de diciembre, Código de Sucesiones por Causa de Muerte en el Derecho Civil de Cataluña |
| CSE | Carta Social Europea (1961) |
| DA | Disposición adicional |
| DCVB | *Diccionari català-valencià-balear* de A. M. Alcover y F. de B. Moll |
| DGRN | Dirección General de los Registros y del Notariado |
| DIEC | *Diccionari del Institut d'Estudis Catalans* |
| DJC | *Diccionari Jurídic Català* |
| DRAE | Diccionario de la Real Academia Española |
| DT | Disposición transitoria |
| DUDH | Declaración Universal de Derechos Humanos (1948) |
| é.a. | énfasis añadido |
| EAC | Estatuto de Autonomía de Cataluña |
| EJB | Enciclopedia Jurídica Básica, 4 vols., Edit. Civitas, Madrid, 1995 |
| Gencat | *Generalitat de Catalunya* |
| ICAA | *Institut Català de l'Acolliment i de l'Adopció* |
| IRSC | Indicador de renta de suficiencia de Cataluña |
| LAF | Ley [catalana] 18/2003, de 4 de julio, de Apoyo a las Familias |
| LC | Ley 22/2003, de 9 de julio, Concursal |
| LCJI | Ley 29/2015, de 30 de julio, de cooperación jurídica internacional en materia civil |
| LDOIA | Ley [catalana] 14/2010, de 27 de mayo, de los derechos y las oportunidades en la infancia y la adolescencia. |

| | |
|---|---|
| LGBTI | Ley [catalana] 11/2014, de 10 de octubre, para garantizar los derechos de lesbianas, gays, bisexuales, transgéneros e intersexuales y para erradicar la homofobia, la bifobia y la transfobia |
| LH | Ley Hipotecaria |
| LJV | Ley 15/2015, de 2 de julio, de la Jurisdicción Voluntaria |
| LN | Ley del Notariado de 28 de mayo de 1862 (texto consolidado). |
| LOPJM | Ley Orgánica 1/1996, de 15 de enero, de Protección Jurídica del Menor, de modificación parcial del Código Civil y de la Ley de Enjuiciamiento Civil |
| LRC | Ley 20/2011, de 21 de julio, del Registro Civil (entrada en vigor: v. disp. final décima) |
| LSC | Real Decreto Legislativo 1/2010, de 2 de julio, por el que se aprueba el texto refundido de la Ley de Sociedades de Capital |
| LTRHA | Ley 14/2006 de 26 de mayo, sobre técnicas de reproducción humana asistida |
| PIDCP | Pacto Internacional de Derechos Civiles y Políticos (1966) |
| PIDESC | Pacto Internacional de Derechos Económicos, Sociales y Culturales (1966) Económicos |
| R | Resolución de la DGRN |
| RDGEJD | Resolución de la *Direcció general de Dret i d'Entitats Jurídiques* |
| RDGRN | Resolución de la Dirección General de los Registros y del Notariado |
| RPE | Resolución del Parlamento Europeo |
| RPMDA | Decreto [catalán] 2/1997, de 7 de enero, por el que se aprueba el Reglamento de Protección de Menores Desamparados y de la Adopción |
| RRC | Reglamento del Registro Civil (D. 14 noviembre 1958) |
| RRM | Real Decreto 1784/1996, de 19 de julio, por el que se aprueba el Reglamento del Registro Mercantil. |
| SAP | Sentencia de la Audiencia Provincial |
| STC | Sentencia del Tribunal Constitucional |
| STCC | Sentencia del Tribunal de Casación de Cataluña |
| STSJC | Sentencia del Tribunal Superior de Justicia de Cataluña |
| TC | Tribunal Constitucional |
| TEDH | Tribunal Europeo de Derechos Humanos |
| TJCE | Tribunal de Justicia de las Comunidades Europeas |
| TRA | Técnica o técnicas de reproducción asistida |
| TSJC | Tribunal Superior de Justicia de Cataluña |

*PARTE I*

# LA FAMILIA MONOPARENTAL. INTRODUCCIÓN Y PROBLEMÁTICA SOCIO-JURÍDICA

*Capítulo I*
# INTRODUCCIÓN A LA FAMILIA MONOPARENTAL

## 1. NUEVAS CONCEPCIONES EN LA CONFIGURACIÓN DE LAS RELACIONES FAMILIARES

Las relaciones personales y modelos familiares se apoyan en los usos sociales, las instituciones, y el derecho; su ordenación y regulación son tributarias: de la evolución legislativa; las creencias y los credos religiosos; los cambios socio-económicos y también —en las sociedades modernas— de las posibilidades que ofrecen los avances médicos en materia de procreación, salud y reproducción asistida, sin descartar, en un futuro más o menos próximo, la incidencia del mejoramiento humano impulsado por los avances experimentados en otros campos del saber como, por ejemplo, la biotecnología, la cibernética y la singularidad biotecnológica[1].

En el moderno Derecho familiar de corte occidental, la estructura de las familias es un dato que la estadística revela como una realidad social muy diversa reflejo del dinamismo y complejidad del cambio social[2]. El modelo tradicional familiar, de carácter genético-biologicista y monogámico, vinculaba la sexualidad con la reproducción; la reproducción a las relaciones heterosexuales; las relaciones heterosexuales al matrimonio, y el matrimonio a la familia. Al establecer una distinción entre lo biológico y lo social, las nuevas concepciones disocian esta interrelación y convierten a los actores, con su capacidad de elección, en sujetos activos de nuevas configuraciones familiares[3]. Como observa Barceló Tous (2016: 133), "En el siglo XXI el jerárquico, binario y heteronormativo modelo arquetípico se ha declarado obsoleto. Nace la 'familia posfamiliar', término usado por Beck-Gernsheim (2011) para referirse a la nueva familia: múltiple,

---

[1]   Cortina y Serra (2015).
[2]   Hareven (1995), Meil Landwerlin (2006).
[3]   Grau Rubio y Fernández Hawrylak (2015).

pactada, cambiante. Para ello ha habido varias disociaciones sucesivas: a) del sexo con respecto a la reproducción; b) de la maternidad con respecto al matrimonio; c) de la maternidad con respecto a la pareja. Ni consorcio ni consorte han resistido el individualismo exacerbado del mundo posromántico".

Con arreglo a Sánchez Martínez (2010: 128), "la familia, lejos de ser una realidad natural, es una realidad social sometida a una revisión continua. [...] Difícilmente podemos hablar ya de una familia sino de familias"[4]; aunque la familia es vista como una de las instituciones más resistentes al cambio, de hecho, como cualquier otra institución, está profundamente conformada por los procesos históricos (Ruspini, 2015: 4) y para que la familia pueda existir, subsistir y funcionar como un "cuerpo" —señala Bourdieu (1993: 34)— debe hacerlo como un "campo" de relaciones muy diversas (físicas, económicas, simbólicas, etc.) y las fuerzas de *fusión* (afectiva, sustancialmente), deben contrarrestar o compensar, de modo permanente, las fuerzas de *fisión*.

Los tres factores, de origen histórico diverso, que en los últimos decenios, han influido en la formación de los modelos familiares, se centran en los siguientes puntos (Bestard, 2012: 4-7):

a)  La *libertad* de elección individual en la formación de la pareja. El interés familiar ha sido sustituido por el sentimiento individual y la elección matrimonial no sigue la lógica de los intereses familiares, sino la lógica individualista del sentimiento. Esta libertad también ha incidido en el fenómeno de la "desmatrimonialización" y el consiguiente ascenso de la cohabitación y el reconocimiento de uniones matrimoniales y convivenciales del mismo género. Desde una perspectiva jurídica, en la vigente sociedad catalana, salvando los particularismos afectivos vividos al margen de la pareja, y al igual que sucede en otros sistemas jurídicos próximos, puede decirse que en el Derecho civil catalán admite tres formas alternativas de convivir sexualmente en pareja: la mera convivencia (convivencia ajurídica); las uniones de hecho reguladas legalmente; y el matrimonio[5].

---

4    Citado por Mª I. Barceló Tous (2016: 140).
5    Llaquet de Emtrabasaguas (2012: 211-212).

*b)* El principio de *igualdad entre géneros*. "Ni el imperativo de justicia se para ante el muro de la familia nuclear, ni el principio de igualdad quiere saber nada de la diferencia de sexos" *(ibdm.: 5), y*

*c)* En todos los supuestos en que se halle presente y cualquiera que sea su causalidad, destaca el papel central del niño y el principio de la *protección del menor* en la formación de las relaciones familiares, y ello, aunque paradójicamente, se asista a un descenso de los índices de natalidad; "se tienen menos hijos y se busca el momento adecuado para tenerlos, pero sentimentalmente se invierte más en ellos. El deseo de descendencia se ha individualizado. No sigue los parámetros de un ciclo familiar clásico, un imperativo de la estructura familiar. Las familias monoparentales, las recompuestas y las del mismo sexo han cambiado la relación con la descendencia. La filiación indivisible y biológica ya no se contempla como la única posible y las funciones de madre y padre han sido sustituidas por la noción de parentalidad, que sirve para conceptualizar el ejercicio de la filiación después del divorcio y quién tiene capacidad para establecer un buen lazo de filiación" *(ibdm.: 5)*.

Desde una perspectiva jurídica, la diversidad y autonomización de los modelos familiares no sería tan intensa si no fuera por el influjo o reconocimiento de la evolución social y la acción legislativa de los poderes públicos que, a lo largo del tiempo, de acuerdo con los paradigmas ideológicos dominantes, confieren, reconocen, delimitan y atribuyen estados civiles, deberes, derechos y obligaciones familiares. A partir del amplio reconocimiento, desarrollo y tutela de los modernos derechos y libertades fundamentales, los códigos jurídicos tradicionales que regulaban el modelo familiar tradicional, se han liberalizado notablemente, lo que ha permitido una mayor diversificación y reconocimiento de los modelos y relaciones familiares. De acuerdo con M. Segalen (2012: 9): "La aparición de los modelos contemporáneos se basa en un reforzamiento del papel de los sentimientos y en el ascenso de la igualdad de sexos, que generan un aumento de la fragilidad del vínculo conyugal, la transformación de los vínculos de filiación —unos vínculos que cobran mayor firmeza pero que también, a menudo, resultan inciertos— y el establecimiento de nuevas relaciones con el niño.".

La relevancia que se atribuye al reconocimiento, protección y tutela de los derechos fundamentales de la persona, y al libre desarrollo de la personalidad, la privacidad y la intimidad familiar, han favorecido la multiplicidad y variedad de formas posibles de convivencia familiar En palabras de M.ª Paz García Rubio (2007: 135-136) "se puede decir en relación con la familia actual que '... *the traditional one-size-fits-all version of marriage has been replaced by taylor-made family forms'* [M. Bailey, ISFL, 2005: 134], de suerte que de un modelo familiar de corte rígido y monolítico se ha pasado a una pluralidad de modelos todos ellos con plena aceptación social [...] Ante esta pluriformidad de modelos familiares, no es de extrañar que los sociólogos británicos recomienden sustituir el término '*family*' por '*family practices*' (Morgan, 1996, Smart and Neale, 1999) o que los alemanes prefieran hablar de *Lebensformen* [I. Ostner, 2001, p. 91]. En ambos casos el plural reemplaza al singular. Lo mismo sucede en nuestro país, donde la literatura jurídica opta ya frecuentemente por hablar de 'familias' y el propio Tribunal Constitucional lo ha reconocido también así" (entre otras, SSTC 222/1992; 47/1993; 116/1999 y 47/2003). "En definitiva —señala la autora citada— el artículo 39 de la CE ni prejuzga, ni describe el modelo familiar constitucionalmente protegido".

Como observa Rivas Rivas (2009: 15), "la disociación entre pareja conyugal, pareja parental y pareja progenitora como consecuencia de separar lo que hasta ahora iba unido, sexualidad, procreación, alianza y filiación, cuestiona el modelo biparental —padre/madre— dominante en la visión cultural del parentesco occidental y sin llegar a desaparecer, se identifica como uno más junto con los modelos de homoparentalidad —dos padres o dos madres para el caso de una pareja homosexual—, coparentalidad —un padre y una madre de dos parejas homosexuales—, monoparentalidad/monomarentalidad —hombres y mujeres solteros con hijos adoptados o procreados artificialmente— y pluriparentalidad —varias madres y varios padres en el caso de los hogares recompuestos y los procesos de reproducción asistida—".

En relación con el objeto de esta obra, históricamente, la situación de pérdida, falta o ausencia de uno de los progenitores con uno o más hijos menores o dependientes sujetos al cuidado de un solo progenitor por causa de viudez, separación matrimonial, divorcio o procreación no matrimonial..., que es el rasgo básico definidor de la denominada "familia monoparental", ha constituido un lugar común en la historia de la humanidad y en el derecho familiar y sucesorio. En este sentido, cabe afirmar que la innovación conceptual que supone el uso de dicha expresión es más nominal que efectiva, porque, por referencia a ciertos tipos de familia monoparental, "siempre han existido las procreaciones fuera del matrimonio" (Avilés Hernández, 2013: 264). No obstante, en las sociedades modernas, la novedad estriba, fundamentalmente, en los siguientes aspectos socio-jurídicos: en el reconocimiento e incardinación de dichos supuestos como un modelo especial de familia al que se suele denominar "familia monoparental"; en la mayor variedad de causas, voluntarias e involuntarias, que pueden dar lugar a la existencia de dicho supuesto; y fundamentalmente, en el plano ético y jurídico, en la franca superación de las causas de discriminación que, en este ámbito, podían sufrir tanto la persona del progenitor como determinadas clases de filiación.

La aparición de la "familia monoparental", especialmente, la constituida por una madre soltera, participa de la crítica a la familia tipo de base nuclear biparental (o familia nuclear parsoniana), considerada como el modelo tradicional familiar consolidado en la literatura social y jurídica. El modelo de familia nuclear estaba ampliamente reconocido en la moderna sociología contemporánea de mediados del pasado siglo (George Peter Murdock y Talcott Parsons) y la familia tipo ideal se identificada como una célula constituida por una pareja casada (hombre y mujer) con uno, dos o más hijos, caracterizada por la división sexual y funcional de tareas, en que la función económica se atribuía al padre, al que incumbía la función de aportar recursos al hogar (*breadwiner*); y la función doméstica, a la madre (cuidado del hogar y crianza de los hijos)[6].

---

[6]   En la doctrina anglosajona, Edmund Leach (1967) se refiere a la "cereal packet image of the family" (*Marriage and divorce. The cereal packet norm*, publicado en *The Guardian*, 29 enero 1968), que identifica con la imagen de una pareja felizmente casada con dos hijos, preferentemente propios, que aparece en los anuncios de cereales para el desayuno y otro tipo de productos, que se considera como el modelo de familia objetivo o "modelo ideal" o "convencional" (Ann Oakley, 1982). En este modelo se da por supuesto que las necesidades materiales de la familia sean atendidas por el cónyuge masculino, mientras que la esposa tiene una función predominantemente doméstica. Incluso durante el momento álgido de vigencia de este modelo, dicha imagen fue duramente criticada, espe-

Aquellos grupos familiares que no eran conformes con este modelo empezaron a ser considerados disfuncionales y socialmente negativos, ya que, teóricamente, se consideraba que no reunían los requisitos estructurales y morales necesarios para cumplir con las funciones propias de la familia. Con harta frecuencia, estas familias eran objeto de rechazo, exclusión social y marginalidad, al creerse que generaban problemas de adaptación, delincuencia y costes sociales[7]. Al considerarse que la conformación jurídica de la familia "legal" estaba vinculaba con la institución del matrimonio y que el modelo jurídico definidor de la familia debía basarse en el matrimonio, ello implicaba que la cohabitación fuera del matrimonio no se ajustase ni tuviera cabida en este modelo.

En el momento presente, los cambios sociales, culturales, económicos y legales han incidido en la visión tradicional de la familia, por lo que cabe afirmar que el conjunto de transformaciones que ha experimentado el modelo familiar en el mundo occidental constituye una de las manifestaciones más relevantes del cambio social.

> Como señala el Informe de la UNICEF sobre "Nuevas forma de familia" (2003): "En pocas décadas, el modelo de familia afianzado en la inmediata posguerra, ampliamente difundido bajo el rótulo de "familia nuclear", fue cediendo espacio a una creciente diversidad de formas y estilos de vida familiares. A consecuencia de los cambios ocurridos en la formación y disolución de las familias y en la inserción laboral de las mujeres, las bases del modelo "parsoniano" fueron seriamente cuestionadas, tornando inviable la existencia de un modelo único de familia. Al lado de la familia nuclear "tradicional", comenzaron a cobrar relevancia numérica y social, las familias monoparentales y las familias "reconstituidas o ensambladas". Paralelamente la creciente desinstitucionalización de la familia implicó que los vínculos familiares "de facto" le ganaran terreno a los lazos legales. Estas transformaciones se iniciaron en Europa y Estados Unidos a mediados de la década del sesenta e inicios de los años setenta, extendiéndose a la gran mayoría de los países occidentales en los últimos años del siglo XX".

---

cialmente desde el feminismo, por su carácter monolítico y su desconocimiento de la variedad de otros modelos familiares.
[7]    Avilés Fernández (2013: 266).

La toma de conciencia de la familia como unidad de producción significó una reinterpretación de la naturaleza del trabajo doméstico y su reevaluación como trabajo productivo y evidenciaba, por un lado, la doble función de la mujer, especialmente, en ausencia del otro progenitor, y por otro lado, la diversidad de formas de vivir la familia. La nueva visión de las relaciones familiares y la diversificación de las estructuras familiares favorecieron la aceptación de determinados modelos que se alejaban del modelo ideal, ortodoxo y funcionalista que antes, por lo general, eran objeto de amplio rechazo.

Asimismo, las demandas del pensamiento feminista norteamericano y europeo (Kate Millet, Germaine Greer, Barrie Thorne, Simone de Beauvoir,...) buscaban diferenciar entre la estructura familiar tradicional de tipo patriarcal y la persona sustentadora de la familia, lo que permitía que los hogares a cargo de una mujer también fueran considerados como una familia. La crítica del modelo tradicional familiar cuestionaba un modelo económico-funcional familiar por entender que se basaba en la inferioridad, la subalteridad y la subordinación o dependencia económica de la mujer.

La reconsideración del modelo familiar, efectuada con ritmo desigual según los países, también era precisa debido: al incremento de las separaciones y divorcios; la creciente emancipación de la mujer y su participación en el mundo laboral; y los supuestos de creación voluntaria de familias monoparentales, todo ello, como consecuencia de los cambios sociales y legales en las relaciones de pareja, la aplicación de los principios de igualdad y no discriminación por razón de la filiación matrimonial o no matrimonial, la necesidad de protección del menor en todos los casos, y en general, por el reconocimiento de una mayor libertad personal en la elección del modelo familiar.

En la doctrina, a título de ejemplo, Louis Roussel (especialmente, en su obra *La famille incertaine*, 1989), ponía en énfasis en la inestabilidad conyugal y la diversidad de formas de vivir la familia y Martin-Papineau (2001), se refería a la familia monoparental como un modelo de integración que está incluido en el marco de las diversas representaciones de la familia; por su parte, Jan Trost (1988) propuso la noción de "familias nexo", en las cuales se prescindía de la referencia al matrimonio y se ponía de relieve la relación biológica entre el progenitor y el hijo, hubiera o no unicidad de morada y cualquiera que fuera el modelo institucional familiar, de modo que la guarda conjunta después de la ruptura del vínculo conyugal perdía sentido[8].

En nuestra doctrina, Julio Iglesias de Ussel (1988: 25-26) señala que los factores más destacados que han llevado a la caracterización de la familia monoparental, han sido los cinco siguientes[9]:

*a)* El ascenso de la familia nuclear a partir de la Revolución Industrial, lo que implicó que cuando la familia nuclear era incompleta se creaba un problema social, al incidir en los aspectos referentes a la situación económica, las formas de vida, las posibilidades de trabajo y ocio del adulto responsable de los hijos y el proceso de socialización de éstos últimos.

*b)* La dilación en la emancipación de los hijos (escolarización global de la población y su prolongación; retraso legal en la edad de incorporación al mercado laboral...), que conlleva una problemática más acusada para las familias de tipo monoparental.

*c)* El profundo rechazo social que empezó a surgir respecto de cualquier tipo de discriminación, que incentivó el estudio y la aparición de medidas públicas en beneficio de estos colectivos.

*d)* El significativo incremento del número de familias monoparentales, producida, en parte, por las causas siguientes: el incremento en las prácticas sexuales previas al matrimonio; el aumento en el número de divorcios y separaciones conyugales; la reivindicación del derecho a la maternidad libremente elegida al margen del matrimonio; y la incorporación de la mujer al mercado laboral.

*e)* El hecho de que estas situaciones familiares se convirtieron en un problema social generalizado que no sólo afectaba a determinadas grupos humanos considerados hasta entonces minoritarios o marginales y objeto de censura, sino que cuando la situación tuvo una amplia base social, las reacciones se matizaron y empezaron a surgir peticiones para afrontar reformas legales que tratasen con una nueva visión toda esta problemática.

---

[8]  R. Sechet *et al.* (2003).
[9]  Citado en Avilés Hernández (2013: 273-274).

Sin perjuicio de las diferencias que presentan los diversos modelos de familia monoparental, cualitativamente, y también, en ciertos casos, cuantitativamente, en síntesis, las familiares monoparentales plantean los retos siguientes (Almeda Samaranch, Di Nella, 2014: 12-15):

a) Las familias monoparentales socaban el modelo tradicional patriarcal y las de origen femenino, retan la familia nuclear burguesa, basada en la división sexual del trabajo y suponen una reorganización de los roles funcionales tradicionales.

b) Las familias monoparentales cuestionan los regímenes del bienestar y las políticas sociales y públicas en torno a la familia, basadas en un modelo biparental, heterosexual y patriarcal. Por último,

c) El incremento de estos colectivos cuestiona el modelo de producción capitalista, basado en sus diferentes modelos de división del trabajo, porque incide en la propia unidad de consumo de base biparental. Cuando se trata de familias monoparentales formadas por mujeres, el riesgo de exclusión social es elevado y las particularidades, problemática y niveles de demanda de estas familias obliga a redefinir las pautas de consumo general.

## 2. BASES JURÍDICAS DEL RECONOCIMIENTO Y PROTECCIÓN DE LAS FAMILIAS MONOPARENTALES

El reconocimiento y protección de las familias monoparentales se justifica doblemente: por un lado, por la necesidad de proteger el interés superior del menor y de las personas dependientes; por otro lado, por su relación con los derechos fundamentales de la persona, el derecho de mantener y crear una familia y los rasgos especiales que configuran esta categoría. Consideradas como una forma especial de familia, "Las familias monoparentales permiten focalizar en algunos de los retos más difíciles que deben enfrentar los modernos regímenes del bienestar: el reconocimiento del trabajo familiar no remunerado, las posibles combinaciones que deben hacer compatible ocupación y familia, y las responsabilidades del Estado frente a la familia y, también, frente al individuo" (Almeda, Camps, Di Nella, Ortiz, 2016: 60-61).

La Constitución proclama la igualdad de los españoles ante la ley "sin que pueda prevalecer discriminación alguna por razón de nacimiento, raza, sexo, religión, opinión o cualquier otra condición o circunstancia personal o social" (art. 14 CE) y ampara: "la protección integral de los hijos iguales éstos ante la ley con independencia de su filiación, y de las madres, cualquiera que sea su estado civil"; la posibilidad de la investigación de la paternidad; la obligación de los padres de asistencia a los hijos habidos dentro o fuera del matrimonio durante su minoría de edad y en los demás casos en que legalmente proceda, y prevé que "los niños gozarán de la protección prevista en los acuerdos internacionales que velan por sus derechos." (art. 39 CE).

En el Derecho catalán, de forma explícita, entre otras previsiones concordantes, el apartado segundo del artículo 40 EAC (*Protección de las personas y de la familia*), establece que los poderes públicos "2. […] "han de garantizar la protección jurídica, económica y social de las distintas modalidades de familia previstas en las leyes, como estructura básica y factor de cohesión social y como primer núcleo de convivencia de las personas…"; "3. […] la protección de los niños, especialmente contra toda forma de explotación, abandono, malos tratos o crueldad y de la pobreza y sus efectos. En todas las actuaciones llevadas a cabo por los poderes públicos o por instituciones privadas el interés superior del niño debe ser prioritario"; "5. […] la protección jurídica de las personas con discapacidades y deben promover su integración social, económica y laboral. También deben adoptar las medidas necesarias para suplir o complementar el apoyo de su entorno familiar directo". El artículo 41 (*Perspectiva de género*), establece que "4. Los poderes públicos deben reconocer y tener en cuenta el valor económico del trabajo de cuidado y atención en el ámbito doméstico y familiar en la fijación de sus políticas económicas y sociales.— 5. Los poderes públicos, en el ámbito de sus competencias y en los supuestos previstos en la ley, deben velar para que la libre decisión de la mujer sea determinante en todos los casos que puedan afectar a su dignidad, integridad y bienestar físico y mental, en particular en lo que concierne al propio cuerpo y a su salud reproductiva y sexual". Por último el artículo 17 EAC dispone que "Los menores tienen derecho a recibir la atención integral necesaria para el desarrollo de su personalidad y su bienestar en el contexto familiar y social".

Sin perjuicio del examen de las diversas clases de familia monoparental, en el Código Civil de Cataluña el artículo 231-1 (*Heterogeneidad del hecho familiar*), ampara sin discriminaciones a "las familias formadas por un progenitor solo con sus descendientes"; y en el caso de ruptura de las relaciones de la pareja progenitora, la organización de las relaciones de filiación o parentalidad se basa en el principio de "responsabilidad" y no en el sentido de "facultad".

> *STC 198/2012, de 6 noviembre 2012:* "son dignos de protección constitucional los matrimonios sin descendencia, las *familias extramatrimoniales o monoparentales* (STC 222/1992, de 11 de diciembre) y, sobre todo, los hijos a los que el art. 39 CE, que "refleja una conexión directa con el art. 14 CE" (STC 154/2006, de 22 de mayo, FJ 8), protege "con independencia de que éstos hayan sido concebidos dentro o fuera del matrimonio (art. 39.3 CE), de que se haya producido la nulidad matrimonial, la separación legal o la disolución del matrimonio por divorcio (art. 92 del Código civil) o incluso, en fin, de que el progenitor quede excluido de la patria potestad y demás funciones tuitivas (arts. 110 y 111 *in fine*, CC)." (STC 19/2012, de 15 de febrero, FJ 5 y jurisprudencia allí citada). Dicho lo anterior, es cierto que, hasta la fecha, la interpretación del art. 39 CE no ha llevado a este Tribunal a definir un concepto constitucional de familia, y no siendo tampoco este el momento para elaborarlo, ello no impide determinar que en el art. 39 CE se incluirían las familias que se originan en el matrimonio, pero también a las que no tienen ese origen (STC 45/1989, de 20 de febrero, FJ 4). Cabe recordar aquí que asimismo el Tribunal Europeo de Derechos Humanos *desconecta el derecho a contraer matrimonio y la garantía de protección de la familia,* cuando establece que el concepto de vida familiar protegido por el art. 8 CEDH no se reserva únicamente a las familias fundadas en el matrimonio, sino que puede referirse también a otras relaciones de facto (entre otras muchas SSTEDH en los asuntos X, Y y Z c. Reino Unido, de 22 de abril de 1997, § 36; y Van Der Heijden c. Países Bajos, de 3 de abril de 2012, § 50)" (FJ 5) (é.a.).

En la esfera internacional, los fundamentos deben buscarse en el amplio conjunto de Derechos civiles y políticos reconocidos en las principales declaraciones y pactos internacionales sobre Derechos Humanos (entre ellos: derechos de libertad, igualdad y no discriminación entre hombres y mujeres; por razón de orientación sexual e identidad de género; derechos de los niños, los menores y la juventud; derecho a la vida privada y familiar y a la personalidad jurídica y su libre desarrollo[10], suscritos por el estado español.

En el ámbito comunitario, el artículo 24 de la CDFUE prevé que los "1. Los niños tienen derecho a la protección y a los cuidados nece-

---

10   V. http://www.derechoshumanos.net/derechos/index.htm#libertad

sarios para su bienestar [...].2. En todos los actos relativos a los niños llevados a cabo por autoridades públicas o instituciones privadas, el interés superior del niño constituirá una consideración primordial. 3. Todo niño tiene derecho a mantener de forma periódica relaciones personales y contactos directos con su padre y con su madre, salvo si ello es contrario a sus intereses"; y el art. 26 se refiere al reconocimiento y respeto del derecho de las personas discapacitadas a beneficiarse de medidas que garanticen "su autonomía, su integración social y profesional y su participación en la vida de la comunidad".

Asimismo, el artículo 8 CEDH reconoce que toda persona tiene derecho al respeto de su vida privada y familiar sin que pueda haber injerencia de la autoridad pública en el ejercicio de este derecho sino en tanto en cuanto esta injerencia esté prevista por la ley y constituya una medida que, en una sociedad democrática, sea necesaria para la seguridad nacional, la seguridad pública, el bienestar económico del país, la defensa del orden y la prevención de las infracciones penales, la protección de la salud o de la moral, o la protección de los derechos y las libertades de los demás.

> En reiteradas ocasiones el Parlamento Europeo ha instado a los Estados miembros de la UE la adopción de medidas de apoyo para las familias monoparentales (v., por ej., Dictamen sobre familias monoparentales (92/C 14/14) de 31 octubre 1991, Informe 8 de febrero 2007, Resolución del Parlamento Europeo, de 8 de marzo de 2011, sobre la igualdad entre hombres y mujeres en la Unión Europea) y en el ámbito de la Unión Europea son numerosas las referencias explícitas a la protección de la exclusión social, laboral y económica de las personas, especialmente de las mujeres, responsables de las familias monoparentales. Por otra parte, como no podía ser de otro modo, de acuerdo con las correspondientes previsiones constitucionales la doctrina del TC ampara la protección de los hijos cualquier que sea la naturaleza de la filiación (STC 198/2012, de 6 de noviembre de 2012).

La atención del Derecho de la Unión Europea se ha centrado en la problemática socio-económica de las familias monoparentales, especialmente en la situación jurídica de la mujer y el diseño de objetivos de política socio-económica de ayuda a las familias en riesgo de exclusión social.

En marzo de 2002, el Consejo Europeo reunido en Barcelona pidió a los Estados miembros "suprimir los elementos que desincentivan la participación de la mano de obra femenina y, teniendo en cuenta la demanda de servicios de cuidado de niños y en consonancia con los modelos nacionales de asistencia, esforzarse en prestar para 2010 servicios de cuidado de niños al menos al 90% de los niños de edad comprendida entre los 3 años y la edad de escolarización obligatoria, y al menos al 33% de los niños de menos de 3 años". En relación con estos objetivos ("objetivos de Barcelona"; *Barcelona objectives* o *targets*") la Comisión Europea emite informes anuales sobre el avance hacia la igualdad entre mujeres y hombres y presenta los desafíos y las prioridades para el futuro[11].

En el propio Derecho de la UE existen referencias varias a la familia monoparental. Entre las normas más modernas, se hallan las siguientes:

– Decisión (UE) 2016/1351 del Consejo de 4 de agosto de 2016 relativa al Estatuto del personal de la Agencia Europea de Defensa, y por la que se deroga la Decisión 2004/676/CE. Prevé licencias parentales o familiares y otros beneficios laborales para los supuestos de adopción o nacimiento con mención específica de las familias monoparentales. La autorización para trabajar a tiempo parcial se prevé para el caso de "ocuparse de un hijo a cargo hasta que cumpla 14 años" (art. 45.2.c)

– Reglamento (UE, EURATOM) n° 1023/2013 del Parlamento Europeo y del Consejo de 22 de octubre de 2013 por el que se modifica el Estatuto de los funcionarios de la Unión Europea y el régimen aplicable a los otros agentes de la Unión Europea. Prevé determinados beneficios laborales para las familias monoparentales y regula la autorización para trabajar a tiempo parcial cuando se precise "para ocuparse de un hijo a cargo hasta que cumpla la edad de 14 años cuando el funcionario sea progenitor de una familia monoparental" (art. 55bis.2 del Estatuto de los funcionarios de la Unión Europea).

– En el Informe "Soporte a las familias monoparentales" (2015) del Programa de aprendizaje mutuo de la igualdad de género, se informa que la Comisión Europea ha resaltado la importancia de la monoparentalidad como un aspecto central de la problemática de la igualdad de sexos que afecta al bienestar y los derechos de los padres y los hijos. En agosto de

---

11   V. *Report Barcelona objectives* (2013); *Annual Reports on Equality between Women and Men,* y a.e,: 2015 *Report on equality between women and men,* de la Comisión Europea [Commission Staff Working Document, 2016) SWD(2016)54]; Comunicación de la Comisión al Consejo, al Parlamento Europeo, al Comité Económico y Social Europeo y al Comité de las Regiones Igualdad entre mujeres y hombres, 2009 {SEC(2009) 165} [Bruselas, 27.2.2009 COM(2009) 77 final]. *Programme d'apprentissage mutuel d'égalité des sexes Soutien aux familles monoparentales* Francia, 21-22 octobre 2015 (*Rapport de synthèse*).

2015, la Comisión publicó una nueva hoja de ruta referente a las medidas de conciliación en favor de los progenitores solos[12].

## 3. EN TORNO A LA EXPRESIÓN "FAMILIA MONOPARENTAL"

En el último tercio del pasado siglo la doctrina anglosajona identificó a la familia formada por un solo progenitor y su hijo o hijos dependientes por medio de las expresiones *one-parent family*[13]*, lone parent family*; o *single parent families*. En lengua española —y en otros idiomas de raíz latina— por adaptación de la expresión francesa *famille monoparentale*, dicha expresión —sin ser, como se verá, la única utilizada— se adoptó la denominación de "familia monoparental"[14].

En general, estas expresiones, especialmente la primera, fueron bien acogidas por la doctrina porque evitaban el uso de otras expresiones que solían asociarse a situaciones familiares negativas o peyorativas, como: "familias incompletas"; "madre sola cabeza de familia"; "familias rotas"; "familias atípicas"; "familias sin padre o sin madre"; "madre o padre solo"; "familias descompuestas"; o "familias desunidas"[15]. De acuerdo con Julio Iglesias de Ussel (1998: 237) desde el comienzo del uso de dicha expresión a finales de los años ochenta del pasado siglo, "pocas expresiones han adquirido tan

---

[12]    *The EU Mutual Learning Programme in Gender Equality. Support to lone parents, France, 21-22 October 2015. Summary Report* (2015).

[13]    B. Schlesinger (ed.) (1969). *The One Parent Family. Perspectives and Annotated Bibliography*. University of Toronto Press.

[14]    El término también se ha adoptado en otros idiomas latinos: *a.e.*, familia "monoparental" en las lenguas catalana, gallega y portuguesa; y famiglia monoparentale" (italiano). En lengua alemana se habla de familias de un solo progenitor (*Einelternfamilie o Alleinerziehende Familie*). La segunda expresión alude a la persona que educa o cría los hijos en solitario. Esta perspectiva pone el acento en la persona que toma las decisiones y asume la responsabilidad en la crianza y educación del hijo o hijos con abstracción de la existencia o reconocimiento jurídico del otro progenitor.

[15]    En la doctrina extranjera y sobre la significación de las diversas expresiones: *unmarried women, unsupported mother, deserted wives, dissociated families, fatherless families, broken homes, incomplete families, father-absent families, familles privées de père o familles dissociées*, vid. Avilés Hernández (2013: 268-270).

fulminante éxito en las ciencias sociales como la de 'familias mono-parentales'" y en el campo de la sociología de la familia "no existe ninguna otra que haya logrado difusión internacional en un período de tiempo tan corto"[16].

En sentido crítico y desde diversas perspectivas, se ha cuestionado el acierto de la expresión "familia monoparental":

Etimológicamente, porque se asigna al término "parental" un sig-nificado que no le es usual, pues esta expresión no se refiere al "padre" sino al progenitor (del latín, *parentalis, parents* —padre o madre—; participio presente de *parire* —parir, engendrar—)[17]. La atribución de un nuevo significado a la voz *parental* implica desplazar el significado etimológico a un lugar que no debería corresponderle. Por otra parte, el prefijo *mono-*, procede del griego y acaso sería más adecuado utili-zar el prefijo latino *uni-*[18].

Desde el punto de vista histórico y social, el modelo de familia monoparental no puede considerarse novedoso ya que siempre han existido situaciones familiares incluibles en este concepto, aunque en las sociedades modernas existe una mayor frecuencia y variedad de supuestos, pero como sea que la expresión engloba supuestos muy desiguales, algunos de ellos, de antigua factura y otros, muy moder-nos, ello conlleva ciertas limitaciones y debilidades conceptuales. En este sentido Lefaucheur (2003) entiende que, en sentido estricto, el concepto de monoparentalidad debería reservarse para los casos de viudedad con hijos, ya que sólo en este caso existe un progenitor con vida, pues cuando las familias tienen dos progenitores separados, di-vorciados o solteros, ambos padres genéticos están vivos aunque no convivan en el mismo hogar. Por otro lado, la posible limitación de la monoparentalidad a un solo supuesto no supone que con ello quede obviada la problemática inherente a las otras clases de familias, que

---

[16]  Citado en Avilés Hernández (2013: 281). Según Treviño Maruri (2006: 42) no puede negarse, en cierta forma, el efecto revolucionario de la aparición de la categoría de familia monoparental que si bien ha podido ser apoyada en su di-fusión por su uso administrativo por las disposiciones legales de cada país, ha acabado imponiéndose como categoría estadística y sociológica.

[17]  En lengua inglesa *parent* alude a padre, madre o padres: *parental*, de padre y madre, de los padres; parental, maternal.

[18]  *V.* sitio Fundéu (fundeu.es).

por referencia al modelo tradicional familiar binuclear, cabe considerar como "incompletas".

Por su parte, S. Perrin (2009: 49) distingue entre los supuestos de:
*familia unilineal*, entendida como "la que está basada en un único
vínculo de filiación entre el hijo y su padre o madre"; y *familia monoparental*. Entiende la autora citada que: "La calificación de familia
monoparental es de orden esencialmente sociológico, descansa sobre
un hecho: la existencia de un progenitor solo. Esta circunstancia puede deberse a realidades muy diferentes: fallecimiento del consorte, divorcio, separación, abandono del hogar...; inversamente, es "un dato
jurídico y no sociológico, el que determina la definición (y la denominación) de familia unilineal": la existencia de un solo vínculo de filiación". Mientras que en el primer supuesto, el progenitor biológico no
determinado legamente es un tercero jurídicamente extraño al hijo, en
los supuestos de determinación de la filiación o de adopción, o incluso
en el caso de convivencia de terceros con el progenitor determinado,
pueden derivarse deberes, cargas y derechos en favor del hijo.

Para F. de Singly el uso de una sola una expresión para identificar
una multitud de realidades ofrece escaso interés y no existe una definición unificada del concepto. A pesar de lo que antecede, se acepta
que dicha expresión es útil para evidenciar la transición que va de la
noción de "familia", en singular, a la noción de "familias" en plural.
Por otro lado, la expresión tiene una notable carga ideológica y política porque un solo concepto engloba personas viudas, divorciadas,
separadas, y solteras; a personas que han estado casadas y a las que
nunca lo han estado.

Como señala el autor citado: "Es una forma de evidenciar, por medio de una fórmula contable, que el matrimonio importa poco, que es
un criterio secundario de clasificación. Otra consecuencia, es que significa el reconocimiento de que al lado de la familia "oficial", basada
en el matrimonio, existe otro tipo de "familia". El efecto de la asociación: "familia" y "monoparentalidad" produce un efecto importante,
porque resulta claro que existe un plural en la voz familia"[19]. En este
sentido, la emergencia de este nuevo concepto se inscribe en la co-

---

[19]    Ph. Maurage (c. 04.04.2018).

rriente de las evoluciones estructurales de la familia y en la propia evolución interna de los subgrupos que componen dicha expresión.

Los elementos tipo que conforman la "familia monoparental", son los siguientes[20]:

1. Presencia de un solo progenitor en el hogar familiar.

2. La convivencia de uno o varios hijos y/o hijas en el hogar familiar y el ejercicio de la guarda, o potestad parental.

3. La dependencia de los hijos y/o hijas.

4. Heterogeneidad en las causas que derivan la monoparentalidad.

La problemática socio-jurídica, en términos de "dificultad" (Romero, 1998), de la monoparentalidad cabe centrarla en los siguientes puntos[21]:

– Lo complicado de la conciliación de la vida familiar y laboral y, en línea con ello, un acceso limitado a las oportunidades laborales.

– Los retos del ejercicio de la maternidad o paternidad en solitario.

– En un elevado número de supuestos, el riesgo y dificultades, de contar con una limitada fuente de ingresos.

– La red familiar como único mecanismo de apoyo.

– Los efectos personales sobre los y las menores de la monoparentalidad-monomarentalidad.

– El limbo jurídico o ausencia de un marco "legal", que acoja y de cobertura a esta tipología de familia. No obstante, cabe considerar que esta crítica es más aparente que real porque, en general, la regulación civil del régimen de la parentalidad y de las relaciones de pareja están legalmente previstas.

Desde otra perspectiva, la doctrina también se refiere a posibles ventajas o efectos positivos. Así, según la perspectiva que se adopte al respecto y las concretas circunstancias del caso, la monoparentalidad

---

[20]    Perondi *et al.* (2012: 32 y ss.); Vela Sánchez (2005: 11-17); Almeda *et al.* (2008); Rodríguez Sumaza, Luengo Rodríguez (2003: 73-78); Di Nella (2016: 13).

[21]    Perondi *et al.* (2012: 333 y ss.).

puede suponer una mayor responsabilidad y una mejor posibilidad de realización personal y libertad para el progenitor a la hora de organizar la relación familiar; una ausencia de conflictos entre los cónyuges; mayor tiempo personal y facilidad para la organización y administración del hogar y las necesidades familiares; y una mejor relación entre el progenitor y la prole[22].

En suma, como observan Almeda, Di Nella, Moreno, Obiol, y Sánchez-Costa (2008: 44-45), el concepto familia monoparental "aglutina diferentes tipos de grupos en los que un solo progenitor o progenitora vive con sus hijos/as y constituye el sostén que los ampara. Hace falta estudiarlos conjuntamente para ver las situaciones comunes y las que unifican sus problemáticas, sus exigencias públicas, pero también hace falta analizarlos por separado, para conocer más a fondo las particularidades de todas sus modalidades, para establecer las diferencias entre los diferentes grupos, para ver las dificultades y las diferentes realidades que en cada caso se plantean y, a la vez, para contrastar y examinar las rupturas y/o continuidades de los mismos grupos en el pasado". La gran diversidad de "vías" de entrada y salida de la situación de monoparentalidad, impide hablar de un conjunto unificado y cohesionado; y dificulta que estas familias tengan una identidad colectiva definida porque resulta complejo fijar sus límites y necesidades concretas[23]. Como han puesto de relieve, Légaré y Desjardins (1991: 1677) la monoparentalidad, engloba; "un concept moderne, [y] une réalité ancienne", esto es, en muchos sentidos, es un concepto nuevo para una realidad vieja[24].

En todo caso, en las modernas sociedades occidentales, la monoparentalidad es una realidad social incuestionable. De acuerdo con Ruspini (2015: 96-97), cabe afirmar lo siguiente:

1.  Con ritmos cuantitativos y cualitativos diferentes, las familias monoparentales crecen en número en todos los países occidentales.

2.  Las características de las familias monoparentales no son homogéneas y difieren según el contexto y las culturas locales; se

---

[22]   V., *a.e.*, S. MacLanahan y G. Sandefur (1996).
[23]   A. C. Perondi *et al.* (2012, 30-31; J. A. Fernández Cordón, C. Tobío Soler (1998: 51-52): A. Giddens (2010: 387-388); C. Rodríguez Sumaza, T. Luengo Rodríguez (2003: 62); Treviño Maruri (2006).
[24]   Ruiz Becerril (2004: 221).

trata de un movimiento dinámico que comprende supuestos de entrada y salida de dicha situación y, en ocasiones, puede considerarse como una etapa temporal en el proceso de formación de la familia.

3.  La familia monoparental es un fenómeno universal de género. Mayoritariamente está compuesta por madres solas, pero el número de padres monoparentales se halla en aumento. Por último,

4.  A nivel estadístico internacional, en relación con sus recursos económicos, personales y temporales, las familias/hogares monoparentales constituyen un grupo en desventaja.

## 4. FAMILIAS: "MONOMARENTAL", "MONOMADRENTAL Y "MONOPADRENTAL"

En algunos medios doctrinales y normas legales se adoptan neologismos alternativos a la expresión familia monoparental como: "familia monomarental", "monomadrental" y "monopadrental" que suelen utilizarse para desginar o especificar descriptivamente la monoparentalidad o alguna de sus clases[25]:

*a)  Familia monomarental*

El uso de esta expresión se justifica porque, en un elevado porcentaje de familias monoparentales, el progenitor responsable de la prole es una mujer. La nueva expresión empezó a difundirse a partir de primeros de este siglo al ser utilizado por un sector de la doctrina y determinadas asociaciones y partidos políticos, con el fin de "designar a todas aquellas estructuras familiares en las que es la madre la que asume en solitario el cuidado de sus hijos dependientes. Este nuevo concepto desplaza, por tanto, al término monoparental, que, según exponen, no resulta neutral desde un punto de vista del género y quedaría reservado para nombrar tan sólo a aquellas estructuras familiares en las que es el padre el que asume el cuidado de su descendencia" (Avilés Hernández, 2003: 282).

---

[25]    A lo largo del presente estudio se utilizará preferentemente la expresión familia monoparental.

En la práctica, es posible que se utilice la expresión en un sentido idéntico al de familia monoparental, en cuyo caso, la expresión sirve para enfatizar la mayor participación de las mujeres en este tipo de familias; pero en otros supuestos, el término puede tener carácter específico y utilizarse para designar estas familias en función del sexo del progenitor responsable del grupo familiar.

Acoge el primer significado, la FAMS (Federación de Asociaciones de Madres Solteras), que define la familia monoparental como "la constituida por una persona adulta y uno o más hijos/as, en la que no comparte la responsabilidad familiar con el otro progenitor/a" (2016: 2).

Como señalan Morgado, González, y Jiménez (2003: 139), "hablar de familias monoparentales es referirse fundamentalmente a situaciones en las que una madre es responsable en solitario de sus hijos o hijas, razón por la cual ha comenzado a hablarse de familias "monomarentales´´, para reafirmar el rostro femenino de éstas". Durante los últimos años, se han celebrado diversas jornadas sobre la situación específica que, en concreto, presentan las familias monomarentales[26]. Esta expresión también ha sido utilizada por la doctrina catalana para referirse a las familias monoparentales en las que el progenitor responsable es la madre (*mare*).

En su segundo significado, la expresión aparece recogida, por ejemplo, en la Resolución del Instituto de la Mujer, por la que se convoca la edición de las subvenciones al empleo "Emprender en Femenino" del año 2008, para fomentar la inserción laboral por cuenta propia de las mujeres, de 29 de abril de 2008 (BOE de 19 mayo 2008). El artículo 8 de la Resolución dice: "Se considerará familia monomarental la formada por una mujer que tenga a su cuidado menores de 21 años o mayores con discapacidad que no obtengan ingresos de cualquier naturaleza superiores al 75% del Salario Mínimo Interprofesional vigente en el momento de publicación de esta Resolución".

---

[26]  *Vid.*, *a.e.*, jornadas de la FAMS, con los lemas "Madres solteras invisibles" (León, 2006); "Creamos redes" (Madrid, 2008); "Familias monomarentales: Conciliar la vida laboral, familiar y personal" Valencia, 2009); "Políticas familiares y monomarentalidad" (Madrid, 2010); etc. (M. Avilés Hernández, 2013: 282).

Por su parte, el Preámbulo de la Ley 9/2014, de 23 de octubre, de Apoyo a las Familias de Aragón, al referirse a la "multiplicidad de modelos familiares que han superado el sólido monopolio de la llamada familia tradicional", resalta "el aumento significativo que han experimentado las familias monoparentales y de manera especial aquellas en las que una madre es responsable en solitario de sus hijos, reconocidas como familias monomarentales, término sin entrada aún en el diccionario, pero que sirve para reflejar el rostro femenino de esta realidad".

En el ámbito comunitario la expresión se menciona en el Reglamento (CE) nº 1201/2009 de la Comisión, de 30 de noviembre de 2009, por el que se aplica el Reglamento (CE) nº 763/2008 del Parlamento Europeo y del Consejo, relativo a los censos de población y vivienda, por lo que se refiere a las especificaciones técnicas de los temas y sus desagregaciones. Al clasificar los tipos de "núcleo familiar" este Reglamento distingue entre familias monoparentales y familias monomarentales y dentro de cada categoría distingue entre familias con al menos un niño residente menor de 25 años y familias cuyo hijo o hija residente menor tiene 25 años o más.

Si la voz *monomarental* se utiliza por la doctrina para describir las familias monoparentales que están a cargo de una mujer, en este supuesto se tendrán las siguientes dos expresiones: *familia monoparental materna/de madre/de mujer*; y *familia monoparental paterna/ de padre/de hombre*. En este caso, ambas expresiones diferencian explícitamente el supuesto tanto respecto del progenitor femenino como masculino.

*b) Familias: monomadrental y monopadrental*

Di Nella, Almeda y Ortiz (2014: 187-188) proponen la utilización de la expresión "grupos de convivencia familiar monopadrental y monomadrental" para referirse, respectivamente, a los grupos de convivencia familiar monoparental gestionados principalmente por hombres o mujeres.

En el caso de la familia monomadrental, los autores citados señalan que en la lengua castellana se observa un desplazamiento hacia "monomarental", pero en su opinión "ello se debe principalmente a su extendido y primigenio uso en lengua catalana y su influencia como un catalanismo del castellano, así como a un proceso de cambio fonético asimilatorio por palatalización, desde el castellano "madre˝ al catalán "mare˝". A pesar de ello, los autores advierten de la difusión de la expresión familia "monomarental", que "ofrece una operativa, inmediata e intuitiva representación de esta configuración familiar, que son por otro lado la gran mayoría de las monoparentalidades. Las monomarentalidades permiten una inequívoca y adecuada visibilización del grupo social que se quiere identificar, sin ningún sesgo androcéntrico en su configuración semántica. De hecho, éste es el término ya defendido por nuestro grupo desde el año 2005, cuando lo planteamos en las *Jornadas de Análisis y Realidad de las Familias Monomarentales y Monoparentales en España*, organizadas por la Federación de Asociaciones de Madres Solteras —FAMS— (Almeda, 2005). Posteriormente, y con independencia de la estrategia de identidad filiatoria que cada entidad ha querido impulsar, estas acepciones fueron y son ampliamente aceptadas por el asociacionismo vinculado tanto a las familias monoparentales —referencia incluyente de las genéricamente gestionadas principalmente por mujeres u hombres— como a las familias monomarentales —para mencionar específicamente a las gestionadas principalmente por mujeres—".

# 5. APROXIMACIÓN DOCTRINAL AL CONCEPTO DE FAMILIA MONOPARENTAL

## 5.1. *Batería de conceptos*

No existe un concepto normalizado o uniforme de familia monoparental. Esta circunstancia dificulta la cuantificación exacta del fenómeno y las comparaciones internacionales. Con arreglo a A. C. Perondi (dir.) *et al.* (2012: 30): "La conceptualización de las denominadas "familias monoparentales˝ no ha estado exenta de polémica en la literatura especializada en la materia. En primer lugar, porque, en general, varía de unos contextos a otros en función de factores culturales, socioeconómicos o costumbres pero, también, porque se ha visto modificado a lo largo de la historia, evolucionando a la par de la propia sociedad. A ello hay que añadir la propia dificultad inherente a la definición de "familia˝ en sí, en tanto que no existe un concepto único y universal de ésta que contemple la gran variedad de

relaciones, contenidos, estructuras, experiencias y funciones asociados a ella.".

Una primera aproximación al concepto es la que ofrecen los Diccionarios de la lengua: En el *DIEC* se afirma lo siguiente: "[AN] *família monoparental*. Família en què només conviuen o bé el pare o
bé la mare amb un o més fills"; en términos parecidos, el DRAE dice:
"*monoparental*. **1.** adj. Dicho de una familia: Que está formada solo
por el padre o la madre y los hijos". La doctrina italiana se refiere a
este modelo familiar con las expresiones siguientes: En el Diccina-
rio italiano de G. Aldo, "famiglia monoparentale" significa: "*Sociol.*
Di famiglia caratterizzata dalla presenza di un solo genitore", pero
también ofrece las expresiones "famiglia monogenitoriale" y "fami-
glie incomplete". Según el INSEE francés: "Une famille monoparentale comprend un parent isolé et un ou plusieurs enfants célibataires
(n'ayant pas d'enfant)".

Como señala Arroyo Morcillo (2002: 1, 105), en la doctrina científica y en los organismos insternacionales se suele adoptar la definición siguiente: "Familia monoparental es aquella constituida por un
solo progenitor y sus hijo/s menores de 18 años y/o económicamente
dependientes", pero "también se puede definir como familia monoparental a aquella con hijos mayores de 18 años, ya que, a pesar de ser
mayores de edad, continúan, como muchos jóvenes españoles, viviendo con sus padres y siendo económicamente dependientes". En este
sentido, por ejemplo, en materia de ayudas públicas, la Generalitat de
Catalunya se refiere a la familia monoparental como "aquella familia
formada por un/una o más hijos/as menores de 21 años, o de 26 años
si estudian, que conviven y dependen económicamente de una sola
persona".

Por otra parte, aunque las expresiones "familia" u "hogar" monoparental se usan de modo indistinto, técnicamente pueden referirse
a realidades diferentes. Como observan, Fernández Cordón y Tobío
Soler (1998: 58), "la expresión 'hogar monoparental' puede referirse
a realidades muy distintas: un hogar formado exclusivamente por un
núcleo monoparental o un hogar en el que, además de otras personas
o de otros núcleos, se encuentra un núcleo monoparental. Sólo la primera acepción merece ser distinguida claramente porque representa
una categoría de hogar específica, en relación a la puesta en común de

recursos materiales y humanos, muy diferente, por ejemplo, de la pareja con hijos que también forme un hogar sin ninguna otra persona".

Al hilo de las reflexiones anteriores, la doctrina se refiere a los "hogares monoparentales extensos" para describir una familia monoparental que convive en el hogar con otros miembros (emparentados o no) en la que el progenitor solo asume la jefatura familiar sobre cuestiones que afectan al grupo familiar. En este sentido, se ha propuesto categorizar la monoparentalidad como: "una madre o padre que no vive de forma habitual con pareja (bien porque no la tenga o bien porque no resida con ella) y que ejerce la jefatura parental en soledad, pudiendo vivir con otras personas (emparentadas o no) y con al menos un hijo o hija de menos de 18 años" (Mota, 2006) (Leyra, Alamillo-Martínez, y Konvalinka, 2013: 96).

La literatura académica de derecho interno e internacional y la referencia a algunas normas de derecho positivo, corroboran la amplia diversidad de situaciones y declinaciones conceptuales que pueden hacerse. A este respecto, por ej., se han propuesto o adoptado las siguientes definiciones[27]:

- Schlesinger (1969: 3): "un padre o una madre y uno o más hijos/as solteros menores de 18 años viviendo juntos" (*one-parent family*); en 1980, este autor formula el siguiente concepto: "es una familia formada por una mujer o un hombre con hijos dependientes. La familia se ha convertido en uniparental por causa de muerte, divorcio, separación, abandono del hogar, o filiación extramatrimonial (madres solteras)".

- Thompson y Gongla (1983:101): "aquellas familias —que no hogares— en las que hay un padre o madre solo criando a su/s propio/s hijo/a/s" (*single-parent family*).

- Alberdi (1988:101): La familia monoparental es "la formada por personas "solas˝ con niños o jóvenes dependientes económica y socialmente a su cargo, entendiendo por personas solas aquellas que no tienen pareja sexual estable con la que conviven, cualquiera que sea su estado civil".

---

[27]   A. C. Perondi *et al.* (2012: 30-32); S. Barrón López (2002).

- Borrajo (1988: 43): "familia formada por un adulto que vive solo con uno o más hijos a su cargo y que en su formación ha de haber seguido una de las tres vías siguientes: fallecimiento, en un matrimonio con hijos pequeños, de uno de los cónyuges; ruptura de la pareja con hijos menores, por conflicto entre sus miembros, quedando los hijos en la custodia de uno de los padres; madre soltera con uno o más hijos nacidos fuera del matrimonio".

- Durán (1988: 16): "hogares en los que un solo adulto asume, por necesidad, el cuidado de sus hijos menores de edad".

- Le Gall, y Martín (1988: 195): "hogares compuestos por una persona (hombre o mujer) que vive sola con uno o más niños".

- Sayn (1988: 203): "las formadas por un solo progenitor responsable directo de la custodia de los menores".

- Comisión de las Comunidades Europeas (1989): "aquella formada por un progenitor que, sin convivir con su cónyuge no cohabitando con otras personas, convive el menos con un hijo dependiente y soltero". En términos análogos, la Resolución del Parlamento Europeo de 8 julio 1986, sobre las familias monoparentales (Doc. A2-230/85), después de advertir de la dificultad del concepto porque "bajo el término familia monoparental se registran realidades diferentes en los diferentes países de la CEE tales como los padres que viven solos con uno o más hijos, las parejas con hijos no casadas legalmente, los padres solos que, además de con los hijos, conviven con otros familiares, los grupos de personas que conviven sin vínculo de pareja o de filiación", propone que "por progenitor solo con hijo a cargo debería entenderse el progenitor que vive con los hijos sin convivir además con otras personas, ya que este tipo de familia monoparental es la que se encuentra con mayores dificultades". Por su parte, para calcular el indicador *Income and living conditions* (ILC), la oficina estadística de la Unión Europea (Eurostat) al definir el concepto: "single parent with at least one dependent child" (familia monoparental), señala que se consideran dependientes las personas menores de 18 años y aquellas económicamente inactivas de entre 18 y 24 años que viven, al menos, con uno de los progenitores.

- Roll (1992: 160-161): "un padre o madre que no vive en pareja (entendiendo pareja casada o que co-habite). Puede vivir o no con otras personas (amigos, padres) y vive, al menos, con un hijo menor de 18 años (distinto de hijo dependiente). El término 'hijo dependiente' implica que el hijo todavía sigue siendo educado en algún sentido, pero también que es económicamente dependiente".

- Iglesias de Ussel (1994: 289): "situación familiar de convivencia de uno o varios hijos menores —generalmente menores de 18 años—, con uno sólo de sus progenitores, sea padre o madre, por cualquier causa".

- Naciones Unidas (1994): "variación de la familia nuclear de un sólo adulto, compuesta por una madre o un padre y uno o varios hijos".

- Almeda y Flaquer (1995: 26): "la configuración formada por un progenitor (padre o madre) con alguno de sus hijos solteros. Un núcleo familiar monoparental puede constituir en sí un hogar independiente (un hogar monoparental) o bien puede estar formado de un hogar más amplio en el que residen otros núcleos o parientes".

- Consejo de Europa (1995): "toda familia constituida por un solo progenitor y uno o más hijos".

- Comisión de los Derechos de la Mujer (1998): "los estudios revelan una imagen sumamente compleja y variada de estructuras sociales y de ayuda para los hijos y el progenitor solo, demasiado diversas entre sí como para crear una imagen homogénea. La familia monoparental puede tener su origen en situaciones muy diversas. En la mayoría de los casos el progenitor solo se encuentra en una situación muy vulnerable, teniendo que hacer frente a responsabilidades por partida doble en calidad de proveedor del sustento y cuidador de la familia".

- Fernández y Tobío (1999: 32): "(personas en situación de monoparentalidad) las que no viviendo en pareja, cualquiera que sea su estado civil, es decir, incluyendo a las parejas de hecho, conviven con al menos un hijo menor de 18 años".

- B. Morgado *et al.* (2003: 138) "aquellas en las que un solo progenitor es responsable de sus hijos e hijas. Nuestro equipo restringe este término a aquellos núcleos familiares en los que los hijos o hijas son dependientes, o sea, menores de 18 años, dado que esta edad implica legalmente en nuestro país la posibilidad de emancipación. De no hacerlo así, podríamos estar englobando bajo el mismo epígrafe a familias ciertamente distintas, puesto que no es lo mismo una madre de 37 años recién separada que convive con sus hijos de cuatro y siete años, que un padre viudo de 70 años que convive con dos hijos solteros adultos. En este último caso, la dependencia sería inversa probablemente".

- Rodríguez Sumaza, Luengo Rodríguez (2003: 69). En el estudio de campo realizado por las autoras en Castilla y León, el concepto se formula como sigue: "Familia monoparental es todo núcleo familiar constituido por un hombre o una mujer viviendo al menos con uno o varios hijos menores de 18 años a su cargo o que, superando esa edad pero siendo menores de 26 años, presenten alguna circunstancia o algún tipo de minusvalía que haga que la relación de dependencia en sus aspectos instrumentales se mantenga".

- Vela Sánchez (2005: 17). "(familias monoparentales) aquellas en las que un solo progenitor —o adoptante, acogiente, tutor o curador— convive con y es responsable de sus hijos e hijas —adoptados, acogidos, tutelados o sujetos a curatela— menores de edad, mayores de edad incapacitados judicialmente o discapacitados con una minusvalía en grado igual o superior al 33 por ciento, o mayores hasta veintiséis años, siempre que en este último caso se justifique fehacientemente que carecen de recursos económicos para independizarse: se entiende lo anterior cuando los ingresos que obtiene cada hijo, en cómputo anual, resultan inferiores al 75% del salario mínimo interprofesional fijado en cada momento, también en cómputo anual".

- Cornu (2007): "una familia en la que vive un hijo con un solo progenitor (padre o madre); además del caso de la familia unilineal, todas las hipótesis en las cuales el hijo se halla legalmente vinculado con el progenitor con el que no convive (que conserva a este respecto sus derechos y deberes)".

- Resolución del Instituto de la Mujer de 29 de abril 2008 (BOE 19 mayo 2008): "Se considerará familia monomarental la formada por una mujer que tenga a su cuidado menores de 21 años o mayores con discapacidad que no obtengan ingresos de cualquier naturaleza superiores al 75% del Salario Mínimo Interprofesional vigente en el momento de publicación de esta Resolución" (art. 8).

- Mª Mar González, Díez, Morgado y Tirado (2010: 3): "Familias monoparentales son aquellas en las que un progenitor convive con y es responsable a solas de sus hijos e hijas".

- Mª del Rosario Cortés Arboleda, J. Cantón Duarte (2010: 35): "Las familias monoparentales o monomarentales son aquellas en las que un progenitor convive con y es responsable en solitario de sus hijos menores o dependientes. Aquí se habla de 'hogar monoparental', núcleo principal o primario. Algunos de estos núcleos se incluyen dentro de una familia compleja en la que hay una pareja, frecuentemente la constituida por los abuelos de los niños. En este caso se habla de núcleo monoparental secundario o dependiente".

- Caballero y Edwards (2010): "La 'familia monomarental' es una expresión ómnibus relativamente moderna que designa las madres con hijos dependientes sin padres como consecuencia de no haber tenido nunca un compañero, haberse separado o divorciado o a causa de la muerte del compañero. Durante los años 1960, por ejemplo, la expresión era prácticamente desconocida... En dicha época, la mayor parte de las madres solas eran viudas, pero a partir de finales de los sesenta el divorcio pasó a constituir la principal vía de acceso a la monoparentalidad"[28].

- Perondi (dir.) *et al.* (2012: 38): En relación con el estudio efectuado por estas autoras "Se consideran familias monoparentales o monomarentales, [...], los núcleos familiares constituidos por una sola persona adulta, ya sea hombre o mujer, y al menos una persona menor. Se entiende por persona menor a aquella residente en el hogar, que tiene menos de 18 años y a aquella de

---

[28]   Ruspini (2015: 93).

entre 18 y 24 años (inclusive) que no desarrolla actividad remunerada y, por tanto, no aporta ingresos laborales al mismo".

- Bosch Capdevila, del Pozo, Vaquer (2013: 18[29]): Al referirse a los tipos de familia reconocidas por el legislador catalán, estos autores ponen de relieve que en las familias monoparentales "falta uno de los progenitores. Se trata del caso de la persona que convive con sus descendientes que pueden haber surgido de matrimonios anteriores, de relaciones no matrimoniales o también de fecundación asistida". Este concepto es eminentemente jurídico.

- Di Nella, Almeda, y Ortiz (2014: 188): Definen la familia monoparental o *grupo de convivencia familiar monoparental* como "aquel grupo de convivencia formado por una persona adulta que ejerce de manera principal o exclusiva el régimen de convivencia con como mínimo una persona menor de edad civil no emancipada legalmente". Asimismo, incluyen en la definición, "a aquella configuración nuclear formada por una persona menor de 18 años y mayor de 12 años, progenitora y responsable principal de la gestión de los cuidados y contención de como mínimo una persona menor de edad civil que sea su hijo/hija. A estos efectos, se considera familia monoparental independientemente de: el nivel de ingresos y el patrimonio de los miembros del grupo; la percepción o no de pensión alimentaria por parte del/la adulto/a no conviviente; la convivencia de la familia monoparental "con otras personas" en el mismo hogar, exceptuando la de una pareja estable de la persona adulta que gestiona la familia. Igualmente, es indiferente la existencia o no de pareja estable (siempre que sea no conviviente) del/la adulto/a responsable principal de la gestión familiar".

- Ruspini (2015: 83): "Una familia monoparental generalmente se compone de un adulto (mujer u hombre) que vive sin un compañero y con uno o más niños (dependientes). El proge-

---

[29] Se menciona estos autores en función de la autoría de la primera redacción sobre la materia objeto de cita, todo ello de acuerdo con lo que se expresa en el prólogo de la obra colectiva de referencia pero con responsabilidad de los tres autores sobre el total contenido de la obra. En adelante se citarán con el nombre del autor primer redactor con el añadido *et al.*

nitor que no vive con la esposa o compañero se ocupa de las responsabilidades propias de la crianza del niño o niños".

- Di Nella (2016: 27[30]): "'aquel grupo de convivencia formado por una persona adulta y una o más personas menor de edad civil no emancipada legalmente que se relacionan parentalmente de manera principal o exclusiva en un régimen de gestión de los cuidados recíprocos'. A estos efectos, se considera familia monoparental independientemente de: la clase social, el nivel de ingresos y el patrimonio de los miembros del grupo; la percepción o no de pensión alimentaria aportada por una persona adulta no conviviente o de prestaciones estatales, familiares o comunitarias; la convivencia o no de la familia monoparental con otras personas o núcleos familiares en el mismo hogar (a excepción de una pareja estable conviviente); y la cotitularidad y coejercicio o no de la responsabilidad parental, aunque teniendo siempre en cuenta el interés superior del niño/a o adolescente".

- Avilés Hernández (2016: 30): "aquella estructura de convivencia en la que uno de los dos progenitores, que puede ser la madre o el padre, asume en solitario el cuidado de sus hijos/as dependientes por razones tan diversas como la viudedad, el divorcio, la separación, la maternidad en solitario o el abandono del hogar por parte del otro progenitor".

La relación precedente evidencia una notable disparidad de criterios. Por otra parte, las definiciones sintéticas inciden en uno o más rasgos comunes pero difícilmente pueden englobar toda la complejidad que puede presentar una situación de monoparentalidad. Como observa Barrón López (2002: 14), en el caso de las familias monoparentales, "las definiciones al uso congelan una realidad de la que se desconoce, entre otros muchos aspectos: a) las situaciones que las han originado, b) el tipo de organización doméstica que adoptan y los roles particulares que asumen sus miembros, c) los potenciales integrantes del hogar, además del núcleo monoparental y, d) la duración o cronología de los trayectos monoparentales".

---

[30]   Que tiene en cuenta definiciones anteriores formuladas en colaboración con otros colegas.

Una gran parte de los conceptos antes citados emplea un concepto elemental y abierto de familia monoparental: "un progenitor con uno o más hijos"; pero en ocasiones también se especifica o delimita el supuesto con determinados requisitos de tipo cuantitativo o cualitativo: en unos casos, se añade el requisito de edad, 18 o hasta 21 o más años; en otros supuestos, al requisito de edad se le añade el de dependencia económica; y en otros, el de soltería de los hijos e hijas. También se ha propuesto que la familia monoparental puede estar integrada en un hogar más amplio en el que residen otros núcleos o parientes; que el responsable monoparental puede ser el progenitor, el adoptante, acogiente o tutor; que el supuesto puede ampliarse a los hijos e hijas mayores de edad con discapacidad y dependencia económica; y que puede darse la posibilidad de "dependencia inversa", que implica que sea el progenitor el que se encuentre en situación de dependencia personal o económica respecto de su hijo o hijos. Por otra parte, la legislación tributaria limita el concepto al progenitor y sus hijos menores de edad, salvo que éstos vivan con el consentimiento del progenitor con independencia (emancipación) y los hijos mayores de edad incapacitados judicialmente y sujetos a la potestad parental prorrogada o rehabilitada. En el concepto de progenitor se incluyen otros supuestos, por ejemplo, adopción.

Estas diferencias motivan que se cuestione el interés científico y el ajuste social del uso de un concepto unificado. Siguiendo a la autora antes citada, en este sentido se ha afirmado: que la única situación de monoparentalidad común se da desde la perspectiva de los hijos que se hallan ante una convivencia con un solo progenitor (Iglesias de Ussel, 1994); que la conceptuación de estereotipos puede inducir un conocimiento difuso de la realidad, dificultar comparaciones internacionales, motivar el diseño de políticas sociales inadecuadas; y limitar las acciones reivindicativas de estos grupos sociales porque, en razón de sus vivencias y causalidad, carecen de una identidad colectiva común, de lo que se sigue que el examen de las distintitas tipologías es útil para no incidir en un reduccionismo que puede enmascarar situaciones y necesidades singulares.

En otras palabras, siguiendo a M. Avilés Hernández (2015: 212), existe una *situación mínima de monoparentalidad* que consiste en "aquella situación de convivencia en la que un único progenitor, normalmente la madre, asume en solitario el cuidado de sus hijos/as por motivos tan diversos como la viudedad o la ruptura conyugal". Este consenso de mínimos está admitido por la doctrina científica que tiene en cuenta que "en cualquier estructura familiar de corte monoparental, debe existir necesariamente un solo progenitor, que asume la jefatura o responsabilidad principal del núcleo, y su hijo o hija dependiente, sobre todo en términos económicos y emocionales, a cargo de dicho progenitor", pero la controversia se presenta cuando se intenta precisar las circunstancias propias al supuesto: "qué se entiende por jefatura del núcleo, hijo/a dependiente, a cargo del progenitor, etc., y al abordar cuestiones complementarias como la presencia de otras personas en la vivienda, la posible implicación personal y económica del progenitor no conviviente en el cuidado del hijo/a, los motivos que originan la entrada en una situación de monoparentalidad, etc.". Esta problemática adquiere relevancia a la hora de diseñar normas legales y políticas sociales de ayuda y determinar cuáles deben ser las familias que deben acceder a las mismas y los requisitos que deben cumplirse.

Además, técnicamente, siguiendo a Vela Sánchez (2005: 9), la doctrina especialista habla de "núcleos familiares monoparentales" pues muchas de estas familias podrían llamarse "binucleares" o "bifocales", debido a que, frecuentemente, niños y niñas tienen relación con el progenitor con el que no viven cotidianamente, mientras que la expresión "núcleo familiar monoparental" hace referencia inequívoca "al progenitor que, sin pareja, convive con sus hijos o hijas", lo que deja fuera a otras personas que junto con los indicados pudieran compartir la vivienda. Cuando se trata de monoparentalidad bifocal pura, o sea, cuando la custodia de los sujetos de la familia monoparental corresponda conjunta y efectivamente a personas que no vivan juntas (por ejemplo, en caso de divorcio) parece justo que ambos puedan configurar su propio núcleo monoparental y puedan acceder —salvo en materias fiscales— a los servicios y derechos conferidos a este tipo familiar.

Por otra parte, según se ha expuesto más arriba, la doctrina también ha insistido en la conveniente distinción entre *familia*, *núcleo* y *hogar monoparental*, conceptos que no se consideran intercambiables (A. M.ª Rivas, M.ª I. Jociles, 2013: 14-15). La expresión "familia monoparental" es la más imprecisa y se suele confundir con la de "hogar monoparental" ("conjunto de personas que comparten una misma residencia cuando entre ellas se encuentra una figura parental y sus hijos/as"). El concepto de "hogar" es el que se suele utilizar en los censos. A estos efectos el hogar se define como el "grupo de personas residentes en una misma vivienda familiar", lo que implica que las personas que conviven en un hogar no tienen por qué estar vinculadas entre sí por lazos familiares, lo que sí es exigible en el caso del hogar monoparental, en que es preciso que lo esté al menos una parte de ellas, que es lo que constituye el "núcleo monoparental" residente. En cambio, tienen que estar vinculados entre sí los miembros de una familia.

En suma, con arreglo a las autoras citadas, *núcleo monoparental* "apunta a la unidad [...] que se compone de una figura parental y los hijos/as con los que convive, de manera que deja fuera a las otras personas que pudieran compartir con ellos la vivienda, es decir, designa únicamente a lo que cabría calificar de estructura básica o bien del hogar monoparental[31] o bien de la familia monoparental". Según dichas autoras, este último concepto es más extenso que el de núcleo dado que se aplica a "un conjunto de personas emparentadas entre sí aunque no compartan la misma vivienda y, por ende, no convivan con el núcleo monoparental, puesto que la familia trasciende las paredes del hogar y se extiende a quienes están ligados por lazos de parentesco".

Según la situación de monoparentalidad y el tipo de hogar, cabe referirse a los supuestos siguientes: *a) hogar monoparental simple* (familia monoparental que forma un hogar independiente); *b) hogar monoparental extenso* (la familia monoparental comparte el hogar con otros miembros parientes o no y el progenitor solo asume la jefatura familiar respecto de su progenie); y *c) hogar extenso familiar* (familia monoparental que comparte el hogar con otros miembros, parientes o no, sin que el progenitor solo asuma la jefatura familiar).

---

[31] "Se habla de *hogares monoparentales complejos* cuando un núcleo monoparental reside con otras personas, y de *hogares monoparentales simples* cuando el hogar está constituido tan sólo por un núcleo monoparental (ver más adelante en esta misma Introducción)" [Nota de las autoras citadas].

## 5.2. Vías de acceso y salida de la monoparentalidad

En el contexto español, entre los principales cambios demográficos con incidencia en la estructura familiar cabe citar los siguientes[32]: el aplazamiento del matrimonio; el incremento de la convivencia en pareja; el aumento de las tasas de separación y divorcio; y el incremento de los hogares unipersonales. En ciertos casos, la situación de las familias monoparentales-monomarentales con hijo/s y/o hija/s a su cargo no se visualiza en toda su intensidad; en ocasiones, las creencias religiosas y principios morales también difuminan el conocimiento de la realidad familiar, al reforzar la tendencia a mantener estas familias en la esfera privada. Por otra parte, en un escenario de cambio sociológico, en general, las familias monoparentales-monomarentales no han supuesto, hasta fechas recientes, una prioridad en la agenda de las instituciones públicas y la sociedad civil.

Las vías de acceso a la monoparentalidad pueden deberse a dos grandes grupos de supuestos:

### a) Causas debidas a la desestructuración familiar

La nueva regulación del derecho familiar y de la persona también ha incidido en las causas de la formación de la monoparentalidad. En la legislación antigua, la monoparentalidad podía producirse como consecuencia de la posterior separación de hecho o legal o el divorcio de la pareja casada; en la actualidad, el supuesto puede presentarse de forma directa por causa del cese de convivencia de la pareja, sin ser preciso que los interesados hayan contraído matrimonio. Por otro lado, el incremento de los supuestos de monoparentalidad en solitario, también puede explicarse por la reducción del número de matrimonios forzosos por causa de embarazo (*shotgun wedding*). En relación con ambos sexos, la monoparentalidad puede deberse a supuestos vinculados con el matrimonio; con la convivencia en unión estable de pareja; y por causa de situaciones distintas o al margen de los anteriores.

Entre las *causas involuntarias* y sin perjuicio de los casos de separación jurídica o divorcio, cabe referirse: a la hospitalización por

---

[32]   A. C. Perondi *et al.* (2012: 23); Garriga, Sarasa, y Berta (2015); Treviño Maruri (2006).

enfermedad física o mental o internamiento en centros penitenciarios de uno de los progenitores; a la separación de hecho o ausencia de un progenitor sin ruptura del vínculo matrimonial; a la ausencia parental, durante cierto plazo de tiempo, debida a la emigración; por causa de reagrupaciones familiares incompletas o por el ejercicio de determinadas profesiones que impiden la convivencia conyugal regular, por ejemplo, progenitores vinculados con profesiones marítimas o con las fuerzas armadas, destinos administrativos temporales... Situaciones parecidas pueden presentarse en los supuestos de unión estable de pareja. El tercer supuesto suele agrupar aquellas situaciones que suponen la existencia de hijos/as dependientes respecto de personas solteras, divorciadas o viudas que viven solas y tienen filiaciones autónomas sin que el supuesto esté incluido en los anteriores.

El impacto de los *flujos migratorios*, en especial, los de procedencia latinoamericana, ha incidido especialmente en la formación de esta clase de familias y ha supuesto un cambio social profundo[33]. El hecho migratorio comporta los efectos siguientes:

Por un lado, una disrupción en la organización familiar, particularmente, cuando son las mujeres las cabezas de las migraciones y también, porque la migración puede conducir a la ruptura de la pareja por razones de alejamiento y producir cambios funcionales y reestructuraciones familiares.

Por otro lado, tampoco cabe desconocer la importación de la tendencia a la monomarentalidad vigente en la América Latina que se traslada a los países de destino de los inmigrantes. Según los datos de la CEPAL en dicha área regional existe una fuerte prevalencia de hogares cuya jefatura se ejerce por una mujer en solitario (un hecho previo a la migración, que probablemente, puede verse aumentado por la propia migración)[34].

De acuerdo con Alcalde Campos (2014: 165 y ss.), la mayor presencia de los hogares monoparentales entre las mujeres extranjeras

---

[33]    G. Binstock, J. Melo Vieira (coords.) (2011).
[34]    En 1990 el 22% de los hogares de zonas urbanas tenía por jefa una mujer, cifra que subió al 30% en 2008. En los hogares indigentes, el porcentaje de jefatura femenina urbana fue del 27% en 1990 y del 40% en 2008. Fuente: Panorama social de América Latina 2009 (CEPAL (2009).

con residencia en territorio español responde a las causas siguientes: a) Aumento de este tipo de hogares en los países de origen. b) La emigración de las mujeres que ocupan en solitario la jefatura del hogar se configura como una estrategia de supervivencia de sus hogares. c) El proyecto migratorio posibilita el empoderamiento de las mujeres y la constitución de hogares encabezados por ellas mismas.

*b) Situaciones voluntarias y unipersonales de monoparentalidad*

Se trata de supuestos en que la persona interesada, por elección voluntaria, decide crear una familia a través de la filiación biológica o legal. En estos casos, la monoparentalidad afecta a progenitores que nunca han estado casados entre sí ni se hallan en situación legal de unión estable de pareja o por haber nacido o haber sido adoptado el hijo, sin existir convivencia alguna con otra persona. La diferencia básica con el grupo anterior radica en que, en el primer supuesto, existía un núcleo familiar originario, por lo que la situación de monoparentalidad es el resultado de una desestructuración del núcleo familiar; en cambio, en el segundo grupo, la familia monoparental se crea *ex novo* (v. cuadro n.º 1).

## 5.3. Género y temporalidad de la monoparentalidad

*Género*. La mayor parte de las familias monoparentales son matrifocales (aprox. entre el 75-80% de los casos). Esta circunstancia ha motivado que la monoparentalidad masculina haya recibido mucha menor atención; que también se ha justificado porque se supone que los varones están más integrados en el mercado de trabajo, por lo que, desde el punto de vista de las políticas sociales de ayuda, su existencia se ha considerado cualitativamente como menos problemática[35]. No obstante, aunque su presencia sea porcentualmente minoritaria, el supuesto se presenta de forma creciente y variada. Por ejemplo: hombres solteros (hetero/homosexuales) que deciden engendrar y/o ejercer una paternidad en solitario, bien sea bajo la forma del acogimiento familiar, por adopción o asumiendo la custodia de los hijos/as de una relación anterior o el supuesto de padres inmigrantes que, aunque sea de modo temporal, se hacen cargo de parte de su prole

---

[35]Treviño Maruri (2006: 51).

en su nuevo país de residencia, hasta que el resto de la familia pueda reagruparse o asentarse en el nuevo país de residencia (monoparentalidad doble o simple).

*Factor temporal*. Según los supuestos, la monoparentalidad puede ser temporal o permanente. La extinción de la monoparentalidad se producirá en el momento en que el grupo familiar monoparental se descomponga, transforme o integre en otro modelo de convivencia personal o familiar (fallecimiento del progenitor o del hijo/a; emancipación; creación de una familia nuclear o recompuesta) y si el supuesto se vincula al requisito de dependencia, cuando esta deje de existir.

La monoparentalidad también puede tener carácter dinámico o renovable. Este supuesto se producirá cuando, como consecuencia de sucesivos matrimonios o uniones de pareja, un progenitor se encuentre con situaciones de monoparentalidad de sus propios hijos o de los hijos de uno de sus ex-convivientes.

En lo que respecta al momento temporal del inicio de la monoparentalidad, en ciertos casos, el supuesto puede presentarse de forma directa e inmediata (filiación o adopción por persona soltera), y en otros, puede derivar de un proceso más complejo (por ejemplo, separación de hecho o de derecho). Por otra parte, hasta los años noventa del pasado siglo, predominaban los supuestos originados por causa de la defunción de uno de los miembros de la pareja (generalmente el hombre); por lo tanto, estos hogares solían estar formados por mujeres viudas y mayores. En el momento presente, la monoparentalidad suele estar formada por personas, divorciadas, separadas o solteras y jóvenes[36].

La *terminación* de la monoparentalidad se producirá cuando no concurran las circunstancias de hecho o de derecho que la definen, por ejemplo, ausencia o salida de la dependencia del hijo con formación de un nuevo núcleo familiar, o por el fallecimiento del hijo/a o progenitor/a, en este segundo caso, salvo que sea posible la existencia de una nueva situación de monoparentalidad con el otro progenitor/a.

La extinción de la monoparentalidad también puede deberse a la formación de familias reconstituidas. En estos supuestos, general-

---

[36]    López Villanueva (2012: 58-59).

mente es la mujer la que aporta los hijos, siendo mucho menores los supuestos en que es el hombre quien aporta los hijos y los supuestos en que ambos miembros de la pareja aportan sus respectivos hijos[37].

**Cuadro nº 1**

| VÍAS DE ACCESO A LA MONOPARENTALIDAD | SUPUESTOS |
|---|---|
| DESESTRUCTURACIÓN FAMILIAR (INVOLUNTARIA) | – Viudez<br>– Sep. por migraciones<br>– Larga hospitalización<br>– Actividades, trabajos o destinos distanciados (marinos, militares…)<br>– Situaciones de privación de libertad<br>– Fallecimiento del miembro de una unión estable de pareja |
| DESESTRUCTURACIÓN FAMILIAR VOLUNTARIA POR CAUSA DE CRISIS FAMILIARES | – Abandono del hogar o separación de hecho<br>– Declaración de ausencia<br>– Separación legal<br>– Divorcio<br>– Nulidad matrimonial<br>– Ruptura de la unión estable de pareja |
| MONOPARENTALIDAD VOLUNTARIA O POR ELECCIÓN | – Madre soltera, separada, viuda, divorciada, con ulterior filiación por elección o por causa de filiación involuntaria no planificada o no deseada y aceptada<br>– Adopción o supuestos análogos (soltera/o; viuda/o; separada/o; divorciada/o) |

# 6. LA JEFATURA MONOPARENTAL. CLASES

La jefatura familiar tiene contenidos instrumentales, emocionales y legales; es una cuestión de grado; puede ejercitarse *de facto* y detentarse *ex lege*; y en el mundo real ambos aspectos pueden ser o no coincidentes. En la familia monoparental, según la persona que la asuma, cabe hablar de una jefatura femenina o masculina; y en los supuestos de monoparentalidad de hecho y no de derecho, de una jefatura alternada o compartida. Según la esfera de acción de la jefatura cabe distinguir entre: jefatura *económica*; *práctica*; y *legal* (Barrón López, 2002: 18-24):

---

[37]   Treviño, Gumá (2013).

## a) *Jefatura económica*

Siguiendo a la autora citada, en la doctrina se ha sostenido que lo que realmente define la familia monoparental es que ésta constituya una unidad de ingresos autónoma (Crow y Hardey, 1992: 144). No obstante, en la práctica, existen muchas familias monoparentales que no se ajustan al supuesto. Así pueden darse situaciones en las que el progenitor no genere ingresos estrictamente u originariamente "propios" y solo perciba pensiones de alimentos, ayudas familiares, subsidios institucionales, etc., o bien el progenitor cuenta con ingresos pero no se tiene suficiente "autonomía" ni capacidad decisoria para gestionarlos, supuesto que suele ser muy frecuente entre las madres monoparentales de hecho, casadas con presos o marinos (Carslon y Cervera, 1992: 79 y ss.; Zahava, 1987: 109-110). Cuando los progenitores solos viven en las casas de sus familiares no sólo comparten un hogar sino que también pueden recibir una importante ayuda económica y práctica, y de ello no cabe deducir que no tienen la responsabilidad última en el cuidado y sustento de su progenie

En el supuesto de monoparentalidad masculina es más probable que el progenitor tenga un trabajo remunerado y obtenga ingresos propios, lo que le convierte en una unidad económica relativamente autosuficiente. En cambio, en el supuesto de madre sola, generalmente, su posición económicamente es menos favorable, incluso aunque trabaje fuera del hogar (A. C. Perondi *et al.*, 2012: 163 y ss.). Estas situaciones de desigualdad dificultan la autosuficiencia económica.

Dentro de las familias monoparentales femeninas, son especialmente relevantes: el estado civil, la edad y el número de hijos/as. Las madres solteras y separadas y/o divorciadas, y con progenie a su cargo de mayor edad, presentan unas tasas laborales de actividad mayores, mientras que las mujeres viudas y sobre todo las de más edad tienden a depender de una pensión estatal[38].

Por tanto, de conformidad con Barrón López (*ibdm.*), resulta excesivamente rígido y poco realista equiparar jefatura familiar con autosuficiencia económica. Cuestión distinta, es la capacidad de gestión y distribución del gasto, que es una de las principales responsa-

---

[38]    Por remisión a Flaquer (1994: 333); Iglesias de Ussel (1994b: 293/307); Fernández y Tobío (1999: 139).

bilidades que suele asumir el progenitor solo. Esta cuestión suele ser independiente de la clase de ingresos con que se cuente y de cómo se consiguen. Incluso en el caso de que la o el progenitor monoparental dependan de subsidios o ayudas familiares, "la toma de decisiones con respecto a la manutención y el bienestar de la prole —esto es, la estrategia de supervivencia—, es sin duda una faceta integral del liderazgo familiar y es por ello por lo que nos parece un contenido esencial a incluir en la definición de jefatura monoparental".

### b) Jefatura práctica

Esta jefatura comprende los contenidos "instrumentales" y "emocionales" de una jefatura familiar que van más allá de la dimensión estrictamente económica. Al igual que el resto de las familias, las familias monoparentales no son núcleos aislados sino que mantienen nexos, relaciones y responsabilidades compartidas con instituciones, y también, en muchas ocasiones, con el progenitor ausente.

A este respecto, según Barrón López (2002: 20), "La literatura especializada sobre el tema parece confirmar que son los progenitores monoparentales, y muy en particular las madres, quienes tienden a asumir *cotidianamente* el grueso de labores y la responsabilidad diaria de la mayor parte de las cuestiones que afectan directamente a la progenie, esto es, un liderazgo emocional y material con respecto a uno/as hijo/as que requieren diariamente toda una serie de servicios y cuidados, que aunque dispensados directamente o delegados a otras personas exigen una supervisión directa del progenitor monoparental". Por otra parte, el liderazgo monoparental puede variar de acuerdo con el ciclo de vida de la familia monoparental en función de la edad de los hijos y de otras circunstancias relacionadas con la relación familiar y la dependencia.

### c) Jefatura legal

Según los modelos de la monoparentalidad, la patria potestad o potestad parental puede estar atribuida a los dos progenitores, pero la guarda y custodia puede recaer en un solo progenitor, que es a quien, de ordinario, le corresponde ejercer cotidianamente las tareas propias a dichos cometidos.

Cono señala la autora citada, "Con ello se reconoce el vínculo legal (y los derechos y obligaciones) que unen al progenitor custodio con su progenie sin que se contemplen únicamente relaciones paterno-filiales biológicas. Por el contrario, este estatus legal incluye jefaturas alternativas asumidas por adultos que ejercen una paternidad/maternidad sobre hijo/as adoptado/as y/o acogido/as, y también los casos en los que un/a tutor/a legal (vinculado biológicamente o no con la progenie) asume el liderazgo con respecto a los menores".

En todo caso, el principio de "interés superior del menor" debe ser el interés prevalente, de aquí, que en consideración a las circunstancias del supuesto, Di Nella (2016: 16), afirme que "no hay ninguna base iushumanista jurídico-convencional para afirmar que, en caso de ausencia de convivencia de los corresponsables, el cuidado debe hacerse paritariamente, o asignarse simétricamente la responsabilidad parental en su titularidad, ejercicio o régimen de convivencia, o que su asignación asimétrica a dos personas implican privar de un pretendido derecho a un padre y una madre. Mucho menos, de que ese sea el interés superior del niño/a".

## 7. PROBLEMÁTICA SOCIO-POLÍTICA DE LA MONOPARENTALIDAD

El incremento de las familias monoparentales durante al pasado siglo puso en cuestión el esquema tradicional y dominante de la familia nuclear biparental completa basada en el carácter basilar y sacramental del matrimonio. Como señala N. Lefaucheur (2003: 55 y ss.), "La institución del matrimonio entretejía entonces sexo y género, hogar y familia, procreación y legitimidad, cuidado y manutención de los niños, labores domésticas y herencia. Con respecto a la manutención de los niños, la norma determinaba que los niños fueran cuidados y mantenidos por sus propias *madres* y sus propios *padres*; la *madre* era la que llevaba el feto y paría al bebe recién nacido; el *padre* de la criatura como en todos los 'países realmente civilizados', era según Montesquieu [*De l'esprit des lois*]-*el marido de la madre*: 'el que por ley, y a través de la celebración de una boda, ha sido declarado como tal, porque se ha encontrado en él la persona que se buscaba' de manera de delegar en alguien (esto es, en un *sostén masculino de la familia*) la responsabilidad de mantener a los hijos (Montesquieu, 1979: 106). En consecuencia, los niños nacidos fuera del matrimonio usualmente tenían una madre pero no un *padre*, no había un *sostén de la familia* que se hiciera cargo de su manutención y de quien tendrían derecho a heredar".

La falta o el desconocimiento de uno de los progenitores, generalmente, el padre, llevaba a entender que estas familias no estaban funcionalmente adaptadas al canon social, religioso y político imperante. Este tipo de familias suponía un reto frente al modelo patriarcal tradicional y cuestionaba la tradicional división funcional de género. Según la causa de la situación existía una "clara diferenciación social" entre, por un lado, la viudez y las separaciones conyugales transitorias, que gozaban de un cierto apoyo y reconocimiento social, y por otro, los supuestos considerados voluntarios, como la ruptura conyugal o la filiación no matrimonial, que eran objeto de rechazo social.

En términos morales, la jerarquía social derivada de las situaciones de monoparentalidad en las sociedades tradicionales ofrecía la siguiente gradación (Miri Song, 1996: 379): la posición jerárquica más elevada correspondía a las familias monoparentales encabezadas por una mujer viuda; este grupo era el mejor tratado por los distintos grupos sociales; el segundo puesto correspondía a las familias compuestas por una mujer separada o divorciada; debido a la rígida regulación legal-canónica del matrimonio en aquellos momentos, este supuesto se presentaba raramente; el último escalón social lo ocupaban las madres solteras, que sufrían un importante estigma social al reputarse que la situación se debía a una conducta desarreglada o reprobable, siendo común en lo psico-social patologizar estas conductas refiriéndose a estas mujeres como "mujeres patológicamente desequilibradas" (Finch y Summerfield, 1999: 14)[39].

Según la causa voluntaria o no del supuesto, se cuestionaban: el hecho del "padre ausente" y la falta de un modelo masculino que diera estabilidad y autoridad al conjunto familiar; la jefatura femenina familiar; y, las consecuencias sociales negativas derivadas de dicha circunstancia. Los cambios sociales y jurídicos, con la incorporación de la mujer al mercado de trabajo y la liberalización de las causas de divorcio (divorcio no causalizado), con el consiguiente aumento de

---

[39]    Cit. en M. Avilés Hernández (2013: 266-267).

la tasas de divorcio, han introducido una nueva visión de toda esta problemática[40].

Por otra parte, los hijos de estas relaciones también podían sufrir una fuerte discriminación y en determinados sectores sociales eran considerados de "segunda clase" (*underclasss*). Este tipo de familias suele ser más frágil que las familias tipo y pueden encontrarse, con mayor frecuencia que las otras, en situación de precariedad económica y social y de crisis. Según la naturaleza de la filiación el estatuto legal de los hijos extramatrimoniales se veía sometido a un trato desigual en materia de nombre, relaciones paterno-filiales y derechos sucesorios.

La "subclase" es definida como: un grupo de personas que sufren deficiencias "de comportamiento y de recursos económicos" que actúan "fuera de los principales valores que están comúnmente aceptados" (K. Auletta, 1981). Esta definición se basa en la conducta individual de las personas y su situación personal. Otro modo de formular el concepto se basa en términos objetivos en que se tiene en cuenta las personas que residen en determinadas áreas o barrios urbanos que presentan determinados indicadores comunes que están por encima de la media del país en su conjunto, y se refieren a familias dependientes llevadas por mujeres solas, hombres desempleados, o por registrarse elevadas tasas de abandono escolar (Ricketts y Sawhil, 1998)[41].

En la doctrina anglosajona el estudio de la subclase y su problemática ha sido objeto de amplias investigaciones y debates (v. Ch. Murray, 1996; 1999) y la monoparentalidad es unos de los aspectos tomados en consideración. En su visión más radical y conservadora, sus defensores se muestran contrarios a la concesión de ayudas y prestaciones públicas a cargo del Estado de bienestar al entender que estas políticas incentivan la aparición y permanencia de estos supuestos[42]. No obstante, esta tesis ha sido cuestionada al ponerse de relieve que la monoparentalidad no confiere significativos beneficios sociales a las familias que se hallan en dicha situación sin que las políticas sociales

---

40  S. Giddens (2010: 388-389); M. Avilés Hernández (2013: 267-270); O. Jordana Pröpper (2001: 32-43).
41  McLanahan y Garfinkel (1988, pp. 2-3); T. Gale (2008).
42  A.e. Pierce (1980); McLanahan y Garfinkel (1988); Ermirsch *et al.* (1990); Dean (1993); Hoyne (1997); London (2000).

del Estado de bienestar ofrezcan especiales beneficios que permitan una mejora significativa en su grado de dependencia económica. Por otra parte, la monoparentalidad puede ser temporal porque el progenitor puede cohabitar con otra persona, contraer matrimonio o reconciliarse con el otro progenitor.

La desestigmación social de ciertas formas de monoparentalidad, y en particular, la monoparentalidad de la madre soltera, precisan el consiguiente cambio de paradigma. Según la perspectiva que se adopte, ciertos supuestos de monoparentalidad pueden verse como un indicador de la desorganización y "dimisión" de la familia, mientras que desde otra perspectiva puede considerarse como una forma consistente y alternativa de familia asociada a la vida independiente de las personas, especialmente, las mujeres. En la tesis de T. S. Khun (1962), un paradigma puede ser hegemónico o altamente dominante en determinados períodos y ciertos países y entra en crisis cuando una parte creciente de la opinión pública o por causas de la evolución social y los principios rectores de los grupos sociales, se acepta en cambio en el paradigma dominante, dando entrada a otro que, que su vez, puede ser cuestionado en una etapa ulterior. El cambio de paradigma, normalmente está asociado a cambios relevantes de los poderes públicos y la estructura social y económica y a revoluciones religiosas, científicas o ideológicas. En este sentido, es indudable que los paradigmas dominantes en cada período histórico, entendidos como formas de pensamiento colectivo y social, han incidido en la configuración familiar, en la labor del legislador civil, y en las respuestas ofrecidas por las leyes en relación con la problemática que se examina. En los epígrafes siguientes se expondrán, respectivamente, las tesis propuestas por N. Lefaucheur, y Duncan y Edwards.

## 8. CONSTRUCCIONES SOCIOLÓGICAS SOBRE LA MONOPARENTALIDAD (I)

En el estudio de N. Lefaucheur (2003: 59-64) publicado por la Unicef, la construcción macrosocial referente al supuesto de la maternidad fuera del matrimonio, la manutención de los niños sin padre, y el diseño de sus posibles soluciones legales y prácticas, puede desarrollarse en torno a cuatro paradigmas principales deducidos de las respuestas que han sido adoptadas o rechazadas en algunos países europeos:

*a) El angelismo canónico de raíz cristiana*

Esta tesis obedece a la influencia de los credos religiosos basados en el cristianismo, que combina, el "no matarás" respecto de los fetos y el infanticidio, y la sacralización e institucionalización canónica del matrimonio. Este paradigma se mantuvo vigente en los países occidentales y tuvo especial reconocimiento en los países de cultura latina hasta que fue cuestionado y se enfrentó con nuevos paradigmas.

La aplicación práctica de este paradigma consiste en intentar normalizar la situación por medio de la presión social hacia el matrimonio intentando que la mujer soltera embarazada contraiga matrimonio con el progenitor y si no es posible o el hombre responsable se niega a ello, sin perjuicio de otras posibles sanciones, el progenitor masculino podía ser obligado a pagar los gastos del parto y contribuir a la manutención del niño. Estos efectos económicos castigaban el pecado o delito de fornicación, el adulterio o la violación o seducción cometida por el hombre, pero como sea que este no se convertía en el marido de la madre, el progenitor masculino tampoco era el padre legítimo del niño, por lo que este seguía siendo ilegítimo y no ingresaba legalmente en la familia del padre putativo ni podía gozar de derechos sucesorios.

Otra opción posible consistía en que las solteras embarazadas dieran a luz y abandonaran sus hijos en forma secreta, o anónima, lo que, comparado con el riesgo de que la mujer abortara en secreto o se cometiera un infanticidio, representaba "el menor de dos males", y de este modo la mujer podía salvaguardar su propio honor y el de su familia y preservar sus oportunidades sociales y matrimoniales. Con todo, debido al secretismo o anonimato del sistema que ocultaba a los hijos e incluso todo rastro de transgresión sexual, esta opción no era bien vista por considerarse que podía constituir un incentivo al "vicio" y a la "reincidencia" contrario a las normas del buen comportamiento sexual y matrimonial y producir, como efecto secundario no intencionado, que algunos niños legítimos fueran indebidamente abandonados con la consecuencia de socavar las normas sobre la responsabilidad parental en la crianza y manutención de los hijos, con el consiguiente aumento del número de expósitos y el costo público de

su manutención. Por otra parte, las condiciones de vida de los expósitos eran muy precarias y se registraban altos índices de mortalidad.

Sin perjuicio del ulterior estudio de la filiación monoparental en
el Derecho vigente, en síntesis, en este lugar baste con poner de relieve que, en general, en nuestro Derecho histórico, salvo en algún
corto período, este paradigma ha inspirado la legislación hispánica
sobre la filiación y, prácticamente, solo a partir de la aprobación de
la Constitución de 1978, puede hablarse de la irrupción de un nuevo
paradigma.

Siguiendo, por ejemplo, a Espín (1963: 258 y ss.), cabe señalar que
en el Código Civil (preconstitucional), la filiación estaba inspirada en
la secular tradición romano-canónica, seguía muy de cerca al *Code*,
y se basaba en el matrimonio contraído entre hombre y mujer. Al
aceptar las legislaciones como presupuesto idóneo de las relaciones de
filiación el matrimonio, "se produce inmediatamente la necesidad de
distinguir o diferenciar la relación de filiación, según se haya producido en el seno de la unión estable de hombre y mujer, es decir, dentro
del matrimonio o fuera del mismo. Clasificación que obliga a hablar
de relaciones de filiación o clases de filiación, aunque físicamente todas ellas sean idénticas, puesto que no lo son los supuestos sociales en
que han surgido".

Así pues, con arreglo a los condicionantes expuestos, debía distinguirse entre: la filiación procedente del matrimonio, a la que se
denominaba "legítima"; y la procedente de uniones no matrimoniales
o filiación "ilegítima", la cual, a su vez, podría ser "natural" y "no
natural". Esta última distinción era muy relevante porque solo la primera permitía, en virtud de ciertos hechos, alcanzar la situación legal
de filiación legítima (filiación "legitimada"). Por otra parte, tradicionalmente, la ley también ha admitido la constitución de una relación
puramente civil derivada del instituto de la adopción (filiación "adoptiva"). Bajo el imperio de esta regulación el Código restringía mucho
la posibilidad de obtener una declaración judicial de filiación natural
respecto del padre natural y no de la madre; esta tesis restrictiva era
seguida igualmente, incluso con más rigor, en los códigos napoleónico
e italiano de 1865.

Por último, en el caso de filiación ilegítima o natural (la filiación
procedente de quienes no estaban casados ni podían estarlo al tiempo

de la concepción, por oponerse a ello un impedimento no dispensable), el sistema del Código civil era prohibitivo respecto a su "reconocimiento", sin que estos hijos pudieran gozar de un estado de familia. En este caso la ley solo concedía a la prole no natural un limitado derecho de alimentos, pero sin que los hijos tuvieran un estado de familia y la paternidad (no la maternidad) no podía intentarse comprobar más que en los casos taxativamente marcados por la ley.

En el Derecho catalán del siglo XIX, la paternidad y la filiación legítimas estaban reguladas por la Ley de Matrimonio civil de 1870 y posteriormente por el Código Civil porque las disposiciones de este Código en materia probatoria eran aplicables a todas las contiendas judiciales relacionadas con esta materia. No obstante, al no existir disposiciones posteriores al decreto de Nueva Planta y de acuerdo con la jurisprudencia del TS, respecto de los hijos naturales regía el derecho vigente en Cataluña, lo que suponía la aplicación de las Decretales de Gregorio IX (*Qui filii sunt legitimi*, IV, 17). Esta normativa atribuía la condición de hijo natural a los nacidos de personas que al tiempo de la concepción podían casarse sin dispensa, regulación que era diferente a la prevista en el CC que lo establecía en el supuesto de dispensa o sin ella (art. 119.II) (Brocà y Amell, 1880: 47 y ss.; Brocà, 1918: 592 y ss.).

En cuanto al reconocimiento de la prole en los supuestos de violación, estupro y rapto, debía estarse a lo dispuesto en el Código Penal de la época (art. 135CC). El artículo 464 CP imponía a los declarados culpables, la obligación de reconocer la prole, si la calidad de su origen no lo impidiere. En este punto, Brocà se remite al usaje 108 (*Si quis virginem*) "que obligaba al desflorador a casarse con la seducida o violada o "darle marido de su valor'", esto es, dotarla. Por último, respecto de los hijos incestuosos, adulterinos y sacrílegos, el derecho canónico los consideraba de padre desconocido, pero este principio no era inflexible al preverse que el padre debía alimentarlos, esto es, darles lo necesario para su subsistencia.

La Compilación de Derecho Civil de Cataluña (Ley de 21 julio 1960) regulaba el régimen de la filiación en su artículo cuarto. A este respecto, los anotadores del texto legal, Faus y Condomines (1960: 36-40), afirman que el principio de investigación de la paternidad estaba admitido desde siempre en Cataluña por causa del impulso de la aplicación del Derecho Canónico y califican como de "norma exótica", el artículo 141 CC, que sigue la tesis prohibitiva establecida en la base 5ª de la Ley de bases de 11 de mayo de 1888 que era de aplicación de modo especial a los hijos ilegítimos no naturales. Los autores citados critican la tesis limitativa por apoyarse "en el equivocado criterio de que da lugar a escabrosos procesos, destruye la paz de las familias, pone a prueba el honor de las personas y trae como consecuencia la caza del padre rico por las madres no casadas". En el Derecho catalán compilado, la admisión de acciones conducentes a la prueba de la filiación de los hijos extramatrimoniales significó, a un tiempo, el reconocimiento de una norma vigente desde muy antiguo, y la sumisión a criterios modernísimos de "asociar en justicia al hecho de la paternidad, el cumplimiento riguroso de ineludibles deberes de asistencia".

En el actual marco legislativo, el paradigma examinado ha quedado superado por la aplicación de los preceptos constitucionales sobre la filiación y su correlativa plasmación en el derecho positivo y por la desinstitucionalización del matrimonio como base de la filiación. En esta materia, rigen los siguientes mandatos constitucionales: principios de igualdad y de no discriminación de los hijos ante la ley, con independencia de su filiación matrimonial o no matrimonial (arts. 14 y 39.2 CE); principio de libre investigación de la paternidad, que habrá de ser posibilitada por la ley (art. 39.2 CE); deber de asistencia de los progenitores a los hijos habidos dentro o fuera del matrimonio (art. 39.3 CE); y principio de protección legal de los hijos que se concreta en la protección del interés superior de los hijos en la regulación de las relaciones paternofiliales (art. 39.2 CE). Con la recuperación por la Generalidad de Cataluña de la competencia legislativa en materia civil, el Parlamento de Cataluña ha llevado a cabo "una tarea remarcable en el ámbito del derecho de la persona y de familia" (preámbulo Ley 25/2010, de 29 de julio, del Libro Segundo del Código Civil de Cataluña, relativo a la Persona y la Familia).

> Como señala el Preámbulo, inicialmente, la Ley 13/1984, de 20 de marzo, adaptó la Compilación a los principios constitucionales de igualdad jurídica de los cónyuges y de equiparación jurídica de los hijos dentro y fuera del matrimonio, a la vez que incorporaba el texto compilado al ordenamiento catalán; la etapa de adecuación del Derecho civil a las nuevas realidades familiares, se produce mediante la técnica de las leyes especiales

—las leyes 7/1991, de 27 de abril, de filiaciones; 37/1991, de 30 de diciembre, sobre medidas de protección de los menores desamparados y de la adopción; 39/1991, de 30 de diciembre, de la tutela y las instituciones tutelares; 12/1996, de 29 de julio, de la potestad del padre y de la madre, y 10/1996, de 29 de julio, de alimentos entre parientes— con la reforma de la Compilación, por medio de la Ley 8/1993, de 30 de septiembre, de modificación de la Compilación en materia de relaciones patrimoniales entre cónyuges. Finalmente, siguiendo la estela marcada por la Ley 40/1991, de 30 de diciembre, del Código de sucesiones por causa de muerte en el derecho civil de Cataluña, este cuerpo normativo condujo a su codificación sectorial, con la aprobación de la Ley 9/1998, de 15 de julio, del Código de familia, aunque, por razones diversas, algunas instituciones quedaron fuera del Código de familia, como sucedió con las uniones estables de pareja, reguladas por la Ley 10/1998, de 15 de julio.

Otras normas en materia de persona y familia, fueron la Ley 8/1995, de 27 de julio, de atención y protección de los niños y adolescentes, y la Ley 1/2001, de 15 de marzo, de mediación familiar de Cataluña (derogada por la Ley 15/2009, de 22 de julio, de mediación en el ámbito del derecho privado); la Ley 19/1998, de 28 de diciembre, sobre situaciones convivenciales de ayuda mutua, la Ley 21/2000, de 29 de diciembre, sobre los derechos de información concerniente a la salud y la autonomía del paciente, y a la documentación clínica. Posteriormente, la Ley 3/2005, de 8 de abril, de modificación de la Ley 9/1998, del Código de familia, de la Ley 10/1998, de uniones estables de pareja, y de la Ley 40/1991, del Código de sucesiones por causa de muerte en el derecho civil de Cataluña, en materia de adopción y tutela, eliminó las diferencias en cuanto a la posibilidad de adopción conjunta por parejas formadas por personas del mismo sexo.

Finalmente, de acuerdo con el artículo 3 Ley 29/2002, de 30 de diciembre, primera del Código civil de Cataluña, el libro segundo debe incluir la regulación de la persona física, las materias comprendidas en la Ley 9/1998 y las leyes especiales de este ámbito. A tal fin, el Observatorio de Derecho Privado de Cataluña comenzó a trabajar en las tareas de revisión, armonización y sistematización de la legislación en materia familiar entendida en un sentido amplio, y con el fin de evitar las dificultades inherentes a una refundición posterior y contextualizar las numerosas e importantes novedades que se introducen al aprobar el libro segundo se procedió a la redacción de un texto legal abarcando la regulación de la persona física y la integración de todo este Derecho se hizo mediante la formulación de un texto alternativo íntegro.

El Libro II ha sido parcialmente modificado por las normas siguientes: Ley 10/2011, de 29 de diciembre, de simplificación y mejora de la regulación normativa; Ley 6/2015, de 13 de mayo, de armonización del Código civil de Cataluña, Decreto-ley 3/2015, de 6 de octubre y Ley 3/2017, de

15 de febrero, del libro sexto del Código civil de Cataluña, relativo a las obligaciones y los contratos, y de modificación de los libros primero, segundo, tercero, cuarto y quinto.

## b) El angelismo maltusiano

Siguiendo a Lefaucher, el mal menor de la tesis precedente, constituye el *leit motiv* de la tesis del "angelismo maltusiano". Esta tesis fue impulsada en la Inglaterra de fines del siglo XVIII, debido al interés político y económico que suscitaba la cuestión de la superpoblación y los bajos niveles de producción.

En este caso, se cuestionan la dependencia y los costes económicos derivados de la asistencia pública brindada a los expósitos por parte de las instituciones, congregaciones, centros asistenciales y autoridades locales o estatales. De acuerdo con la autora citada (*ibdm*: 61): "Este paradigma se desarrolló junto al pensamiento económico y demográfico, y dentro del universo ideológico 'liberal' y de 'libre mercado'. En el marco de este paradigma, el problema social de los niños sin padre se equipara, en realidad, no tanto al nacimiento que se produce fuera del matrimonio, sino al nacimiento de niños cuyos progenitores no tienen los medios ni la intención de mantener, con su resultante dependencia de la sociedad y los reclamos a ésta para que los mantengan parcial o totalmente". Bajo esta tesitura, las restricciones al derecho de los pobres a contraer matrimonio, la tolerancia o incluso la promoción del aborto entre los pobres o las mujeres con embarazos no planeados, especialmente las mujeres solteras, pasaron a constituir un mal menor.

Con respecto a los niños sin padre, en ambas tesis, los juicios de paternidad buscaban cierta responsabilidad a cargo de los progenitores masculinos. No obstante, también se advirtió que esta circunstancia podía incentivar la disposición de las mujeres a procrear hijos que no podían mantener. Para evitar este efecto, la reacción masculina recogida en diversas legislaciones europeas de los siglos XVIII y XIX, consistió en restringir severamente la posibilidad de instar juicios de reclamación o determinación de paternidad. Por otra parte, desde ambas perspectivas, la muerte prematura de los niños sin padres e hijos de pecadores, en el hogar o en las casas de expósito, se consideraba un mal menor; en el primer caso, su salvación se hallaba en el Cielo y en el segundo, no había lugar para ellos en el "banquete de la vida"[43].

## c) La ciudadanía saludable

El paradigma de la ciudadanía saludable procede probablemente de la Ilustración (mediados del siglo XVIII) y se fundamenta en el interés político y económico suscitado por el aumento de población como reacción el descenso de la población y su degeneración. Este paradigma ha sido particularmente dominante en Francia y en el sur de Europa, bajo los regímenes republicanos de fines del siglo XIX y principios del siglo XX, pero también se reflejó en los regímenes totalitarios de mediados del siglo XX. En el marco de la ciudadanía saludable "toda posible respuesta que impida el nacimiento o la supervivencia de niños mentalmente sanos, capaces y saludables, aunque no tengan padre, pertenece a la esfera del mal supremo. Mientras, por el contrario, todo tipo de asistencia social que se brinde a las madres solteras abandonadas para que puedan salvar la vida y preservar la salud de sus hijos, constituye un mal potencialmente menor" (Lefaucheur, 2003: 62).

El objeto de este paradigma no se basa en convertir a estos niños en "ángeles" sino, por el contrario, en producir "ciudadanos numerosos y/o saludables". Con respecto a los vínculos especiales con campos particulares de conocimiento y con prácticas sociales "el paradigma de los *ciudadanos saludables* se presenta, entonces, como más cercano

---

43   Según Bartolomé Martínez (1991: 52 y ss.), en los años de la Ilustración y el Romanticismo, el problema del honor favorecía el ocultamiento de la legitimidad o ilegitimidad del niño, y la pobreza también era una de las razones para que los niños fueran expuestos. "El mismo rey Carlos IV lo confirma en su Real Cédula, ya mencionada, de 1794: 'Los legítimos padres muchas veces suelen exponerlos y los exponen mayormente cuando ven que de otro modo no pueden conservar las vidas'. Dentro de esta tarea de crianza del niño expósito y de su adiestramiento para la vida, no era el menor de los problemas el de la *conducción de éstos a las cunas definitivas*. Las pésimas condiciones en los que se realizaba el traslado de los niños a las inclusas mayores, las enfermedades contagiosas o la falta de higiene, la lactancia mercenaria eran los factores que contribuían a los altos índices de mortalidad". En la encuesta-informe de 1790, en la inclusa de Girona se dieron 590 ingresos y 452 muertes, y en la de Barcelona, 2.789 ingresos y 1.705 defunciones.

a la demografía, la medicina (en especial la pediatría y la obstetricia), la eugenesia, la socio-economía y el trabajo social" (*ibdm*: 63).

### d) La ciudadanía correcta

En este supuesto, no importan tanto la cantidad de ciudadanos, ni la supervivencia o la salud de los niños sin padre, sino sus conductas sociales y sus posibilidades de ser "ciudadanos buenos y correctos". Según este paradigma, los males supremos son los trastornos de personalidad, las conductas antisociales y especialmente la delincuencia juvenil, que se supone se origina en la ausencia de una figura paterna en la familia. Aunque algunos de estos planteamientos son anteriores al siglo de las Luces su legitimación y desarrollo no se produce hasta finales del siglo XIX al poderse contar con: un mayor conocimiento y prácticas sociales en los ámbitos del educacionismo; y con estudios referentes a la criminología, la psiquiatría, la psicología, el psicoanálisis, la orientación infantil, y el tratamiento de la delincuencia juvenil. En este caso, los males supremos son: "los trastornos de personalidad, las conductas antisociales y especialmente la delincuencia juvenil, que se supone se origina en la ausencia de una figura paterna en la familia" (*ibdm.*). Los males potencialmente menores son: "las respuestas eugenésicas como la esterilización, los métodos anticonceptivos y el aborto" (*ibdm.*) ya que pueden evitar el nacimiento de niños no aptos o niños cuya madre soltera no podría socializarlos correctamente, y cuyo destino sería convertirse en individuos antisociales y criminales.

Respecto a los niños sin padre como males menores potenciales, las políticas educativas y de seguridad social pueden estar dirigidas a ayudar a las madres solteras a mantener y criar a sus hijos sin padre, o a fomentar su abandono o entrega al cuidado de hogares colectivos, dejándolos a cargo de las autoridades. En este segundo caso, puede intentarse sustituir al progenitor ausente o a ambos, con medidas tales como: el fomento de las adopciones; procesos educativos especiales; o el ingreso de los menores en orfanatos o reformatorios. La respuesta a los dilemas que presentan estas soluciones se basa en la tesis del "mal menor".

# 9. CONSTRUCCIONES SOCIOLÓGICAS SOBRE LA MONOPARENTALIDAD (II)

Con arreglo a Duncan y Edwards (1999), las tesis doctrinales explicativas de la monoparentalidad, excluida la de origen matrimonial, y la manutención de los niños sin padre, se configuran en torno a las siguientes tesis[44] (v. cuadro n° 2):

*a) La monoparentalidad como "amenaza social"*

Esta tesis considera la aceptación de la monoparentalidad no matrimonial como una afrenta que pone en cuestión el modelo ético de la familia tradicional. Esta tesis está ligada a la antes citada teoría de la subclase social (*underclass*) o clase empobrecida, originada en Estados Unidos, cuyos efectos tienen consecuencias intergeneracionales.

*b) La monoparentalidad como "problema social"*

Las familias monoparentales constituyen un colectivo especialmente afectado por la pobreza y la exclusión social[45]. Como sea que las madres monoparentales se hallan en franca desventaja respecto de las familias biparentales, en este caso, y contrariamente a la tesis anterior, se propugna la concesión de ayudas y prestaciones sociales especiales para superar las desventajas o déficits asistenciales existentes[46].

En la sociedad española cabe observar que las encuestas de opinión evidencian una desestigmación de la maternidad en solitario aunque se sigue considerando que el espacio ideal de socialización de los hijos se halla dentro de la pareja (padre y madre juntos)[47].

---

[44]    Cit. en R. Treviño Maruri (2006: 56-66) al que se sigue de cerca en los apartados siguientes.

[45]    Perondi *et al.* (2012: 127 y ss.)

[46]    Roll (1991); Duskin (1990); Millar (1990 y 1994); Bradshaw *et al.* (1996).

[47]    M.ª Á. Cea d´Ancona (2007: 89). En la sociedad norteamericana se mantiene una visión negativa sobre la monoparentalidad. En la Informe sobre las tendencias sociales y demográficas, realizada por el *Pew Research Center* (2010) se pone de relieve que el 69% de los encuestados afirman que no es bueno para la sociedad la existencia las madres solteras con hijos y el 61% afirman que para que un menor sea feliz necesita de una madre y un padre.

*c) La monoparentalidad como un "cambio en el estilo de vida"*

Esta tesis considera la monoparentalidad como una de las manifestaciones sociales de la pluralidad familiar que se presenta en paralelo con una nueva "individualización" de la persona[48]. Según la tesis de W. Goode, en un primer momento, el ascenso y la mayor frecuencia de la monoparentalidad en los países desarrollados se justifican por la existencia de mayores recursos y formación de las madres solteras que tienen más facilidades para experimentar una vida familiar no tradicional o abandonar un matrimonio insatisfactorio o marcado por el maltrato doméstico. Posteriormente, cuando este modelo se convierte en más común, el modelo tiende a concentrarse en otros estratos sociales con menores ingresos y educación, lo que sucede en buena parte de los países industrializados.

En el primer supuesto cabe hablar del "empoderamiento" de la mujer, pero en el segundo puede darse una situación de feminización de la pobreza[49]. En cambio, en las regiones más pobres del mundo, con escasos ingresos y niveles de educación, las mujeres jóvenes tienen dificultades para poder criar a los hijos por su cuenta, ya sea antes del matrimonio o por causa de divorcio. Esta circunstancia motiva que, en lo posible, las mujeres tiendan a mantener sus relaciones de pareja[50].

*d) La monoparentalidad como "vía de escape del patriarcado"*

Finalmente, otro discurso se basa en las tesis del feminismo radical y contempla la monoparentalidad como una vía de escape al patriarcado. En esta tesis, la mujer reivindica su libertad y el libre desarrollo de la personalidad frente a la alteridad masculina o ante la eventual existencia de situaciones de dependencia y subordinación no deseadas[51].

En general, el punto crítico más relevante de la situación de monoparentalidad es el que se refiere a los efectos que esta situación puede

---

[48]   Hohn (1986); Desrosiers y Bourdais (1993); Ermisch y Francesconi (1998); Boheim y Ermisch (1998).
[49]   Jociles, Rivas, Moncó, Villamil, y Díaz (2008: 269); M.ª M. González, dir. (2010: 65-71).
[50]   DeRose, Corcuera, Gas, Molinero, Salazar, Tarud (2015: 52-54).
[51]   Chant (1985); Chafetz (1995); Mädje y Neusües (1994).

producir en la crianza y bienestar cognitivo, social y emocional de los hijos dependientes, que la doctrina centra en los puntos siguientes: menor supervisión y apoyo parental; menores posibilidades de comunicación social; posibles conflictos parentales, antes, durante y después de la crisis matrimonial o de la convivencia en pareja; estrés asociado a las circunstancias propias de la monoparentalidad debidos a cambios de domicilio, de centro escolar, ausencia de contactos con el otro progenitor; y menores recursos económicos disponibles; y mayor riesgo de pobreza y exclusión social respecto de las familias biparentales[52].

Mientras que los costes sociales y económicos de la monoparentalidad están bien documentados, sus fortalezas han merecido poca atención por parte de la doctrina[53]. En general, se suele admitir que existe una mayor probabilidad de que estos niños/as lleguen a la edad adulta: con menos educación; obtengan menores ingresos; tengan una actividad laboral de menor estatus; y sean más propensos a estar inac-

---

[52]   Meil (2006). En el meta-análisis realizado por el psicólogo P. R. Amato (2005) en relación con la estructura familiar estadounidense, y a partir de una amplia variedad de estudios previos, se desprende que, en comparación entre los hijos de hogares con ambos progenitores biológicos y los hijos de los hogares con un solo progenitor biológico, los primeros tienen menores probabilidades de experimentar problemas de tipo emocional, cognitivo y social en su infancia y en su edad adulta que los segundos. Aunque no es posible demostrar que la estructura familiar es la causa de estas diferencias, los estudios efectuados utilizando una amplia variedad de metodologías, así parecen sugerirlo. En las muestras estudiadas se observa que los niños de familias biparentales suelen tener un mejor nivel de vida, reciben una crianza más eficaz, gozan de una experiencia más cooperativa, se hallan emocionalmente más cerca de los dos padres, y están sometidos a un menor número de eventos y circunstancias estresantes. No obstante, según dicho autor, las intervenciones favorables a que una mayor proporción de niños crezcan con ambos padres solo podrían mejorar el bienestar general de los niños modestamente, porque los problemas sociales o emocionales de los niños tienen muchas causas, y la estructura familiar solo es una de ellas. Por otra parte, en relación con el conjunto de los países de la OCDE, a diferencia de la ausencia de políticas redistributivas en Estados Unidos, la doctrina advierte que la reducción de la pobreza en las familias con un solo progenitor debe basarse tanto en políticas que favorezcan su acceso al mercado de trabajo como en un aumento en la eficacia de las políticas de redistribución de rentas.
*Vid.* L. C. Maldonado, R. Nieuwenhuis (2015).*Vid.*, asimismo, K. Ruggeri, C. E. Bird (2014); M. S. Barajas (2011: 19).

[53]   M. S. Barajas (2011: 19).

tivos (es decir, ni trabajan, ni estudian); tengan hijos fuera del matrimonio (entre las hijas); tengan matrimonios más problemáticos y con
mayores tasas de divorcio; y sufran más estados depresivos[54]. Estos
efectos pueden afectar no solo a los hijos monoparentales sino también a sus propios descendientes[55]. En cuanto a las teorías explicativas
de estos efectos, los investigadores se refieren tanto a la insuficiencia
de recursos económicos de los progenitores como a las circunstancias
y acontecimientos a los que estos niños deben adaptarse.

En suma, como señalan L. Flaquer, E. Almeda, L. Navarro-Varas
(2006: 123), "Aunque sabemos que una parte del aumento de la pobreza y de otros problemas que afectan a la infancia se relaciona con
la inestabilidad matrimonial y con la difusión de la monoparentalidad, sería un grave error estigmatizar a los padres y madres solos
considerándolos culpables de unos problemas cuya génesis, diagnóstico y tratamiento deben plantearse desde la óptica de las políticas
sociales. Los análisis de los datos europeos sugieren que el bienestar
de los niños y adultos que viven en hogares monoparentales depende
en gran medida de cómo los gobiernos de cada país enfocan dicha
problemática y de cómo y hasta qué punto se pretenden salvar las
brechas entre las estructuras sociales emergentes y las disposiciones
en vigor de los Estados de bienestar. En este sentido, los supuestos,
principios y premisas que subyacen a los distintos regímenes de bienestar constituyen consideraciones prioritarias a la hora de analizar la
cuestión y de realizar su diagnóstico y pronóstico. La definición de
la lógica política necesaria para una arquitectura más amigable para
la infancia en los Estados de bienestar debería contribuir a responder adecuadamente ante los retos y oportunidades que aparecen en
su proceso de reestructuración (Lewis y Hobson, 1997; Lewis, 1999,
2002; Flaquer, 2000, 2004ª)".

---

[54]   G. Ringbäck Weitof *et al.* (2003).
[55]   S. McLanahan (1988: 16-21).

**Cuadro nº 2**

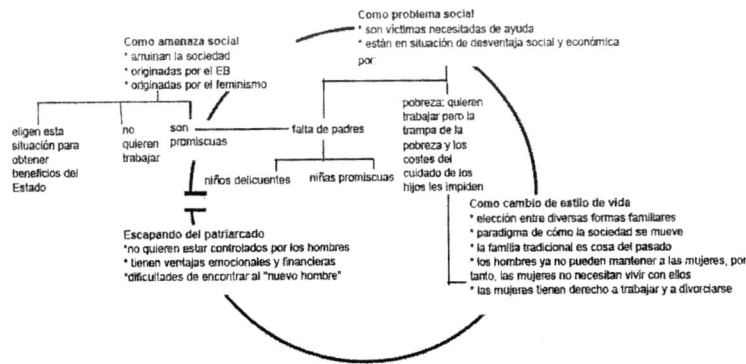

**Fuente: Duncan y Edwards (1999)**

# 10. REALIDAD SOCIAL DE LA MONOPARENTALIDAD

## 10.1. La monoparentalidad en Cataluña

Aunque los datos estadísticos pueden diferir según el sistema de cómputo y la definición adoptada, cabe afirmar que, en general, en la sociedad catalana, la familia monoparental es un fenómeno al alza. Si se entiende por familia monoparental "la familia formada por un solo progenitor y un hijo o más", según los Informes del IDESCAT[56], los hogares mayoritarios en Catalunya son los matrimonios o parejas con hijos (29,2% del total); le siguen los matrimonios o parejas sin hijos (28%); los hogares unipersonales (19,5%); y los núcleos monoparentales (8,7%). Los hogares compuestos por más de una persona que no forman núcleo familiar representan el 3,1% y los hogares con dos o más núcleos, el 1,5%.

Según datos del año 2011, existe un total de 464.064 familias monoparentales y 1.598.257 familias biparentales (matrimonios y uniones de pareja). Si se excluyen los supuestos de personas que vi-

---

[56]    Encuesta demográfica 2007 (Idescat, 2009); Estadística de Estructuras Familiares (2011); Informe 2014. Sobre la problemática de la definición de familia monoparental, v. L. Flaquer, E. Almeda, L. Navarro-Varas (2006).

ven solas, en porcentaje, estos datos representan lo siguiente: familias monoparentales (20,8%); familias biparentales (71,5%) y familias reconstituidas (7,8%). Los hogares monoparentales femeninos representan el 85,4% del total y los masculinos, el 14,6%. La frecuencia máxima de núcleos monoparentales se halla en el área metropolitana, Alto Pirineo y Arán (21,7%).

La duración media de convivencia de los hijos con la madre ha aumentado. Antes de los años 70 los hijos abandonaban el hogar alrededor de los 20,1 años y a partir del año 2005, lo hacen a los 26 años. Por sexo, en promedio, los hombres abandonan el hogar para contraer matrimonio o formar una unión de pareja, a los 29,2 años, y las mujeres a los 27,5 años. Por razones de trabajo, lo hacen, respectivamente, a los 29,3 y 25,2 años.

Entre los años 1991 al 2011 el número total de hogares catalanes pasó, aproximadamente, de dos a tres millones (incremento del 50%). En este período, los hogares monoparentales pasaron de 158.058 a 308.996 (incremento del 95%). En el año 2011, estos hogares representan el 10,49% de los hogares catalanes. El número de hogares de madres solas con hijos, pasó de 131.227 a 241.314 (incremento del 83%); y el de hogares de padres solos con hijos, de 26.831 a 67.682 (incremento del 152%).

Por estado civil y sexo, los porcentajes de familias monoparentales en Cataluña son los siguientes: viudas 31,31%; divorciadas 18,18%; separadas, 15,15%; separados 15,15%; solteras 12,12%; soltero, 3,3%, divorciado, 2,2%; casada o casado 1,01%; viudo, 1,01%. Según el sexo y la edad, la distribución es la siguiente (el porcentaje de hombres, figura entre paréntesis): menos de 25 años: 1,01% (0%); entre 25-34 años: 1,01 (2, 02%); entre 35-49 años: 37,37% (15,15%); entre 50-64 años: 22,22% (3,03%); más de 65 años: 17,17% (1,01%)[57].

Los datos facilitados por el IDESCAT (2014) evidencian que la composición según el estado civil de los hogares monoparentales está cambiando de manera que este modelo se presenta con mayor frecuencia por causa de divorcio y separaciones y con menor intensidad

---

[57]   López Villanueva (2012: 59). *Vid.*, asimismo, P. Cánovas Leonhardt y P. M.ª Sahuquillo Mateo (2010).

respecto de la viudedad. Así lo evidencia la reducción del porcentaje de personas viudas en este tipo de familia, que en diez años ha pasado del 40,6% (2001) al 31,9% (2011).

La probabilidad de que un niño viva en una familia monoparental o reconstituida se incrementa con su edad. En Cataluña, entre los 12 y los 15 años, el 27,6% de los hijos viven en estos dos tipos de familia. Los indicadores señalan la existencia de un claro contraste entre las condiciones de vida de los menores según la tipología familiar. En concreto, entre las familias biparentales y el resto. En las primeras, los padres registran un mayor nivel de estudios, ocupaciones más cualificadas y son, en un mayor número, propietarios de las viviendas[58].

En una investigación de campo realizada por Almeda Samaranch *et al.* (2016: 65-66), se pone de relieve que "las familias monoparentales que han iniciado su situación de monoparentalidad sin una relación estable de pareja, son las que representan un mayor porcentaje sobre el total (48%)". Asimismo, si se observa la edad del hijo o hija menor, se puede apreciar que es sobre todo en las edades más bajas donde más prevalece este tipo de familias, lo que parece indicar que cada vez son más las mujeres y hombres que deciden iniciar una familia sin una pareja estable. Con relación a la clase social, son, asimismo, este tipo de familias las situadas en una mejor posición respecto a aquellas en que la monoparentalidad se debe a una ruptura de la relación o a una situación de ausencia de convivencia con su pareja, supuestos en que el porcentaje de personas de clase baja supera el 20%. Los datos de la muestra también apuntan otras características, como es el hecho de que la gran mayoría de sus componentes sean heterosexuales (93%) y declaran no ser creyentes de ninguna religión (75%). También la mayoría son solteras (56%) y tienen estudios universitarios (59%)[59].

La visión tolerante y respetuosa con la monoparentalidad en solitario, aparece reflejada en la *Enquesta de Valors Socials* (2016: 72) realizada en la ciudad de Barcelona. Con datos del año 2014, a la pregunta de si se está de acuerdo que una mujer decida tener un hijo sin tener pareja, el 51,1% estaba muy de acuerdo; el 32,6% bastante de acuerdo; el 9,6% poco de acuerdo; y el, 5,8% nada de acuerdo; por

---

[58]    C. Guisande Allende (2015: 20).
[59]    *Vid.*, asim., Di Nella (2016).

otra parte, el conjunto de respuestas favorables muestra un incremento de cinco puntos respecto de los datos del año 1998; por grupos de edad, los estratos decenales de edad, entre 15 años a 54 años, respondieron en más del 50% en sentido favorable; y los estratos de edades superiores (de 55 a 74 años), estuvieron de acuerdo en porcentajes inferiores al 50%, pero en su evolución histórica se observa un creciente aceptación del modelo, lo que permite afirmar que: "La normalització dels nous tipus de família no es produeix en un sol segment d'edat sinó que afecta tota la societat" (Bartomeus Bayés, 2015: 33). A la pregunta de si para crecer feliz, un niño necesita un hogar con padre y madre, las respuestas, fueron: muy de acuerdo, 31,6%; bastante de acuerdo, 31,3%; poco de acuerdo: 24,7%; y nada de acuerdo, 12,1%. En este supuesto, en comparación con los datos de 1998, se observan oscilaciones intertemporales al alza y a la baja en las respuestas; entre ambas fechas, se observó un crecimiento de respuestas favorables durante los años 2006-2010 que decae en las respuestas de la encuesta final del año 2014 pero manteniendo el tono progresista observado históricamente.

Los estudios sociológicos ponen de relieve la diversa situación económica que puede caracterizar los distintos modelos de monoparentalidad y las desigualdades sociales y déficits de atención pública que en ciertos estratos sociales pueden incidir en los jóvenes que viven en estas familias. Con arreglo a Flaquer, Almeda, y Navarro-Varas (2006: 7): "Teniendo en cuenta que se está imponiendo como norma la familia con dobles ingresos, las unidades de convivencia con un solo proveedor económico se encuentran de manera creciente en riesgo de precariedad y requieren con un mayor apremio de determinados servicios y apoyos. Estas carencias pueden comportar —y a menudo comportan— situaciones de riesgo de exclusión social, que afectan sobre todo a los menores a cargo en la medida en que son más vulnerables".

Por último, según el *Informe extraordinari sobre pobresa infantil a Catalunya*, del *Síndic de Greuges* (Defensor del Pueblo) presentado al Parlamento de Catalunya en el año 2012, con datos del Idescat (2010) se constata que los niños de familias monoparentales tienen una tasa de riesgo de pobreza (46,6%) muy elevada; prácticamente uno de cada dos niños se encuentra en esta situación y dobla el riesgo de pobreza del conjunto de la población infantil catalana. (23,7%). La prevalencia de la pobreza entre las familias monoparentales (46,6%) es equivalente al riesgo existente entre las familias numerosas (47,5%). En sentido parecido, se pronuncian, por ej., el VII Informe FOESSA sobre exclusión y desarrollo social en España (2014) y otros estudios de campo[60].

## 10.2. La monoparentalidad en España

Según las causas, la máxima proliferación de monoparentalidad por causa de viudedad se produjo antes, durante y después de la Guerra Civil. La entrada de la monoparentalidad por causa de ruptura superaron las entradas por viudedad a partir de la promulgación de la Ley del divorcio en 1981 y en los años anteriores al indicado. Por lo común, sólo una quinta parte de las familias monoparentales están encabezadas por un hombre[61]. Según el Informe de la Fundación FOESSA (2014: 23-24), de acuerdo con los datos censales de las últimas cuatro últimas décadas, se observa una tendencia marcadamente ascendente de la monoparentalidad (el 8,5% en 1981; el 11,1% en 1991; el 14,4% en 2001; y el 16,2% en 2011).

La *Encuesta Continua de Hogares* (INE, 2016) señala que los hogares monoparentales, es decir, los que están formados por uno solo de los progenitores con hijos, estaban mayoritariamente integrados en 2015 por madre con hijos (1.541.700, el 81,3% del total, frente a 355.700 —el 18,7%— de padre con hijos). En dos de cada tres hogares monoparentales (67,4%) el progenitor convivía con un solo hijo. El número de hogares formados por madre con hijos aumentó un 6,3% respecto a 2014, mientras que el de padres con hijos lo hizo un 16,9%. En conjunto, crecieron un 8,1%.

---

[60]   Vid., *a.e.*, Informes *La infancia en España* 2010-2011, 2014 (Unicef, 2010; 2014); V. Assiego, Th. Ubrich (2015); Almeda *et al.* (2008); Meil (2006); Almeda, Camps, Di Nella, y Ortiz (2016). Señalan Assiego y Ubrich (2015: 79) que como consecuencia de la crisis económica "La principal conclusión que se desprende del análisis cualitativo y cuantitativo que contiene el informe 'Más solas que nunca', es el hecho de que las niñas y niños que viven en los hogares monoparentales son uno de los colectivos más vulnerables a la pobreza y a la exclusión social en España. La exclusión multidimensional analizada afecta a más de uno de cada tres hogares monoparentales (35%)...".

[61]   R. Treviño Maruri (2006)

En un 38,5% de los hogares de madres con hijos ésta era *viuda*, en un 36,4% *separada* o *divorciada*, en un 13,1% *soltera* y en el 12,1% *casada*. Por edad, el 75,7% de los 201.300 hogares de madre soltera con hijos estaba formado por mujeres de 35 o más años. En casi una tercera parte de los hogares monoparentales (32,8%) el progenitor tenía 65 o más años, mientras que no llegaban al 5,0% los que tenían menos de 35 años. En el 17,6% de los hogares de padre con hijos los progenitores eran menores de 45 años, mientras que en los de madres con hijos este porcentaje fue del 26,4%[62].

Según Mª. Á. Cea de Ancona (2007: 89), sociológicamente, aunque se sigue considerando que el espacio ideal de socialización de los hijo se halla dentro de la pareja conyugal, la opción por la maternidad en solitario empieza a considerarse legítima por la mayor parte de la población, pero esto no implica que se haya elevado a la categoría de modelo de comportamiento, sino solamente que tal opción ha sido desestimada. Las encuestas del CIS de los últimos dos lustros evidencian que se ha ampliado la aceptación de la monoparentalidad en la sociedad española, pero en menor medida que la cohabitación o, incluso, la tenencia de hijos fuera del matrimonio.

Siguiendo a la autora citada, los sondeos de opinión detectan un crecimiento en la valoración positiva de la monoparentalidad. Esta valoración positiva pasó del 37% de los encuestados en septiembre de 1994 al 44% en junio de 2003. Si se consideran las características demográficas de las personas consultadas, se observa que la aceptación de la monoparentalidad se amplia progresivamente a medida que disminuye la edad del entrevistado (en el año 2003, la aceptan el 30% de los mayores de 60 años y el 58% de los menores de 30 años). También es más elevada la aceptación por parte de las personas con ideología de izquierda (48%) que respecto de la derecha (34%). El porcentaje de aceptación entre dichos años permanece casi invariable entre las personas creyentes y aumenta en cerca de diez puntos respecto de los nada practicantes y no creyentes. Por nivel de estudios la aceptación es mayor en las personas con estudios secundarios, medios y superio-

---

[62] *Vid.*, asim., L. Flaquer, E. Almeda, L. Navarro-Varas (2006: 60); Treviño (2006); Assiego y Ubrich (2015). Respecto de Castilla y León, v. el estudio de campo de Rodríguez Sumaza y Luengo Rodríguez (2003).

res (aprox. 50%) en comparación con los encuestados con estudios primarios (37%). Según el estado civil, la aceptación es la siguiente: solteros (55%); casados (40%); separados/divorciados (46%), y viudos (34%). A la pregunta de si los casados son más felices, están de acuerdo el 30% de los encuestados y en desacuerdo el 51%; y a la pregunta de tener que casarse para tener hijos, están de acuerdo el 30% y en desacuerdo el 53%.

## 10.3. *La monoparentalidad en Europa y en el resto del mundo*

a) *Europa.* De acuerdo con el *Dossier* del INSEE francés (2015: 28[63]), aunque la pareja nuclear con al menos un hijo, es la forma mayoritaria de familia vigente en los países europeos y el modelo está muy extendido en los países del sur y este de Europa, la proporción de familias monoparentales aumentó del 14% al 19% entre 1996 [Chambaz, 2000] y 2012[64]. En Dinamarca e Irlanda, el aumento alcanza o supera los diez puntos. Esta difusión va acompañada por un cambio de las características de los progenitores únicos. En 2012, el 15% de los padres solteros son padres, lo que representa cinco puntos más que en 1996. La participación en el mercado laboral de los progenitores solos también aumenta en 12 puntos en el período, y es del 78% en 2012. Al menos dos familias de cada diez son monoparentales en los países bálticos, Noruega, Dinamarca y Reino Unido. En el resto de países se da una proporción menor, pero la monoparentalidad se da cada vez con mayor frecuencia. Esta tendencia va acompañada por una desestigmación de las familias monoparentales, hasta entonces percibidas como estructuras familiares incompletas o "cojas" [Lefaucheur, 1991].

---

[63]  M. Cl. Le Pape, B. Lhommeau, É. Raynaud (2015).
[64]  Se toman en consideración datos comparables entre las dos fechas, es decir, para las familias con hijos menores de 25 años de la UE o 15 años para Alemania y Suecia. El Panel de Hogares de la Unión Europea, utilizado para los datos de 1996, es una encuesta que se llevó a cabo con las familias en todos los países de la Comunidad Europea, excepto en Suecia. Los datos de 2012 proceden de la encuesta EU-SILC.

La monoparentalidad evidencia una notable diversificación familiar: La proporción de viudos entre los progenitores únicos en la UE-15 (UE-15) (excluyendo Alemania y Suecia) se divide por 2,5 entre 1996 y 2012, mientras que los que nunca se han casado (*singles*) representan ahora el 36% de los progenitores solteros, o sea, 16 puntos más que en 1996. Estos cambios reflejan la disminución general constante de la tasa de matrimonios y un aumento de los nacimientos fuera del matrimonio. A finales de 1990, el 27% de los niños en la UE-15 (con excepción de Alemania y Suecia) nacieron fuera del matrimonio, y en 2012, fueron el 41%. Si en el ámbito europeo la proporción de familias monoparentales formadas por personas divorciadas (o casados, pero separadas) presenta pocos cambios entre 1996 y 2012, su evolución es diversa entre uno y otro país. La proporción aumentó considerablemente en los países del sur de Europa (Grecia, Italia, España, Portugal), que ven crecer los supuestos de divorcio, y en cambio, el porcentaje de familias monoparentales por causa de divorcio disminuye en los países nórdicos porque la menor tasa de matrimonios conlleva que haya un número inferior de divorcios lo que se traduce en un aumento de los supuestos de separación de parejas no casadas.

Los datos facilitados por EUROSTAT (2016), reflejan que en el año 2014, el promedio europeo (UE de los 28) de familias con uno o más hijos menores de 18 años que viven con un solo progenitor era del 16,7%. Los porcentajes más elevados eran los de Letonia (30%), Reino Unido (23,8), Bélgica (23,6), Dinamarca (22,3) y Francia (21,7). España tiene el 15,6%. Con porcentajes muy reducidos destacan: Grecia (7,9%), Rumania (9,3 prov.) y Polonia (9,9). En general desde los años 2006 al 2015, se observa que el porcentaje de hogares monoparentales europeos ha sufrido leves oscilaciones tanto al alza como a la baja, con un incremento porcentual final de, aproximadamente, el 1 por ciento.

Según el Informe *Indicators to support the Europe* 2020 *Strategy* (ed. 2016), en el año 2014, el 48,3% de las familias monoparentales con uno o más hijos dependientes se hallaban en riesgo de pobreza o de exclusión social. Este porcentaje representaba, al menos, el doble de la media europea y era el más alto de los distintos tipos de familia (en 2010, el porcentaje era del 52,1%). El Informe destaca que los hogares con un solo adulto, con o sin hijos, son hogares que tienen un alto riesgo de pobreza y exclusión social porque ante situaciones temporales de desempleo o enfermedad no pueden ser socorridos por otro conviviente adulto. Por otra parte, el miembro de una familia monoparental debe afrontar por sí solo la obtención de ingresos y el cuidado de la familia. Por último las condiciones de empleo y duración del trabajo son mucho peores en este tipo de familias y se hallan en el grupo de mayor riesgo social de pobreza (en 2014, una familia de cada cinco).

b) *Países occidentales.* El cambio de las estructuras familiares de las últimas tres décadas también se refleja en los 27 países integrados en la OCDE[65]. Durante las últimas décadas el incremento de los divorcios ha supuesto un aumento de la monoparentalidad. En promedio, en dichos países, cerca de un 15% de los niños viven con un solo progenitor y cerca del 84% viven con dos personas casadas o en unión estable de pareja. Estados Unidos (27%), el Reino Unido (24%) Irlanda (24,3%), Nueva Zelanda (24%) y Canadá presentan niveles especialmente elevados de monoparentalidad. En Europa Oriental, entre el 11 y el 15% de los niños viven con un solo padre. En EE.UU. y otros países la pobreza suele relacionarse con la estructura familiar. Los niños que viven en hogares monoparentales tienen una mayor tendencia a crecer en la pobreza, sobre todo si el cabeza de familia es una mujer[66]. Las proyecciones efectuadas por la mayor parte de los países de la OCDE anticipan que la proporción de niños que vivirán en familias monoparentales irá en aumento hasta el año 2030.

c) *Resto del mundo.* Según el informe *World Family Map* (STI, 2014), crecer en una familia monoparental resulta especialmente común en el África Subsahariana (entre el 13% en Nigeria y

---

[65]  Informes *Doing Better for Families* (2011); *World Family Map* (STI, 2014); A. Arroyo Morcillo (2002: 77-92).

[66]  *Federal Interagency Forum on Child and Family Statistics, "America's Children in Brief: Key National Indicators of Well-Being*, 2012 (Washington, DC: U.S. Government Printing Office, 2012).

el 43% en Sudáfrica), en América Central y del Sur. En América del Norte, Oceanía y Europa, una amplia minoría —alrededor de una quinta parte— de los niños vive en hogares monoparentales, y menos del 7% de los niños vive en familias que carecen, al menos, de uno de los padres. En cambio, Asia, Oriente Medio y Europa Oriental disfrutan de las tasas de monoparentalidad más bajas del mundo.

*Capítulo II*
# MONOPARENTALIDAD Y DERECHO POSITIVO

## 1. HETEROGENEIDAD FAMILIAR Y DERECHO POSITIVO CATALÁN

Entre otras referencias estatutarias, en el EAC la concordancia con el artículo 39 CE (protección de la familia) se halla en el artículo 40.2 EAC que establece que "Los poderes públicos deben garantizar la protección jurídica, económica y social de las *distintas modalidades de familia* previstas en las leyes, como estructura básica y factor de cohesión social y como primer núcleo de convivencia de las personas. Asimismo, deben promover las medidas económicas y normativas de apoyo a las familias dirigidas a garantizar la conciliación de la vida laboral y familiar y a tener descendencia, con especial atención a las familias numerosas" (é.a.).

Con esta norma, al igual que se observa en la realidad sociológica en otros territorios y sociedades humanas, se patentiza explícitamente la pluralidad de modelos familiares que conviven en la realidad social catalana. Como constatan Salvador i Coderch y Alascio Carrasco (2014: 59), los datos que ofrecen los censos de población evidencian que "La familia tradicional, integrada por una pareja casada, con o sin hijos, es hoy minoritaria en relación con el número total de hogares"; por su parte, Bartomeus Bayés (2015: 31) pone de relieve que la transformación de la sociedad catalana se debe al cambio general y no solo generacional y al impulso de las mujeres en la aceptación de la diversidad familiar y de modelos de familia más abiertos y tolerantes.

El Derecho positivo civil catalán sobre la familia está fundamentalmente regulado el Libro II del Código Civil de Cataluña (Ley 25/2010, de 29 de julio, del libro segundo del Código civil de Cataluña, relativo a la persona y la familia); también tienen especial relevancia, las normas siguientes: la *Llei 18/2003, de 4 de juliol, de suport a les famílies* (Ley de Apoyo a las Familias-LAF); y la *Llei 14/2010, del 27 de maig, dels drets i les oportunitats en la infància i l'adolescència* (LDOI) y en ciertas cuestiones, la *Llei 11/2014, del 10 d'octubre, per a garantir els drets de lesbianes, gais, bisexuals, transgèneres i intersexuals i per a erradicar l'homofòbia, la bifòbia i la transfòbia.*

Por otro lado, el ordenamiento civil catalán está presidido por un profundo sentido del principio de libertad civil. El principio de libertad civil, "no con libertad sin límites, sino con libertad extensa" (Durán y Bas, 1883, XCI-XCII), está ampliamente reconocido por la doctrina y en el Derecho vigente, el artículo 111-6 (*Libertad civil*), establece que "Las disposiciones del presente Código y de las demás leyes civiles catalanas pueden ser objeto de exclusión voluntaria, de renuncia o de pacto en contrario, a menos que establezcan expresamente su imperatividad o que ésta se deduzca necesariamente de su contenido. La exclusión, la renuncia o el pacto no son oponibles a terceros si pueden resultar perjudicados por ellos". El preámbulo (ep. II) de la Ley 29/2002, de 30 de diciembre, primera Ley del Código Civil de Cataluña, pone de relieve que el artículo citado tiene carácter de disposición preliminar y "remarca que, a diferencia del artículo 1255 del Código civil español, no se limita a la autonomía contractual, sino que tiene carácter de principio general. Al mismo tiempo, manifiesta la prevalencia de los actos de ejercicio de la autonomía privada sobre las disposiciones que no sean imperativas".

En el vigente Derecho familiar la autocomposición de intereses se desarrolla por medio de la desjudicialización y el recurso a mecanismos privados bajo control notarial, la jurisdicción voluntaria, y a sistemas alternativos para la resolución de disputas (ADR). En lo que se refiere al contenido de las relaciones familiares, salvo las normas y principios sobre derechos fundamentales y de derecho necesario, debe partirse de la presunción de que el Derecho es dispositivo y supletorio de la voluntad de las partes. Esta idea es congruente con los principios previstos en los artículos 1, 10 y 14 CE (igualdad, respeto a la libertad y libre desarrollo de la personalidad, no discriminación).

Como señala Parra Lucán (2012: 427), "todo lo que no sea contrario a los principios y valores constitucionales, en ausencia de norma imperativa expresa, debe considerarse como materia disponible. Si es materia disponible puede ser objeto de pacto por los interesados, pero también de sumisión a arbitraje o de transacción". No obstante, por razones institucionales, defensa y equilibrio de intereses dignos de protección, de protección de la parte más débil o necesitada, y de orden público, también existen normas contrarias o limitativas a la libertad civil. Esta diversa composición de intereses, evidencia "la profunda dicotomía existente en la sociedad actual entre libertad y regulación, o más en concreto, entre derechos individuales y familiares" (Garrido Melero, 2013, I: 53).

Por lo que respecta a los modelos familiares, el preámbulo (ep. III) del Libro II, se refiere al principio de la *diversidad familiar* en los términos siguientes: "El título III mantiene la sistemática del Código de familia [Ley 9/1998, de 15 de julio, del Código de Familia, vigente hasta el 1 de enero de 2011], *salvo la importante incorporación*, en el primer precepto, de otras formas de familia, como la pareja estable y la *familia formada por un progenitor solo con sus descendientes*, así como del reconocimiento del carácter familiar de los núcleos en que conviven hijos no comunes, sin perjuicio de los vínculos de estos con el otro progenitor" (é.a.) y en este sentido es significativo lo prevenido en el artículo 231-1 CCC que "por primera vez en el ámbito español […] reconoce la heterogeneidad del hecho familiar" (Roca Trías, 2011: 513).

Otras afirmaciones de interés son las siguientes:

> En el preámbulo (*Principios*, ep. II) de la Ley 25/2010, de 29 de julio, se afirma que "las transformaciones sociales han hecho que hoy la familia se entienda más bien como un ámbito en que la comunicación y el respeto a los deseos y aspiraciones individuales de los miembros que la componen ocupan un lugar importante en la definición del *proyecto de vida en común*. Es por ello que se pone *énfasis en el desarrollo individual, en la libertad y autonomía del individuo, pero también en su responsabilidad* [é.a.]. Esta concepción de la familia también inspira todo el derecho del menor y la regulación de las relaciones entre los progenitores y los hijos en potestad.
>
> Respecto a los intereses de los colectivos especialmente vulnerables, el ordenamiento civil debe hacer posible, no obstante las especiales necesidades de protección por razón de edad o de disminución psíquica o física, que todas las personas puedan desarrollar su proyecto de vida y tomar parte, en igualdad de derechos y deberes, en la vida social. Es por ello que la nueva regulación pone énfasis en la capacidad natural de las personas y en el *respeto a su autonomía en el ámbito personal y familiar*, sin ignorar que la posibilidad de abusos reclama la previsión de mecanismos de control adecuados".

"... hoy predomina *una mayor tolerancia hacia formas de vida y rea-lización personal diferentes a las tradicionales.* En una sociedad abierta, la configuración de los proyectos de vida de las personas y de las propias biografías vitales *no puede venir condicionada por la prevalencia de un modelo de vida sobre otro, siempre y cuando la opción libremente es-cogida no entrañe daños a terceros.* Este es el principio del que parte el libro segundo en cuanto al reconocimiento de las modalidades de fami-lia. Por ello, a diferencia del Código de familia, el presente libro acoge las relaciones familiares basadas en formas de convivencia diferentes a la matrimonial, como las familias formadas por un progenitor solo con sus descendientes, la convivencia en pareja estable y las relaciones convi-venciales de ayuda mutua. *La nueva regulación acoge también la familia homoparental,* salvando las diferencias impuestas por la naturaleza de las cosas" (é. a.).

Como observa Follia i Camps (2014: 263-264), según la afirma-ción contenida en el primer párrafo del citado preámbulo, "para que haya familia no haría falta ningún vínculo biológico, sino un proyecto de vida en común" y esto lleva al Código a reconocer distintos tipos de familias e incluso a regular las relaciones convivenciales de ayuda mutua a las que regula en título aparte y considera *quasi familias,* con lo que recuerda, en su versión actualizada, a la familia romana y a la de las Partidas, "si bien el vínculo de unión no es la autoridad sino la solidaridad que permite las libertades individuales".

"Artículo 231-1. *La heterogeneidad del hecho familiar.*
1. La familia goza de la protección jurídica determinada por la ley, que ampara *sin discriminación* las relaciones familiares derivadas del matri-monio o de la convivencia estable en pareja y *las familias formadas por un progenitor solo con sus descendientes.*
2. Se reconocen como miembros de la familia, con los efectos que legalmente se determinen, los hijos de cada uno de los progenitores que convivan en el mismo núcleo familiar, como consecuencia de la formación de familias reconstituidas. Este reconocimiento no altera los vínculos con el otro progenitor". (é.a.).

El cambio conceptual de un modelo básico ideal de familia a un modelo abierto también está previsto en el preámbulo del Decre-to 151/2009, de 20 de septiembre, de desarrollo parcial de la Ley 18/2003, de 4 de julio, de Apoyo a las Familias (LAF), como sigue: "De la definición tradicional de familia basada en el matrimonio y en el reparto de cargas y funciones por razón del sexo, se ha pasado a la definición que *considera a la familia un núcleo de convivencia basado en relaciones paritarias entre sus personas miembros y en el que éstas encuentran el espacio idóneo para su desarrollo social y afectivo, así como un eje central en la socialización y educación de los niños*. El concepto de familia, por lo tanto, ha adquirido un significado más amplio que abarca la diversidad de familias que conforman la sociedad catalana" (é.a.). Por otro lado, el artículo 22.1 LGBTI (Ley 11/2014, de 10 octubre), se refiere a las familias LGBTI y dispone que: "Las familias gozan de la protección jurídica determinada por la ley, que ampara sin discriminación las relaciones familiares derivadas del matrimonio, la convivencia en pareja estable y *las familias formadas por un progenitor con sus descendientes*" (é.a.).

El apartado primero del artículo 231-1 CCC prevé la protección jurídica de la familia según está "determinada por la ley". Con esta afirmación la protección jurídica de la familia, y los derechos y deberes que otorga a sus miembros, se rigen por las previsiones legales existentes al respecto. El contenido de estas normas se presume imperativo y habitualmente, salvo en aquellas materias o supuestos que sean susceptibles de autoordenación o pacto por tener naturaleza dispositiva, los deberes y derechos de los miembros del grupo familiar son irrenunciables, imprescriptibles e intransmisibles, y se fundamentan en el principio de *igualdad* de los progenitores y el respeto de la dignidad y la personalidad de todos sus miembros y en especial, de los hijos[67].

Por otra parte, a partir de la Ley 10/1998, de 15 de julio, de uniones estables de pareja, el legislador catalán reconoció el vínculo de unión estable de pareja entre personas del mismo sexo y respecto del matrimonio homosexual, a diferencia del anterior Código de Familia, el artículo 231-2.1 CCC prevé implícitamente el supuesto, al referirse al matrimonio como un vínculo "entre dos personas".

La norma citada también proyecta la *prohibición jurídica de discriminación* respecto de "las relaciones familiares derivadas del matrimonio o de la convivencia estable en pareja y *las familias formadas por un progenitor solo con sus descendientes*" (é.a.). En todos los casos, la filiación podrá ser por naturaleza, proceder de la filiación

---

[67]   Puig i Ferriol (2010: 434).

asistida o adoptiva. A su vez, el apartado segundo reconoce como "miembros de la familia" con los efectos que legalmente se determinen, a los hijos de las "familias reconstituidas", sin que ello altere los vínculos de aquellos con el otro progenitor. Esta previsión da por supuesto que, con carácter general, forman parte de la familia los hijos de ambos cónyuges o progenitor en unión estable de pareja (familias nucleares) y los demás parientes por consanguinidad o afinidad (aptdo. 1), y también, introduce un supuesto mixto en relación con los hijos de las familias reconstituidas, con los efectos, que legalmente se determinen. En concreto, en las familias reconstituidas, los antes llamados hijastros (que pueden proceder de cualquiera de las clases de filiación indicadas) pueden constituir familia del otro miembro de la pareja en relación con la toma de decisiones relativas a la vida diaria (art. 236-14.1) o, excepcionalmente, en caso de defunción del progenitor biológico, pedir ser designado guardador, en lugar de atribuirla al otro progenitor separado de la familia (art. 236-15.3).

Siguiendo a Roca Trías (2011: 515 y ss.), es evidente que el legislador catalán asume claramente el pluralismo familiar y este pluralismo tiene los efectos consiguientes al regular las diferentes instituciones familiares del Libro II CCC (domicilio familiar, dirección de la familia, determinación de los gastos familiares y participación en los mimos, guarda y tutela de los hijos...).

De los modelos familiares aludidos en la norma, se desprende que las familias nucleares se incardinan en el grupo de las familias matrimoniales o en unión estable de pareja; la nuclearización familiar describe un arquetipo de agrupación familiar que se halla presente en la práctica totalidad de las sociedades occidentales, pero sin incluir como elemento definitivo la forma de constitución del grupo; en las familias monoparentales falta el núcleo, que tanto pudo existir como no existir; en las familias extensas, en las que conviven varias generaciones, puede darse una pluralidad de núcleos; por último, la familia reconstituida puede considerarse un subtipo de la familia extensa que se concreta con la existencia de un nuevo núcleo y los miembros de este núcleo y de otros anteriores.

Como consecuencia de los supuestos contemplados, el precepto abarca los siguientes tipos de familia:

*a)* Las familias nucleares y las extensas.

*b)* La formada por una pareja que haya contraído matrimonio, entre dos personas de distinto o del mismo sexo sin ningún tipo de descendientes.

*c)* La formada por una pareja estable entre personas de distinto o del mismo sexo, sin ningún tipo de descendientes.

*d)* La formada por un progenitor solo (hombre o mujer) con sus descendientes (familia monoparental); y

*e)* Las familias reconstituidas, ensambladas o mixtas, formadas por parejas adultas en las que, al menos, existe y convive con la pareja, una filiación procedente de otra relación. En relación con ciertas materias (decisiones relativas a la vida diaria; guarda del hijo en caso de defunción del progenitor biológico), los hijos de un solo miembro de la pareja (hijastros) también son considerados hijos del otro cónyuge o miembro de la pareja y los gastos de alimentos (art. 237-1) de estos hijos, salvo que no lo necesiten, tienen el carácter de "gastos familiares" (art. 231-5.2).

En cambio, el concepto de "gastos familiares" de alimentos, salvo que no lo necesiten, se amplía a los gastos originados por los demás parientes que convivan con ellos (art. 231-5.2). Por otra parte, a los efectos previstos en los artículos 231-1 al 231-9 CCC, cuando los hijos se independizan dejan de considerarse familia de sus progenitores

El reconocimiento de la heterogeneidad y la consiguiente regulación legal se limita a los supuestos legales contemplados. En este sentido se observa que el legislador solo se pronuncia sobre determinados modelos familiares, y que ni siquiera las situaciones allí referidas encuentran en el propio Código una regulación específica.

Existen pues tres situaciones o categorías posibles (Villagrasa Alcaide, 2011: 540): *a)* las situaciones típicas o institucionalizadas que están jurídicamente reguladas; *b)* las situaciones meramente nominadas, carentes de tratamiento jurídico específico; y *c)* las situaciones atípicas o sin referencia y regulación jurídica, pero que no por ello dejan de pertenecer al hecho familiar. En las segundas, habrá que estar a los pactos convenidos por las partes interesadas y cuando ello sea posible, lo que no se producirá en todos los casos (por ej., matrimonio de rito gitano, STC 69/2007, de 16 abril 2007)[68], aplicar las disposiciones o principios de carácter general. Respecto del tercer grupo de situaciones no previstas por la norma (por ej., matrimonio poligámico), habrá que estar a los principios legales básicos (principios de igualdad, de no discriminación, protección de los hijos, etc.) y a los límites que derivan de la aplicación del criterio de orden público.

En suma, con arreglo al respeto de los principios de pluralismo y a los derechos y libertades de la persona, no existe la familia sino que existen "familias"; en la CE, existen principios que pueden ser de aplicación general a todas las clases de familia: relaciones de tipo horizontal (igualdad) y de tipo vertical (filiación sin discriminación); el matrimonio es una institución constitucionalmente garantizada (art. 32 CE; y SSTC, entre otras, nº 184/1990, de 15 de noviembre y 93/2013, de 23 de abril), lo que no sucede respecto de otras formas de organización de la convivencia familiar; por lo que se refiere a las demás relaciones de pareja o familiares, no puede exigirse que se aplique la normativa prevista para el matrimonio, pero el legislador puede prever el mismo tratamiento, regular situaciones jurídicas específicas o, en defecto de éstas, habrá que remitirse a los principios y valores constitucionales y a las normas y principios generales del Derecho.

## 2. MONOPARENTALIDAD Y NORMATIVA DE DERECHO POSITIVO CATALÁN

En el Derecho positivo catalán, las referencias más relevantes referentes a la familia monoparental se hallan en las normas siguientes:

a) Ley 18/2003, de 4 de julio, de Apoyo a las Familias.

b) Decreto 151/2009, de 29 de septiembre, de desarrollo parcial de la Ley 18/2003, de 4 de julio, de apoyo a las familias.

c) Decreto 139/2010, de 11 de octubre, sobre beneficios para las familias monoparentales y las familias numerosas en el precio del transporte público de viajeros por carretera y ferrocarril. El objeto de este Decreto "es determinar los beneficios aplicables a las personas miembros de las familias monoparentales y de las

---

[68]    Roca i Trías (2014: 296 y ss.).

familias numerosas que hagan uso de los servicios regulares de transporte público de viajeros por carretera y de los servicios ferroviarios de transporte de viajeros de competencia de la Generalidad de Cataluña" (art. 1) y las personas beneficiarias son los "miembros de las familias monoparentales y de las familias numerosas que tengan reconocida esta condición y lo acrediten con el correspondiente título", todo ello, de acuerdo con la LAF y el D. 151/2009, de 29 de septiembre, de desarrollo parcial de dicha Ley[69], y

d) Libro segundo del Código Civil de Cataluña (art. 231-1.1)[70].

## 2.1. *Ley 18/2003, de 4 de julio, de Apoyo a las Familias*

Sin excluir la existencia de políticas activas de apoyo anteriores a esta norma, el objeto de la Ley 18/2003, de 4 de julio, de Apoyo a las Familias (LAF) consiste en "establecer las bases y medidas para una política de apoyo y protección a la familia, entendida como eje vertebrador de las relaciones humanas y jurídicas entre sus miembros y como ámbito de transferencias compensatorias intergeneracionales e intrageneracionales. Con este objetivo, determina los derechos y prestaciones destinados a apoyar a las familias" (art. 1).

La Ley citada y el Decreto 151/2009, de 29 de septiembre, de desarrollo parcial de la Ley 18/2003, que se examina más adelante, constituyen las referencias normativas más relevantes en materia de derechos y prestaciones de apoyo a las familias monoparentales. La

---

[69]   Para evitar situaciones de desigualdad, el Dictamen 287/10, de 2 de septiembre, de la Comisión Jurídica Asesora, sobre el Proyecto de Decreto, la Comisión recordaba la necesidad de ajustar la regulación proyectada a los criterios previstos en el citado artículo 18 de la Ley, pues las familias monoparentales y las familias numerosas "no agotan por esta única condición el ámbito de realidades familiares susceptibles de protección" según la LAF, por lo que la norma proyectada "no excluye que en el futuro se puedan extender a […] otras realidades familiares estas u otras medidas de apoyo de la misma naturaleza" (2010: 7).

[70]   La Ley 22/2000, de 29 de diciembre, de Acogida de Personas Mayores (norma derogada, con efectos desde el 1 enero 2018 por la DD 2.*k*, Ley 3/2017, de 15 de febrero), menciona la "familia monoparental" entre las posibles personas acogedoras o acogidas. Actualmente esta posibilidad puede ordenarse en torno a las denominadas "relaciones convivenciales de ayuda mutua" y el contrato de alimentos.

Ley es de amplio espectro y los destinatarios de las medidas de apoyo a las familias se diseñan siguiendo el mismo criterio.

Debido a su carácter general protector, los destinatarios de la Ley (personas que forman parte de grupos familiares), son los siguientes (art. 2):

*a)* Los regulados mediante la Ley 9/1998, de julio del Código de familia y la Ley 10/1998, de 15 de julio, de uniones estables de pareja [actualmente, Libro Segundo (Ley 25/2010) del Código Civil de Cataluña];

*b)* Los miembros de familia numerosa, de acuerdo con la legislación vigente;

*c)* Los miembros de una *familia monoparental*, es decir, una familia con niños menores que conviven en la misma y que dependen económicamente de una sola persona.

*d)* Las familias con niños en acogida o adopción; y

*e)* Las familias con personas en situación de dependencia.

*Concepto legal de familia monoparental.* El artículo 2.c) de la Ley 18/2003, define la familia monoparental como "…una familia con niños menores que conviven en la misma y que dependen económicamente de una sola persona". La DA 3ª dispone que: "En el desarrollo reglamentario de la presente Ley, el Gobierno debe tener en cuenta la problemática específica de las familias monoparentales y de las familias numerosas, con el fin de hacer efectivo el principio de igualdad establecido por el artículo 8.2 del Estatuto de autonomía de Cataluña [de 1979, y actualmente, art. 4.2 EAC 2006]".

*Dependencia económica.* Como sea que, por un lado, la citada definición legal caracteriza o vincula, la monoparentalidad por razón de la "dependencia económica" de los hijos menores que integran el grupo familiar; y por otro lado, que el objeto de la norma es establecer derechos y prestaciones de apoyo a las familias, principalmente, en la esfera pública, de ello se desprende que la norma antes citada delimita un tipo especial de monoparentalidad que cabe denominar "monoparentalidad administrativa" basada en el requisito añadido de la dependencia económica, lo que introduce un concepto mas estricto del que se prevé, con carácter general o neutro, para la "monoparentalidad civil" que se refiere a "*las familias formadas por un progenitor solo con sus descendientes*" (art. 231-1.1).

La Ley 18/2003 remite a la correspondiente normativa reglamentaria para regular determinadas prestaciones económicas en función de las familias que tienen a su cargo niños menores de tres años, o niños menores de seis años, y de sus ingresos económicos (art. 10). A los efectos de aplicación de esta Ley, "se entiende por niño toda persona menor de doce años y por adolescente toda persona con una edad comprendida entre los doce años y la mayoría de edad establecida por la ley" (art. 5).

Por lo que se refiere a las medidas de apoyo fiscal referentes a las tasas y precios públicos, el artículo 18 señala que estas medidas "van destinadas a familias con cargas económicas familiares. A la hora de aplicarlas deben tenerse en cuenta el número de miembros de la familia; la edad de los hijos; el nivel de ingresos de la familia; las situaciones de discapacidad física, psíquica o sensorial, y la existencia de personas mayores a cargo.".

En el ámbito civil, la relevancia fáctica de estas situaciones puede incidir en relación con la fijación, cuando proceda, de la pensión por alimentos en los supuestos de crisis matrimonial o por otras causas legales. En el citado ámbito administrativo se considera que existe "dependencia económica" cuando la persona progenitora que tiene la tutela de los hijos o hijas "no percibe pensión por los alimentos de ellos o ellas establecida judicialmente o, aun percibiéndola, ésta es inferior a la mitad del importe del indicador de renta de suficiencia de Cataluña (IRSC) vigente mensual por cada hijo o hija" (art. 4.2.c.), y "siempre y cuando los hijos o hijas no obtengan, cada uno de ellos, unos ingresos por rendimiento del trabajo superiores, en cómputo anual, al IRSC [indicador de renta de suficiencia de Cataluña] vigente" (art. 4.3.c., D. 151/2009).

## 3. DECRETO 151/2009, DE 29 DE SEPTIEMBRE, DE DESARROLLO PARCIAL DE LA LEY 18/2003, DE 4 DE JULIO, DE APOYO A LAS FAMILIAS

En el Dictamen 216/09, de 23 de julio, de la Comisión Jurídica Asesora de la Generalitat de Catalunya (ponente Ferran Badosa i Coll), sobre el Proyecto de Decreto de desarrollo parcial de la Ley 18/2003, de apoyo a las familias (promulgado como el Decreto 151/2009, de 29 de septiembre, de desarrollo parcial de la Ley 18/2003) se pone de relieve que el "apoyo" *ex* artículo 1 LAF "consiste en la protección y la promoción económicas (párrafos 2, 4, 5 y 7 del preámbulo de la LAF). Los fundamentos de la LAF, según el párrafo 1 del preámbulo, son el marco jurídico civil y el artículo 39 de la CE" (ep. II).

La Ley 18/2003, la propuesta de decreto y la propia norma, configuran dos tipos de familias: la *familia numerosa* (artículo 2. b, LAF), y las *familias monoparentales* (artículo 2.c). La primera, es una categoría estatal regulada para la Ley 40/2003, de 18 de noviembre, de la familia numerosa (LFN)[71] y el Decreto 1621/2005, de 30 de diciembre, del Reglamento de la citada Ley (anteriormente, regulada en la Ley 25/1971, de 19 de junio); y la segunda, "es una nueva categoría, propia de la legislación catalana" (ep. II).

Señala el Dictamen que la competencia de la *Generalitat* se fundamenta en los artículos 166.4, 40.2 y 16 EAC. En relación con la introducción del concepto de familia monoparental, en línea con las reflexiones expuestas en el apartado precedente, el Dictamen (2009: 8) pone de relieve que "La Comisión considera que la LAF introduce un concepto peculiar de familia que hay que diferenciar de la familia en sentido civil. Esta resulta de la distribución de instituciones entre el Código de familia, fundamentado en el matrimonio y la LUEP que contempla la pareja de hecho estable [actualmente, regulada en Libro II CCC]. La LAF introduce un concepto diferente de familia que se identifica como destinataria de apoyo económico de la Administración. El fundamento no es la pareja sino la dependencia económica de unas personas que conviven con otros y que puede generar situación de necesidad. La LAF selecciona las modalidades de numerosas y monoparentales. Las numerosas se caracterizan por la pluralidad de dependientes económicos y las monoparentales por el encargado económico único".

---

[71]   Según se expone más adelante, esta Ley incluye en el concepto legal de familias numerosas a las familias monoparentales que reúnan los requisitos previstos en la norma.

En este sentido, las familias numerosas y monoparentales son "dos cualidades o condiciones de las familias (artículo 2. b) y c) de la Ley) y fundamentos de habilitación normativa (disposición adicional tercera de la Ley)". Estas dos modalidades familiares "tienen en común la estructura vertical entre encargados del mantenimiento y dependientes económicos. En la familia numerosa, el número lo hacen los dependientes, tres o más (artículo 2.1 de la LFN); en las monoparentales, el número lo hace *la unicidad del mantenedor* (artículo 4.1 del Proyecto de Decreto). Por eso las dos cualidades son compatibles en un mismo grupo familiar (como reconocía la disposición adicional segunda del Proyecto de Decreto en la versión anterior, de 9 de febrero de 2009)". Con arreglo al Dictamen: "La monoparentalidad es la nueva condición jurídica resultante de una situación económica consistente en el mantenimiento por parte de una sola persona de unas o más personas" (2009: 16).

Asimismo, según se desprende de los requisitos exigidos para reconocer la condición de familia monoparental a los efectos de aplicación de la LAF, la monoparentalidad jurídica es compatible con una situación de pareja del encargado del mantenimiento. "Depende de que su relación de pareja imponga al otro miembro el deber de colaborar en el mantenimiento de los hijos propios de aquel. Hay deber de colaboración en el caso de que la pareja sea matrimonio o pareja estable según la LUEP (artículo 4.2 del Código de familia, y 4 y 23 de la LUEP). Entonces desaparece la monoparentalidad jurídica (artículo 4.4). No hay deber en los otros supuestos de pareja y entonces se mantiene la monoparentalidad jurídica (artículo 4.2.a) del Proyecto de Decreto)" (2009: 16).

El Capítulo III del Decreto está dedicado a la familia monoparental. Incluye el concepto de familia monoparental, las condiciones que deben cumplir los hijos o hijas y las categorías. Esa regulación posibilita la identificación de estas familias a fin de darles un apoyo específico desde los distintos ámbitos de actuación pública, con una mayor protección, determinada por la pertenencia a la categoría especial, en función de las circunstancias familiares (préamb.)

### 3.1. *Libro segundo Código Civil de Cataluña (Ley 25/2010, 29 julio)*

En el Libro segundo del *Codi*, no existe ninguna alusión literal expresa a la familia "monoparental", pero su reconocimiento legal como modelo familiar se deduce por referencia a las "*familias formadas por un progenitor solo con sus descendientes*" (art. 231-1.1). Este concepto difiere del que aparece recogido en el antes citado artículo 2.c) de la Ley 18/2003, de 4 de julio, que se expresa como sigue: "Los miembros de una familia monoparental, es decir, *una familia con niños menores que conviven en la misma y que dependen económicamente de una sola persona*".

La comparación entre ambas definiciones y su alcance ofrece diferencias relevantes y hasta contradicciones. La definición civil de la monoparentalidad destaca por su imprecisión e insuficiencia y tal como está formulada, en sentido amplio, tanto puede referirse a un supuesto de monoparentalidad como a un supuesto de familia extensa (por ej., progenitor solo que vive con un hijo casado que forma una familia nuclear).

Por otra parte, en sentido jurídico, el significado de la expresión "descendientes" ("que desciende o proviene por generación", Dicc. DCVB), puede ser más o menos extenso. En sentido estricto, el *Codi* distingue expresamente entre "hijos" (primer grado) y "descendientes" (grados ulteriores); esto sucede, por ejemplo, en los artículos 235-27, 235-29 y 412-8.3); en otros casos, como sucede en el artículo 423-8.1, según proceda, la expresión "hijos" puede tener un significado estricto o amplio; y lo mismo cabe afirmar de la expresión "descendientes" (por ej., arts. 441-3[72], 442-3.2, 443-1.1 y 441-7).

En el presente caso, aunque cabe presumir que, en general, la norma está dirigida para el supuesto de hijos que viven con un solo progenitor (descendientes de primer grado), la norma no excluye que el supuesto pueda presentarse respecto de descendientes de ulterior

---

[72] La línea es directa si las personas descienden una de la otra, y puede ser descendente y ascendente. La descendente une al progenitor con quienes descienden de él (art. 441-3.2). En la sucesión intestada, el llamado de grado más próximo excluye a los demás, salvo en los casos en que es procedente el derecho de representación (art. 441-5).

grado, con lo que, en este punto, configura un concepto amplio de familia monoparental. En el concepto de "descendiente" también están incluidas las personas adoptadas (arg. art. 235-47.1). La norma no prevé un límite de edad para que los descendientes puedan integrar una familia de tipo monoparental, pero es cuestionable que, cuando no existe dependencia de ningún tipo, pueda hablarse, en sentido propio, de familia monoparental. La definición tampoco prevé, de modo explícito, el requisito de convivencia común, que junto a la dependencia, cabe considerar como uno de los rasgos característicos que integran el concepto.

Asimismo, en sentido jurídico, según se interprete de forma estricta o amplia la expresión "progenitor solo", el concepto de monoparentalidad puede limitarse a los supuestos de: monoparentalidad por causa de viudez, y de padres o madres solos por elección (monoparentalidad propia o directa), o incluir los demás supuestos de monoparentalidad sociológica o de hecho (monoparentalidad impropia o indirecta). En ningún caso, los conceptos legales indicados se refieren al ejercicio conjunto o no, con el otro progenitor, de la guarda o de la potestad parental. En general, esta cuestión no se suscitará en los supuestos de monoparentalidad propia, pero cuando exista el otro progenitor, en muchos casos, este puede compartir la guarda o la potestad parental. En estos casos, el rasgo diferencial debe basarse en el hecho de la convivencia.

Por lo que atañe a la regulación jurídica de este modelo familiar, a pesar de su tipificación legal civil, el legislador se limita a proclamar con carácter general que "las familias gozan de la protección jurídica determinada por la ley" (art. 231-1), sin que, quizás debido a la diversidad de supuestos posibles, prevea una regulación civil especial para aquellas[73]. Por tanto, procederá aplicar la legislación general o especial que pueda existir en relación con cada situación o supuesto de hecho.

Por lo que atañe al concepto previsto en la Ley 18/2003, se observa que la definición se limita al supuesto de convivencia en una familia de "hijos menores", que, además, deben depender "económicamente de una persona". En este ámbito, por definición, la ausencia de este

---

[73]   En sentido crítico por esta omisión v. Villagrasa Alcaide (2011: 553-555).

segundo requisito conduce al absurdo de que, de acuerdo con la ley de referencia, no exista familia monoparental. Esta circunstancia se pone de relieve en el Dictamen antes citado que recuerda que la Ley 18/2003, "introduce un concepto diferente de familia que se identifica como destinataria de apoyo económico de la Administración" y en dicho contexto, las familias monoparentales se caracterizan por la existencia de un "encargado económico único". Asimismo, en dicha definición, el legislador deja abierta la posibilidad de que en la familia puedan convivir otras personas.

Por otra parte, el artículo 5 de la norma dispone que "a los efectos de lo dispuesto por la presente Ley se entiende por niño toda persona menor de doce años y por adolescente toda persona con una edad comprendida entre los doce años y la mayoría de edad establecida por la ley". Esta previsión excluye, de plano, a las familias monoparentales con dependencia económica pero con hijos menores de edad, mayores de doce años, o con hijos discapacitados cuando superen este límite de edad. No obstante, según se examina más adelante, este esquema tan restrictivo salta por los aires en el Decreto 151/2009, porque prevé una tipología de familias monoparentales mucho más abierta.

Como puede deducirse de su respectiva regulación, los conceptos civil y administrativo no son coincidentes. Aunque puede interpretarse la norma civil en sentido estricto y entender que su ámbito subjetivo se limita al progenitor solo que convive con sus descendientes dependientes por razones de edad o dependencia jurídica, la norma no prevé estos requisitos. Por otra parte, cuando el descendiente sea mayor de edad, se halle con plenas facultades jurídicas y sea económicamente autónomo, incluso aunque exista el requisito de convivencia, la condición de familia monoparental pierde sustantividad.

Salvo mejor criterio, los rasgos tipo de la familia monoparental hay que deducirlos intuitivamente y en consideración a dichas previsiones legales y los rasgos sociológicos propios a este tipo familiar. En este sentido, cabe referirse a los siguientes:

a) *Responsabilidad unipersonal de la familia.* El rasgo básico de estas familias es que la responsabilidad del hogar, respecto de sus hijos o descendientes, recae en una sola persona, que es la que asume la jefatura familiar, todo ello, sin perjuicio de la participación o responsabilidad, en grado variable y cuando ello sea posible o así esté previsto, del otro progenitor. En una elevada proporción, el ejercicio de estas funciones, recae en una mujer, que es la que se hace cargo del cuidado y sustento cotidiano de la progenie.

La situación de monoparentalidad puede ser más o menos directa o completa según cuál sea la causa que la motiva. Pueden darse supuestos de titularidad única de la guarda y de la potestad parental (viudez; desconocimiento de la filiación respecto del otro progenitor; exclusión de la filiación por haberse determinado en contra de la voluntad del progenitor (art. 235-14 CCC) o por privación legal (art. 236-6 CCC). La titularidad de la guarda o, en su caso, la potestad parental, será única cuando la autoridad judicial así lo haya dispuesto en interés de los hijos (art. 236-19 CCC), generalmente, como consecuencia de un procedimiento de crisis matrimonial o relativo a una unión estable de pareja (arts. 233-2 y 234-6 CCC); cuando se haya acordado por delegación de uno en el otro o por distribución entre ellos de las funciones de la parentalidad (art. 236-9 CCC) o por causa de desacuerdos reiterados que entorpezcan gravemente la posibilidad de su ejercicio conjunto (art. 236-13.2 CCC). Por otra parte, en el caso de *vida separada* de los progenitores, estos pueden acordar mantener el ejercicio conjunto de la potestad parental, delegar su ejercicio a uno de ellos o distribuirse las funciones de acuerdo con lo establecido por el artículo 236-9.1 (art 236-11.1).

b) *La dependencia de los hijos o descendientes.* El *Codi* no se refiere al requisito de dependencia, pero son aplicables las reflexiones hechas en el punto anterior. Cabe afirmar que para integrar la familia monoparental debe darse una *dependencia jurídica* que, normalmente, consistirá en el ejercicio de la potestad parental o la guarda de los hijos a cargo de un solo progenitor. Por otra parte, en razón de su finalidad asistencial, la Ley 18/2003 y el Decreto 151/2009, solo tienen en cuenta la dependencia económica. Esta circunstancia conlleva los reparos antes expuestos e implica que solo pasen a integrar el concepto administrativo de familia monoparental, aquellas familias que reúnan los requisitos previstos en esta normativa especial.

c) *Convivencia.* Se trata de un corolario de los puntos anteriores que se funda en la responsabilidad unipersonal y la dependencia de los hijos. En situaciones de normalidad y cotidianedad, no cabe concebir el ejercicio corriente, ordinario o cotidiano de la guarda y la potestad parental sin que exista una relación de convivencia en común entre los componentes de la familia monoparental.

d) *Mayores necesidades económicas.* No se trata de un rasgo civil definidor o peculiar a este tipo de familias. No obstante, en general, en razón de su particular configuración y circunstancias, los estudios sociológicos evidencian que las familias monoparentales suelen tener un mayor riesgo de exclusión social. Esto es debido a la existencia de un solo progenitor que, en principio, constituye la única fuente de renta familiar y a quien corresponde afrontar las responsabilidades y los gastos de crianza de los hijos o hijas. Por otra parte, también se ha observado que, según el tipo de monoparentalidad o las circunstancias del caso, puede no existir la estructura de *apoyo familiar* paralela correspondiente al parentesco del otro progenitor. Como observan Perondi *et al.* (2012: 246), "el apoyo familiar, generalmente prestado por los abuelos de la familia (y muy notoriamente por las abuelas), suele ser de cuatro tipos: cuidado de los y las menores, económico, en materia de vivienda, y apoyo afectivo-emocional".

## 4. CONCEPTO ADMINISTRATIVO DE FAMILIA MONOPARENTAL. REQUISITOS QUE DEBEN CUMPLIRSE (DECRETO 151/2009, DE 29 SEPTIEMBRE)

El D. 151/2009, de 29 septiembre, desarrolla la LAF, categoriza la "condición de familia monoparental" y regula la expedición del *título de familia monoparental.* Con arreglo a lo previsto en este decreto, en síntesis, estas cuestiones están reguladas como sigue.

### 4.1. Concepto y tipificación de familia monoparental

*Concepto.* "Las familias monoparentales son aquellas que están formadas por uno o más hijos o hijas que cumplen los requisitos establecidos en el apartado 3 [*infra*] de este artículo y que conviven y dependen económicamente de una sola persona" (art. 4.1). La Comisión (2009:16), pone de relieve que "la monoparentalidad es la nueva condición jurídica resultante de una situación económica consistente en el mantenimiento por parte de una sola persona de unas o más personas. Es la "dependencia económica´´", pero en algún punto, por ejemplo, artículo 4.2.c) D. 151/2009), la norma también tiene en cuenta la situación económica del encargado del mantenimiento.

A efectos del Decreto 151/2009, se consideran, "en todo caso" familias monoparentales, las siguientes (art. 4.2):

*a)* Aquélla en la que el padre o la madre, con hijos o hijas a cargo, convive al mismo tiempo con otra persona o personas y no tiene relación matrimonial o de unión estable de pareja con ninguna de ellas, con arreglo a la legislación civil catalana.

*b)* Aquélla constituida por una persona viuda o en situación equiparada, con hijos o hijas que dependan económicamente de ella, sin que a este efecto se tenga en cuenta la percepción de pensiones de viudedad u orfandad.

*c)* Aquélla en la que la persona progenitora que tiene la tutela de los hijos o hijas no percibe pensión por los alimentos de ellos o ellas establecida judicialmente o, aun percibiéndola, ésta es inferior a la mitad del importe del indicador de renta de suficiencia de Cataluña (IRSC) vigente mensual por cada hijo o hija.

*d)* Aquélla en la que la persona progenitora con hijos o hijas a cargo ha sufrido violencia con arreglo a la Ley [catalana] 5/2008, de 24 de abril, del derecho de las mujeres a erradicar la violencia machista, por parte de la otra persona progenitora o conviviente.

*e)* Aquélla en la que la persona progenitora con hijos o hijas a cargo ha sufrido abandono de familia por parte de la otra persona progenitora o conviviente.

*f)* Aquélla en la que una de las personas progenitoras convivientes haya estado durante un periodo igual o superior a un año en situación de privación de libertad, hospitalización u otras causas similares. En este caso, la situación real de monoparentalidad sociológica es anterior al concepto administrativo de familia monoparental.

La clasificación reglamentaria de familia monoparental que prevé la norma citada no parece concordar totalmente con su concepto según la dicción legal. En efecto, según la LAF, la familia monoparental es una "familia con niños menores que conviven en la misma y que dependen económicamente de una sola persona" (art. 2.c.). La Ley remite a la "familia" y no a un progenitor; se refiere a "niños menores" (de doce años); y vincula el concepto al requisito de dependencia económica respecto de "una sola persona". Por otra parte, nada prevé la norma legal sobre la posible dependencia o discapacidad funcional o psíquica.

La LAF parece admitir que, en el "hogar-familia", pueden convivir otras personas o familiares, pero el menor o menores deben encontrarse en dependencia económica de "una sola persona", que se supone debe ser el progenitor, y así lo confirma la regulación reglamentaria de las familias monoparentales. No obstante, la norma reglamentaria también incluye determinados supuestos de biparentalidad cuando concurran, el abandono, violencia o ausencia de uno de los progenitores por un plazo mayor de un año [supuestos 4.2.d, e, y f), Decreto151/2009] y se cumplan los demás requisitos generales (edad, convivencia, dependencia económica, residencia). Por otro lado, excepto en el supuesto f), aunque la solución parece que también debe ser la misma, la norma reglamentaria limita el concepto de familia monoparental a las relaciones progenitor-hijo/s o hija/s.

La introducción y configuración de determinadas subespecies de familia monoparental *ex novo* por vía reglamentaria, se produce en los siguientes supuestos:

En primer lugar, por la extensión de supuestos a hijos mayores de edad, o a hijos que tengan una discapacidad o estén incapacitados para trabajar "con independencia de su edad" (art. 4.3.a., D. 151/2009), si bien es cierto que en materia de pensiones de orfandad el artículo 175 TRLGSS (norma de aplicación general, *ex* DF 1ª,) prevé la percepción de pensiones, según los casos, para hijos menores de 21 y 25 años.

Doctrinalmente, se ha propuesto la elevación de edad hasta los 25 años debido a la no emancipación "real" de los hijos. La doctrina justifica esta dependencia por la función socializadora que cumple todo grupo familiar y por el hecho de la maduración, cada vez más tardía, de los jóvenes debido a la prolongación de sus estudios, su difícil inserción en el mercado de trabajo, y las dificultades de acceso a la vivienda[74].

En segundo lugar, cuando prevé la inclusión en dicho concepto para el supuesto c) (progenitor que tiene la "tutela" de sus hijos) pues ello permite inferir que la norma se refiere a supuestos de potestad parental prorrogada o rehabilitada. El primer supuesto tiene en cuenta la posibilidad de promover la incapacidad de los hijos menores no emancipados que carecen de autogobierno, en cuyo caso, una vez obtenida la potestad parental prorrogada no será necesario promover un procedimiento para el nombramiento de tutor o curador porque el progenitor en cuestión conservará la potestad parental prorrogada cuando el menor alcance la mayoría de edad (art. 236-33 CCC). Más claro es el supuesto de potestad parental rehabilitada que supone que el progenitor recupera la potestad parental que se había extinguido por la mayoría de edad o emancipación del hijo o hija cuando este es incapacitado durante su mayoría de edad (art. 236-34 CCC).

### 4.2. Requisitos que deben cumplir los hijos/as de las familias monoparentales

Para que se reconozca y mantenga la condición administrativa de familia monoparental, los hijos o hijas deben cumplir los requisitos siguientes:

#### a) Requisito de edad

Los hijos deben ser menores de 21 años, o tener una discapacidad o estar incapacitados para trabajar, con independencia de su edad. Este límite de edad se amplía hasta los 25 años cuando los hijos cursen estudios de educación universitaria en sus distintos ciclos y modalidades, de formación profesional de grado superior, de enseñanzas especializadas de nivel equivalente a las universitarias o profesionales en centros sostenidos con fondos públicos o privados, o cualesquiera otros de naturaleza análoga, o bien cuando cursen estudios encaminados a obtener un puesto de trabajo (v. art. 4.3.a).

---

[74] Almeda y Flaquer (1995:27); Perondi *et al.* (2012: 33).

*Personas equiparadas a los hijos/as.* A los efectos del decreto 151/2009, "Se considera condición equiparada a la de hijo o hija la *persona menor tutelada* o *acogida de modo preadoptivo o simple* con carácter permanente o con una duración superior a un año con la que se convive, y se considera condición equiparada a la de persona progenitora a la persona tutora y a la persona acogedora" (art. 2.b) (é.a.). En estos supuestos la noción de familia se extiende a situaciones que exceden de la filiación.

*Conceptos de persona discapacitada.* La norma define los conceptos siguientes:

a) Persona discapacitada: "aquella persona que tiene reconocido un grado de minusvalidez igual o superior al 33%";

b) Persona incapacitada para trabajar: "aquella persona que tiene reconocida la discapacidad en un grado equivalente al de la incapacidad permanente absoluta o gran invalidez" (art. 2.c).

La introducción de estos tipos de familia monoparental no previstas en el articulado de la LAF y la ampliación de la edad de los hijos a los 21/25 años, ya fue advertida en la fase previa de redacción del decreto y a este respecto, la Comisión consideró que "el exceso de los 21/25 años sobre los 12 años del artículo 2.c) de la LAF no los contradice, porque son dos enfoques diferentes de la familia monoparental. El artículo 4.3.a) del Proyecto de Decreto la considera en sí misma como grupo familiar en el cual se quiere dotar de condición jurídica propia. La Comisión señala que esta ampliación es una extensión no prevista en la Ley y que, en cualquier caso, se fundamentaría en la habilitación general de la disposición adicional tercera" (2009: 19).

## b) Requisito de convivencia

Es preciso que existencia convivencia con la persona progenitora (o con la persona que proceda en la preadopción). Se entiende que la separación transitoria durante un *periodo igual o inferior a dos años* motivada por razón de estudios, trabajo, tratamiento médico, rehabilitación u otras causas similares, incluyendo los supuestos de fuerza mayor, privación de libertad de la persona progenitora o de los hijos o hijas o internamiento de acuerdo con la normativa reguladora de la responsabilidad penal de los menores *no rompe la convivencia* entre la persona progenitora y los hijos o hijas, aunque sea consecuencia de un traslado temporal al extranjero (v. art. 4.3.b).

### c) Requisito de dependencia económica

Depender económicamente de la persona progenitora. Se considera que existe dependencia económica siempre y cuando los hijos o hijas no obtengan, cada uno de ellos, unos ingresos por rendimiento del trabajo superiores, en cómputo anual, al IRSC vigente (art. 4.3.c).

## 4.3. Requisitos relativos a la residencia y nacionalidad

### a) Residentes de nacionalidad española o de países de la UE

Las personas miembros de la unidad familiar deben tener su residencia en Cataluña y la nacionalidad española o de un estado miembro de la Unión Europea o de alguno de los restantes estados que forman parte del Acuerdo sobre el Espacio Económico Europeo o, si tienen su residencia en otro estado miembro de la Unión Europea o del Acuerdo sobre el Espacio Económico Europeo, pero al menos una de las personas progenitoras de la unidad familiar debe ejercer una actividad en Cataluña (art. 4.4.I).

### b) Residentes no españoles o de países no integrados en la UE

A los efectos del decreto, las personas miembros de la unidad familiar nacionales de países distintos a los citados tienen derecho al reconocimiento de la condición de familia monoparental en igualdad de condiciones que las personas con nacionalidad española, siempre y cuando sean residentes en Cataluña todas las personas miembros que den derecho a los beneficios establecidos y de acuerdo con la normativa de extranjería vigente (art. 4.4.II).

## 5. CATEGORÍAS DE FAMILIAS MONOPARENTALES Y DIPLOMA ACREDITATIVO. PLAZO DE VALIDEZ

Corresponde al departamento competente de la *Generalitat* en materia de políticas familiares (*Secretaria de Família, Oficines de Benestar Social i Família*) el reconocimiento de la condición de familia monoparental, y de la categoría que corresponda dentro de cada una, a aquellas familias residentes en Cataluña que reúnan los requisitos establecidos, así como la expedición y la renovación del título que lo acredita,

El *título de familia monoparental* expedido por la *Generalitat* de Cataluña, permite acceder a determinados beneficios y prestaciones sociales. Las solicitudes de título de familia monoparental, deben ir firmadas por la persona progenitora que encabeza la unidad familiar. En el caso de que deban tenerse en cuenta los ingresos de otras personas miembros de la unidad familiar, éstas también deben firmar la solicitud. Excepto en los supuestos especiales recogidos en la normativa reguladora, el título de familia monoparental tiene una validez de cuatro años. Cuando el hijo o hija de más edad cumpla 21 años, tendrá validez bienal (v. Capítulo IV, D. 151/2009).

1. *Categorías de familia monoparental*

En relación con la aplicación de la LAF, el decreto 151/2009 clasifica las familias monoparentales en las siguientes dos categorías (art. 5):

a) *Categoría especial.* Comprende los siguientes supuestos:

   – Las familias monoparentales de dos o más hijos o hijas.

   – Las familias monoparentales en las que o bien la persona progenitora o bien un hijo o hija sea persona discapacitada o esté incapacitada para trabajar.

b) *Categoría general.* Comprende las familias monoparentales que no se encuentren en alguna de las situaciones anteriores.

2. *Títulos de familia monoparental. Documentación necesaria*

El capítulo 4 del decreto, regula los procedimientos de expedición de títulos a familias numerosas y familias monoparentales, que pueden iniciarse a solicitud de cualquier persona miembro de la unidad familiar con capacidad legal. El título de familia monoparental comprende *un título colectivo* para toda la familia y *un título individual* para cada una de las personas que la componen con la finalidad de poder acceder a los beneficios asociados a esta condición. El título de familia monoparental es compatible con el título de familia numerosa (art. 13).

*Solicitud del título o diploma de familia monoparental.* La solicitud debe suscribirse, al menos, por la persona progenitora que encabeza la unidad familiar. En el caso de que deban tenerse en cuenta los ingresos de otras personas miembros de la unidad familiar, éstas también deben firmar la solicitud. Las solicitudes deben formalizarse en el correspondiente impreso o documento telemático normalizado y pueden presentarse de forma presencial o telemáticamente. No obstante, cuando no puedan verificarse por la Administración todos los datos necesarios para la expedición del título de acuerdo con la información de la propia Administración de la *Generalitat* o de otras administraciones públicas que puedan consultarse, y en tanto que no se disponga de los medios técnicos que permitan la validación de los datos y la presentación de documentos y copias electrónicas, debe presentarse la documentación que corresponda en soporte papel.

*Documentación necesaria para solicitar el título.* Para solicitar el título nuevo de familia monoparental es precisa la documentación siguiente (art. 11.1.2; 2 y 3):

1. Documentación general:

   *a)* Documento identificador de la persona solicitante y de los hijos o hijas mayores de 18 años que forman parte de la unidad familiar.

   *b)* Libro o libros de familia completos o sentencia, acta notarial o resolución administrativa de la adopción, únicamente en el caso de que dicho documento no se haya entregado previamente al Instituto Catalán de la Acogida y de la Adopción o que no conste en el libro de familia, o resolución judicial de tutela o administrativa de acogida familiar.

2. Documentación específica para cada uno de los supuestos:

   *a)* Tarjeta de residencia en el caso de personas procedentes de países no comunitarios o de personas familiares de ciudadanos/as de la Unión Europea, o certificado de registro como persona residente comunitaria.

   *b)* Certificado de convivencia de la unidad familiar en la fecha de presentación de la solicitud, en el caso de hijos o hijas mayores de 21 años.

*c)* Certificado de estudios en el caso de hijos o hijas mayores de 21 años que forman parte de la unidad familiar o matrícula abonada del año en curso.

*d)* Certificado de defunción de la otra persona progenitora, en el supuesto de que no conste en el libro de familia.

*e)* Resolución judicial en procedimientos de familia que establezcan medidas de tutela y custodia o pensiones de alimentos.

*f)* Resolución judicial acreditativa de que se ha iniciado procedimiento de ejecución de sentencia por impago de pensiones de alimentos.

*g)* Resolución judicial, o bien cualquier otro medio de prueba establecido por la legislación vigente, acreditativo de situación de violencia.

*h)* Resolución judicial de incoación de diligencias previas por un delito de abandono o bien cualquier otro medio de prueba establecido por la legislación vigente que acredite dicha situación de abandono.

*i)* Certificado de permanencia en centro de ejecución penal.

*j)* Certificado de permanencia en centro hospitalario.

*k)* Declaración del impuesto de la renta de las personas físicas (IRPF) del último ejercicio disponible de los hijos o hijas mayores de 18 años, sólo en el caso de no autorizar al órgano gestor a obtener los datos económicos directamente de la Agencia Tributaria de Cataluña.

*l)* Declaración jurada de no constituir unión estable de pareja ni haber contraído matrimonio con otra persona.

El órgano gestor puede solicitar durante el procedimiento la documentación que estime necesaria para resolver la solicitud, de acuerdo con la normativa vigente. En caso de no disponer de la documentación requerida, pueden aportarse otros documentos acreditativos de las distintas circunstancias familiares o personales. El órgano que debe resolver la concesión de los títulos debe valorar la idoneidad de dicha documentación aportada a los solos efectos de lo que regula el decreto.

## 3. *Plazo de validez, renovación y cancelación de los títulos (arts. 16 y ss.)*

*Plazo.* El artículo 16.2 dispone que el título de familia monoparental tiene una validez general de cuatro años, pero cuando el hijo o hija de más edad cumpla 21 años, tendrá una validez bienal, excepto en los supuestos especiales recogidos en el apartado 3 del artículo 16, en cuyo caso, su duración es variable en función del supuesto concreto (por ej., puede ser de tres meses, uno o dos años o en el caso de personas extranjeras residentes, tener una validez igual a la del documento acreditativo de la residencia). Si la renovación de dicho documento está en tramitación, los títulos tienen una validez de seis meses de duración.

*Renovación o cancelación.* El título de familia monoparental debe renovarse o cancelarse, además de cuando se ha agotado el periodo de validez, cuando varíe cualquiera de las condiciones que dieron lugar a la expedición del título o a una posterior renovación del título y ello suponga un cambio de categoría o la pérdida de la condición de familia numerosa o monoparental. También debe renovarse cuando alguno de los hijos o hijas deje de cumplir las condiciones para figurar como persona miembro de la familia monoparental, aunque ello no suponga modificación de la categoría en la que está clasificada o la pérdida de tal condición (art. 18).

*Variación de circunstancias.* Las personas titulares de unidades familiares a las que se haya reconocido el título de familia monoparental están obligadas a comunicar al órgano directivo que tenga atribuidas funciones en materia de políticas familiares, en el plazo máximo de tres meses, las variaciones de las circunstancias familiares o personales, siempre que se deban tener en cuenta a efectos de la modificación o extinción del derecho al título que tengan expedido. También deben informar en el primer trimestre de cada año sobre los ingresos de la unidad familiar del año anterior, excepto cuando la Administración ya disponga de dicha información y, en su caso, hayan autorizado la consulta de datos, siempre que éstos se hayan tenido en cuenta para la consideración de la familia como monoparental (art. 21). De oficio, el órgano gestor puede comprobar en cualquier momento la permanencia de las circunstancias y los requisitos que acrediten la conservación del derecho al título de familia monoparental y resolver y notificar la cancelación del título, y, en su caso, el inicio de un expediente sancionador (art. 22)[75].

*Pérdida de la condición de familia monoparental.* A los efectos del Decreto 151/2009, una familia monoparental pierde esta condición, en el momento en que se produzca alguno de los supuestos siguientes (art. 4.5):

a) *Matrimonio o unión estable de pareja.* Cuando la persona que encabeza la unidad familiar contrae matrimonio con otra persona o constituye una unión estable de pareja con arreglo a la legislación civil catalana.

b) *Incumplimiento de los requisitos exigidos.* Cuando la unidad familiar deje de cumplir cualquiera de las condiciones establecidas en el Decreto 151/2009 para tener la condición de familia monoparental.

## 6. LA FAMILIA MONOPARENTAL EN EL DERECHO POSITIVO ESTATAL Y AUTONÓMICO

Con carácter general, la expresión familia monoparental u otras análogas no se mencionan ni regulan explícitamente en el vigente Código Civil español, ni, salvo alguna mención excepcional, en las legislaciones civiles autonómicas. Según se ha examinado en el Derecho civil catalán, sin acudir a dicha expresión, la monoparentalidad aparece reconocida en el CCC y también existía una referencia expresa en la derogada Ley 22/2000, de 29 de diciembre, de Acogida de Personas Mayores que, en este caso, sin definirla, se refería a la "familia mono-

---

[75] Según el citado Dictamen, el cálculo de potencial de posibles beneficiarios era de 401.240 familias monoparentales y el número de títulos de familia monoparental que se deberían expedir podía llegar a los 401.240 de familiares y 589.823 individuales, con un total de 991.063 títulos.
Según la *Generalitat* de Cataluña, en el segundo semestre de 2016, el número de títulos de familias monoparentales en vigor, nuevos y renovados, ascendía a un total de 54.377.

parental" como uno de los supuestos incluidos en el "pacto [civil] de acogida" (arts. 1 y 32)[76].

A pesar de lo que antecede, cabe afirmar que, en la esfera civil, la previsión de soluciones legales a determinados supuestos de monoparentalidad, es prácticamente tan antigua como la propia regulación civil. La respuesta jurídico-civil a cada supuesto de monoparentalidad debe deducirse en función del concreto supuesto a resolver y el marco institucional familiar seguido por el legislador. Mientras el legislador civil ha regulado la familia según el modelo tradicional matrimonial, las situaciones de monoparentalidad causadas por los supuestos de viudez y crisis matrimonial estaban previstas en las correspondientes instituciones civiles de derecho personal, familiar o sucesorio, sin que para ello fuera necesario referirse nominátim a este concreto modelo de familia; en cambio, determinadas clases de monoparentalidad (singularmente, madre soltera con hijos, filiación no matrimonial), recibían una limitada atención o eran tratadas con disfavor por parte del legislador civil. Actualmente, se han superado estas discriminaciones y de forma directa o indirecta las normas civiles están adaptadas a los principios previstos en el vigente marco constitucional.

Fuera del ámbito civil, la mayor parte de las Leyes, estatales y autonómicas, en que se recoge la expresión "familia monoparental" u otras de significado equivalente, se han promulgado en los últimos decenios, y en su práctica totalidad, suelen prever sobre la concesión de ayudas o beneficios laborales, fiscales, sociales o públicos de diversa naturaleza[77].

Para vislumbrar el estado del ordenamiento jurídico español referente a las políticas públicas de ayuda a la monoparentalidad, M. Avilés Hernández (2015: 213 y ss.) ha examinado la base de datos de legislación estatal y autonómica publicada en el BOE, en relación con los términos "monoparentalidad", "monoparental" y "monoparentales" (legislación estatal, desde el año 1960; legislación autonómica,

---

[76]   Norma derogada, con efectos desde el 1 de enero de 2018, por la DD 2.k) de la Ley 3/2017, de 15 de febrero, que incorpora una nueva regulación en el CCC.

[77]   Vid., *a.e.*, *Guía de las Familias Monomarentales* de la FAMS (2016); *Guía de ayudas sociales y servicios para las familias* (Ministerio de Sanidad, Servicios Sociales e Igualdad, 2017: 44-47); *Xarxa d'avantatges per a famílies monoparentals* (*Generalitat de Catalunya*) (sitio: gencat.cat).

desde el año 1980). En síntesis, la investigación realizada por la autora citada, arroja las siguientes conclusiones:

En el período temporal considerado, los resultados de la base de datos indican que existían 162 disposiciones de carácter general que mencionaban alguno de dichos términos. De ellas, están derogadas el 8,6% y el resto vigentes. En general, el legislador vincula la expresión "monoparental" con el término "familia" y en escasos supuestos se habla de "hogar monoparental" o "núcleo monoparental"; tampoco es frecuente el uso de la expresión "monoparentalidad".

La norma más antigua que recoge el término se halla en el RD 195/1989, de 17 de febrero, por el que se establecen los requisitos y procedimiento para solicitar ayudas para fines de interés social, derivadas de la asignación tributaria del Impuesto sobre la Renta de las Personas Físicas (IRPF). El artículo 3 cita, entre otros colectivos, las familias monoparentales. En fechas posteriores, la referencia explícita a este tipo de familias se suele presentar ocasionalmente pues solo el 9,3% de las normas encontradas pertenece a los años noventa y es partir de los años dos mil, especialmente, a partir del año 2004, cuando se observa una mayor presencia de normas (casi el 81% de las disposiciones corresponde al período 2004-2015).

Por lo que respecta a su ámbito territorial, el 45,1% de las disposiciones son estatales y el 54,9% son autonómicas. Dentro del primer grupo (en total, 73 disposiciones), más de la mitad corresponden a: Jefatura del Estado (16); Ministerio de Economía y Hacienda (13); y Ministerio de Trabajo y Asuntos Sociales (12).

En la legislación autonómica, casi una de cada cuatro disposiciones proceden de la CCAA de Cataluña (23,6%). Le siguen, por número de disposiciones: Aragón (13,5%); Castilla y León (11,2%) Andalucía (10,1%) y Galicia (9%). En su mayor parte, se trata de normas con rango de ley (el 58%) y el resto son reales decretos (14,2%), resoluciones (9,3%) y órdenes (8%). El repaso del contenido de las 162 disposiciones evidencia que 18 de ellas (5 estatales y 13 autonómicas, en su mayoría las promulgadas entre los años 2006 y 2015) definen de forma desigual y con mayor o menor casuismo, el significado concreto de la expresión.

En síntesis, las definiciones de "familia monoparental" utilizadas, respectivamente, por el legislador estatal o autonómico, son las siguientes:

## 6.1. Leyes estatales

1. Ley 35/2007, de 15 de noviembre (deducciones por nacimiento o adopción en el IRPF y de prestaciones económicas por nacimiento o adopción, que modifica el texto reunido de la Ley General de la Seguridad Social (RDL 1/1994, de 20 de junio); Ley 2/2008, de 23 diciembre (LPGE), R.D. 295/2009, de 6 de marzo (prestaciones económicas de la Seguridad Social) y Orden DEF/253/2015, de 9 febrero (vacaciones, permisos y otros beneficios legales de los miembros de las Fuerzas Armadas):

*Conceptos*: "Se entenderá por familia monoparental la constituida por un solo progenitor con el que convive el hijo nacido o adoptado y que constituye el sustentador único de la familia" (arts. 185.1 y 133 septies LGSS; art. 14); "Se entenderá por familia monoparental la constituida por un solo progenitor con el que convive el hijo nacido y que constituye el sustentador único de la familia" (art. 17 RD 295/2009).

2. Real Decreto 32066/2008, de 12 de diciembre (Plan Estatal de Vivienda y Rehabilitación 2009/2012):

"Se entiende por familia monoparental la constituida por el padre o la madre y el o los hijos" (v. Anexo de glosario de conceptos utilizados en dicho RD y art. 1.2.i).

3. En la Ley del IRPF (L. 53/2006, de 28 de noviembre), norma de derecho adjetivo, aplicable solamente, salvo remisión legal expresa, a dicho impuesto, existen varias referencias a la familia monoparental:

Al referirse a la "unidad familiar" constituida por el matrimonio y si lo hubiere, con sus hijos a su cargo, el artículo 82 amplia la posibilidad de *tributación conjunta* por dicho Impuesto en "los casos de separación legal, o cuando no existiera vínculo matrimonial, la formada por el padre o la madre y todos los hijos que convivan con uno u otro y que reúnan los requisitos a que se refiere la regla 1.ª de este artículo", esto es, que se trate de hijos menores, con excepción de los que, con el consentimiento de los padres, vivan independientes de éstos, o de hijos mayores de edad incapacitados judicialmente sujetos a patria potestad prorrogada o rehabilitada y sin que nadie pueda formar parte de dos unidades familiares al mismo tiempo (art. 82.1.2). Este supuesto legal define la familia monoparental formada por el progenitor declarante y sus hijos, con independencia, de que éstos hayan sido adoptados, sean el fruto de una anterior relación matrimonial o hayan sido concebidos fuera del matrimonio (v. STC 47/2001, de 15 febrero 2001).

4. Ley 40/2003, de 18 de noviembre, de Protección a las Familias Numerosas.

En la Exp. de m. de la Ley, el legislador señala que esta norma sustituye a la regulación anterior (Ley 25/1971, de 19 de junio, que a pesar de haber sido modificada en varias ocasiones, no se ajustaba a la realidad social, económica y autonómica de nuestros días y entre las principales novedades incorporadas al concepto de familia numerosa, cita las siguientes. *"se incluyen nuevas situaciones familiares (supuestos de monoparentalidad, ya sean de origen, ya sean derivados de la ruptura de una relación matrimonial por separación, divorcio o fallecimiento de uno de los progenitores*; familias reconstituidas tras procesos de divorcio), se introduce una equiparación plena entre las distintas formas de filiación y los supuestos de acogimiento o tutela" (é.a.).

A los efectos previstos en dicha Ley, "se entiende por familia numerosa la integrada por *uno* o dos ascendientes con tres o más hijos, sean o no comunes", pero, entre otros supuestos, con los requisitos, en su caso, previstos por la norma, también se equiparan al concepto cuando se tengan "dos hijos, sean o no comunes, siempre que al menos uno de éstos sea discapacitado o esté incapacitado para trabajar", Asimismo, a los efectos de esta ley "se consideran ascendientes al padre, a la madre o a ambos conjuntamente cuando exista vínculo conyugal y, en su caso, al cónyuge de uno de ellos. Se equipara a la condición de ascendiente la persona o personas que, a falta de los mencionados en el párrafo anterior, tuvieran a su cargo la tutela o acogimiento familiar permanente o preadoptivo de los hijos, siempre que éstos convivan con ella o ellas y a sus expensas; por último, tendrán la misma consideración que los hijos las personas sometidas a tutela o acogimiento familiar permanente o preadoptivo legalmente constituido. Los menores que habiendo estado en alguna de estas situaciones alcancen la mayoría de edad y permanezcan en la unidad familiar, conservarán la condición de hijos en los términos establecidos en el artículo 3 de la Ley (v. art. 2).

5. *Otras referencias.* El Real Decreto-ley 6/2012, de 9 de marzo, de medidas urgentes de protección de deudores hipotecarios sin recursos, entre otros supuestos, entiende que se encuentran en una circunstancia familiar de especial vulnerabilidad: "*La unidad familiar monoparental con [dos] hijos a cargo*". El texto entre corchetes, anulado según el "Real Decreto-ley 5/2017, de 17 de marzo, por el que se modifica el Real Decreto-ley 6/2012, de 9 de marzo, de medidas urgentes de protección de deudores hipotecarios sin recursos, y la Ley 1/2013, de 14 de mayo, de medidas para reforzar la protección a los deudores hipotecarios, reestructuración de deuda y alquiler social". También se prevé este supuesto en el Real Decreto-ley 27/2012, de 15 de noviembre, de medidas urgentes para reforzar la protección a los deudores hipotecarios y en las Leyes 1/2013, de 14 de mayo, de medidas para reforzar la protección a los deudores hipotecarios, reestructuración de deuda y alquiler social, y 25/2015, de 28 de julio, de mecanismo de segunda oportunidad, reducción de la carga financiera y otras medidas de orden social.

## 6.2. *Leyes autonómicas*

### 1. *Cataluña*

La regulación catalana, civil y administrativa, se ha examinado con anterioridad por lo que es de aplicación lo expuesto en dicho lugar.

### 2. *Andalucía*

Una primera definición se halla en el Ley 12/2006, de 27 de diciembre, sobre fiscalidad complementaria del Presupuesto de la CCAA de Andalucía. Entre otras medidas, esta Ley aprueba nuevas deducciones en el IRPF para el supuesto de familias monoparentales. La norma aprueba una nueva deducción para madre o padre de familia monoparental y, en su caso, con ascendientes mayores de 75 años. El preámbulo señala que en "En este caso, no puede obviarse la realidad social que en los últimos tiempos se está originando en torno al concepto de familia, siendo cada vez mayor el número de familias monoparentales, formadas habitualmente por mujeres. Se trata de un modelo de familia en el que las cargas familiares, tanto económicas, como de otra índole, recaen en una sola persona frente al modelo tradicional, aumentando dichas cargas en los supuestos de que conviva un ascendiente mayor de 75 años".

> Art. 2 Ley 12/2006: "[...].
> 2. Tendrá la consideración de familia monoparental, a los efectos del apartado anterior, la formada por la madre o el padre y todos los hijos que convivan con uno u otro y que reúnan los siguientes requisitos: a) Hijos menores de edad, con excepción de los que, con el consentimiento de los padres, vivan independientes de éstos. b) Hijos mayores de edad incapacitados judicialmente sujetos a patria potestad prorrogada o rehabilitada.
> 3. La deducción prevista en el apartado 1 del presente artículo se incrementará adicionalmente en 100 euros por cada ascendiente que conviva con la familia monoparental, siempre que éstos generen el derecho a la aplicación del mínimo por ascendientes mayores de 75 años establecido en la normativa estatal del Impuesto sobre la Renta de las Personas Físicas".

El artículo 1 de La Ley 1/2008, de 27 de noviembre, de medidas tributarias y financieras de impulso a la actividad económica de Andalucía, y de agilización de procedimientos administrativos, reitera la definición recogida en la norma antes citada. Esta definición fue derogada por la DD única, letra d, del DLeg 1/2009, 1 septiembre, por el que se aprueba el texto refundido de las disposiciones dictadas por la Comunidad Autónoma de Andalucía en materia de tributos cedidos, pero el concepto básico se mantiene en el artículo 4 de esta norma que desarrolla determinadas bonificaciones (anterior apartado 3) en otros lugares de la norma.

El DLeg. 1/2009, de 1 de septiembre, define la familia monoparental como sigue:

> "Artículo 4. *Concepto de familia monoparental.* A los efectos previstos en esta Ley, tendrá la consideración de familia monoparental la formada por la madre o el padre y los hijos que convivan con una u otro y que reúnan alguno de los siguientes requisitos:
> a) Hijos menores de edad, con excepción de los que, con el consentimiento de los padres, vivan independientes de éstos.
> b) Hijos mayores de edad incapacitados judicialmente sujetos a patria potestad prorrogada o rehabilitada."

El artículo 13 del DLeg. 1/2009, regula la deducción autonómica para la madre o el padre de una familia monoparental, con ascendientes convivientes mayores de 75 años. Esta norma reconoce el derecho de los contribuyentes que sean madres o padres de familia monoparental en la fecha del devengo del impuesto para practicar una deducción autonómica de 100 euros, siempre que la suma de las bases imponibles general y del ahorro no sea superior a 80.000 euros en tributación individual o a 100.000 euros en caso de tributación conjunta; dicha cifra se incrementará adicionalmente en 100 euros por cada ascendiente que conviva con la familia monoparental, siempre que éstos generen el derecho a la aplicación del mínimo por ascendientes mayores de 75 años establecido en la normativa estatal del IRPF. Cuando varios contribuyentes tengan derecho a la aplicación de la deducción prevista en el párrafo anterior, se estará a las reglas de prorrateo, convivencia y demás límites previstos en la normativa estatal del Impuesto sobre la Renta de las Personas Físicas. También se reconoce una deducción autonómica por ayuda doméstica cuando los contribuyentes sean madres o padres de familia monoparental y perciban rendimientos del trabajo o de actividades económicas (art. 15).

## 3. *Castilla y León*

A los efectos de la Ley 1/2007, de 7 de marzo, de Medidas de Apoyo a las Familias de la Comunidad de Castilla y León, "se consideran familias monoparentales las unidades familiares con hijos menores, o mayores de edad en situación de dependencia, que se encuentren a cargo de un único responsable familiar" (art. 41).

La norma citada prevé que en todas las subvenciones, prestaciones y servicios dependientes de la Administración de la Comunidad que se dirijan específicamente a las familias, se tendrán en cuenta las circunstancias derivadas de la situación de monoparentalidad, siempre que dicha situación suponga una desventaja en el acceso a los beneficios respecto al resto de las familias y la posible extensión de los beneficios establecidos para las familias numerosas a las familias monoparentales con dos hijos, o con uno que tenga reconocido un grado de minusvalía igual o superior al 65%. La Administración de la Comunidad establecerá un título que permita acceder al disfrute de los beneficios previstos para las personas que formen parte de las familias monoparentales. El contenido mínimo y necesario para asegurar la eficacia

del título se determinará en el desarrollo reglamentario de la presente
Ley (art. 42).

## 4. *País Vasco*

Ley 18/2008, de 23 de diciembre, para la Garantía de Ingresos y
para la Inclusión Social, advierte de la existencia de nuevas realidades
sociales y en concreto, una de ellas, evidencia "un aumento importante en la incidencia de las diferentes formas de riesgo de pobreza
entre las familias monoparentales; son precisamente estas familias,
sobre todo cuando están encabezadas por mujeres, las que registran,
respecto a las demás, tasas particularmente elevadas de desempleo,
precarización laboral, carencia de ingresos por parte de las personas
de referencia, problemas graves de vivienda y problemas graves relacionados con la escasez de ingresos" (Exp. de m., ep. I).

La Ley citada introduce el concepto de "renta de garantía de ingresos" que consiste en "una prestación periódica de naturaleza económica, dirigida a las personas integradas en una unidad de convivencia
que no disponga de ingresos suficientes para hacer frente tanto a los
gastos asociados a las necesidades básicas como a los gastos derivados de un proceso de inclusión social" (art. 11).

A la hora de determinar los beneficiarios de los subsidios económicos complementarios de la renta básica para la inclusión y protección
social o para la renta complementarias para las rentas de trabajo, de
las unidades de convivencia monoparentales, la norma dispone que
"tendrán la consideración de unidades monoparentales las constituidas por la madre o el padre con uno o varios hijos o hijas a su cargo
y sin relación conyugal o análoga en el momento de solicitud de la
presentación" (art. 20.1.d y 2.c).

## 5. *Principado de Asturias*

Una de las novedades introducidas por la Ley 6/2008, de 30 de
diciembre, de Medidas Presupuestarias, Administrativas y Tributarias
de acompañamiento a los presupuestos Generales para 2009, consiste
en la creación de deducciones autonómicas en la cuota del IRPF para
las familias monoparentales. Esta materia está regulada en el título
III (Medidas tributarias capítulo I.I, Impuesto sobre la Renta de las
Personas Físicas), en los términos siguientes:

"Duodécima. *Deducción para familias monoparentales.*

1. Podrá aplicar una deducción de 300 euros sobre la cuota autonómica del impuesto todo contribuyente que tenga a su cargo descendientes, siempre que no conviva con cualquier otra persona ajena a los citados descendientes, salvo que se trate de ascendientes que generen el derecho a la aplicación del mínimo por ascendientes establecido en el artículo 59 de la Ley 35/2006, de 28 de noviembre, del Impuesto sobre la Renta de las Personas Físicas y de modificación parcial de las Leyes de los Impuestos sobre Sociedades, sobre la Renta de no Residentes y sobre el Patrimonio.

2. Se considerarán descendientes a los efectos de la presente deducción:

a) Los hijos menores de edad, tanto por relación de paternidad como de adopción, siempre que convivan con el contribuyente y no tengan rentas anuales, excluidas las exentas, superiores a 8.000 euros.

b) Los hijos mayores de edad discapacitados, tanto por relación de paternidad como de adopción, siempre que convivan con el contribuyente y no tengan rentas anuales, excluidas las exentas, superiores a 8.000 euros.

c) Los descendientes a que se refieren los apartados a) y b) anteriores que, sin convivir con el contribuyente, dependan económicamente de él y estén internados en centros especializados.

3. Se asimilarán a descendientes aquellas personas vinculadas al contribuyente por razón de tutela y acogimiento, en los términos previstos en la legislación civil aplicable.

4. Sólo tendrá derecho a esta deducción el contribuyente cuya base imponible no resulte superior a 34.891 euros. No tendrán derecho a deducir cantidad alguna por esta vía los contribuyentes cuya suma de renta del período y anualidades por alimentos exentas excedan de 34.891 euros.

5. La presente deducción es compatible con la deducción para familias numerosas establecida en el presente artículo".

Con la excepción en su caso, de alguno de los límites económicos cuantitativos, esta definición también aparece recogida en otras disposiciones autonómicas procedentes del mismo departamento (Leyes de acompañamiento a los Presupuestos Generales: Ley 4/2009, de 29 de septiembre y Ley 13/2010, de 28 de diciembre), Decreto Legislativo 2/2014, de 22 de octubre de texto refundido en materia de tributos cedidos por el Estado.

## 6. *Extremadura*

Entre otros supuestos, la E. de M. de la Ley 19/2010, de 28 de diciembre, de la Comunidad Autónoma de Extremadura, de medidas tributarias y administrativas, señala que las nuevas deducciones "para la madre o el padre de familia monoparental [...] van encaminadas a proteger a la familia". El artículo 2 (Deducción autonómica por ayuda doméstica), prevé los requisitos que deben cumplirse para poder practicar una deducción parcial de las cuotas satisfechas por la cotización anual de un empleado de hogar. Entre los beneficiarios de esta norma se hallan "las madres o padres de familia monoparentales, [que] perciban rendimientos del trabajo o de actividades económicas".

El concepto de familia monoparental se establece como sigue (art. 2º):

> "3. Tendrá la consideración de familia monoparental, a los efectos de este artículo, la formada por la madre o el padre y los hijos que convivan con una u otro y que reúnan alguno de los siguientes requisitos:
>
> a) Los hijos menores de edad con excepción de los menores emancipados.
>
> b) Hijos mayores de edad incapacitados judicialmente sujetos a patria potestad prorrogada o rehabilitada".

También se prevé una deducción autonómica fija para la madre o el padre de familia monoparental, "siempre que la suma de las bases imponibles general y del ahorro no sea superior a 19.000 euros en caso de tributación individual o a 24.000 euros en caso de tributación conjunta" (art. 6º).

## 7. *Galicia*

El Capítulo II (De las familias de especial consideración), de la Ley 3/2011, de 30 de junio, de apoyo a la familia y a la convivencia de Galicia, incluye, entre los grupos de familias que merecen una protección especial, otras, a las "familias monoparentales.", que la norma define como sigue:

> "Artículo 13. *Concepto.*
>
> A efectos de la presente ley, se entiende por familia monoparental el núcleo familiar compuesto por un único progenitor o progenitora que no conviva con otra persona con la que mantenga una relación análoga a la conyugal y los hijos o hijas menores a su cargo, siempre que el otro progenitor o progenitora no contribuya económicamente a su sustento.
>
> A estos efectos, tienen la misma consideración que el hijo o hija:
>
> 1.º) Las personas unidas al único progenitor o progenitora en razón de tutela o acogimiento.

2.º) El concebido o concebida, siempre que mediante la aplicación de esta asimilación se obtenga mayor beneficio"[78].

## 8. Aragón

La Ley 9/2014, de 23 de octubre, de Apoyo a las Familias de Aragón, se refiere a las familias de especial consideración que son "aquellas que deben tener una atención prioritaria y/o específica en los programas y actuaciones diseñadas por el Gobierno de Aragón, por requerir la adopción de medidas singularizadas derivadas de su situación sociofamiliar" (art. 43). Entre estas familias, se hallan las familias monoparentales que la norma define como sigue:

> "Artículo 46. Familias monoparentales.
> A efectos de la presente ley, se entiende por familia monoparental el núcleo familiar compuesto por un único progenitor, que no conviva con su cónyuge ni con otra persona con la que mantenga una relación análoga a la conyugal, y los hijos a su cargo, siempre que constituya el único sustentador de la familia.".

En el ámbito civil, cabe referirse a la Ley 2/2010, de 26 de mayo, de igualdad en las relaciones familiares ante la ruptura de convivencia de los padres[79], posteriormente derogada por el Decreto Legislativo 1/2011, de 22 de marzo, del Gobierno de Aragón, por el que se aprueba, con el título de "Código del Derecho Foral de Aragón", el Texto Refundido de las Leyes civiles aragonesas. Actualmente, los efectos de la ruptura de la convivencia familiar y el "pacto de relaciones familiares", están regulados en los artículos 75 a 83.

## 9. Comunidad Valenciana

El preámbulo del Decreto 179/2013, de 22 de noviembre, del *Consell*, por el que se regula el reconocimiento de la condición de familia monoparental en la *Comunitat Valenciana* [2013/11294] (Consellería de Bienestar Social), señala que esta norma "quiere establecer el marco jurídico para el reconocimiento de las familias monoparentales" y "regular las condiciones necesarias para el reconocimiento de la condición de familia monoparental en la Comunitat Valenciana y

---

[78]　Asimismo, el artículo 101 de la Ley 2/2015, de 29 de abril, del empleo público de Galicia, hace una referencia expresa a la familia monoparental.

[79]　J. A. Serrano García (2013: 181-294).

el procedimiento de emisión y renovación del título de familia monoparental". Esta norma se utiliza como norma marco para definir en
dicha CCAA la familia monoparental[80].

El concepto, condiciones y requisitos de la familia monoparental
son los siguientes (art. 2 y 3):

"Artículo 2. *Concepto de familia monoparental*

1. A los efectos de este decreto, se consideran familias monoparentales
las siguientes:

a) Aquellas en las que los hijos o las hijas únicamente estén reconocidos legalmente por el padre o por la madre.

b) Aquellas constituidas por una persona viuda o en situación equiparada, con hijos o hijas que dependan económicamente de ella, sin que
a tal efecto se tenga en cuenta la percepción de pensiones de viudedad u
orfandad.

c) Aquellas en las que el padre o la madre que tenga la guarda o custodia de los hijos o hijas no haya percibido la pensión por alimentos,
establecida judicialmente o en convenio regulador, a favor de los hijos
e hijas, durante tres meses, consecutivos o alternos, en el periodo de los
doce meses anteriores a la presentación de la solicitud.

d) Aquellas en la que una persona acoja a uno o varios menores, mediante la correspondiente resolución administrativa o judicial, por tiempo
igual o superior a un año.

2. En ningún caso podrá obtener la condición de persona beneficiaria
del título de familia monoparental la persona viuda o en situación equiparada que hubiere sido condenada, por sentencia firme, por la comisión
de un delito doloso de homicidio en cualquiera de sus formas, cuando
la víctima fuera su cónyuge o ex-cónyuge o persona que hubiera estado
ligada a ella por una análoga relación de afectividad".

"Artículo 3. *Condiciones y requisitos de la familia monoparental*

1. Para que se reconozca y se mantenga la condición de familia monoparental, los hijos o hijas deben cumplir las siguientes condiciones:

a) Ser menores de 21 años. Este límite de edad se amplía hasta los 25
años si cursan estudios de educación universitaria en los diversos ciclos y
modalidades, de formación profesional de grado superior, de enseñanzas
especializadas de nivel equivalente a los universitarios o profesionales, o
bien si cursan estudios encaminados a obtener un puesto de trabajo, en
centros públicos o privados debidamente autorizados.

---

[80]    *Vid., a.e.,* Ley 13/2016, de 29 de diciembre, de medidas fiscales, de gestión administrativa y financiera, y de organización de la Generalitat

b) Tener una discapacidad. A los efectos de este decreto, se entenderá por persona con discapacidad aquella que tenga reconocido un grado de discapacidad igual o superior al 33 por ciento.

c) Tener reconocida una incapacidad para trabajar, con independencia de la edad. A los efectos de este decreto, se entenderá por persona con incapacidad para trabajar aquella que tenga reducida su capacidad para el trabajo en un grado equivalente al de la incapacidad permanente absoluta o gran invalidez.

d) Convivir con el ascendiente. Se entiende que la separación transitoria motivada por razón de estudios, trabajo, tratamiento médico, rehabilitación u otras causas similares, incluyendo los supuestos de fuerza mayor, privación de libertad de la persona progenitora o de los hijos o hijas, o internamiento de acuerdo con la normativa reguladora de la responsabilidad penal de los menores, no rompe la convivencia entre el ascendiente y los hijos o hijas, aunque sea consecuencia de un traslado temporal en el extranjero.

A los efectos de este decreto, se considera ascendiente al padre o a la madre.

Se equipara a la condición de ascendiente la persona que tuviera a su cargo la tutela o acogimiento familiar de los hijos o hijas, siempre que estos convivan con ella y a sus expensas.

e) Depender económicamente del ascendiente. Se considera que hay dependencia económica siempre que los hijos o hijas no obtengan, cada uno de ellos, ingresos superiores, en cómputo anual, al Indicador Público de Renta de Efectos Múltiples (IPREM. vigente cada año, incluidas las pagas extraordinarias.

2. Las personas integrantes de la unidad familiar deben tener su residencia en algún municipio de la Comunitat Valenciana.

3. Una familia monoparental pierde esta condición, a los efectos del presente decreto, en el momento en el que la persona que encabeza la unidad familiar contraiga matrimonio con otra persona o constituya una unión de hecho de acuerdo con la legislación civil, o bien esta unidad familiar deje de cumplir cualquiera de las condiciones establecidas en este decreto para tener la condición de familia monoparental".

Por otra parte, la Ley 5/2011, de 1 de abril, de la Generalitat, de relaciones familiares de los hijos e hijas cuyos progenitores no conviven, tenía por objeto "regular las relaciones familiares de los progenitores que no conviven, con sus hijos e hijas sometidos a su autoridad parental, y las de éstos y éstas con sus hermanos y hermanas, abuelos y abuelas, otros parientes y personas allegadas" (art. 1). Como consecuencia del recurso de inconstitucionalidad núm. 3859-2011 promovido por el Presidente de Gobierno contra la totalidad de la

Ley, la STC 192/2016, de 16 de noviembre, ha declarado la inconstitucionalidad y consiguiente nulidad de esta Ley, sin perjuicio, de las situaciones jurídicas consolidadas, referentes al régimen de guarda y custodia para los hijos menores[81].

## 10. *Navarra*

La mención a la familia monoparental aparece recogida en el artículo 32.4.a) de la Ley Foral 15/2005, de 5 de diciembre, de promoción, atención y protección a la infancia y a la adolescencia No obstante, en relación con las acciones públicas del gobierno navarro administrativas son numerosas las disposiciones que se refieren a este modelo familiar.

En el ámbito civil es de interés la Ley Foral 3/2011, de 17 de marzo, sobre custodia de los hijos en los casos de ruptura de la convivencia de los padres. La Exp. de M. de esta Ley señala que "La ruptura de la convivencia de los padres no les exime de sus obligaciones para con los hijos, lo que conlleva que deben adoptarse determinadas medidas para la protección del menor y de sus derechos, con respeto a la igualdad entre hombres y mujeres", y advierte que "En los supuestos de ruptura de la convivencia, la guarda y custodia de los hijos comunes es uno de los asuntos más delicados a resolver". La Ley tiene por objeto "regular el régimen de la guarda y custodia de los hijos menores de edad en el supuesto de ruptura de la convivencia de sus padres" (art. 1).

## 6.3. *Examen crítico de las definiciones legales*

Con carácter general, las normas reseñadas que se refieren explícitamente a la monoparentalidad, definen el supuesto respecto de situa-

---

[81]   En este sentido, "Los regímenes de guardia y custodia establecidos judicialmente en los casos que hubieran sido pertinentes, adoptados bajo la supervisión del Ministerio Fiscal y en atención al superior beneficio de los menores, seguirán rigiéndose, tras la publicación de esta Sentencia, por el mismo régimen de guarda que hubiera sido en su momento ordenado judicialmente, sin que este pronunciamiento deba conllevar necesariamente la modificación de medidas a que se refiere el art. 775 LEC" (STC 192/2016, de 16 de noviembre, FJ 5. La STC se acordó con el voto particular del Magistrado don Juan Antonio Xiol Ríos). En relación con dicha Ley, v., F. Arnau Moya (2012); S. Peinado Martínez (2013); E. Algarra, J. Barceló (2014).

ciones concretas que suelen afectar a materias reguladas o relacionadas con el Derecho Público (administrativo, social, laboral, etc.), por lo que no siempre agotan todos los supuestos posibles, y suelen prever la obtención de ayudas, subvenciones o prestaciones sociales públicas. Por otra parte, la acreditación, en su caso, de los concretos requisitos exigidos por la norma que regula el supuesto (la separación, el divorcio, la edad y estado civil de los hijos, la dependencia del único progenitor, las normas de visita, etc.) son cuestiones que deberán deducirse y acreditarse a partir de la correspondiente norma material civil y del procedimiento civil o procesal aplicable en función de la situación de jurídico-material que proceda.

En relación con el ámbito normativo-administrativo examinado, observa Avilés Hernández (2015: 214 y ss.) que la amplia relación de definiciones obtenidas "evidencia una falta de precisión teórica en el ámbito legal, que dificulta la implementación de las medidas que se diseñan desde los órganos legislativos, provocando confusión entre las familias y el propio personal encargado de su aplicación".

A partir de los criterios más recurrentes utilizados en las definiciones legales de familia monoparental, siguiendo de cerca a la autora citada, en síntesis, cabe poner de relieve lo siguiente:

### a) Presencia de un solo progenitor o responsable

La mayoría de las definiciones coincide con los dos requisitos básicos que rigen en la doctrina científica, esto es, la situación de monoparentalidad prevé la existencia de *un solo o único progenitor o persona responsable* de uno o más hijos o descendientes que tiene a su cuidado. Las normas autonómicas más recientes [Leyes 3/2011 (Galicia), y 9/2014 (Aragón)], señalan que esta persona no puede convivir con su actual pareja sentimental, pues, en este caso, la estructura monoparental dejaría de serlo y se convertiría en una familia reconstituida o recompuesta; y la Ley 6/2008 (Asturias), es más estricta, porque exige que el progenitor no tenga una relación conyugal o análoga en el momento de la solicitud[82].

---

[82]   El D. 179/2013 (Valencia), excluye de la condición de persona beneficiaria del título de familia monoparental, la persona viuda o conviviente, que hubiere sido condenada por homicidio doloso respecto del cónyuge, ex cónyuge o ex conviviente.

La posibilidad de convivencia de otras personas (ascendientes; familia extensa) está prevista en la Ley 6/2008. En la doctrina anglosajona, este supuesto hace perder la monoparentalidad, pero en la doctrina española (Flaquer, Almeda, Navarro-Varas, 2006), se suele distinguir entre monoparentalidad simple y compleja o compuesta (convivencia con amigos o miembros de la familia extensa). Esta distinción se considera muy conveniente debido al aumento de situaciones de dependencia por razones socioeconómicas o por tratarse de personas mayores que viven junto con la unidad familiar.

Otro rasgo a destacar es el previsto en la Ley estatal 35/2007 y en la Ley aragonesa 9/2014, sobre la necesidad de que el progenitor sea el *único sustentador de la familia*. Este requisito también se prevé en la Ley 18/2003 (catalana) que señala que los menores convivientes deben depender "económicamente de una sola persona" y las Leyes: castellano-leonesa 1/2007; vasca 18/2008; asturiana 6/2008, y gallega 3/2011, especifican que los hijos/as deben encontrarse a cargo del progenitor, "indicando así que están bajo su responsabilidad".

En suma, como señala la autora citada, en casi todas las definiciones, se apunta una idea similar: "el padre o madre monoparental es el principal responsable de los hijos/as, asumiendo la jefatura del grupo. Si en el resto de definiciones no se especifica este requisito es porque, de alguna manera, queda implícito en la propia definición de monoparental. De hecho, más que un requisito, es una obligación inherente el hecho de ser el único progenitor. Por lo tanto, la condición de monoparental conlleva no sólo la presencia de un único progenitor sin pareja cohabitante en la estructura, sino también el ejercicio, por parte de éste, de la jefatura del grupo monoparental".

La única ley que menciona al progenitor no cohabitante es la Ley gallega 3/2011 que advierte que este no puede contribuir al sustento económico del grupo familiar. Este requisito abunda en la idea de la responsabilidad —en el caso citado, económica— principal o única del progenitor monoparental. Con todo, desde la perspectiva doctrinal, salvo mejor criterio, no se puede afirmar ni negar, de modo taxativo, que la falta de relación de los hijos/as con el otro progenitor no cohabitante, en caso de que este exista, sea un requisito de la monoparentalidad. Por otra parte, el requisito exigido en la Ley gallega se prevé para regular alguna ayuda o beneficio social concreto.

Esta circunstancia evidencia que la doctrina acepta que el progenitor no cohabitante puede estar más o menos implicado en las funciones, relaciones y actividades familiares y aunque pudiera darse alguna compensación económica del otro progenitor, no cabe duda que las decisiones cotidianas y de gestión ordinaria recaen en el progenitor cohabitante, de aquí que se entienda que los hijos/as están a cargo de un único progenitor, aquel con el que conviven. Por otra parte, sin perjuicio de la situación de hecho, las relaciones de parentalidad de ambos padres con los hijos/as deberán regirse por la ley material aplicable a la relación de filiación.

b) *Presencia de hijos/as dependientes. Determinación de la dependencia*

La presencia de hijos/as *dependientes* constituye la otra cara de la moneda o requisito esencial o característico de la familia monoparental. Así lo prevén la totalidad de las Leyes tomadas en consideración. La Ley estatal 35/2007 y las Leyes asturiana 6/2008 y gallega 3/2011, prevén la inclusión en el concepto de los hijos nacidos, adoptados o de menores bajo la tutela o acogimiento de la persona responsable.

Junto a la presencia o convivencia se requiere el requisito de "dependencia". Varios son los criterios utilizados por el legislador competente para delimitar la situación de "dependencia". En general, las Leyes autonómicas fundamentan la dependencia en razón de la minoría de edad de los hijos. La fijación del límite de los 18 años ha sido criticado por la doctrina (Iglesias de Ussel, 1994), por entender que, dadas las circunstancias socioeconómicas vigentes, este requisito es poco realista y los investigadores aconsejan elevar el límite de edad hasta los 25-26 años o considerar como edad tipo los 18-21 años, salvo en el caso de hijos que prosigan sus estudios, en que la edad se elevaría hasta los 25-26 años[83].

---

[83]    En relación con esta cuestión, Cea d´Ancona (2007: 330 y ss.) señala que "uno de los rasgos más referenciados de la familia contemporánea, en España y otros países del sur de Europa, es la emancipación de los jóvenes del hogar de los padres a edades cada vez más tardías". La edad promedio de abandono del hogar de los jóvenes españoles en el año 2014, se sitúa en los veintinueve años, cifra

En las definiciones de monoparentalidad antes examinadas, este límite ampliado no se tiene en cuenta, aunque algunas normas (Leyes 12/2006, 1/2007, 6/2008 y 19/2010) prevén que también se considerará dependiente el hijo/a que, siendo mayor de edad esté discapacitado. En este caso, es común prever determinados límites en función del grado de discapacidad y si la misma le impide o no trabajar (p.e., D. 179/2013, Valencia). En la definición de la Ley 6/2008 (Asturias), además de la edad y la posible discapacidad, se tiene en cuenta la situación económica de los hijos y la percepción por estos de rentas anuales superiores a los 8.000 euros. En estos casos, el baremo de la dependencia se determina por la percepción por el hijo/a de unos ingresos inferiores a determinada cantidad que suele establecerse en función del salario mínimo interprofesional vigente.

Para medir el grado de dependencia también puede tenerse en cuenta el estado civil de los hijos/as, pero este criterio no se observa en ninguna de las referencias legales citadas. En este caso, se consideran dependientes aquellos descendientes que, siendo solteros, viven junto con el progenitor encargado del grupo monoparental. No obstante, este solo criterio se considera insuficiente si no se vincula con la edad. En este sentido, las definiciones que definen el concepto por la mera presencia de un hijo/as con un solo progenitor, son cuestionables, pues los hijos/as viven en casa con sus ascendientes hasta edades cada vez más avanzadas y puede darse el caso de que estos sean económicamente independientes. En consecuencia, las definiciones a utilizar deben prever elementos objetivos que determinen la efectiva dependencia de los hijos/as.

---

que se halla entre las más elevadas de los países europeos (Eurostat, 2016). Según datos INE (2014), uno de cada tres jóvenes entre 25 y 34 años todavía no se ha emancipado de sus padres y este porcentaje es del 48,5% entre los más jóvenes (entre 25 y 29 años). Cuando mayor sea el número de jóvenes que ni estudian, ni trabajan ("ninis" o NEET, acrónimo de *Not in Education, Employment or Training*) más elevada es la edad de emancipación económica.
En España el porcentaje de jóvenes NEET ha pasado del 13,2% en 2006 al 22,2 en 2015, http://ec.europa.eu/eurostat/documents/2995521/7590616/3-11082016-AP-EN.pdf

*c) Otros posibles criterios definidores de la monoparentalidad*

Como se ha puesto de relieve, la presencia de un solo progenitor o responsable y de uno o más hijos menores de edad o dependientes, suelen ser los rasgos clave o básicos que configuran la familia monoparental. No obstante, junto a estos dos aspectos, en razón de la variedad de supuestos que cabe englobar en la definición de monoparentalidad, también puede ser esclarecedor tener presente las circunstancias determinantes de la entrada en dicha situación.

## PARTE II
# MONOPARENTALIDAD POR EXTINCIÓN DEL MATRIMONIO Y CRISIS MATRIMONIALES

## Capítulo III

# MONOPARENTALIDAD POR CAUSA DE VIUDEZ. RÉGIMEN MATRIMONIAL Y ECONOMÍA POSTMATRIMONIAL

## 1. MONOPARENTALIDAD POR MUERTE O DECLARACIÓN DE FALLECIMIENTO DE UNO DE LOS CÓNYUGES (VIUDEZ)

De acuerdo con el artículo 85 CC, "El matrimonio se disuelve, sea cual fuere la forma y el tiempo de su celebración, por la *muerte* o la *declaración de fallecimiento de uno de los cónyuges* y por el divorcio" (é.a.). Los actos referidos deben constar inscritos en el Registro Civil (art. 4 LRC). Cuando existan hijos menores de edad o dependientes, la disolución y la nulidad del matrimonio constituyen causas específicas que conllevan la existencia de monoparentalidad. En este momento interesa referirse a las causas de disolución vinculadas con la muerte o declaración de fallecimiento de uno de los cónyuges.

En el caso de matrimonio, los efectos jurídicos de la monoparentalidad dependerán del supuesto causal. No es lo mismo una monoparentalidad por causa de viudez que responde al tipo puro que la causada por supuestos de crisis matrimonial separación de hecho, legal, divorcio o nulidad matrimonial) en que, debido a la existencia del otro progenitor, pueden presentarse situaciones mixtas más complejas. Por otra parte, a pesar de que la muerte y la declaración de fallecimiento de uno de los cónyuges disuelven el matrimonio, estos supuestos no son plenamente equiparables. Así, en el segundo caso deben tenerse presentes las limitaciones que prevé el artículo 196 CC para los herederos y legatarios y, en relación con la monoparentalidad, también son diferentes el momento y las circunstancias que la determinan.

En el supuesto de un matrimonio tipo con hijos comunes menores de edad o dependientes y con residencia habitual común en el mismo domicilio —dando por supuesta la existencia de una familia completa o intacta, sin que concurran situaciones de crisis matrimonial—, la situación de monoparentalidad se presentará a partir del momento del fallecimiento de uno de los cónyuges, mientras que en el supuesto de declaración de fallecimiento (y también en los casos de ausencia, separación o desaparición de uno de los cónyuges), la situación de monoparentalidad de hecho se habrá presentado en un momento muy anterior. De ello se sigue, que toda la problemática relativa a los efectos personales y patrimoniales en relación con los hijos, la ordenación de la economía matrimonial y familiar, y, en su caso, el régimen de apertura de la sucesión, deberán adecuarse a las circunstancias de cada supuesto en concreto.

En principio, la monoparentalidad por causa de muerte de uno de los cónyuges no suele o debe plantear una especial complejidad porque, incluso en este supuesto, en general, las cuestiones jurídico-patrimoniales que se plantean siempre han recibido la atención del legislador porque responden al supuesto tipo más corriente y tradicional de aparición de la monoparentalidad.

En el antiguo derecho catalán, sin perjuicio de la inspiración patriarcal de la jefatura familiar, la viudez atribuía a la viuda un especial protagonismo. En el *Memorial de greuges* (1885), se pone de relieve que la esposa viuda se convertía en *"senyora y majora, cap de la familia de fet després de la mort del marit, constituhint aixis nostra costum jurídica á la dona en la situació mes elevada que ha alcansat fins al present"*. En el derecho vigente, es de aplicación el principio de *plena igualdad jurídica* en los derechos y deberes entre los cónyuges y progenitores y la dirección de la familia corresponde a los dos cónyuges de común acuerdo, teniendo siempre en cuenta el interés de todos sus miembros (arts. 32.1 CE; 231-2.2, 231-4.1 CCC), por ello, los efectos jurídicos personales y patrimoniales se rigen por dicho principio tanto durante la vigencia del matrimonio como a su disolución. En el momento presente la viudedad está cada vez menos asociada con la maternidad y más con la vejez, por lo que en muchas ocasiones los hijos e hijas ya están emancipados y pueden constituir otros grupos familiares, no obstante, pueden darse situaciones en las que la mujer viuda debe hacer frente al cuidado, atención y educación de los hijos menores y de aquellos que, siendo mayores de edad, sean dependientes.

En relación con los hijos, en caso de viudez, se producen, entre otros, los siguientes efectos jurídicos:

La *presunción de paternidad* se regula de conformidad con lo previsto en el artículo 235-5 CCC; la *representación legal* de los hijos recaerá en el cónyuge viudo supérstite que asume con plena autonomía todas las facultades y las obligaciones procedentes de la patria potestad; salvo que existan situaciones específicas o particulares, de ordinario, no se planteará ninguna problemática especial sobre la atribución de la *potestad parental y la guarda y custodia* de los hijos menores de edad a favor del cónyuge supérstite.

En materia de régimen económico matrimonial, el fallecimiento de uno de los cónyuges progenitores implicará la extinción de dicho régimen y, en su caso, su consiguiente liquidación. Esta circunstancia tiene especial relevancia en aquellos matrimonios regulados por los regímenes económicos matrimoniales de gananciales, de participación en las ganancias o por cualquier otro régimen matrimonial en comunidad ganancial o por causa de titularidades dudosas, y en el régimen de separación de bienes, por la existencia de adquisiciones onerosas de ciertos bienes muebles (art. 232-3.2) o por causa del ejercicio del derecho de compensación económica por razón de trabajo para la casa o para el otro cónyuge (art. 232-5). Por último, procederá la apertura de la sucesión testada o intestata.

## 2. DETERMINACIÓN DEL RÉGIMEN ECONÓMICO APLICABLE AL MATRIMONIO

El matrimonio crea un específico estatuto jurídico personal y patrimonial entre los cónyuges. En la esfera patrimonial la economía matrimonial se rige por el denominado "régimen económico matrimonial" (REM). Según se adopten sistemas basados en la autonomía patrimonial de los cónyuges, en regímenes de comunidad matrimonial, o en regímenes mixtos, las forma de organizar esta economía y sus efectos, tanto entre las partes como frente a terceros, son diferentes.

La monoparentalidad derivada de la nulidad del matrimonio o la separación o divorcio de los cónyuges, conlleva efectos personales y patrimoniales que pueden ordenarse de modo diferente según cuál sea la naturaleza y regulación del REM adoptado. Como sea que, en un gran número de supuestos, los matrimonios no prevén cuál debe ser su específico régimen económico matrimonial, en aras a la seguridad jurídica de las relaciones económicas internas y externas, la determinación del REM legal supletorio queda en manos del legislador civil competente.

En el derecho vigente la regulación de las "relaciones jurídico-civiles relativas a las formas de matrimonio" (art. 149.1.8ª CE y art. 13.1 CC) es de la competencia exclusiva del Estado, pero la regulación de los efectos patrimoniales del matrimonio debe ajustarse a la distribución de competencias en materia civil previstas en el marco constitucional y asumidas en los respectivos Estatutos de Autonomía (arts. 129 EAC y 111-3 CCC).

De acuerdo con lo previsto en el Título Preliminar (TP) del CC (arts. 9.1 y 2, 14, 15.1 y 16 CC), la ley personal correspondiente a las personas físicas de nacionalidad española es la determinada por la vecindad civil y la sujeción al Derecho civil común o al especial o foral se determina por la vecindad civil. Los sistemas de adquisición de la vecindad civil (originaria, por opción, y por residencia[84]) están regulados en el artículo 14 CC. Las normas sobre vecindad civil tienen carácter imperativo y su adquisición, pérdida y cambio, se rige por dicho TP y no depende de la voluntad de las personas excepto en los casos y con los requisitos legales previstos en la ley vigente en cada momento (SAP Barcelona, Sec. 13ª, 30 junio 2014, FD 2). Por lo que se refiere a los extranjeros que adquieran la nacionalidad española, el artículo 15 CC regula la determinación de su vecindad civil.

En lo que aquí interesa poner de relieve, según el artículo 9.2 CC[85], los efectos del matrimonio se regirán por la *ley personal común de los cónyuges* al tiempo de contraerlo; en defecto de esta ley, por la ley personal o de la *residencia habitual de cualquiera de ellos, elegida por ambos* en documento auténtico otorgado antes de la celebración del matrimonio; a falta de esta elección, por la ley de la *residencia*

---

[84]  Sobre la vecindad civil y la problemática del cómputo de los años de residencia v. STS 16 diciembre 2015; Giménez Duart (2016).

[85]  Redactado según Ley 11/1990. de 15 de octubre, sobre reforma del Código Civil, en aplicación del principio de no discriminación por razón de sexo (BOE, 18 octubre 1990).

*habitual común* inmediatamente posterior a la celebración, y, a falta de dicha residencia, por la del *lugar de celebración del matrimonio*. Si uno de los contrayentes o ambos es apátrida o tiene una nacionalidad indeterminada debe aplicarse el artículo 9.10 CC y, en su caso, la Convención de Nueva York sobre el estatuto de los apátridas, de 28 septiembre 1954 (art. 12.1)[86].

A partir de la entrada en vigor de la Ley 20/2011, de 21 de julio del Registro Civil[87], cuando no se presenten al Registro Civil capitulaciones matrimoniales sobre el REM, deberá inscribirse el REM legal supletorio; en el caso de matrimonios ya inscritos que no hayan otorgado capitulaciones matrimoniales, para la constancia en el Registro Civil del REM que proceda, será necesaria la tramitación de un acta de notoriedad (arts. 60.2 LRC y 53 LJV).

El cambio de la vecindad civil de los cónyuges no modifica su régimen económico matrimonial, lo que antecede, salvo que, por acto de voluntad los cónyuges acuerden libremente pactar un nuevo régimen económico matrimonial. Por último, la nulidad, la separación y el divorcio se regirán por la ley que determina el artículo 107 CC.

Según se examina más adelante, también debe tenerse presente la regulación contenida en el "Reglamento (UE) 2016/1103 del Consejo de 24 de junio de 2016 por el que se establece una cooperación reforzada en el ámbito de la competencia, la ley aplicable, el reconocimiento y la ejecución de resoluciones en materia de regímenes económicos matrimoniales", con entrada plena en vigor a partir del 29 de enero de 2019.

El ámbito de la ley designada por el artículo 9.2 CC, comprende las materias siguientes[88]:

*a)* Las relaciones económicas entre los cónyuges y el régimen económico matrimonial.

*b)* Las relaciones personales entre los cónyuges o "efectos personales" del matrimonio.

*c)* La disolución del régimen económico matrimonial, y

---

[86]   BOE, 4 julio 1997, con entrada en vigor para España el 10 agosto 1997.
[87]   En 30 de junio de 2018 (DF 10, Ley 4/2017, de 28 de junio).
[88]   Calvo Caravaca, Carrascosa González (2017, II: 233-234).

*d)* La liquidación del régimen económico matrimonial.

La aplicación de los distintos puntos de conexión previstos para determinar cuál es el régimen económico matrimonial (REM) entre ciudadanos de nacionalidad española, ofrece las siguientes soluciones:

## 1. *Vecindad civil catalana de ambos cónyuges*

En defecto de pacto, se aplica el régimen supletorio de *separación de bienes* regulado en el Código Civil catalán. Como dice el artículo 231-10.2 CCC: "Si no existe pacto o si los capítulos matrimoniales son ineficaces, el régimen económico es el de separación de bienes.". En caso de pacto: "El régimen económico matrimonial es el convenido en capítulos" (art. 231.10.1 CCC).

## 2. *Distinta vecindad civil (o nacionalidad)*

Cuando los contrayentes sean de distinta vecindad civil (o nacionalidad), el REM se determina como sigue.

*a)* En el supuesto de elección: por la ley personal o de la residencia habitual de cualquiera de ellos, elegida por ambos en documento auténtico otorgado antes de la celebración del matrimonio.

*b)* A falta de dicha elección, por la ley de la residencia habitual común inmediatamente posterior a la celebración del matrimonio y, a falta de dicha residencia, por la del lugar de celebración del matrimonio.

## 3. *Norma de cierre*

El artículo 16.3 CC (introducido por la Ley 11/1990, con entrada en vigor el 7 noviembre 1990), prevé una solución de cierre (declarada constitucional por la STC 226/1993, de 8 de julio), para el supuesto de que no resulte aplicable ninguna de las leyes previstas en el artículo 9.2 CC. El supuesto de presenta cuando concurren las circunstancias siguientes: los contrayentes, antes del matrimonio, no han utilizado la opción de pactar el REM en documento público; y además, no han fijado se residencia en el Estado español ni han celebrado en el mismo su matrimonio.

A este respecto, el artículo 16.3 CC establece que: "3. Los efectos del matrimonio entre españoles se regularán por la ley española que resulte aplicable según los criterios del artículo 9 y, en su defecto, por el Código Civil. En este último caso se aplicará el régimen de separación de bienes del Código Civil si conforme a una y otra ley personal de los contrayentes hubiera de regir un sistema de separación.".

La norma conduce a dos posibles soluciones: aplicación del REM supletorio de sociedad de gananciales, excepto, cuando según la legislación civil correspondiente a la vecindad civil de ambos contrayentes se prevea que el régimen legal supletorio de dicho ordenamiento es el separación de bienes (por ejemplo, matrimonio entre personas de vecindad civil mallorquina y catalana); en este caso, el legislador estatal no remite a uno de estos regímenes en concreto, sino que establece una solución *ad hoc* que resulta ser un tercer ordenamiento ajeno a la vecindad civil de ambos contrayentes, este régimen es el de separación de bienes vigente en el Código Civil español.

### 4. *Supuestos anteriores a la Ley 11/1990, de 15 de octubre*

Para determinar el REM respecto de matrimonios celebrados con anterioridad a la entrada en vigor de la Ley 11/1990, de 15 de octubre, conviene distinguir entre matrimonios celebrados a partir de la entrada en vigor de la CE y los celebrados con anterioridad a la misma.

### a) Matrimonios celebrados a partir del 29 de diciembre de 1978

La redacción anterior del artículo 9.2 CC (D. 1836/1974, de 31 de mayo) disponía lo siguiente: "2. Las relaciones personales entre los cónyuges se regirán por su última ley nacional común durante el matrimonio *y, en su defecto, por la ley nacional del marido al tiempo de la celebración*". A partir de la entrada vigor de la CE de 1978, el texto destacado en letra cursiva se hallaba en contradicción con los principios de igualdad y no discriminación por razón de sexo y finalmente fue declarado inconstitucional y derogado por la Constitución (STC 39/2002, de 14 de febrero). La norma derogada se amparaba en los principios de jefatura familiar del marido y estricta unidad familiar.

En la cuestión de constitucionalidad formulada, el TC debía dirimir cuál debía ser el REM aplicable a un matrimonio "mixto", celebrado en Cambrils (Tarragona), el día 3 de febrero de 1984, entre un ciudadano español de vecindad civil común y una ciudadana española, de vecindad civil catalana, sin haberse otorgado capitulaciones matrimoniales y con residencia habitual de los cónyuges en la mencionada localidad hasta el momento de su separación de hecho (18 de abril de 1989).

A la vista del contenido de dicha norma el TC afirma que: "no cabe duda de que el art. 9.2 CC, al establecer la ley nacional del marido al tiempo de la celebración del matrimonio como punto de conexión, aun cuando sea residual, para la determinación de la ley aplicable, introduce una diferencia de trato entre el varón y la mujer pese a que ambos se encuentran, en relación al matrimonio, en la misma situación jurídica. El precepto cuestionado se opone, por tanto, no sólo al art. 14 CE, sino también al más específico art. 32 CE, que proclama que el hombre y la mujer tienen derecho a contraer matrimonio con plena igualdad jurídica, pues no existe ninguna justificación constitucionalmente aceptable para la preferencia por la normativa relacionada con el varón" (FJ 4)[89].

Por otra parte, ante la inacción y posterior discrepancia de los cónyuges sobre su REM, el TC rechazó la validez de la tesis, defendida por el Fiscal General del Estado, de la "opción tácita" por dicho régimen legal subsidiario, pues el límite de la libertad constitucional viene dado por el respeto de los derechos fundamentales previstos en el texto constitucional (FJ 3[90]) y advirtió que "el desajuste de la nor-

---

[89]   La sentencia indicada no se pronunció sobre la inconstitucionalidad del artículo 14.4.CC en su redacción anterior a la Ley 18/1990, que por disposición de la ley, atribuía a la mujer casada la vecindad civil del marido, pero la *ratio* era la misma. Así lo ha entendido el Tribunal Supremo en su sentencia de 14 septiembre 2009 en la que declara que dicha norma "quedó derogada por inconstitucionalidad sobrevenida en el momento de entrada en vigor de la Constitución en 1978" (FJ 5).

[90]   "no parece adecuado afirmar que no hacer uso del margen de autonomía reconocido en la norma implique una opción voluntaria de sometimiento a la regulación dispositivamente introducida en la norma, sino que la aplicación de la misma deriva del carácter vinculante del Derecho, por lo que las mismas exigencias de adecuación a la Constitución deberán entrar en juego. Dicho de otro modo, y ciñéndonos al caso concreto, una vez que los contrayentes decidieron no hacer uso de la posibilidad de otorgar capitulaciones matrimoniales para determinar así el régimen económico de su matrimonio, la norma de conflicto que establece conforme a qué ley personal habrá de determinarse el régimen económico del matrimonio deberá ajustarse a los preceptos constitucionales. La circunstancia de si se utilizó o no la posibilidad de otorgar capitulaciones matrimoniales determinará si la previsión subsidiaria de la ley es aplicable al caso o no, lo que tendrá incidencia a la hora de efectuar el juicio de relevancia, pero, efectuado éste, la

ma cuestionada con la Constitución tiene lugar con independencia de si el resultado de su aplicación en cada caso concreto es más o menos favorable a la mujer. Ello dependerá de la ordenación sustantiva del régimen económico del matrimonio que resulte aplicable, pero, antes de ello, la discriminación constitucionalmente proscrita reside en la utilización en la norma de conflicto de un punto de conexión que no sea formalmente neutro. La mera utilización de un punto de conexión que da preferencia al varón supone en sí, superada la llamada neutralidad formal de las normas de conflicto, una vulneración del derecho a la igualdad" (FJ 5). Por otra parte, el TC rechazó el argumento basado en la *seguridad jurídica* para justificar la aplicación de la norma derogada: "sin que pueda considerarse que constituya una justificación constitucionalmente legítima del otorgamiento de preferencia a la ley personal del marido a los indicados efectos que el establecimiento de tal punto de conexión confiera una mayor certeza a la determinación de la ley aplicable a los efectos económicos del matrimonio" (FJ 5).

Respecto de su alcance temporal, considera la doctrina de la RD-GRN 15 marzo 2017, según se resume más adelante, que "la promulgación de la Constitución Española, por lo que se refiere a esta materia, afecta a los matrimonios contraídos con su entrada en vigor (29 de diciembre de 1978), no siendo aplicable a las relaciones patrimoniales de los cónyuges que contrajeron matrimonio con anterioridad" (FD 5).

Como consecuencia de la declaración de inconstitucionalidad, cuando en el momento de contraer matrimonio, ambos cónyuges: no tenían la misma nacionalidad o vecindad civil; no pactaron sobre la determinación del REM; y se aplicó, para determinar el régimen legal supletorio lo previsto en el artículo 9.2 CC en su redacción anterior a

---

constitucionalidad de la norma se somete a los comunes u ordinarios parámetros de control. De lo que se duda no es de la constitucionalidad del régimen económico que haya de regir entre las partes del proceso a quo, sino de la utilización de la ley personal del marido como punto de conexión, resultando indiferente para exigir su adecuación a la Constitución que tal punto de conexión sea el primero establecido en la norma de conflicto o que, por el contrario, existan otros de preferente aplicación en los que se reconozca a las partes cierto margen dispositivo. Todos los puntos de conexión, con independencia de si son establecidos en primer término o con carácter subsidiario, han de ajustarse a la Constitución" (FJ 3).

la modificación efectuada por Ley 11/1990, según el supuesto que se considere, ello podía implicar la aplicación de un punto de conexión con inconstitucionalidad sobrevenida y la consiguiente declaración de nulidad del REM así determinado[91]. Según el TC, en estos supuestos, la laguna legal debe ser integrada o completada por los tribunales: "no es a este Tribunal, sino a los órganos judiciales, a quienes les corresponde integrar, por los medios que el Ordenamiento jurídico pone a su disposición, la eventual laguna que la anulación del inciso del precepto cuestionado pudiera producir en orden a la fijación de un punto de conexión subsidiario" (FJ 5).

La derogación material de dicho punto de conexión plantea la cuestión acerca de cuál debe ser el concreto REM subsidiario aplicable a los matrimonios celebrados desde la entrada en vigor de la CE (29 diciembre 1978) hasta el momento de la entrada en vigor de la Ley 11/1990 (7 noviembre 1990). Dada la impronta del matrimonio-contrato en la moderna legislación y el carácter netamente patrimonial de estas relaciones económicas, en defecto de pacto sobre el REM, la solución objetiva y neutral que parece más correcta, que además es coincidente con la prevista en el nuevo texto del artículo 9.2 CC, es remitirse al régimen legal supletorio basado en la ley de la *residencia habitual común* inmediatamente posterior a la celebración del matrimonio, y a falta de dicha residencia, al régimen establecido por la ley vigente en el lugar de celebración del matrimonio (en este sentido, SSAP Tarragona, Sec. 3ª, 15 junio 2006[92]; Barcelona, Sec. 12ª, 16 diciembre 2003,11 noviembre 2005 y Sec. 18ª, 17 febrero 2004, 26 abril 2005 y 17 abril 2007; y SAP Lleida, Sec. 2ª, 17 enero 2008).

---

[91]   Aplicando las soluciones del artículo 9.2 en su redacción según la Ley 11/1990, el supuesto solo se presentará cuando se siga la ley de la vecindad civil del marido y el matrimonio resida en un territorio regido por otra ley civil distinta a la del marido (por ejemplo, cónyuge varón de vecindad civil común casado con mujer de vecindad civil catalana y con residencia en Cataluña en el momento del matrimonio; en cambio, incluso aplicando la norma derogada, el supuesto no se presentaría cuando, en las hipótesis del mismo caso, el marido fuera de vecindad civil catalana y la esposa de vecindad civil común.

[92]   No obstante, la SAP Tarragona, Sec. 1ª, 12 julio 2000, en un matrimonio celebrado después de la entrada en vigor de la CE y antes de la Ley 11/1990, en base al argumento de la seguridad jurídica, se acogió a la literalidad del artículo 9.2 en su redacción anterior.

*SAP Tarragona, Sec. 3ª, 15 junio 2006.* El supuesto se refería a un matrimonio en que el marido era de vecindad civil de derecho común y la esposa de vecindad civil catalana. El matrimonio se celebró en Cataluña en el año 1981 o sea, tras la entrada en vigor de la constitución y antes de la entrada en vigor de la Ley 11/1990. El marido sostenía que era aplicable el régimen legal supletorio de sociedad de gananciales y la esposa el de separación de bienes.

A la luz de la STC 39/2002, la Audiencia señala que: "Que de conformidad con la idoneidad apuntada por la sentencia del Tribunal Supremo en su sentencia de 6-10-1986, del criterio de la residencia habitual de los contrayentes en el momento de celebrar el matrimonio, doctrina que se inspira en el párrafo primero del artículo 107 introducido por la Ley treinta/mil novecientos ochenta y uno, de siete de julio[93]. Sería este el punto de conexión objetivo y común a ambos consortes, que da con plena satisfacción del nuevo principio de igualdad, y que se aplicaría en defecto de Capitulaciones, en aquellos casos en que los contrayentes fueran de diferente legislación civil. La falta de vecindad civil común atraería la aplicación de este otro punto de conexión por vía de analogía inspirada en el número uno del artículo cuarto y, de algún modo, en el número uno del tercero del Código Civil, precediendo al dicho punto de conexión (se refiere el derogado) y abriéndole el camino, el efecto derogatorio del número tres de la disposición de esa clase de la Constitución" y concluye que: "la controversia planteada se ha de resolver conforme al punto de conexión referido, es decir el de la *residencia habitual*; y, siendo ésta, Sant Carles de la Ràpita, claro es que el régimen económico matrimonial es el de *separación de bienes*, por atraer tal criterio la aplicación del derecho foral, a los efectos civiles del matrimonio contraído" (FD 4) (é.a.).

*SAP Barcelona, Sec. 18ª, 17 abril 2007.* Los antecedentes de hecho eran los siguientes: matrimonio celebrado en el año 1985 en Alemania, esposo de nacionalidad española y de vecindad civil común y esposa de nacionalidad suiza, sin haber otorgado capitulaciones matrimoniales, con residencia inicial en dicho país y en Cataluña a los once años de haber contraído matrimonio. En 1994, adquieren una vivienda familiar en Cataluña y en la escritura pública manifiestan estar sujetos al régimen de so-

---

[93]  En la fecha indicada el texto legal de dicho párrafo disponía unos puntos de conexión de contenido equivalente al del artículo 9.2 CC en su redacción según la Ley 11/1990: "La separación y el divorcio se regirán por la ley nacional común de los cónyuges en el momento de la presentación de la demanda; a falta de nacionalidad común, por la ley de la residencia habitual del matrimonio y, si los esposos tuvieran su residencia habitual en diferentes Estados, por la ley española, siempre que los Tribunales españoles resulten competentes". En contra del recurso al artículo 107 para determinar el REM y la preferente aplicación del artículo 9.2 CC, v. SAP Barcelona, Sec. 12ª, 11 noviembre 2005, FJ 1.

ciedad de gananciales y el esposo declara ser de vecindad civil común; en otra escritura de fecha 1998, el esposo manifiesta que tiene la vecindad civil catalana y que está casado en régimen de gananciales; en otra escritura de 2004, se expresa que el esposo está casado en régimen de separación de bienes; por último en el convenio regulador suscrito por ambos cónyuges de fecha 30 de julio de 2004, se hace constar que el régimen económico matrimonial es el de separación de bienes.

Ante las dudas plantadas sobre cuál era el REM, la Audiencia señala que la declaración de un REM "determinado en un documento público no tiene virtualidad probatoria suficiente para su determinación, por cuanto el valor o eficacia probatoria del documento público se extiende al contenido del mismo, pero no a las calificaciones jurídicas que se incluyen, el notario da fe del hecho que motivó el otorgamiento y de la fecha, pero no de las manifestaciones vertidas por los comparecientes o por terceros. Con todo ello se concluye que las circunstancias anteriormente relacionadas no pueden ser tenidas en consideración en orden a determinar el régimen económico matrimonial, ni siquiera para poder invocar el principio de seguridad jurídica o dar consistencia a la doctrina de los propios actos". En este caso, la Audiencia señala que aunque no ha sido alegada la aplicación del Derecho extranjero, debe aplicarse de oficio la norma de conflicto lo que "impone la aplicación del ordenamiento jurídico del *lugar de residencia del matrimonio* inmediatamente posterior a su celebración, no el del lugar de celebración, como pretende mantener la parte apelada al señalar que contrajeron matrimonio en el consulado español", y en consecuencia, "procede declarar en este procedimiento que el régimen económico matrimonial es el de participación del Derecho Alemán" (FD 3)[94] (é.a.).

No obstante, esta doctrina no es uniforme y las declaraciones sobre el REM efectuadas en un documento público, máxime cuando sean reiteradas y uniformes, pueden ser expresivas de la aceptación de un determinado REM supletorio (doctrina de los actos propios). Este es el caso examinado por la SAP Huesca, Sec. 1ª, 13 enero 2009, en que los contrayentes se casaron en Huesca, el 3 junio 1988, el cónyuge tenía vecindad civil catalana y la esposa vecindad civil aragonesa; y el matrimonio residió en Huesca desde su celebración y no se otorgaron capitulaciones matrimoniales.

A la hora de determinar si el matrimonio se regía o no por el régimen de separación legal de bienes catalán (vecindad civil del marido) o las del régimen consorcial aragonés, la Audiencia rechaza aplicar el artículo 9.2,

---

[94]   Sigue esta doctrina, la SAP Lleida, Sec. 2ª, 17 enero 2008.

tanto en su versión anterior a la CE y también, por razones temporales, en su versión según la Ley 11/1990, y en función de los antecedentes fácticos, integra la laguna legal como sigue: "En este caso debemos decidir la controversia a favor del régimen de separación de bienes con *fundamento en los actos propios de las partes* exteriorizados *mediante la elección de ese régimen ante notario en las diversas escrituras públicas de disposición de bienes inmuebles* otorgadas constante matrimonio, según el precedente sentado en nuestro citado auto de 24-X-2003, y con independencia de la solución que el artículo 107 del Código civil ya daba desde la Ley 30/1981 para el Derecho internacional privado. Es decir, la señora I., de acuerdo con el *principio de buena fe* que limita el ejercicio de los derechos subjetivos, no puede desconocer ahora las manifestaciones efectuadas continua y solemnemente sobre la clase de régimen económico que regía su matrimonio" (FD 2) (é.a.).

La antedicha interpretación basada en los puntos de conexión expuestos *supra*, en principio, también ha sido aceptada en la RDGRN de 9 julio 2014; empero en el concreto supuesto examinado la DG, admite la solución prevista en la norma legal anulada por haberse otorgado capitulaciones matrimoniales en un momento posterior, en la que los cónyuges admitieron la aplicación del régimen legal previsto en la norma derogada y en la que pactaban como nuevo régimen, el de participación en las ganancias. Esta solución admite que, en consideración a los actos propios y expresos de ambos cónyuges, el REM pueda quedar determinado y coincidir con el que habría resultado en el caso de aplicarse los puntos de conexión de la norma derogada (v. citada SAP Huesca, 13 enero 2009). Como prevé el artículo 111-8 CCC (*Actos propios*): "Nadie puede hacer valer un derecho o una facultad que contradiga la conducta propia observada con anterioridad si ésta tenía una significación inequívoca de la cual derivan consecuencias jurídicas incompatibles con la pretensión actual.".

La DGRN admite la vigencia práctica de la norma de conflicto de modo que "la laguna legal quede voluntariamente integrada por la decisión de ambos esposos reconociendo, con carácter retroactivo al inicio de su matrimonio, la aplicación de la ley española" (FD 9). Como sea que el supuesto no ha sido solucionado por el legislador, la DGRN pone de relieve que: "El hecho de que el artículo 9. 2 del Código Civil elija el momento inicial para establecer la determinación de la ley no quiere decir que esa determinación pueda y en ocasiones deba fijarse en un momento posterior —con referencia al momento temporal inicial relevante— a fin de dotar de seguridad las relaciones de los cónyuges entre sí y con terceros".

En suma, para la integración de la laguna legal existente, la doctrina de esta R. considera relevante la actuación de los esposos antes, durante y después de la celebración del matrimonio, y permite que estos "determinen" —que no eligiendo— que el matrimonio se encuentra sometido a la ley española prevista según la ley del tiempo de su celebración. Al comentar esta resolución, F. B. Iriarte Ángel (2014) señala que "la modificación del artículo 9.2 del Código civil para su adecuación a la realidad constitucional se demoró durante demasiado tiempo, con los problemas de ello derivados para los matrimonios con elemento internacional e interregional celebrados en ese período, y parece razonable que se busque una solución en línea con la actuación de los esposos a lo largo de su matrimonio; lo contrario daría lugar a graves problemas de inseguridad jurídica.". Esta tesis privilegia los actos propios, la apariencia jurídica creada y las soluciones de geometría variable con lo que contrapone con la solución que resultaría de adoptarse una norma de conflicto de carácter supletorio, neutro, objetivo y común.

b) Matrimonios celebrados antes del 29 de diciembre de 1978

Respecto de matrimonios celebrados con anterioridad a la entrada en vigor de la CE la doctrina no es pacífica y se han propuesto dos tesis:

A) *Aplicación de ley personal del marido.* En defecto de vecindad civil común en el momento de contraer matrimonio, al amparo de los principios de estabilidad, seguridad del régimen aplicable, unidad e inmutabilidad (salvo pacto) del REM, los tribunales se inclinan por el REM determinado por la ley personal del marido (en este sentido, SSAP Barcelona, Sec. 12ª, 3 abril 2002 y 24 marzo 2009; Castellón, Sec. 3ª, 6 octubre 2001; Baleares, Sec. 4ª, 10 septiembre 2002; Girona, Sec.1ª, 22 marzo 2006, respecto de matrimonio contraído en 31 octubre 1976; y STS 11 febrero 2005[95]). Esta opción implica el rechazo de la retroactividad de grado máximo.

---

[95]  La STS 6 octubre 1986 aplicó la legislación vigente al tiempo de la celebración del matrimonio (año 1951), con separación personal perpetua en el año 1965, pero ponía de relieve que el caso se había dilatado debido a la existencia de

Como dice la citada SAP Baleares, "no puede sostenerse que el nuevo principio constitucional de la igualdad de los sexos apareje el actual replanteamiento del tema relativo al régimen económico matrimonial constituido el concreto día 15.1.66," pues con ello "se estaría tambaleando la seguridad jurídica en grado tal que habría que replantear una innumerable pluralidad de situaciones familiares que socialmente ya se hallan de todo punto consolidadas, lo que generaría un desaconsejable atentado al principio de seguridad jurídica, también de rango constitucional [...] y además, era susceptible de modificación en cualquier momento mediante el otorgamiento de capítulos matrimoniales, de los cuales no consta en autos voluntad de uso alguno por parte de ninguno de los cónyuges" (FD 2)[96].

Esta doctrina también se sigue por las Audiencias en relación con matrimonios celebrados antes de la reforma del TP del CC (Ley 17 marzo 1973 y D. 31 mayo 1974). En la legislación originaria, la mujer seguía la condición del marido (por ej., SSAP Baleares, Sec. 4ª, 10 septiembre 2002 —matrimonio contraído en 15 enero 1966—; Sec. 5ª, 15 julio 2002 —matrimonio contraído en 14 junio 1948—).

B) *Tesis alternativa (retroactividad de grado medio)*. Sin perjuicio de la plena eficacia de las situaciones constituidas y extinguidas antes de la entrada en vigor de la CE, esta tesis considera que no parece lógico que a un matrimonio entre contrayentes de distinta vecindad civil, celebrado, por ejemplo, el día anterior a la entrada en vigor de la CE, se le deba aplicar un REM que, en muchos casos, previsiblemente, será objeto de liquidación años o décadas después de la vigencia del texto constitucional, con la consiguiente aplicación de una norma de conflicto preconstitucional tachada de inconstitucionalidad directa. Sin perjuicio, en aras a la seguridad jurídica de la contratación y de la protección de terceros, en estos casos, sin perjuicio de la eficacia de los actos celebrados con terceros, parece defendible la posibilidad de proceder a los ajustes internos precisos para poder liquidar el REM de acuerdo con puntos de conexión constitucionales. En este senti-

---

dos procedimientos que habían retrasado su resolución, por lo que el REM "no puede juzgarse, pues, sino según la *legislación vigente ininterrumpidamente* a lo largo de todo el tiempo en que hubo relaciones personales y consiguientemente económicas entre los cónyuges..." (FD 3) (é.a.).

[96]　Cabe observar que este segundo argumento es cuestionable al quedar condicionada la posibilidad de pacto al acuerdo unánime de ambos cónyuges.

do cabe recordar que según la STC 155/1987, de 14 de octubre, la discriminación de los hijos ilegítimos nacidos bajo una normativa legal que los discriminaba (art. 807 CC en su redacción anterior a la Ley 11/1981), debía entenderse derogada para las sucesiones abiertas "después" de la entrada en vigor de la CE (v., asim. STC 80/1982, de 20 de diciembre)[97].

C) *Doctrina de la DGRN*. La aplicación de la ley personal del marido es aceptada por la RDGRN de 15 marzo 2017, desestimatoria del recurso contra una calificación registral contraria a la rectificación en el Registro de la mención del REM. El supuesto de hecho se refiere a una señora, de nacionalidad española, casada, que en 1983, compró en Madrid un bien inmueble. En la escritura se citaba el nombre de su cónyuge, y se manifestaba que era vecina de Madrid y la finca se inscribió con carácter presuntivamente ganancial. En 2015 dicha señora, en su condición de viuda y junto con el vendedor, otorgó una escritura aclaratoria de la anterior en la que manifiesta que se casó con su citado marido (de nacionalidad polaca) en 1959, y que siempre residieron en Londres, sin pactar ningún REM, por lo que afirma que no era aplicable el régimen de gananciales sino el separación de bienes, ya que la ley inglesa no contempla régimen matrimonial alguno. A tal fin, aportaba varios documentos justificativos y solicitaba la rectificación del Registro para que constara el carácter privativo de la finca.

La rectificación no es aceptada por la registradora porque entiende que el asiento está bajo la salvaguardia de los tribunales (art. 1 LH) y para rectificarlo es necesaria una decisión judicial o el consentimiento del interesado (en este caso, de los herederos del marido). Con independencia de lo anterior, considera que la ley aplicable al matrimonio sería la del marido al tiempo de celebración del matrimonio, por lo que sería aplicable el REM supletorio polonés, que es de carácter ganancial. A su vez, la DGRN aunque admite que cuando la rectificación se refiere a hechos susceptibles de ser probados de un modo absoluto con documentos fehacientes y auténticos, independientes por su naturaleza de la voluntad de los interesados, no es necesario dicho consentimiento, dicho requisito no se cumple en el presente caso, al

---

[97]   En la doctrina, *vid.*, *a.e.*, Heredia Cervantes (2002); Garau Juaneda (2010: 51-86); Ametlla Culí (2011: 548-563); Fugardo Estivill (2003).

ser aplicable el principio de legitimación registral (art. 38 LH), por lo que la rectificación precisa el consentimiento de sus herederos o sentencia judicial.

La DGRN desestima el recurso y respecto del REM entre matrimonios con diferente ley personal común y en defecto de pacto, diferencia según los siguientes supuestos:

a) *Matrimonios contraídos antes de la entrada en vigor de la Constitución de 1978 (hasta el día 28 de diciembre de 1978)*: El REM supletorio es el que establezca la ley nacional del marido al tiempo de la celebración (tesis de la aplicación de las normas de conflicto pre-constitucionales).

No obstante, según se ha expuesto, un sector de la doctrina considera que los efectos jurídicos del matrimonio posteriores a la entrada en vigor de la CE no pueden regirse por normas inconstitucionales a partir de dicho momento (retroactividad de grado medio), por lo que los efectos del matrimonio posteriores a la CE 1978 no deben regirse por la ley nacional del marido sino por otra ley estatal, así, ley de la residencia habitual común inmediatamente posterior al matrimonio (cit. SAP, Barcelona, Sec. 18ª, 17 abril 2007) o en su defecto, ley del país de celebración del matrimonio (Sent. Casac. Italia 4 julio 2006)[98].

b) *Matrimonios contraídos entre el 29 de diciembre de 1978 y el 6 de noviembre de 1990 (día anterior a la entrada en vigor de la Ley 15/1990, que modificó el artículo 9 CC)*. Debe tenerse en cuenta la STC 39/2002, que declaró inconstitucional la regulación del CC que mantenía la ley personal del marido. Existe un vacío legal y salvo decisión judicial, de acuerdo con la doctrina de la R. de 9 julio 2014, en ausencia de contienda judicial sobre la cuestión, habrá de estarse a la voluntad acreditada de ambos contrayentes de determinar (no de elegir) la ley que resulta aplicable a su régimen económico matrimonial desde el inicio. En defecto de esa voluntad común será necesaria sentencia judicial.

Para colmar la laguna legal, en la doctrina se defiende la búsqueda de un punto de conexión no discriminatorio con aplicación

---

[98]    Calvo Caravaca, Carrascos González (2017, II: 220-221).

de los mecanismos generales: analogía; costumbre; y principios generales del Derecho. En este sentido cabe acudir a: la ley de la residencia habitual común de los cónyuges inmediatamente posterior a la celebración del matrimonio o, en su defecto, la ley del país de celebración del matrimonio (Con. DGRN 7 abril 2005); resolución del tribunal a la vista de las circunstancias del caso (cit. SAP, Huesca, Sec. 1ª, 13 enero 2009, que se basa en los actos propios de las partes) o aplicación de los criterios no discriminatorios contenidos en la Ley 13/1990 (RDGRN 9 julio 2014)[99].

c) *Matrimonios contraídos a partir del 7 de noviembre de 1990.* En caso de distinta vecindad civil (o nacionalidad) y en defecto de pacto, el REM legal supletorio es el que establezca la ley de la residencia habitual común inmediatamente posterior a la celebración del matrimonio, y, a falta de dicha residencia, el de la ley del lugar de celebración del matrimonio.

## 5. *Cambios o modificaciones del REM*

Una vez determinada la ley aplicable al matrimonio opera el *principio de inmutabilidad* y la ley pactada referente al REM o, en su caso, la determinada supletoriamente por aplicación del principio de subsidiariedad y según el orden previsto en el artículo 9.2 CC, el REM sigue vigente aunque ambos cónyuges adquieran una nueva y misma ley personal (cambio de vecindad civil o de nacionalidad)[100]. No obstante, la posibilidad de modificar el REM está admitida en el artículo 9.3 CC que prevé que: "Los pactos o capitulaciones por los que se estipule, modifique o sustituya el régimen económico del matrimonio serán válidos cuando sean conformes bien a la ley que rija los efectos del matrimonio, bien a la ley de la nacionalidad o de la residencia habitual de cualquiera de las partes al tiempo del otorgamiento". En el caso de matrimonios sujetos a la legislación española, es precisa la inscripción del régimen económico matrimonial legal o pactado que rija el matrimonio en el Registro Civil y en ningún caso el tercero de buena fe resultará perjudicado sino desde la fecha de la inscripción

---

[99]  Calvo Caravaca, Carrascosa González (2017, II: 221).
[100] En este sentido, *a.e.*, SSAP Baleares, Sec. 5ª, 15 julio 2002 y Barcelona, Sec. 18ª, 17 abril 2007.

del régimen económico matrimonial o de sus modificaciones. (arts. 60 LRC, 266 RRC; 231-22 CCC y 1333 CC)[101].

Por lo que atañe a los supuestos de Derecho internacional privado es aplicable la misma norma. La conexión múltiple prevista en el artículo 9.3 CC permite declarar válidos pactos o capitulaciones matrimoniales relativas a la economía matrimonial en los casos internacionales (RDGRN de 25 septiembre 2007). En este sentido, "Cuanto más "internacional" es el matrimonio, más Leyes estatales podrán elegir los cónyuges para regir sus capitulaciones matrimoniales"[102]. La citada regulación legal persigue favorecer la validez sustancial de los pactos matrimoniales, que sólo serán nulos si ninguno de los ordenamientos aplicables los considera válidos. Por otra parte, a partir de la entrada en vigor del Reglamento (UE) 2016/1103 sobre regímenes económicos matrimoniales (29 enero 2019), en lo que respecta a los REM con repercusiones transfronterizas, según se examina en el epígrafe, siguiente, rige el citado Reglamento.

---

[101]   No sucede así cuando el matrimonio es de ciudadanos no españoles: "según constante doctrina de este Centro Directivo, la inscripción en el Registro Civil español del matrimonio celebrado por extranjeros fuera de España sólo procede en el supuesto de que cualquiera de los contrayentes haya adquirido posteriormente la nacionalidad española y el matrimonio subsista (*vid.*, por todas, la Resolución de 6 de noviembre de 2002-1.ª). En el presente caso, además, no cabe desconocer la doctrina que este Centro Directivo estableció en su Resolución de 5 de marzo de 2007, poniendo de manifiesto que, si se trata de una adquisición por dos esposos de distinta nacionalidad, habrá de determinarse, por manifestación del adquirente o adquirentes, cuál sea la ley aplicable a su régimen económico matrimonial, de acuerdo con los criterios de conexión que determinan las normas de conflicto de derecho internacional privado español (cfr. artículo 9.2 del Código Civil), pues de esa manera podrá saberse si la ley aplicable a su régimen económico matrimonial será una ley extranjera, lo que posibilitará que de acuerdo con el artículo 92 del Reglamento Hipotecario la finca se inscriba con sujeción al régimen matrimonial de esa ley nacional, sin necesidad de especificar cuál sea aquél, o por el contrario, el régimen económico matrimonial se rige por la legislación española, por lo que de acuerdo con el artículo 51.9 del Reglamento Hipotecario, habría que manifestar y, en su caso, acreditar (si derivara de un pacto capitular), el régimen económico matrimonial concreto, por afectar la adquisición que se inscribe a los derechos futuros de la sociedad conyugal (cfr. artículos 93 a 96 del Reglamento Hipotecario)" (RDGRN, 9 enero 2008, FD 3).

[102]   Calvo Caravaca, Carrascosa González (2017, II: 241 y ss.).

## 3. REGLAMENTO (UE) 2016/1103 DEL CONSEJO DE 24 DE JUNIO DE 2016 SOBRE REGÍMENES ECONÓMICOS MATRIMONIALES

### 3.1. Introducción y ámbito de aplicación del Reglamento

El Reglamento (UE) 2016/1103 del Consejo de 24 de junio de 2016 por el que se establece una cooperación reforzada en el ámbito de la competencia, la ley aplicable, el reconocimiento y la ejecución de resoluciones en materia de regímenes económicos matrimoniales (Reglamento REM), supone un cambio relevante porque, en defecto de pacto elección de la ley aplicable en la determinación del REM, con preferencia a la nacionalidad común de los cónyuges, establece como *primer punto de conexión* la primera *residencia habitual común* de los cónyuges tras la celebración del matrimonio.

Como cuestiones más destacadas del Reglamento cabe referirse a las siguientes[103]:

El Reglamento 2016/1103 (DOUE nº 183, de 8 de julio de 2016), es aplicable a los países que acordaron o participaron en el procedimiento de *cooperación reforzada*: Alemania, Austria, Bélgica, Bulgaria, Chipre, Croacia, Eslovenia, España, Finlandia, Francia, Grecia, Italia, Luxemburgo, Malta, Países Bajos, Portugal, República Checa y Suecia, y está abierto a todos aquellos otros Estados de la UE que quieran adherirse, a los cuales les serán de aplicación a partir de la fecha de la decisión que se adopte (art. 331, 1.II o III TFUE). La ley determinada en virtud del presente Reglamento debe aplicarse aun cuando no sea la ley de un Estado miembro.

1. *Reglas de vigencia.* Respecto de los Estados participantes en el procedimiento de cooperación reforzada el Reglamento entrará en vigor a los veinte días de su publicación en el Diario Oficial de la Unión Europea o sea el 28 julio 2016, pero sólo será aplicable a partir del 29 de enero de 2019, con excepción de sus artículos 63 (información a disposición del público) y 64 (información sobre datos de contacto y procedimientos), que serán aplicables a partir del 29 de abril de 2018, y de sus artículos 65 (creación y modificación posterior de la lista que

---

[103]   Fernández Rozas (2016); Peiteado Mariscal (2017); Vinaixa Miquel (2017); Rodríguez Rodrigo (2017: 262-268).

contiene la información a que se refiere el artículo 3, apartado 2), 66 (Creación y posterior modificación de los certificados y formularios a que se refieren el artículo 45, apartado 3, letra b), y los artículos 58, 59 y 60 y 67), que serán aplicables a partir del 29 de julio de 2016.

Asimismo, la disposición transitoria (art. 69), prevé que el Reglamento solo será aplicable a las acciones judiciales ejercitadas, a los documentos públicos formalizados o registrados y a las transacciones judiciales aprobadas o celebradas a partir del 29 de enero de 2019, a reserva de lo dispuesto en los apartados 2 y 3. Cuando la acción se haya ejercitado en el Estado miembro de origen antes del 29 de enero de 2019, las resoluciones dictadas después de esa fecha serán reconocidas y ejecutadas de conformidad con el capítulo IV, siempre que las normas de competencia aplicadas sean conformes a las previstas en el capítulo II. Por último, las disposiciones del capítulo III (Ley aplicable, arts. 20 a 35), solo serán aplicables a los cónyuges que hayan celebrado su matrimonio o que hayan especificado la ley aplicable al régimen económico matrimonial después del 29 de enero de 2019

2. *Definiciones.* Entre otros conceptos, el Reglamento define el "*régimen económico matrimonial*", como "conjunto de normas relativas a las relaciones patrimoniales entre los cónyuges y con terceros, como resultado del matrimonio o de su disolución" y "*capitulaciones matrimoniales*", como "acuerdo en virtud del cual los cónyuges o futuros cónyuges organizan su régimen económico matrimonial" (art. 3). La expresión "*régimen económico matrimonial*" debe interpretarse de forma *autónoma* y ha de abarcar no solo las normas imperativas para los cónyuges, sino también las normas opcionales que los cónyuges puedan acordar de conformidad con el Derecho aplicable, así como cualesquiera normas por defecto del Derecho aplicable, como el llamado "régimen matrimonial primario". Incluye no solo las capitulaciones matrimoniales específica y exclusivamente previstas para el matrimonio por determinados ordenamientos jurídicos nacionales, sino también toda relación patrimonial, entre los cónyuges y en sus relaciones con terceros, que resulte directamente del vínculo matrimonial o de su disolución (Cdo. [18])[104].

---

[104]  Quinzá Redondo (2017: 185-186); Peiteado Mariscal (2017: 306).

3. *Ámbito de aplicación del Reglamento.* De acuerdo con los Considerandos del Reglamento, esta norma comunitaria se aplica a los regímenes económicos matrimoniales con *repercusiones transfronterizas* y prevé disposiciones en materia de competencia, ley aplicable y reconocimiento, o, en su caso, aceptación, fuerza ejecutiva y ejecución de resoluciones, documentos públicos y transacciones judiciales.

El ámbito de aplicación del presente Reglamento incluye todos los aspectos de Derecho civil de los REM relacionados tanto con la *administración cotidiana del patrimonio matrimonial como con la liquidación del régimen*, en particular como consecuencia de la separación de la pareja o del fallecimiento de uno de los cónyuges. El grado de internacionalización exigido no está definido en el Reglamento pero puede ser muy amplio[105]. La regulación de las normas de competencia en caso de divorcio, separación judicial o anulación del matrimonio se prevé en los artículos 5 a 19.

Las disposiciones del Reglamento no restringen la vigencia de las leyes de policía (art. 30), ni el orden público del foro (art. 31) y queda excluido el reenvío (art. 32). El Reglamento no será aplicable a las cuestiones fiscales, aduaneras y administrativas.

> Por lo que se refiere a las *leyes de policía*, el Cdo. [53] señala que: "Consideraciones de interés público, como la protección de la organización política, social o económica de un Estado miembro, deben justificar que se confiera a los órganos jurisdiccionales y otras autoridades competentes de los Estados miembros la posibilidad, en casos excepcionales, de hacer excepciones basadas en leyes de policía. Por consiguiente, el concepto de 'leyes de policía' debe *abarcar las normas de carácter imperativo, como las normas para la protección de la vivienda familiar.* No obstante, esta excepción de la ley aplicable al régimen económico matrimonial

---

[105]  Señala Peiteado Mariscal (2017: 304), que "cualquier elemento de internacionalidad es relevante: no sólo importa si el Estado ante el que se suscita el litigio es o no el del domicilio de las partes, sino que adquieren interés factores como la nacionalidad de las partes, la ley conforme a la que se celebró el matrimonio o se registró la unión, o el lugar de situación de los bienes que configuran el patrimonio que se va a liquidar. De modo que el tribunal ante el que se suscitan cuestiones relativas al régimen económico matrimonial o a los efectos patrimoniales de una unión registrada debe aplicar los Reglamentos REM o EPUR [Uniones Estables de Pareja Registradas] si estima que la resolución del asunto puede tener cualquier tipo de repercusión en un Estado distinto, sea éste de la Unión Europea o no".

habrá de interpretarse en sentido estricto, para que pueda seguir siendo compatible con el objetivo general del presente Reglamento" (é.a.).

Entre otras materias, el Reglamento no se aplica a:

*a)* la capacidad jurídica de los cónyuges[106];

*b)* a la existencia, la validez o el reconocimiento del matrimonio, que siguen estando reguladas por el Derecho nacional de los Estados miembros, incluidas sus normas de Derecho internacional privado;

*c)* las obligaciones de alimentos entre los cónyuges, que se rigen por el Reglamento (CE) nº 4/2009 del Consejo;

*d)* a las cuestiones relativas a la sucesión por causa de muerte de uno de los cónyuges porque están reguladas por el Reglamento (UE) nº 650/2012 del Parlamento Europeo y del Consejo (art. 1 Rglto.);

*e)* la seguridad social;

*f)* el derecho de transmisión o ajuste entre los cónyuges, en caso de divorcio, separación judicial o anulación del matrimonio, de los derechos de pensión de jubilación o de invalidez devengados durante el matrimonio y que no hayan dado lugar a ingresos en forma de pensión durante este[107];

*g)* la naturaleza de los derechos reales sobre un bien (Cdos. 24 a 26), y

*h)* cualquier inscripción en un registro de derechos sobre bienes muebles o inmuebles, incluidos los requisitos legales para llevarla a cabo, y los efectos de la inscripción o de la omisión de la inscripción de tales derechos en un registro (Cdos. 27 y 28).

**4.** *Convenios bilaterales o multilaterales.* El Reglamento no afectará a la aplicación de los convenios bilaterales o multilaterales de los que sean parte uno o varios Estados miembros en el momento

---

[106]  "... no obstante, esta exclusión no debe abarcar las facultades y los derechos específicos de uno o de ambos cónyuges con respecto a su patrimonio, bien entre sí, bien por lo que respecta a terceros, ya que dichas facultades y derechos deben entrar en el ámbito de aplicación del presente Reglamento" (Cdo. [20]).

[107]  Cdo. [23]: "Las cuestiones relativas a los derechos de transmisión o ajuste, entre los cónyuges, de los derechos de pensión de jubilación o de invalidez, cualquiera que sea su naturaleza, devengados durante el matrimonio y que no hayan dado lugar a ingresos en forma de pensión durante este deben ser excluidas del ámbito de aplicación del presente Reglamento, teniendo en cuenta los sistemas específicos existentes en los Estados miembros. No obstante, esta exclusión debe ser interpretada de forma estricta. Por ello, el presente Reglamento debe regular en particular la cuestión de la clasificación de los activos de pensiones, los importes que ya se hayan abonado a uno de los cónyuges durante el matrimonio y la posible compensación que se concedería en caso de pensiones suscritas con bienes comunes".

de la adopción del presente Reglamento o de la decisión en virtud del artículo 331 TFUE y que se refieran a materias reguladas en el presente Reglamento, sin perjuicio de las obligaciones de los Estados miembros a tenor del artículo 351 TFUE, pero el Reglamento prevalecerá, entre los Estados miembros, sobre los convenios celebrados entre ellos en la medida en que dichos convenios se refieran a materias reguladas por el mismo (art. 62 Rglto.).

5. *Derechos reales.* El Reglamento debe permitir la creación o la transmisión resultante del régimen económico matrimonial de un derecho sobre bienes muebles o inmuebles, tal como dispone la ley aplicable al régimen económico matrimonial, pero sin perjuicio de su adaptación al derecho interno, esto no debe afectar, al número limitado (*numerus clausus*) de derechos reales reconocidos en el ordenamiento jurídico de algunos Estados miembros. No se debe exigir a un Estado miembro que reconozca un derecho real relativo a bienes ubicados en ese Estado miembro si su Derecho desconoce el derecho real de que se trate. Los requisitos de la inscripción registral de un derecho sobre bienes muebles o inmuebles están excluidos del ámbito de aplicación del presente Reglamento y corresponde al Derecho del Estado miembro en el que se lleve el registro (para los bienes inmuebles, la *lex rei sitae*) determinar en qué condiciones legales y de qué manera se realizará la inscripción.

6. *Derechos sucesorios.* Cuando el procedimiento sobre la sucesión de uno de los cónyuges esté pendiente ante el órgano jurisdiccional de un Estado miembro que conozca del asunto en virtud del Reglamento (UE) n° 650/2012, los órganos jurisdiccionales de dicho Estado deben tener competencia para resolver sobre los regímenes económicos matrimoniales que surjan en conexión con dicha sucesión (art. 4)[108].

7. *Decisiones judiciales y documentos públicos.* El Reglamento regula el reconocimiento y fuerza ejecutiva de las decisiones judiciales, la aceptación y fuerza ejecutiva de los documentos públicos y la fuerza ejecutiva de las transacciones judiciales (arts. 36-60). A este respecto, el Cdo. [39] señala que el Reglamento no obsta "a que las partes resuelvan amistosa y extrajudicialmente el asunto relativo al régimen económico matrimonial, por ejemplo ante un notario, en el Estado

---

[108]   Quinzá Redondo (2017: 192 y ss.); Peiteado Mariscal (2017: 312-318).

miembro de su elección, en caso de que ello sea posible en virtud de la ley de dicho Estado miembro. Tal posibilidad debe existir aunque la ley aplicable al régimen económico matrimonial no sea la de dicho Estado miembro".

## 3.2. Cuestiones sobre la Ley aplicable al REM

Esta materia está regulada en el Capítulo III (arts. 20 a 35) y según se ha expuesto, sus previsiones solo serán aplicables en los supuestos *transfronterizos* y a los cónyuges que hayan celebrado su matrimonio o que hayan especificado la ley aplicable al REM después del 29 de enero de 2019.

> Como aclara el Cdo. [43]: "Para que los ciudadanos puedan disfrutar, con plena seguridad jurídica, de las ventajas que ofrece el mercado interior, el presente Reglamento debe permitir que los *cónyuges sepan de antemano cuál será la ley aplicable a su régimen económico matrimonial.* Deben establecerse por ello unas *normas armonizadas en materia de conflicto de leyes a fin de evitar resultados contradictorios.* La norma principal debe garantizar que el régimen económico matrimonial se rija por una ley previsible con la que tenga una estrecha conexión. Por motivos de seguridad jurídica y para *evitar la fragmentación del régimen económico matrimonial,* la ley aplicable debe regular el régimen económico matrimonial *en su conjunto,* es decir, la *totalidad del patrimonio de ese régimen, con independencia de la naturaleza de los bienes y de si los bienes están situados en otro Estado miembro o en un tercer Estado"* (é.a.).

*Aplicación universal de la ley aplicable.* Según el artículo 20 Rglto. "La ley que se determine aplicable en virtud del presente Reglamento se aplicará aunque no sea la de un Estado miembro"

*Unidad de la ley aplicable.* La ley aplicable al régimen económico matrimonial en virtud de los artículos 22 [elección de la ley aplicable] o 26 [ley aplicable en defecto de elección por las partes] se aplicará a todos los bienes incluidos en dicho régimen, con independencia de donde los bienes estén situados (art. 21).

La ley aplicable "puede ser tanto la de un Estado que no participe en la cooperación reforzada, como la de un Estado que no pertenezca a la Unión Europea. Asimismo, contempla la unidad de la ley aplicable, con lo cual los redactores han favorecido la unidad del patrimonio respecto de la unidad del pasivo y han querido evitar que en esta materia se produzcan situaciones de *dépeçage*[109] *del régimen econó-mico matrimonial"* *(Fernández Rozas, 2016: 14).*

*Ámbito de la ley aplicable.* Según el artículo 27, la ley aplicable al régimen económico matrimonial con arreglo al presente Reglamento regulará, "entre otras cosas":

> "a) la clasificación de los bienes de uno o ambos cónyuges en diferen-tes categorías durante la vigencia y después del matrimonio;
> b) la transferencia de bienes de una categoría a otra;
> c) la responsabilidad de uno de los cónyuges por las obligaciones y deudas del otro cónyuge;
> d) las facultades, derechos y obligaciones de cualquiera de los cónyu-ges o de ambos con respecto al patrimonio;
> e) la disolución del régimen económico matrimonial y el reparto, la distribución o la liquidación del patrimonio;
> f) los efectos patrimoniales del régimen económico matrimonial sobre la relación jurídica entre uno de los cónyuges y un tercero, y
> g) la validez material de las capitulaciones matrimoniales".

## 3.3. Determinación de la Ley aplicable

El Reglamento distingue entre: la ley aplicable al REM en el su-puesto de designación o cambio de la misma por los propios interesa-dos; y la ley aplicable en defecto de pacto o ley supletoria.

### 1. Elección por las partes de la ley aplicable (art. 22)

El Reglamento prevé una amplia *autonomía de voluntad* para ele-gir o cambiar la ley aplicable al REM del matrimonio. El artículo 22 dispone que los cónyuges o futuros cónyuges podrán *designar* o *cambiar de común acuerdo* la ley aplicable a su régimen económico matrimonial, siempre que se trate de una de las siguientes leyes:

> *a)* la ley del Estado en el que los cónyuges o futuros cónyuges (es decir, antes del matrimonio), o uno de ellos, tengan su *residen-cia habitual* en el momento de la celebración del acuerdo, o

---

[109] "El Diccionario del Español Jurídico (supra, nota 10), define este término como 'Posibilidad de que gozan las partes de un contrato, así como jueces y árbitros, de someter aspectos económicamente independientes de un contrato internacional a leyes distintas'" [nota a p.p. del autor citado].

*b)* la ley del Estado de la *nacionalidad de cualquiera de los cónyuges* o futuros cónyuges en el momento en que se celebre el acuerdo. En el supuesto de doble o múltiple nacionalidad parece que será posible elegir en función de cualquiera de las nacionalidades que se ostenten[110].

*Irretroactividad relativa.* Salvo acuerdo en contrario de los cónyuges, todo cambio de la ley aplicable al régimen económico matrimonial efectuado durante el matrimonio solo surtirá efectos en el futuro. Ningún cambio retroactivo de la ley aplicable efectuado en virtud del acuerdo de cambio de la ley aplicable afectará negativamente a los derechos de terceros derivados de dicha ley.

*Requisitos de forma.* La validez formal del acuerdo de elección y en su caso de las capitulaciones matrimoniales, debe hacerse por escrito fechado y firmado por ambos cónyuges y debe respetar aquellas otras condiciones formales adicionales que le puedan imponer la ley del Estado miembro del lugar de la residencia habitual común o, si la tienen diferente, la de uno y otro, o la del único de los cónyuges, en su caso miembros de la pareja, que la tenga en un Estado (arts. 23 a 25).

## 2. *Ley aplicable en defecto de elección por las partes (art. 26)*

En defecto de un acuerdo de elección con arreglo a lo dispuesto en el artículo 22, el artículo 26 dispone que la ley aplicable al régimen económico matrimonial será la ley del Estado:

*a)* de la primera *residencia habitual común* de los cónyuges tras la celebración del matrimonio, o, en su defecto,

*b)* la de la *nacionalidad común* de los cónyuges en el momento de la celebración del matrimonio, o, en su defecto,

*c)* con la que ambos cónyuges tengan *la conexión más estrecha en el momento de la celebración del matrimonio*, teniendo en cuenta todas las circunstancias.

Como dice el Cdo. [49] "En el caso de que no se elija la ley aplicable, y para conciliar la *previsibilidad* y la *seguridad jurídica* atendiendo a la

---

110    Quinzá Redondo (2017: 205).

*vida real de la pareja*, el presente Reglamento debe introducir normas de conflicto de leyes armonizadas para determinar la ley aplicable a la totalidad del patrimonio de los cónyuges sobre la base de una escala de puntos de conexión. La *primera residencia común habitual de los cónyuges inmediatamente después del matrimonio debe constituir el primer criterio, por encima de la ley de la nacionalidad común de los cónyuges* en el momento de la celebración del matrimonio. Si ninguno de estos dos criterios fuera de aplicación, o en defecto de una primera residencia común habitual en el caso de que los cónyuges tengan doble nacionalidad común en el momento de la celebración del matrimonio, el tercer criterio será la ley del Estado con el que los cónyuges tengan una conexión más estrecha. Al aplicar el último criterio todas las circunstancias deben ser tenidas en cuenta y debe quedar claro que *estas conexiones deben ser las existentes en el momento de la celebración del matrimonio*" (é.a.).

Si los cónyuges tienen *más de una nacionalidad común* en el momento de la celebración del matrimonio, solo se aplicarán las citadas letras *a)* y *c)*. A modo de *excepción* y a instancia de cualquiera de los cónyuges, la autoridad judicial que tenga competencia para resolver sobre el régimen económico matrimonial podrá decidir que la ley de un Estado distinto del Estado cuya ley sea aplicable en virtud de la letra *a)*, regirá el régimen económico matrimonial si el demandante demuestra que: a) los cónyuges tuvieron su última residencia habitual común en ese otro Estado durante un período de tiempo considerablemente más largo que en el Estado designado en virtud de la letra *a)*, y b) ambos cónyuges se basaron en la ley de ese otro Estado para organizar o planificar sus relaciones patrimoniales.

La ley de ese otro Estado solo se aplicará desde la celebración del matrimonio, a menos que uno de los cónyuges no esté de acuerdo. En este último caso, la ley de ese otro Estado surtirá efecto a partir del establecimiento de la última residencia habitual común en dicho Estado. La aplicación de la ley de ese otro Estado no afectará negativamente a los derechos de terceros derivados de la ley aplicable en virtud de la letra *a)*. La norma que antecede no se aplicará cuando los cónyuges hayan celebrado capitulaciones matrimoniales con anterioridad al establecimiento de su última residencia habitual común en ese otro Estado (art. 26).

*Efectos frente a terceros*. El Reglamento prevé que la ley aplicable al régimen económico matrimonial con arreglo al presente Reglamento regulará los efectos patrimoniales del régimen económico matrimonial sobre la relación jurídica entre uno de los cónyuges y un tercero, pero esta ley no podrá ser invocada por uno de los cónyuges frente a un tercero en un litigio entre el tercero y cualquiera de los cónyuges o ambos, salvo que el tercero conociera o, actuando con la debida diligencia, debiera haber tenido conocimiento de dicha ley y a tal fin prevé una serie de supuestos en que se considerará que el tercero conoce la ley aplicable al régimen económico matrimonial (art. 28).

### 3.4. Normas de conflicto internas y Estados plurilegislativos

*No aplicación del Reglamento a los conflictos internos de leyes.* Los Estados miembros que comprendan varias unidades territoriales con sus propias normas en materia de regímenes económicos matrimoniales no estarán obligados a aplicar el presente Reglamento a los conflictos de leyes que se planteen entre dichas unidades territoriales *exclusivamente* (art. 35). Esta norma implica que, salvo modificación legislativa, en principio, permanecen en vigor las normas del CC sobre *conflictos interregionales de leyes* (arts. 16.1 y 9.2 y 3)[111].

*Estados plurilegislativos,* En relación con los Estados con diversos regímenes jurídicos, de modo parecido a lo previsto en otros Reglamentos comunitarios, como por ejemplo, el Reglamento sucesorio nº 650/2012, el presente Reglamento distingue entre Estados plurilegislativos con normas de conflicto territorial de leyes (art. 33) o con normas de conflicto interpersonal de leyes (art. 34).

### 1. Conflictos territoriales de leyes (art. 33)

En el caso de que la ley determinada por el presente Reglamento sea la de un Estado que comprenda varias unidades territoriales con sus propias normas jurídicas en materia de régimen económico matrimonial, las *normas internas en materia de conflicto de leyes de dicho Estado determinarán la unidad territorial pertinente* cuyas normas jurídicas serán de aplicación.

---

[111]   Como dice Peiteado Mariscal (2017: 303): "Si no están obligados es porque la norma no se aplica a estos supuestos, es decir, a los que tienen una dimensión solo estatal, puesto que si estuviese prevista para ellos, los Estados miembros estarían evidentemente sujetos a la obligación de aplicarla".

En defecto de tales normas internas en materia de conflicto de leyes:

*a)* toda referencia a la ley del Estado mencionada en el apartado antes citado *supra* se entenderá, a efectos de determinar la ley aplicable con arreglo a las disposiciones relativas a la *residencia habitual de los cónyuges*, como una referencia a la ley de la unidad territorial en la que los cónyuges tengan su residencia habitual;

*b)* toda referencia a la ley del Estado mencionada en el apartado *supra* se entenderá, a efectos de determinar la ley aplicable con arreglo a las disposiciones relativas a la *nacionalidad* de los cónyuges, como una referencia a la ley de la unidad territorial con la que los cónyuges tengan una *conexión más estrecha*;

*c)* toda referencia a la ley del Estado mencionada en el primer párrafo *supra* se entenderá, a efectos de determinar la ley aplicable con arreglo a cualesquiera otras *disposiciones relativas a otros elementos que sean puntos de conexión*, como una referencia a la ley de la unidad territorial *en la que esté ubicado el elemento pertinente*.

## 2. *Conflictos interpersonales de leyes (art. 34)*

Cuando un Estado tenga dos o más regímenes jurídicos o conjuntos de normas aplicables a diferentes categorías de personas en materia de regímenes económicos matrimoniales, cualquier referencia a la ley de dicho Estado se entenderá como una referencia al régimen jurídico o al conjunto de normas determinado por las *normas vigentes en tal Estado. En defecto de tales normas*, se aplicará el régimen jurídico o el conjunto de normas con el que los cónyuges tengan una *conexión más estrecha*.

En consecuencia, como sea que existen normas de conflicto internas para los supuestos de matrimonio con elementos de extranjería, y dada la remisión del Reglamento a la preferente aplicación de las normas internas de los Estados (arts. 33 y 34) salvo mejor criterio, de ello se desprende que, en el supuesto de matrimonios transfronterizos celebrados en territorio español se mantiene la vigencia del sistema conflictual previsto en el TP del CC; en cambio, en el mismo supuesto pero en un estado unilegislativo, deberá aplicarse la solución general, en cascada, prevista en artículo 26 Rglto. UE REM.

## 4. PROBLEMÁTICA DE LOS DERECHOS ATRIBUIDOS *MINISTERIO LEGIS* AL CÓNYUGE SUPÉRSTITE

Si no existen modificaciones en el estatuto personal de los cónyuges, la regulación del REM y de los derechos sucesorios debe regirse por un mismo ordenamiento jurídico, en el presente caso, por lo previsto en el Código Civil de Cataluña, lo que, en general, implica la existencia de cierta correlación o armonización de soluciones jurídicas. No obstante, también puede suceder que el REM se rija por un determinado ordenamiento jurídico y los derechos sucesorios por otro, en cuyo caso, pueden surgir discordancias o preverse soluciones no armónicas.

En el derecho español el supuesto se producirá, por causa del cambio de vecindad civil, lo que puede significar, por ejemplo, por un lado, que el matrimonio se rija por el régimen de gananciales de derecho común —lo que implicará que la vigencia, extinción y liquidación del REM se rija por el derecho común—; y por otro lado, por haber adquirido los cónyuges una nueva vecindad civil por residencia continuada en territorio catalán, la sucesión del cónyuge fallecido, deba regirse por el derecho sucesorio catalán. La apertura de una sucesión siempre es un fenómeno complejo y en ocasiones puede producir inadaptaciones entre las instituciones en juego, de las que es claro ejemplo la situación del cónyuge viudo, en la cual se puede producir una duplicidad, confusión o ausencia de derechos según se tenga en cuenta los derechos atribuidos en la extinción del régimen económico matrimonial, en que rige un determinado ordenamiento jurídico, y los correspondientes a la sucesión del cónyuge premuerto, cuando deba aplicarse un ordenamiento jurídico distinto. Análoga dualidad legislativa se suscitará en los supuestos de cambio de nacionalidad o cuando, por aplicación de las normas de conflicto, la sucesión deba regirse por una ley de un ordenamiento jurídico distinto al que rija el REM[112]. Estos supuestos, que pueden ser de Derecho interregional

---

[112]    Miralles Bellmunt (2016: 69-72) y doctrina allí citada.

o internacional privado, deben resolverse de acuerdo con lo previsto en el artículo 9.8 CC y en su caso, la normativa comunitaria europea sobre sucesiones [Reglamento (UE) nº 650/2012, de 4 julio 2012, con entrada en vigor el 17 de agosto de 2015].

El artículo 9.8 CC, párrafos I y III, respectivamente, disponen que: "La sucesión por causa de muerte se regirá por la Ley nacional del causante en el momento de su fallecimiento, cualesquiera que sean la naturaleza de los bienes y el país donde se encuentren. [...] Los derechos que por ministerio de la ley se atribuyan al cónyuge supérstite se regirán por la misma ley que regule los efectos del matrimonio, a salvo siempre las legítimas de los descendientes". Con la entrada en vigor de la Ley 11/1990 de 15 octubre, se incluyó el citado tercer párrafo al artículo 9.8 CC que supuso un replanteamiento sobre la cuestión de cuál debe ser la ley aplicable a los derechos del cónyuge supérstite en el conjunto de la sucesión abierta por el cónyuge fallecido.

La interpretación de lo que significa "los derechos que por ministerio de la ley se atribuyan al cónyuge supérstite" no es pacífica y a tal fin, existen dos posibles interpretaciones.

*a) Tesis estricta*. Según esta tesis debe entenderse que como sea que el régimen económico matrimonial en todas las legislaciones civiles españolas, es mutable, el Código Civil se refiere exclusiva y restrictivamente a los derechos del cónyuge viudo ligados al matrimonio, o sea, los que tengan propiamente carácter familiar y puedan integrarse en la sucesión cualquiera que sea el régimen económico matrimonial que rija las relaciones patrimoniales entre los esposos (R. 11 marzo 2003 y otras que se citan *infra;* SSAP Soria, Sec. 1ª, 3 diciembre 2014; Baleares, Sec. 5ª, 11 junio 2014); es decir, en este caso, "la ley reguladora del matrimonio solo puede aplicare a los estrictos beneficios viudales, en los que el matrimonio (y no la *contemplatio mortis*) es la razón y no la causa de la atribución legal, actuando la muerte de uno de los cónyuges como simple supuesto de hecho de la misma" (Garrido Melero, 2009, I: 129-130).

> *RDGRN 11 marzo 2003.* Los derechos que por ministerio de la ley se atribuyan al cónyuge supérstite vienen referidos a los beneficios matrimoniales "post mortem" y se rigen por los siguientes presupuestos: el principio de unidad sucesoria, lo que "impide fraccionar la misma en estatutos inconciliables"; es determinante el inciso final relativo a la salvaguarda de la legítima de los descendientes; la remisión a la ley que rige los efectos del

matrimonio, deben entenderse exclusivamente a los ligados a los efectos personales o estatuto primario patrimonial (cfr. año de luto, tenuta, aventajas, ajuar doméstico, viudedades forales en su consideración familiar, o cualesquiera otras que determine la ley aplicable);.lo que antecede, sin perjuicio de que a una nueva ley personal común de los cónyuges deba corresponder también una nueva ley reguladora de los efectos del matrimonio, aunque no se altere el régimen económico-matrimonial convencional o legal supletorio. En suma, "fallecido que sea uno de los esposos, para establecer los derechos en la sucesión del supérstite, se deberá calificar su ley personal común sobrevenida (lo que se presume por efecto del artículo 69 CC) o bien se determinará en la forma establecida en el artículo 9.2; a fin de aislar los derechos configurados como vinculados al mismo (Cfr. arts. 16.2; 1321 CC) y las normas imperativas que deben prevalecer sobre las disposiciones del causante o los derechos conyugales del viudo" (FD 4).

Esta solución restrictiva se considera coherente con determinados instrumentos internacionales vigentes, aunque no hayan sido ratificados por España: la Convención de la Haya de 14 de marzo de 1978, relativa a la ley aplicable a los regímenes matrimoniales (ley aplicable en Países Bajos, Luxemburgo, Francia y Austria) que excluye expresamente de su ámbito de aplicación los derechos sucesorios del cónyuge viudo; y, la Convención también de la Haya de 1 de agosto de 1989 relativa a la ley aplicable a las sucesiones por causa de muerte (en vigor en Países Bajos, Luxemburgo, Suiza y Argentina), que excluye las cuestiones relevantes relativas al régimen económico matrimonial, así como los derechos y bienes creados o transmitidos por título distinto de la sucesión tales como la propiedad conjunta de varias personas con reversión al sobreviviente (v. FD 4).

V., asimismo, RR. 18 junio 2003, 5 febrero 2005, 26 abril 2012, 9 de julio, 13 y 14 de agosto y 13 de septiembre 2014 y 23 febrero, 2 marzo y 27 abril 2015

*b) Tesis amplia.* Según la segunda tesis, considerar que los efectos del matrimonio incluyen el régimen económico matrimonial establecido al iniciarse la relación matrimonial, a salvo el conflicto móvil (SSTS 30 junio 1965, 28 abril 2014, *infra*, y 16 marzo 2016).

> *STS 28 abril 2014.* Esta sentencia se apoya en la doctrina de la STS 30 junio 1965 que, en un supuesto de DIPr. se pronuncia en sentido amplio y contrario a la doctrina antes citada, y entiende que dicha previsión legal "opera como una excepción a la regla general de la *lex successionis*", por lo que desde esta perspectiva "se comprende que no quepa una interpretación de lo que deba entenderse por "efectos del matrimonio" que, en definitiva, modifique o restrinja el ámbito de aplicación de la regla especial reconocida y querida como tal, no sólo porque la propia norma no albergue distinción alguna a estos efectos entre las relaciones personales

del vínculo matrimonial, ya generales o morales [...] o bien ligadas a un estatuto primario tales como el año de luto, aventajas, ajuar doméstico, etc., y las relaciones patrimoniales, propiamente dichas, sino por la consideración de los "efectos del matrimonio" como término o calificación jurídica que conceptualmente comporta un conjunto de derechos y deberes de contenido y proyección económica de innegable transcendencia, también en el ámbito sucesorio de los cónyuges" (FD 2.3).

Esta tesis ha sido confirmada por la STS 16 marzo 2016, que reitera el contenido literal del citado FD y contradice la doctrina de las citadas resoluciones de la DGRN, que "como había subrayado Andrés Rodríguez Benot[113] sostienen una interpretación totalmente contraria tanto a la letra como al espíritu del último párrafo del art. 9.8 Código Civil. La interpretación que se daba elevaba a dogma intocable y extremo la "unidad de la sucesión" para tratar de evitar que los derechos sucesorios del cónyuge viudo se rijan por otra Ley diferente a la Ley que rige la sucesión" (I. Lorente Martínez, 2015: 265).

Siguiendo a la autora citada, el TS pone de relieve:

En primer lugar, que la previsión especial del 9.8 III CC, "es cristalina en este sentido. La norma se refiere a los derechos sucesorios del cónyuge viudo. Es una norma sucesoria y el tribunal ha venido a poner en claro el papel del art. 9.8 párrafo III del Código Civil: "derechos que por ministerio de la ley se atribuyan al cónyuge supérstite". Este párrafo está incluido en el artículo 9.8 del Código Civil, que es la norma de conflicto que, en Derecho Internacional Privado español, se dedica a regular la sucesión, por lo tanto los derechos a los que se refiere el último párrafo del artículo 9.8 del Código Civil, son derechos "sucesorios".

En segundo lugar, el legislador tuvo la intención de acabar con la injusticia que suponía una desprotección sucesoria del cónyuge supérstite y acabar también con una sobreprotección sucesoria del mismo. Esto lo consigue sujetando a la *misma Ley los derechos sucesorios del cónyuge viudo y el régimen económico matrimonial*. [...] Esto último es el *objetivo que persigue la excepción recogida en el artículo*

---

[113]  "A. Rodríguez Benot, "La exclusión de las obligaciones derivadas del Derecho de familia y sucesiones del ámbito material de aplicación del Reglamento Roma I", CDT, 2009, Vol. 1, Nº 1, pp. 112-130" [nota a p.p. de la autora citada].

*9.8.III* del Código: lograr que una misma Ley regule la disolución del régimen económico matrimonial y los derechos sucesorios del cónyuge supérstite. Esta norma regula todos los efectos del matrimonio. Y es *una excepción legal, prevista por el propio legislador, a la unidad y universalidad de la sucesión"*.

Con la entrada en vigor del RSUE cabe preguntarse cuál debe ser el alcance de dicha normativa y si debe considerarse que en el ámbito de las sucesiones transfronterizas dicha norma no es aplicable. El artículo 1.2.*d* excluye del ámbito de aplicación del Reglamento las cuestiones relativas a "los regímenes económicos matrimoniales" y otras relaciones patrimoniales de relaciones considerada con efectos comparables al matrimonio, pero el artículo 23.2.*b)* dispone que la ley aplicable a la sucesión regirá, en particular: "la determinación de otros derechos sucesorios, *incluidos* los derechos sucesorios del cónyuge o la pareja supérstite" (é.a.).

Según el Cdo. [12], el Reglto. "no debe aplicarse a las cuestiones relativas a los regímenes económicos matrimoniales, incluidos los acuerdos matrimoniales tal como se conocen en algunos sistemas jurídicos en la medida en que no aborden asuntos sucesorios, ni a regímenes patrimoniales de relaciones que se considera que tienen efectos similares al matrimonio. No obstante, *las autoridades que sustancien una sucesión con arreglo al presente Reglamento deben tener en cuenta, en función de la situación, la liquidación del régimen económico matrimonial o de un régimen patrimonial similar del causante para determinar la herencia de este y las cuotas hereditarias de los beneficiarios"* (é.a).

A la vista de la doctrina del Tribunal Supremo, la Resolución de 29 julio 2015, señala que "la discusión en España entre el carácter familiar de los derechos del cónyuge viudo —que conducirían a la aplicación de los artículos 9.2 y 9.3 del Código civil— o el Derecho de sucesiones, fue mantenida por la Sentencia del Tribunal Supremo (única) de 28 de abril de 2014 [antes citada], en la que valorando el equilibrio entre la posición de una viuda española frente a los derechos sucesorios de los herederos de su causante, italiano, argumentó a favor de la aplicación literal del artículo 9.8 *in fine*, ligando al régimen económico matrimonial la posición sucesoria de ésta" y reconoce que esta interpretación, es distinta a la que este Centro Directivo ha mantenido en sus Resoluciones antes citadas "que se dirigían a la integración de esos derechos del cónyuge en la sucesión de su consorte, a excepción de las *mortis causa capiones*" (FD 5).

Con arreglo a la doctrina de esta Resolución y en relación a su aplicación, a partir del 17 de agosto de 2015, la DGRN señala que el Reglamento sucesorio "con la sola excepción de algunos derechos familiares que pudieran ser integrados en su artículo 30 (disposiciones especiales sobre algunos bienes inmuebles o empresas) incluye, con claridad, los derechos del cónyuge viudo, en las herencias internacionales, entre los elementos de la ley aplicable a las sucesiones *mortis causa* (artículos [*sic*] 23.2 b). Por su parte, la propuesta (COM 8160/11) de Reglamento del Parlamento europeo y del Consejo relativa a la competencia, la ley aplicable, el reconocimiento y la ejecución de decisiones en materia de régimen económico matrimonial, sobre la que el Consejo ha alcanzado un texto de compromiso, en su actual estadio, excluye de su ámbito todo elemento sucesorio, que se regirá por el Reglamento 650/2012" (FD 6).

En consecuencia, a partir de dicha fecha y respecto de las herencias internacionales "no cabe duda acerca de la aplicación de la ley sucesoria a la posición del cónyuge viudo ni de la aplicación directa del Derecho de la unidad territorial (artículo 36.2 del Reglamento) cuando se trate de sucesiones de no españoles, cuya residencia habitual (en los términos establecidos en la norma europea) conduzca a dicha unidad territorial, a reserva de que el Estado en ejecución de sus competencias, dicte normas de conflicto distintas. Con ello, desde tal momento, *la interpretación del artículo 9.8.3 realizada en la sentencia citada, se circunscribirá, como la totalidad del precepto, a las herencias en que exista exclusivamente un conflicto interno.*" (é.a.).

Para el Reglamento sucesorio, la ley sucesoria es una, cualesquiera que sean los herederos del causante. Por tanto, la atribución legal preferente al cónyuge viudo de ciertos bienes integrados en el consorcio conyugal, será una cuestión de régimen económico matrimonial y no de derecho sucesorio, pues, el reglamento sucesorio, incluye, con claridad, los derechos del cónyuge viudo en las herencias internacionales entre los elementos de la ley aplicable a las sucesiones *mortis causa* (Rentería Arocena, 2015: 6-8). En suma, siguiendo a Lorente Martínez (2015: 266), "en el marco del Reglamento 650/2012, de *lege lata*, nada se puede hacer para hacer coincidir la Ley aplicable a la sucesión mortis causa con la Ley aplicable al régimen económico matrimonial".

## 5. DISPOSICIONES GENERALES APLICABLES AL MATRIMONIO

Al referirse a las relaciones entre los cónyuges, vigente el matrimonio, el libro II del *Codi* prevé determinadas "disposiciones generales" que se exponen seguidamente. En relación con la monoparentalidad estas disposiciones ofrecen interés porque integran las bases de la convivencia general entre los cónyuges y en principio, se mantienen vigentes en aquellos supuestos de ausencia, separación de hecho u otros supuesto en que no exista ruptura del vínculo matrimonial, todo ello, salvo excepción legal, y la adopción de medidas especiales solicitadas por uno o ambos cónyuges o adoptadas por ambos en relación con materias dispositivas; la aparición de nuevas circunstancias extintivas o la ruptura total o parcial del matrimonio, como la viudez, la nulidad matrimonial o supuestos de crisis matrimonial que conlleven la separación legal o el divorcio y la adopción de medidas provisionales y definitivas.

En síntesis, las disposiciones generales aplicables a los matrimonios regulados por el *Codi*, son las siguientes[114]:

*a) Principios de igualdad y no discriminación.* Se trata de principios marco constitucionalmente amparados (arts. 14 y 32 CE). El matrimonio establece un vínculo jurídico entre dos personas que origina una comunidad de vida en que los cónyuges deben respetarse, actuar en interés de la familia, guardarse lealtad, ayudarse y prestarse socorro mutuo. Los cónyuges tienen en el matrimonio los *mismos derechos y deberes*, especialmente el cuidado y la atención de los demás miembros de la familia que estén a su cargo y convivan con ellos, y deben compartir las responsabilidades domésticas (art. 231-2).

---

[114] V., *a.e.*, Garrido Melero (2013, I: 165 y ss.); Serrano de Nicolás (2012: 249-263); Marco Molina (2011: 120 y ss.); Ysàs Solanes (2013: 163 y ss.); Roca Trias 2014: 87 y ss.); Bosch Capdevila (2014: 73 y ss.; 153 y ss.).

El principio de igualdad conlleva que la celebración del matrimonio no limita la capacidad de obrar de ninguno de los cónyuges, ni modifica, por sí solo, su nacionalidad, ni limita su adquisición, pérdida o recuperación; tampoco modifica su vecindad civil (art. 14.4 CC) y ninguno de ellos puede atribuirse la representación del otro si no le ha sido otorgada. La igualdad entre el hombre y la mujer se manifiesta igualmente en materia de filiación y relaciones paternofiliales (art. 39 CE) y respecto de los hijos comunes, la potestad de los progenitores es de carácter compartido (art. 236-1 CCC). La igualdad entre los cónyuges es igualmente predicable en relación con el matrimonio entre personas del mismo sexo que tengan hijos comunes[115].

*b) Libertad civil.* De acuerdo con el principio de libertad civil (art. 111-6.1), el régimen económico matrimonial es el convenido en capítulos (art. 231-10.1) y el régimen supletorio legal, es el de separación de bienes (art. 231-10.2). En todo caso, "Los cónyuges tienen en el matrimonio los mismos derechos y deberes…" (art. 231-2.2).

*c) Libertad de contratación.* Los cónyuges pueden transmitirse bienes y derechos por cualquier título y hacer entre ellos todo tipo de negocios jurídicos. En caso de impugnación judicial, corresponde a los cónyuges la prueba del carácter oneroso de la transmisión (art. 231-11).

*d) Domicilio familiar.* Los cónyuges determinan de común acuerdo el domicilio familiar. Ante terceras personas, se presume que el domicilio familiar es aquel donde los cónyuges o bien uno de ellos y la mayor parte de la familia conviven habitualmente. En caso de desacuerdo respecto al domicilio, cualquiera de los cónyuges puede acudir a la autoridad judicial, que debe determinarlo en interés de la familia a los efectos legales (art. 231-3).

*e) Dirección de la familia.* La dirección de la familia corresponde a los dos cónyuges de *común acuerdo*, teniendo siempre en cuenta el interés de todos sus miembros. En interés de la familia, cualquiera de los cónyuges *puede actuar solo* para atender a las necesidades y los gastos familiares ordinarios, de acuerdo con los usos y el nivel de vida de la familia, y se presume que el cónyuge que actúa tiene el consentimiento del otro. Ninguno de los cónyuges no puede atribuirse la representa-

---

[115]   Ysàs Solanes (2013: 165-166).

ción del otro si no le ha sido conferida, salvo en situaciones de urgencia o de imposibilidad del otro cónyuge de dar el consentimiento. A la gestión hecha por uno de los cónyuges en nombre del otro, le son de aplicación las reglas en materia de gestión de negocios (art. 231-4).

*f) Gastos familiares y de alimentos.* Son gastos familiares los necesarios para el mantenimiento de la familia, de acuerdo con los usos y el nivel de vida familiar, especialmente los siguientes: a) Los originados en concepto de alimentos, en el sentido más amplio, de acuerdo con la definición que de ellos hace el CCC; b) Los gastos ordinarios de conservación, mantenimiento y reparación de las viviendas o demás bienes de uso de la familia; c) Las atenciones de previsión, las médicas y las sanitarias (art. 231-5.1).

De acuerdo con el artículo 237-1: "Se entiende por alimentos todo cuanto es indispensable para el mantenimiento, vivienda, vestido y asistencia médica de la persona alimentada, así como los gastos para la formación si esta es menor y para la continuación de la formación, una vez alcanzada la mayoría de edad, si no la ha terminado antes por una causa que no le es imputable, siempre y cuando mantenga un rendimiento regular. Asimismo, los alimentos incluyen los gastos funerarios, si no están cubiertos de otra forma". Tienen el carácter de gastos familiares los alimentos de los *hijos no comunes* que convivan con los cónyuges, y los gastos originados por los demás parientes que convivan con ellos, salvo, en ambos casos, que no lo necesiten (art. 235-2).

No son gastos familiares los derivados de la gestión y defensa de los bienes privativos, salvo los que tienen conexión directa con el mantenimiento familiar. Tampoco son gastos familiares los que responden al interés exclusivo de uno de los cónyuges (art. 231-5.3).

*g) Contribución a los gastos familiares.* Los cónyuges deben contribuir a los gastos familiares, de la forma que pacten, con los recursos procedentes de su actividad o de sus bienes, en proporción a sus ingresos y, si estos no son suficientes, en proporción a sus patrimonios. La aportación al trabajo doméstico es una forma de contribución a los gastos familiares. Si existen bienes especialmente afectos a los gastos familiares, sus frutos y rentas deben aplicarse preferentemente a pagarlos.

Los hijos, comunes o no, mientras convivan con la familia, deben contribuir proporcionalmente a estos gastos familiares, con los ingresos que obtengan de su actividad, con el rendimiento de sus bienes y derechos y con su trabajo en interés de la familia, siempre y cuando este deber no sea contrario a la equidad. Los progenitores pueden destinar los frutos de los bienes y derechos que administran a mantener los gastos familiares en la parte que corresponda.

Cuando existan bienes y derechos de los hijos no administrados por los progenitores, la persona que los administra debe entregar a los progenitores, o al progenitor que tenga el ejercicio de la potestad parental, en la parte que corresponda, los frutos y rendimientos de los bienes y derechos afectados. Se exceptúan los frutos procedentes de bienes y derechos atribuidos especialmente a la educación o formación del hijo, que solo deben entregarse en la parte sobrera o, si los progenitores no tienen otros medios, en la parte que, según la equidad, la autoridad judicial determine.

Asimismo, los parientes que convivan con la familia deben contribuir, si procede, a los gastos familiares en la medida de sus posibilidades y de acuerdo con los gastos que generan (art. 231-6).

*h) Deber de información recíproca.* Los cónyuges tienen la obligación recíproca de informarse adecuadamente de la gestión patrimonial que llevan a cabo con relación a la atención de los gastos familiares (art. 231-7).

*i) Responsabilidad solidaria por los gastos familiares.* Ante terceras personas, ambos cónyuges responden solidariamente de las obligaciones contraídas para atender a las necesidades y los gastos familiares ordinarios de acuerdo con los usos y nivel de vida de la familia. En caso de otras obligaciones, responde el cónyuge que las contrae (art. 231.8)

*j) Actos de disposición de la vivienda familiar.* La protección legal de vivienda familiar goza de amparo constitucional (arts. 39 y 47 CE) y se justifica porque en ella se desenvuelve la vida de la familia, "por tanto, protegiendo a aquella se protege a ésta" (Puig i Ferriol, coord., 2010: 445[116]). En este caso, con independencia del régimen econó-

---

[116]   Autores: J. M. Abril Campoy, E. Amat Lari, X. Cecchini Rosell y Ll. Puig i Ferriol, en adelante, Puig i Ferriol *et al.* (2010).

mico matrimonial aplicable, el cónyuge titular, sin el consentimiento (o en el caso de vivienda de la propiedad exclusiva del disponente, sin el asentimiento) del otro cónyuge, no puede hacer acto alguno de enajenación, gravamen o, en general, disposición de su derecho sobre la *vivienda familiar (o de carácter conyugal)* o *sobre los muebles de uso ordinario* que comprometa su uso, aunque se refiera a cuotas indivisas. Este consentimiento no puede excluirse por pacto ni otorgarse con carácter general. Si falta el consentimiento, la autoridad judicial puede autorizar el acto, teniendo en cuenta el interés de la familia, así como si se da otra justa causa (art. 231-9). En relación con el régimen legal supletorio de separación de bienes, esta limitación es excepcional y contrasta con el principio general de libertad de disposición de todos los bienes propios, que es lo que caracteriza dicho REM (art. 232.-1).

Si el otro cónyuge vive en la misma vivienda, el acto dispositivo hecho sin su consentimiento o autorización es anulable a su instancia, en el plazo de cuatro años desde que tiene conocimiento de él o desde que se inscribe el acto en el Registro de la Propiedad. El acto mantiene la eficacia si el adquiriente actúa de buena fe y a título oneroso y, además, el titular ha manifestado que el inmueble no tiene la condición de vivienda familiar, aunque sea una manifestación inexacta. No existe buena fe si el adquiriente conocía o podía razonablemente conocer en el momento de la adquisición la condición de la vivienda. En cualquier caso, el cónyuge que ha dispuesto de ella responde de los perjuicios que haya causado, de acuerdo con la legislación aplicable.

El *concepto de vivienda familiar* no está definido en la norma, pero por tal, cabe entender: "aquella que constituye la residencia habitual de los cónyuges, en la que se desarrolla la convivencia conyugal y en la que, en definitiva, se desarrolla habitualmente la vida familiar" (Marco Molina, 2011: 129)[117]. La protección no se limita al local de residencia de la familia y también alcanza a los muebles y objetos de uso familiar, con exclusión de las obras artísticas o joyas, porque la finalidad protectora se refiere a aquellos muebles que sirven a las

---

[117]  Que en nota a p.p., señala: "En este sentido, ya Espiau Espiau, S., ``La disposición de la vivienda familiar´´, cit., pg. 20. De ahí, también, que el art. 91.1 RH se refiera a la vivienda familiar atribuyéndole el carácter de ``vivienda habitual de la familia´´". V, asim., Espiau Espiau, S. (2011: 420-427).

necesidades familiares. En las relaciones de pareja estable en materia de disposición de la vivienda familiar, se aplica lo establecido por el artículo 231-9 (art. 234-3.2).

*k) Cuentas indistintas.* Según el artículo 231-13, en caso de declaración de concurso de cualquiera de los cónyuges o de embargo de cuentas indistintas por deudas privativas de uno de los cónyuges, el cónyuge no deudor puede sustraer de la masa activa del concurso o del embargo los importes que acredite que le pertenecen (v. art. 79 LC).

*l) Presunción de donación.* El artículo 231-12 prevé que en caso de declaración de concurso de uno de los cónyuges, los bienes adquiridos por el otro a título oneroso durante el año anterior a la declaración se sujetan al siguiente régimen: a) Si la contraprestación para su adquisición procedía del cónyuge concursado, se presume la donación; b) En aquella parte en que no pueda acreditarse la procedencia de la contraprestación, se presume la donación de la mitad. La presunción del apartado b) se destruye si se acredita que, en el momento de la adquisición, el adquiriente tenía ingresos o recursos suficientes para efectuarla. Las presunciones establecidas en esta norma no rigen si los cónyuges estaban separados judicial o legalmente o de hecho en el momento de la adquisición[118]. Asimismo, en caso de concurso de acreedores son aplicables las previsiones establecidas al efecto en la Ley Concursal, en especial, el artículo 78 (*Presunción de donaciones y pacto de sobrevivencia entre los cónyuges. Vivienda habitual del matrimonio*).

*m) Donaciones fuera de capítulos.* Las donaciones entre cónyuges efectuadas fuera de capítulos matrimoniales son revocables en los casos generales de revocación de donaciones, aunque, en el caso de supervención de hijos, solo lo son si se trata de hijos comunes (art. 231-14). Esta clase de donaciones están regulada en los artículos 231-27 a 231-29 y se rigen por las reglas generales de las donaciones, salvo lo establecido en los citados artículos[119].

---

[118]   La norma solo se refiere a la separación judicial o de hecho, pero por identidad de razón el supuesto también debe entenderse aplicable a la separación legal.

[119]   V., *a.e.*, Navas Navarro (2011: 213-224).

# 6. BIENES ADQUIRIDOS CON PACTO DE SUPERVIVENCIA (ARTS. 231-15 A 231-17)

1. *Concepto y naturaleza jurídica.* La adquisición de bienes con pacto de supervivencia (*pacte de supervivència*) consiste "en un negocio jurídico de carácter oneroso y de carácter complejo por el que los cónyuges adquieren bienes conjuntamente (no necesariamente por mitad), con el pacto expreso de que, a la muerte de uno de ellos, el otro cónyuge devenga y quede automáticamente como titular único de la totalidad del bien" (Ametlla Culí, 2011: 602). Se trata de una figura procedente del derecho consuetudinario catalán y la práctica notarial, seguida especialmente en las comarcas del Empordà, Baix Urgell y el Segrià y utilizada como un paliativo para proteger al cónyuge en situación más precaria, de las drásticas consecuencias derivadas del régimen de separación de bienes (SAP Girona, Sec. 2ª, 13 abril 2005).

En el derecho vigente, en el mismo título de adquisición, los cónyuges o futuros contrayentes (así como los convivientes en pareja estable, *ex* art. 234-3.3; STSJC 13 febrero 2003), que adquieran bienes conjuntamente *a título oneroso,* pueden pactar que, cuando cualquiera de ellos muera, el superviviente devenga titular único de la totalidad (art. 231-15.1).

La regulación legal del pacto se inserta en la subsección 2ª, sección 2ª (*Relaciones económicas entre los cónyuges*), del capítulo I (*Alcance de la institución familiar*), título III, del Libro II del *Codi* relativo a la persona y la familia. En el preámbulo de la Ley 25/2010, de 29 de julio, el legislador afirma que: "El régimen de las adquisiciones con pacto de supervivencia *se mantiene en el ámbito familiar.* En la línea marcada por la *jurisprudencia del Tribunal Superior de Justicia de Cataluña,* sin embargo, ya no se limita a las compraventas sino que *se extiende a todo tipo de adquisición onerosa y se desvincula de los regímenes económicos matrimoniales de separación de bienes o de participación*" (é.a.).

La *naturaleza jurídica* del pacto de supervivencia es discutida por la doctrina científica[120]: donación *mortis causa* (tesis rechazada en

---

[120]   Puig i Ferriol (2014: 125-126); Gómez Ligüerre (2014: 122-139); Garrido Melero (2013, I: 313-315); Del Pozo Carrascosa *et al.* (2013: 203-214); Serrano

la RDGRN 19 mayo 1917 y SSTSJC 13 febrero y 17 marzo 2003);
donación *inter vivos* de carácter condicional y causa onerosa de la
mitad indivisa de un cónyuge a favor del otro, con prohibición legal
de disponer; fideicomiso contractual; institución específica de derecho
de familia; negocio unitario que crea una comunidad en mano común
o comunidad germánica (la figura del dominio solidario es rechazada
en la RDGRN 26 diciembre 1946 y en el derecho catalán es relevante la influencia del derecho romano, pero se califica así en las SSAP
Girona, Sec. 1ª, 3 octubre 2005 y 30 julio 2012); comunidad romana especial; sucesión contractual (en contra, v. art. 411-7); negocio
oneroso de compraventa con un tercero y pacto oneroso y aleatorio
de supervivencia inter vivos entre los adquirentes, tesis que parecen
adoptar las SSTSJC 14 junio 1990 y 17 marzo 2003).

Siguiendo a Roca Trias (2014: 125) "este pacto es siempre un efecto del matrimonio o de la situación de convivencia estable y no está
previsto para negocios jurídicos que se concluyan entre otros familiares", y de su regulación legal se deduce que estos contratos onerosos
"son negocios unitarios, porque cuanto los interesados compran con
este pacto, excluyen el efecto normal de la cotitularidad romana por
cuotas y crean una comunidad en mano común". Con arreglo a la
autora citada, la estructura de este negocio único comprende dos elementos:

a) la *adquisición onerosa* de los adquirentes con un tercero trans-
mitente; y

b) el *pacto* previo entre los adquirentes que deciden que la *cotitularidad* sea *en mano común*, con todos los efectos que ello
comporta.

Por otra parte, como sea que cada uno de los adquirentes asume
el riesgo de premorir al coadquirente, esta circunstancia introduce un
elemento de *aleatoriedad* que es normal en la mancomunidad creada.
Con ello, no se modifica el contrato oneroso de compraventa, sino la
estructura de la comunidad.

---

de Nicolás (2012: 278-281); Gómez Gálligo (2011: 807-826); Espiñeira Soto
(2013); Arnau Raventós (2011: 157-181); Fugardo Estivill (2011: 861-869); Miralles Bellmunt (2016: 510-557).

2. *Efectos del pacto constante el matrimonio.* Mientras vivan ambos cónyuges o convivientes, los bienes adquiridos con pacto de supervivencia requieren una *actuación conjunta* de ambas partes, y se rigen por las reglas siguientes:

*a)* Los actos dispositivos sobre el bien, gratuitos, onerosos, de enajenación o de gravamen, precisan el *acuerdo conjunto* de ambos cónyuges[121].

*b)* La cuota es indisponible y ninguno de los cónyuges puede transmitir a terceras personas su derecho sobre los bienes. Si se transmite el derecho de uno de los titulares al otro, el pacto se extingue.

*c)* Debe mantenerse la indivisión de los bienes (art. 231-15.2).

*d)* A efectos de la constitución de las partes del litigio, por efecto de la mancomunidad existente, rigen las reglas del litisconsorcio activo o pasivo, según que los interesados actúen, respectivamente, como parte demandante o demandada (STS 23 febrero 1971).

3. *Efectos a la muerte de uno de los titulares.* En los bienes adquiridos con pacto de supervivencia, la adquisición de la participación del premuerto debe computarse en la herencia de este por el valor que tenga la participación en el momento de producirse el fallecimiento, a los efectos del cálculo de la legítima y de la cuarta vidual, y debe imputarse a esta por el mismo valor (art. 231-15.3).

Los efectos del pacto son más propios de una comunidad por cuotas que de una mancomunidad:

*a)* Según se ha expuesto, la adquisición de la participación del premuerto se computa (no debe aportarse) en la herencia de este por el valor que tenga la participación en el momento de producirse el fallecimiento, a los efectos del cálculo de la legítima de los hijos (art. 235-15.3 y 451-5.c).

---

121    En este sentido v. artículo 569-30 sobre constitución de hipoteca de un bien adquirido con pacto de supervivencia, debiéndose entender que la referencia *in fine* a la disposición unilateral de uno de los cónyuges, implica que este debe disponer de poder bastante para actuar en nombre del otro.

*b)* Se debe imputar a la legítima y a la cuarta viudal. Como observa la autora antes citada, no se puede imputar a la legítima porque ni el cónyuge ni el conviviente en unión estable no acreditan derecho de legítima en la sucesión del fallecido y el pacto solo puede otorgarse por aquellos; el supuesto solo sería posible si se entendiera que el usufructo vidual intestado es de naturaleza legitimaria, lo que es muy discutible.

*c)* Debe imputarse a la cuarta viudal con los efectos previstos en la norma que la regula (art. 452-1).

*d)* El valor que, en su caso, se ha de computar e imputar, es el que el valor que la parte correspondiente al premuerto tenga en el momento de su fallecimiento (arg. art. 451-5.a).

> Propiamente, no existe una transmisión sucesoria al sobreviviente, sino una expansión aleatoria del título, que es el efecto buscado con este tipo de negocio. En este sentido, la SAP Girona, Sec. 1ª, 3 octubre 2005, afirma que: "la adquisición de la mitad indivisa llevada a cabo por la Sra. C. en virtud del pacto de sobrevivencia no se encuadra dentro del régimen sucesorio y por lo tanto no es una adquisición *mortis causa*, aunque sus efectos se produzcan tras la muerte de uno de los adquirentes, y ello se desprende de que el legislador no regula la figura del pacto de sobrevivencia en la normativa relativa al derecho de sucesiones, sino en la normas del derecho de familiar..." (FJ 3) y en el mismo sentido, SAP Barcelona, Sec.1ª, 22 septiembre 2015, con apoyo en la STSJC, 17 marzo 2003.

4. *Renuncia.* En caso de renuncia, se entiende que el renunciante no ha adquirido nunca la participación del premuerto, por lo que el renunciante conserva su parte y la parte del fallecido *se integra en el caudal relicto* de este (art. 231-15.3) con los efectos normales de toda sucesión, con mantenimiento por el supérstite de su parte en la comunidad. La posibilidad de una renuncia *tácita*, por no hacerse referencia alguna al pacto en una escritura de aceptación de herencia otorgada por las partes implicadas es aceptada en la RDGDEJ, 3 octubre 2011 (JUS/2755/2011), pero para ello es preciso que de la escritura se desprenda "d'una manera expressa, clara i inequívoca l'existència del pacte de supervivència i fos del tot indubtable que la vídua, en renunciar, prenia en consideració l'existència del pacte. Aquest no és el cas. A l'escriptura qualificada es fa referència a la meitat indivisa de la finca i ni tan sols a l'apartat de càrregues s'especifica l'existència del pacte" (FD 2.2).

*5. Caducidad e ineficacia del pacto.* El pacto de supervivencia otorgado por futuros contrayentes caduca si el matrimonio no llega a celebrarse en el plazo de un año. El pacto de supervivencia deviene ineficaz si uno de los cónyuges adquirientes ha otorgado con anterioridad un heredamiento universal (v. art. 431-18.1) y este es eficaz al morir el heredante (art. 231-16). No se producirá la incompatibilidad entre el pacto y el heredamiento: cuando el heredamiento lo sea respecto de bienes determinados, lo que debe acordarse de forma expresa (art. 431-19.3); cuando al convenir el heredamiento se haga reserva expresa del pacto futuro (art. 431-22.1); cuando los cónyuges hayan concertado un heredamiento mutual (art. 431-21), porque la finalidad del heredamiento es compatible con la del pacto; o cuando alguno de los cónyuges haya concertado de forma expresa un heredamiento preventivo, que es revocable unilateralmente (art. 431-21.1).

*6. Embargo.* El acreedor de uno de los cónyuges puede solicitar el embargo sobre la parte que el deudor tiene en los bienes adquiridos con pacto de supervivencia. El embargo debe notificarse al cónyuge que no es parte en el litigio. En el supuesto de declaración de concurso, la parte correspondiente al cónyuge concursado se integra en la masa activa. El otro cónyuge tiene derecho a sustraer de la masa esta parte satisfaciendo su valor.

Si se trata de la *vivienda familiar*, el valor es el del precio de adquisición actualizado de acuerdo con el índice de precios al consumo específico del sector de la vivienda. En los demás bienes, el valor es el que determinen de común acuerdo el cónyuge del concursado y la administración concursal o, en su defecto, el que fije la autoridad judicial después de haber escuchado a las partes y previo informe de un experto si lo considera pertinente (arts. 231-17 y 78.3 LC)[122]. En el caso de traba del derecho del cónyuge y defunción del cónyuge consorte, es embargable la totalidad del bien (v. STSJC 13 junio 1990).

*7. Extinción del pacto.* El pacto de supervivencia se extingue por las siguientes causas:

*a)* Acuerdo de ambos cónyuges durante el matrimonio.

---

[122]    Cuena Casas, y Mas-Guindal (2011: 511-520).

*b)* Declaración de nulidad del matrimonio, separación judicial o de hecho, o divorcio.

*c)* Adjudicación a un tercero de la mitad del bien como consecuencia del embargo o de un procedimiento concursal.

*d)* A los supuestos anteriores *ex* artículo 231-18, al amparo del artículo 1256 CC, la doctrina añade el supuesto de homicidio del cónyuge causado por su consorte (uxoricidio) porque el pacto dejaría de ser aleatorio y beneficiaría a quien ha actuado dolosamente con una acción delictiva[123].

La ineficacia y la extinción del pacto de supervivencia determinan la cotitularidad, en *comunidad indivisa ordinaria*, de los cónyuges, o del cónyuge superviviente y de los herederos del premuerto, o bien del cónyuge no deudor y del adjudicatario de la mitad del cónyuge deudor (art. 231-18).

# 7. OTORGAMIENTO DE CAPÍTULOS MATRIMONIALES

En el derecho tradicional catalán, inspirado en el modelo de la denominada "família pairal", los capítulos matrimoniales han gozado de una notable relevancia histórica[124] y, en general, constituían el marco ordenador de la economía matrimonial y familiar, tanto durante la vigencia del matrimonio como en relación con la sucesión. Los capítulos matrimoniales eran "el instrumento idóneo para que las dos familias, a través de pactos interdependientes y mutuamente condicionados, concertaran el modo de evitar la disgregación de aquel patrimonio [la "casa" "el *mas*", "la *masia*" o empresa familiar agraria]" (Arnau Raventós, 2010: 387). Por medio de los pactos sucesorios en forma de donación universal o heredamiento, convenidos en los capítulos, estos pactos "eran el vehículo de transmisión intergeneracional de los patrimonios familiares" (preámbulo L. 10/2008, de 10 de julio, del libro cuarto del Código Civil de Cataluña, relativo a las sucesiones, ep. IV).

---

[123]  Ametlla Culí (2011: 633) con remisión a Pujol Capilla.
[124]  Faus y Condomines (1907: 123 y ss.).

1. *Concepto*. En su acepción tradicional, Faus y Condomines (1960: 45-46), dicen que las capitulaciones "son, en Cataluña, un contrato o mejor dicho, un documento que contiene negocios jurídicos harto complejos", entre los que citan: liberalidades; constitución de dotes; fijación de "escreix" o liberalidad adicional del marido; sucesiones contractuales; ordenación del REM e incluso sucesorio de la familia (heredamientos); protección de los hijos; cláusulas de aseguramiento de bienes dotales; fijación de legítimas; y otras muchas cláusulas otorgadas al amparo de "un principio amplísimo de libertad contractual, [que] vienen con frecuencia a integrar ese verdadero código de la vida económica familiar que son las capitulaciones matrimoniales catalanas".

Como observa Garrido Melero (2010: 1372), en su momento, "la escritura de capítulos matrimoniales, especialmente en los territorios denominados "forales´´, vino a regular el régimen y organización de la familia surgida del proyectado matrimonio durante dos o más generaciones (las de los esposos o contrayentes y las de sus hijos nacederos), siendo una especie dc constitución familiar que tenía un trasfondo familiar, pero que servía y tenía su razón de ser en aspectos puramente patrimoniales y económicos, en cuanto que a través de los pactos capitulares se organizaba una forma racional la explotación de la tierra y, en cierto modo, la vinculación de la familia a dicha explotación".

La evolución socio-económica de la familia y la sociedad catalana (entre otros factores: industrialización, urbanización de la población, crisis o transformación del sector agrario, declive del modelo basado en la rígida familia patriarcal o troncal; heterogeneidad y fragilidad del hecho familiar, fiscalidad derivada de ciertos negocios jurídicos gratuitos...), han supuesto un notable cambio de la finalidad y contenido de las capitulaciones y también se han desvinculado de los heredamientos, porque estos pueden convenirse en un documento público específico[125].

---

[125]   Como dice el citado preámbulo, "sin renunciar al bagaje conceptual heredado de la tradición jurídica catalana en torno a los heredamientos, el libro cuarto regula los pactos sucesorios de una forma mucho más abierta y flexible" y, entre otros cambios, aunque la sucesión contractual puede convenirse en capítulos, se desliga de estos y también puede convenirse en un instrumento público independiente.

En su acepción más moderna, los capítulos o capitulaciones matrimoniales pueden definirse como "aquel negocio jurídico de contenido plural y variable, otorgado en contemplación de una realidad familiar, futura o ya existente, con la finalidad de regular su funcionamiento y la ordenación de su extinción por cualquier motivo" (López Burniol, 2000: 154). La expresión comprende un doble significado: en sentido negocial, remite al contenido del negocio jurídico; en sentido material o formal, se refiere al instrumento público que los contiene y acredita.

Por otra parte, aunque también puede formar parte de su contenido, el objeto de los capítulos matrimoniales, no es tanto la conservación de la explotación agraria, sino la ordenación jurídica de las relaciones personales, paterno-filiales y patrimoniales de los cónyuges: durante o constante el matrimonio; en previsión de su extinción; y, también, en los supuestos de crisis matrimonial y ruptura (pactos o acuerdos en previsión de una ruptura matrimonial). Mientras que el objeto de los antiguos capítulos matrimoniales pretendía la conservación estática de la riqueza patrimonial y su transmisión generacional, el objeto de los modernos capítulos, sin renunciar a dichos objetivos, se orienta preferentemente en términos dinámicos y puede contener acuerdos para los supuestos de crisis matrimonial.

En consideración a su vigente régimen jurídico (arts. 231-19 a 231-26), Marco Molina (2001: 182) señala que, inductivamente, los capítulos matrimoniales son: "aquel documento (necesariamente, escritura pública: art. 231-22.1) de contenido múltiple (art. 231-19.2) y tendencialmente interdependiente o recíproco (arg. *ex* art. 231-20.3), que, en contemplación de un determinado matrimonio (art. 231-19.2) o para la eventualidad de su ruptura (art. 231-20) otorgan entre sí, antes o después de contraerlo, los contrayentes o cónyuges. Con ellos, que son los otorgantes necesarios [...] pueden concurrir al otorgamiento terceros ajenos al matrimonio (usualmente, quienes, sean o no parientes de los contrayentes o cónyuges, les confieren bienes o derechos a ellos o a sus descendientes: art. 231-23), en cuyo caso la intervención de tales terceros se hace imprescindible para modificar o extinguir eficazmente el contenido capitular previamente acordado (art. 231-22.1)"[126].

---

[126]  Por razones de economía expositiva, no se incluyen las referencias a pp. Según
        se expone más adelante, para modificar o dejar sin efecto los capítulos solo es

2. *Contenido.* Según el artículo 231-19, en los capítulos matrimoniales se puede determinar: *a)* el régimen económico matrimonial; *b)* convenir pactos sucesorios; *c)* hacer donaciones; y *d)* establecer las estipulaciones y los pactos lícitos que se consideren convenientes, incluso en previsión de una ruptura matrimonial.

Los capítulos matrimoniales pueden otorgarse *antes* o *después* de la celebración del *matrimonio.* Los otorgados antes solo producen efectos a partir de la celebración del matrimonio y caducan si el matrimonio no llega a celebrarse en el plazo de un año. Sin perjuicio de la libertad e igualdad entre los cónyuges, son válidos los pactos sobre distribución asimétrica de los derechos y deberes decididos por ellos mismos, de los que el legislador ofrece múltiplos ejemplos. No obstante, quedan excluidos aquellos pactos que pretendan la sumisión personal o limiten la capacidad de obrar o supongan la confusión o comunicación entre el ámbito personal o patrimonial (por ej., renuncia al ejercicio de la patria potestad o potestad parental a cambio de precio o de una atribución patrimonial)[127]. Por otra parte, en previsión de una ruptura patrimonial, los pactos de exclusión o limitación de derechos deben tener carácter recíproco y precisar con claridad los derechos que limitan o a los que se renuncia (art. 231-20.3).

3. *Otorgantes.* Los capítulos se otorgan por los cónyuges o futuros consortes y también pueden intervenir terceras personas, en especial, cuando según ciertas clases de REM, se prevé la creación de una comunidad familiar o se otorgan donaciones por terceras personas. Respecto de la *capacidad* pueden otorgar capítulos matrimoniales quienes pueden contraer válidamente matrimonio, pero en su caso, necesitan los correspondientes complementos de capacidad (por ej., personas sometidas a tutela o curatela, o menor no emancipado que otorga los capítulos antes de contraer matrimonio con dispensa matrimonial). Los terceros que intervienen en los capítulos deben tener la capacidad de contratar y en el caso de actos de disposición de bienes inmuebles, capacidad necesaria para poder disponer de los mismos.

---

preciso el consentimiento de las personas que los habían otorgado, o de sus herederos, cuando la modificación afecta a derechos conferidos por estas personas. Los cónyuges pueden modificar el régimen económico matrimonial sin la intervención de las demás personas que hayan otorgado los capítulos (art. 231-23).

[127] Marco Molina (2011: 201-205).

4. *Forma e inscripción*. Los capítulos matrimoniales y sus modificaciones deben otorgarse en escritura pública. Estos negocios jurídicos y las resoluciones judiciales que alteren el régimen económico matrimonial no son oponibles a terceras personas mientras no se hagan constar en la inscripción del matrimonio en el Registro Civil y, si procede, en otros registros públicos (art. 231-22). Los capítulos matrimoniales o los pactos en previsión de ruptura deben otorgarse en escritura pública no siendo válida la mera protocolización notarial de contrato privado en acta notarial (STSJC 8 mayo 2014).

5. *Modificación de los capítulos*. La modificación de los capítulos o para dejarlos sin efecto, precisa el consentimiento de todas las personas que los habían otorgado, o de sus herederos, si la modificación afecta a derechos conferidos por estas personas; por excepción, los cónyuges pueden modificar el régimen económico matrimonial sin la intervención de las demás personas que hayan otorgado los capítulos (art. 231-23 CCC). La modificación del REM no afecta a los derechos adquiridos por terceras personas (art. 321-24 CCC). En su caso, las donaciones otorgadas en capítulos matrimoniales únicamente son revocables por incumplimiento de cargas (art. 234-25 CCC) y las donaciones por razón de matrimonio otorgadas fuera de capítulos matrimoniales se rigen por los artículos 231-27 a 231-29.

6. *Nulidad*. Las capítulos quedan sin efecto si se declara nulo el matrimonio, si existe separación legal o si el matrimonio se disuelve por divorcio, pero conservan su eficacia: *a)* El reconocimiento de hijos efectuado por cualquiera de los cónyuges; *b)* Los pactos efectuados en previsión de ruptura matrimonial; *c)* Los pactos sucesorios en los casos en que lo establece el CCC; y *d)* Los pactos que tienen los capítulos como instrumento meramente documental (art. 231-26)[128].

---

[128]    En la doctrina, v., *a. e.*, Garrido Melero (2013, I: 223-243); Serrano de Nicolás (2012: 263-275); Marco Molina (2011: 181-213).

# 8. PACTOS O ACUERDOS EN PREVISIÓN DE UNA RUPTURA MATRIMONIAL

## 8.1. Introducción

De acuerdo con Martínez Escribano (2011: 78-79), los pactos o acuerdos en previsión de una ruptura matrimonial o pactos prematrimoniales, consisten en un acuerdo que "pueden celebrar los cónyuges antes de contraer matrimonio, o incluso después de este momento pero sin que haya sobrevenido aún la crisis conyugal. Tal acuerdo tiene por objeto determinar las consecuencias que se derivarían en caso de separación o divorcio". En sentido amplio, siguiendo a García González (2015: 110), los pactos en previsión de la ruptura "son unos negocios jurídicos de derecho de familia en virtud de los cuales los que tienen proyectado contraer matrimonio o convivir en unión estable de pareja, o que se encuentran en uno de estos casos en situación de normal convivencia, regulan convencionalmente las consecuencias personales y patrimoniales que puedan derivarse de la eventual ruptura de su relación". Se trata de "medidas preventivas convenidas *ex ante* de la crisis, que se adoptan antes o después de iniciar la relación familiar, pero en una situación de normal cohabitación"; y en sentido parecido, Allueva Aznar (2016: 104), afirma que estos pactos "son un tipo de acuerdo que permite determinar anticipadamente las consecuencias de una posible crisis del matrimonio o el cese de la convivencia de una pareja estable".

Al amparo de la autonomía privada y dentro de los límites permitidos por la ley y el orden público, la validez de los pactos o acuerdos en previsión de una ruptura matrimonial estaba reconocida por la jurisprudencia y se preveía el artículo 15.1 del anterior Código de Familia. En el derecho vigente, estos pactos han recibido un nuevo impulso legislativo[129]. Como pone de relieve el preámbulo de la Ley 25/2010 del Libro Segundo de *Codi*, esta Ley "desarrolla la referencia genérica que el Código de familia hacía, en materia de capítulos matrimoniales, a los pactos en previsión de una ruptura matrimonial". La regulación adoptada por el legislador catalán ha recibido una notable influencia de los "Principios de Derecho de Familia" aprobados

---

[129]    Puig i Ferriol (2014: 145 y ss.); Serrano de Nicolás (2013: 481 y ss.).

por el *American Law Institute* (ALI) y su contenido protector tiene en cuenta las perspectivas de género[130].

> Esta clase de pactos se inserta en el marco de la evolución del moderno Derecho de familia. Como dice la STS, 24 junio 2015: "no existe prohibición legal frente a los denominados pactos prematrimoniales, debiendo ponerse el acento en los *límites* a los mismos, que están en la protección de *la igualdad de los cónyuges* y en *el interés de los menores*, si los hubiere, pues, no en vano, el art. 90.2 del C. Civil establece como requisito para los convenios reguladores, aplicable por analogía en ese caso, para su aprobación, que no sean dañosos para los menores o gravemente perjudiciales para uno de los cónyuges. En igual sentido el art. 39 de la Constitución cuando establece la protección de la familia y de la infancia" (FD 5) (é.a.).

La regulación de los pactos en previsión de la ruptura, se ordena en torno a los siguientes caracteres (Serrano de Nicolás, 2011: 327 y ss.; 2012: 228 y ss.; 2013: 484 y ss.):

*a)* La mayor libertad individual en materia de separación y divorcio y la desaparición del divorcio culpable;

*b)* La mayor relevancia de la autonomía privada en el Derecho de familia, que entre otras manifestaciones ha supuesto la aparición del divorcio consensual;

*c)* La evolución del concepto de orden público familiar y de la libertad de las personas;

*d)* La evolución del matrimonio-institución y jerárquico hacia formas de matrimonio-contractual, en que se ha pasado de una regulación imperativa con limitada libertad de decisión, a una regulación contractual, con un amplio margen de autorregulación de los cónyuges y en régimen de igualdad sin que por ello, el matrimonio deje de ser un estado civil y sin alterar la capacidad de obrar de los cónyuges;

*e)* Por último, advierte el autor citado que la salvaguarda de la unidad familiar y de otros pretendidos intereses superiores o públicos no puede ser tan relevante como para sacrificar otros intereses, derechos o libertades fundamentales de la personas,

---

[130] *Vid. Principles of the Law of Family Dissolution: Analysis and Recommendation*, de *The American Law Institute* (ALI) (2001); Marygold S. Melli (2004); Allueva Aznar (2012).

cónyuges o hijos; todo ello sin perjuicio de su participación en las experiencias, necesidades y asuntos propios inherentes a la vida familiar.

En el *Codi*, los pactos para regular la ruptura familiar pueden preverse en alguno de los siguientes supuestos temporales[131]:

1) Como pacto antenupcial (arts. 231-19.1 y 231-20.1)

2) Como pacto post-nupcial (art. 231-20.1)

3) Como pacto o acuerdo acordado en el convenio regulador (art. 233-3.1) y,

4) Como pacto posterior a la ruptura matrimonial, sin formar parte del convenio regulador (art. 233-5.1)

> La norma legal prevé lo siguiente:
> "Artículo 231-20 (*Pactos en previsión de una ruptura matrimonial*).
> "1. Los pactos en previsión de una ruptura matrimonial pueden otorgarse en capítulos matrimoniales o en escritura pública. En el supuesto de que sean antenupciales, solo son válidos si se otorgan antes de los treinta días anteriores a la fecha de celebración del matrimonio, y caducan de acuerdo con lo establecido por el artículo 231-19.2[132].
> 2. El notario, antes de autorizar la escritura a que se refiere el apartado 1, debe informar por separado a cada uno de los otorgantes sobre el alcance de los cambios que pretenden introducirse con los pactos respecto al régimen legal supletorio y debe advertirlos de su deber recíproco de proporcionarse la información a que se refiere el apartado 4.
> 3. Los pactos de exclusión o limitación de derechos deben tener carácter recíproco y precisar con claridad los derechos que limitan o a los que se renuncia.
> 4. El cónyuge que pretenda hacer valer un pacto en previsión de una ruptura matrimonial tiene la carga de acreditar que la otra parte disponía, en el momento de firmarlo, de información suficiente sobre su patrimonio, sus ingresos y sus expectativas económicas, siempre y cuando esta información fuese relevante con relación al contenido del pacto.
> 5. Los pactos en previsión de ruptura que en el momento en que se pretende el cumplimiento sean gravemente perjudiciales para un cónyuge no son eficaces si este acredita que han sobrevenido circunstancias rele-

---

[131]   Serrano de Nicolás (2012: 230).

[132]   Art. 231-19: "2. Los capítulos matrimoniales pueden otorgarse antes o después de la celebración del matrimonio. Los otorgados antes solo producen efectos a partir de la celebración del matrimonio y caducan si el matrimonio no llega a celebrarse en el plazo de un año.".

vantes que no se previeron ni podían razonablemente preverse en el momento en que se otorgaron.".

De acuerdo con el autor citado (*ibdm.*, 2013: 485-486) estos pactos no son un contrato preparatorio del convenio regulador porque este tiene su propio contenido (art. 233-2), pero incluso aunque ambos instrumentos coincidieran, no cabe la mutación del título porque el convenio regulador precisa un nuevo y específico consentimiento y la homologación judicial; no son unos capítulos matrimoniales (art. 231-19.1) aunque este medio formal puede ser uno de los posibles medios en que se contengan; y son un contrato tipificado autónomo en su forma, plazo de otorgamiento y contenido.

El pacto puede convenirse antes o después del matrimonio, pero en el primer caso el pacto solo es válido si se otorga antes de los treinta días anteriores a la celebración del matrimonio. Entre otros acuerdos (*infra*) el pacto puede referirse a la liquidación del régimen económico matrimonial o prever sobre la pensión compensatoria por razón de trabajo. A pesar de lo que antecede, en su caso, el pacto no puede suponer una renuncia anticipada al derecho a la pensión, ni fijar su cuantía, pero pueden acordarse los criterios para su determinación. Los pactos de exclusión o limitación de derechos deben tener *carácter recíproco* y precisar con *claridad* los derechos que limitan o a los que se renuncia. Esta previsión se fundamenta en el *principio de igualdad jurídica* entre los cónyuges.

Formalmente, estos pactos deben otorgarse en escritura pública y cumplir la exigencia ineludible y determinante de su validez y eficacia dentro del plazo previsto en la norma (art. 231-20.1). La forma pública aparece como forma obligatoria y el notario debe informar en los términos previstos en el artículo 231-20.2, lo que antecede, incluso cuando estos pactos se inserten en una escritura de capítulos matrimoniales. Por causa de su finalidad concreta, la ausencia de forma pública implicará la ineficacia de los pactos (STSJC 12 julio 2012) sin que sea admisible la elevación a documento público de unos pactos convenidos privadamente (art. 1279 CC), salvo que los otorgantes cuenten con el previo, nuevo e individualizado asesoramiento notarial en los términos previstos por el artículo 321-20.2[133].

---

[133]   Solé Feliu (2014: 149); Serrano de Nicolás (2013: 477) y doctrina citada por este autor, y aceptando la forma escrita, incluso en documento privado, para las

Asimismo, de acuerdo con su regulación legal, cuando uno de los cónyuges pretenda hacer valer un pacto en previsión de una ruptura matrimonial tiene la carga de acreditar que la otra parte disponía, en el momento de firmarlo, de *información* suficiente sobre su patrimonio, sus ingresos y sus expectativas económicas, siempre y cuando esta información fuese relevante con relación al contenido del pacto. En el supuesto de que, cuando se pretenda su cumplimiento, el pacto resulte ser gravemente perjudicial para un cónyuge el pacto no será eficaz si se acredita que han sobrevenido circunstancias relevantes que no se previeron ni podían razonablemente preverse en el momento en que se otorgaron.

## 8.2. Posible contenido, personal y patrimonial, de los pactos

El *Codi* prevé que los pactos pueden referirse a cualquiera de las cuestiones siguientes[134]:

– pactos sobre el régimen de tenencia y administración de los bienes en comunidad ordinaria indivisa y de los que, por capítulos matrimoniales o escritura pública, estén especialmente afectos a los gastos familiares y, si el REM es de comunidad, de los bienes comunes (art. 233-1.g);

– pactos sobre la liquidación del régimen económico matrimonial y la división de los bienes en comunidad ordinaria indivisa (arts. 233-2.3.d y 232-12.2);

– pactos en materia de guarda y de relaciones personales con los hijos menores, así como los de alimentos en favor de estos, que solo serán eficaces si son conformes a su interés en el momento en que se pretenda el cumplimiento (art. 233-5.3);

– pactos sobre el ejercicio de las responsabilidades parentales, con las propuestas de plan de parentalidad y con el contenido establecido por el artículo 233-9 (art. 233-8.2);

---

situaciones ulteriores al desencadenamiento de la crisis matrimonial (v. *a.e.*, en el derecho común, STS 19 octubre 2015).

[134] Serrano de Nicolás (2012: 236-244) al que se seguirá de cerca; v., asim., Garrido Melero (2013, I: 243-248); Montserrat Valero (2012: 407); Lamarca i Marqués (2012); Solé Feliu (2014: 146-161); García González (2015: 117-122); Allueva Aznar (2016: 101-121); Martínez Escribano (2011).

- contenidos concretos, de presente y en su caso, de futuro, del plan de parentalidad (233-9.2) y distribución de las funciones parentales (art. 236-9);

- fijación de las reglas de la prestación compensatoria que pueda atribuirse en forma de capital, en bienes, en dinero, o en forma de pensión (art. 233-17.1) y sin perjuicio de que los pactos de renuncia no incorporados a una propuesta de convenio regulador no sean eficaces en lo que comprometan la posibilidad de atender a las necesidades básicas del cónyuge acreedor (art. 233-16.2);

- pactos sobre la atribución o distribución del uso de la vivienda y sobre las modalidades de este uso, pero no serán eficaces los pactos que perjudiquen el interés de los hijos, ni tampoco, si no se han incorporado a un convenio regulador, los que comprometan las posibilidades de atender a las necesidades básicas del cónyuge beneficiario del uso (art. 233-21.3). Lo que antecede sin perjuicio de su eficacia respecto de otras residencias que no tengan dicho carácter y de la aplicación del artículo 233-5.1. Por último,

- acuerdos en previsión de la ruptura o adoptados fuera de convenio antes de iniciarse el procedimiento (art. 233-1.1.f).

Por encima de otras consideraciones en estos pactos debe prevalecer el *interés familiar* y debe distinguirse según se trate de pactos de naturaleza personal o patrimonial.

En este sentido, cabe referirse a los siguientes supuestos:

*a)* Pactos referentes a los *hijos emancipados o* incluso *mayores de edad.* Debe considerarse la posible "emancipación" económica y personal de los hijos lo que puede incidir en la determinación de las pensiones y gastos de alimentos y los alimentos en relación con los hijos mayores de edad o emancipados que no tengan recursos económicos propios (art. 233-2.4).

*b)* Pactos o estipulaciones sobre la administración y enajenación de los bienes de los hijos *menores de edad.*

*c)* Reglas vinculantes para proceder a la *liquidación del régimen económico* y su posible incidencia en el régimen de prestación de *alimentos.*

*d)* Pactos en previsión de la ruptura sobre la renuncia o subsistencia de los *pactos sucesorios* o las *disposiciones parasucesorias* (por ejemplo, beneficiario de contratos de seguros de vida *ex* arts. 431-2.1 y 431-7.1) o con estipulaciones propias de los protocolos familiares o sobre otras materias con exclusión de las disposiciones de última voluntad (art. 431-7). A estos efectos, la nulidad del matrimonio, la separación matrimonial y el divorcio, o bien la extinción de una pareja estable, de cualquiera de los otorgantes no altera la eficacia de los pactos sucesorios, salvo que se haya pactado otra cosa (v. art. 431-17.1 y 2).

*e)* Pactos sobre subrogación en un contrato de *arrendamiento de bienes inmuebles*, con observancia de la legislación especial sobre arrendamientos urbanos o de la normativa especial aplicable.

## 8.3. Pactos sobre materias expresamente previstas en el Código civil de Cataluña

Los pactos más interesantes y habituales en esta materia regulados por el legislador catalán se refieren a los puntos siguientes[135]:

*a) Pactos sobre compensación por razón del trabajo para el hogar o el negocio del otro cónyuge*

En el régimen de separación de bienes, en previsión de una ruptura matrimonial o de disolución del matrimonio por muerte, puede pactarse el *incremento, reducción* o *exclusión* de la compensación económica por razón de trabajo (arts. 232-7 y 231-20). Puede pactarse que la contribución de los cónyuges a los gastos familiares, se haga con los recursos procedentes de su actividad o de sus bienes, en proporción a sus ingresos y, si estos no son suficientes, en proporción a sus patrimonios. La aportación al trabajo doméstico es una forma de contribución a los gastos familiares. Si existen bienes especialmente afectos a los gastos familiares, sus frutos y rentas deben aplicarse preferentemente a pagarlos (art. 231-6.1).

El pacto de compensación económica por razón de trabajo (art. 232-5) tiene como límite la cuarta parte de la diferencia entre los in-

---

[135]    Serrano de Nicolás (2012: 238-244); García González (2015: 118-121).

crementos de los patrimonios de los cónyuges, calculada de acuerdo con las reglas establecidas por el artículo 232-6, lo que antecede, salvo que el cónyuge acreedor pruebe que su contribución ha sido notablemente superior, en cuyo caso la autoridad judicial puede incrementar esta cuantía. El derecho a la compensación económica por razón de trabajo es compatible con los demás derechos de carácter económico que corresponden al cónyuge acreedor y debe tenerse en cuenta para fijar estos derechos y, si procede, para modificarlos (art. 232-10)[136].

*b) Pactos sobre la prestación compensatoria*

En previsión de ruptura matrimonial, puede pactarse sobre la *modalidad, cuantía, duración* y *extinción* de la prestación compensatoria, de acuerdo con el artículo 231-20. No obstante, los pactos de *renuncia no incorporados a un convenio regulador* no son eficaces en lo que comprometan la posibilidad de atender a las necesidades básicas del cónyuge acreedor (art. 233-16).

*c) Pactos sobre la atribución del uso de la vivienda familiar*

Según el artículo 233-21.3, en previsión de una ruptura matrimonial, puede pactarse sobre la *atribución* o *distribución del uso* de la vivienda familiar y sobre las *modalidades de este uso*. No son eficaces los pactos que perjudiquen el interés de los hijos, ni tampoco, si no se han incorporado a un convenio regulador, los que comprometan las posibilidades de atender a las necesidades básicas del cónyuge beneficiario del uso. Cuando los cónyuges tienen hijos menores no emancipados o con la capacidad modificada judicialmente que dependan de ellos, deben presentar el convenio a la autoridad judicial para que sea aprobado (art. 233-2.2)

## 8.4. Límites, compatibilidad e ineficacia de los pactos en previsión de una ruptura matrimonial

1. *Límites*. Debido a su naturaleza contractual, estos pactos están sometidos a los límites que rigen la autonomía de la voluntad (arts. 111-6 CCC y 1255 CC); "en las relaciones jurídicas privadas deben observarse siempre las exigencias de la buena fe y de la honradez

---

[136]    Calleja Gómez (2015: 457-496); Serrano de Nicolás (2013: 498-503).

en los tratos" (art. 111-7 CCC). El pacto debe estar presidido por "la idea de *equidad en sus efectos* e *igualdad de los otorgantes al celebrarse*" (Serrano de Nicolás). La adopción y el otorgamiento de estos pactos, requiere la ausencia de sometimientos emocionales o de otras circunstancias personales que pudieran afectar la prestación del consentimiento negocial, cuestiones que, por diversas vías (requisito temporal, forma *ad solemnitatem* y *ad regularitatem...*), la ley prevé en los términos especificados en el artículo 231-20 (*v.* STSJC, 8 mayo 2014).

Asimismo, de acuerdo con el artículo 231-20.3, los pactos de exclusión o limitación de derechos deben *tener carácter recíproco* y deben precisar con *claridad* los derechos que limitan o a los que se renuncia, sin que, necesariamente, esta exigencia deba conllevar una participación idéntica en porcentaje en toda clase de supuestos, pues también deben considerarse las circunstancias diferenciales que puedan presentarse en cada situación[137].

Como límites o cuestiones específicas, en síntesis, Serrano de Nicolás (2013: 491-494) se refiere a los siguientes:

 - por su afectación a derechos individuales imperativos (art. 85 CC), no puede imponerse la renuncia al divorcio, ni a la separación legal;
 - para recibir o dejar de percibir determinadas prestaciones o cantidades complementarias no pueden exigirse determinados comportamientos personales al otro cónyuge (forma determinada de vivir, residencia en un lugar concreto...);
 - con ocasión de la ruptura o por producirse esta después de un plazo determinado de años, no es admisible, por la propia naturaleza de la donación, el pacto de donación futura o la promesa de donación (STS 31 marzo 2011; arts. 231-25 y 231-28);
 - no son admisibles los pactos que supediten, en su totalidad (existencia y cuantía), las prestaciones compensatorias a las expectativas sucesorias propias o del otro cónyuge y receptor (arg. art. 231-20.4);

---

[137]   Sobre estos pactos y sus límites en el derecho inglés, *v.* Gaspar Lera (2012), sentencia *Radmacher v Granatino* (TS [2010] UKSC 42); Chandler (2010).

– debe considerarse admisible una prestación o cantidad fija relacionada con los años de duración del matrimonio y no necesariamente excluyente de la prestación compensatoria (arg. STS
31 marzo 2011); y también la fijación de reglas concretas sobre
la distribución de plusvalías; por último,

– cabe admitir un pago a *forfait* y de una sola vez, para finiquitar
cualesquiera pagos que se tengan que satisfacer los cónyuges
entre sí por razón de la ruptura y por gastos no necesarios, por
estudios u otros conceptos, de los hijos mayores de edad pero
no independizados, lo que exigirá delimitar claramente entre
alimentos legales y alimentos familiares (art. 231-5.1.a).

2. *Compatibilidad.* En relación con estos pactos y el convenio regulador, siguiendo al autor citado (2012: 242 y ss.), el pacto es vinculante en las materias que no sean de contenido propio e imperativo
del convenio regulador (art. 232-2.2), pero están sometidos a las limitaciones siguientes: las cuestiones referentes a la prestación compensatoria y el uso de la vivienda familiar solo serán plenamente eficaces
frente a los hijos menores comunes y el cónyuge si están incorporados
al convenio regulador y salvo la aplicación, cuando sean gravemente perjudiciales para un cónyuge, de la cláusula *rebus sin stantibus*
prevista en el antes citado artículo 231-20.5. En cambio, como sea
que no existe ninguna limitación a su eficacia y no es obligatoria su
incorporación al convenio regulador, es totalmente vinculante lo que
pueda haberse pactado en materia de prestación compensatoria por
razón de trabajo (art. 232-7) o sobre la atribución de bienes poseídos
en proindiviso (arts. 233-2.5.d y 232-12-2).

3. *Ineficacia.* De acuerdo con el citado autor, en síntesis, la ineficacia de estos pactos puede deberse a las siguientes causas:

*a)* La declaración de la existencia de un divorcio fraudulento por
simulación absoluta, acarrea la nulidad de estos pactos acceso-
rios que siguen la suerte del acto o negocio de que los justifica.
En cambio, conservan su eficacia los pactos efectuados en previsión de una ruptura matrimonial, convenidos en capítulos,
aunque estos últimos queden sin efecto por haberse declarado
nulo el matrimonio o si existe separación legal o si el matrimonio se disuelve por divorcio (art. 231-26.b).

*b)* La existencia de vicios o defectos o circunstancias que legitimen acciones de nulidad o anulabilidad del acuerdo preventivo. A este respecto en ocasiones el contenido de los pactos se aproxima a la figura de los contratos de adhesión para una de las partes, generalmente, la cónyuge, lo que implica que el pacto ha sido prerredactado por la parte predisponente y podría motivar que por aplicación de la regla de la inmoralidad (*Sittenwidriges ex* § 138 BGB) pueda declararse su nulidad en el caso de que se apreciara una clara desproporción de los resultados y una parte se haya aprovechado de la otra a causa de su predicamento sobre ella, o por su inexperiencia o debilidad contractual.

*c)* Por aplicación de la cláusula *rebus sic stantibus* que según doctrina jurisprudencial, actualmente es aplicable "con mayor flexibilidad que en otras épocas" (STS 24 junio 2015, FJ 6), y que, en especial, cabe invocar por causa del tiempo transcurrido entre el pacto y la ruptura o debido a las circunstancias relevantes modificativas de lo previsto o previsible.

*e)* Por la existencia de circunstancias relevantes de naturaleza patrimonial o incluso personal que sean "gravemente perjudiciales" para uno de los cónyuges (cf. art. 231-20.5).

En estos casos la legitimación activa y pasiva recaerá en cada uno de los cónyuges o sus representantes legales, aunque parece que debe partirse de que, por vía de acción o reconvención, solamente pueda instarse por aquel a quien los acuerdos le sean gravemente perjudiciales. La declaración de ineficacia sobrevenida requerirá la correspondiente resolución judicial que determine su alcance y efectos y no parece que proceda su aplicación de oficio sin perjuicio de que puedan o deban someterse a homologación, en cuyo caso, podrían no ser homologados pero no revisados de oficio.

## 8.5. Pactos convenidos después de la ruptura

Los pactos que puedan convenirse después de la ruptura de la convivencia que no formen parte de una propuesta de convenio regulador vinculan a los cónyuges. La acción para exigir el cumplimiento de estos pactos puede acumularse a la de nulidad, separación o divorcio y puede solicitarse que se incorporen a la sentencia. También puede

solicitarse que se incorporen al procedimiento sobre medidas provisionales para que sean recogidos por la resolución judicial, si procede
(art. 233-5.1).

Estos pactos no deben deshacer lo aprobado en el convenio regulador sino remitirse a extremos ajenos, auxiliares o complementarios
al mismo que sean de contenido patrimonial, en que es válida la transacción (SSTS 4 diciembre 1985, 12 febrero 1991 y 7 abril 1994; art.
1809 CC). Cuando la alteración del convenio regulador afecte a hijos
menores de edad o a la protección mínima que se dispensa al cónyuge
en situación "débil o perjudicado", es precisa la correspondiente homologación judicial.

## 9. REGÍMENES ECONÓMICOS MATRIMONIALES

Existen tres sistemas básicos o formas posibles de organización
económica y patrimonial del matrimonio que, sin perjuicio de su específica regulación legal y su posible modulación mediante pacto en
capitulaciones matrimoniales, en síntesis, giran en torno a los siguientes principios[138]:

*a)  Sistema de separación de bienes*

Como se desprende de su denominación, en el régimen de separación de bienes la propiedad de los bienes es propia o privativa de
cada cónyuge; ambos cónyuges conservan la propiedad, goce, administración y disposición de sus bienes privativos y de las ganancias
obtenidas, todo ello, en el marco, cuando exista, de la correspondiente
regulación legal. Una variante de este sistema se refiere al régimen
dotal, actualmente en desuso, que transfería la gestión y usufructo de
los bienes al marido para que los administrara durante la vigencia del
régimen.

El régimen de separación de bienes puede ser puro, en el sentido
de que debido a la autonomía máxima que tiene cada cónyuge, cada
uno de ellos goza de plena libertad para realizar toda clase de actos
de gestión, administración, adquisición y disposición sobre los bienes

---

[138]  Cuadrado Pérez (2011: 62-137)

propios o lo que suele constituir la norma general, puede ser objeto de ciertas limitaciones como consecuencia de la existencia de un régimen matrimonial primario, aplicable a todos los matrimonios con abstracción del REM que los rija, lo que puede implicar: responsabilidades recíprocas y solidarias; determinadas limitaciones dispositivas sobre ciertos bienes; y, excepcionalmente, la existencia de sistemas de compensación en favor del cónyuge menos favorecido con ocasión de la extinción del régimen.

### b) Sistemas de comunidad

Existen tres sistemas básicos: 1) El sistema de *comunidad universal de bienes.* Este sistema agrupa todos los bienes propios de cada cónyuge y los obtenidos durante el matrimonio en una comunidad universal común a ambos cónyuges que se disuelve al liquidarse el régimen; 2) La *sociedad de gananciales,* que se configura en torno a tres posibles masas patrimoniales: las masas patrimoniales privativas o propias de cada uno de los cónyuges, y una tercera masa de carácter ganancial, de propiedad conjunta de ambos cónyuges, que está formada por las adquisiciones y ganancias obtenidas con dicho carácter durante la vigencia del matrimonio. La masa ganancial se reparte por partes iguales y se adjudica en bienes concretos en el momento de extinción y liquidación del régimen; 3) Por último, en el régimen de *comunidad de bienes muebles y adquisiciones*, se hacen comunes todos los bienes muebles adquiridos o poseídos por los cónyuges antes de su matrimonio y los adquiridos por cualquier título durante la vigencia del régimen.

### c) Sistema de participación en las ganancias

Este régimen combina los principios que caracterizan los sistemas de separación y de comunidad de bienes. Constante el matrimonio, se mantiene la propiedad y gestión de los bienes propios de forma separada e individual. Llegado el momento de disolver el régimen, se reparten entre ambos cónyuges, por mitad, las todas las ganancias obtenidas durante la vigencia del mismo (comunidad final en las ganancias).

En términos de análisis económico del derecho, cada régimen presenta sus ventajas e inconvenientes. Sin desconocer la importancia que, en su caso, pueda tener, de presente y de futuro, el tratamiento tributario de los distintos REM durante su vigencia y extinción, la aplicación o elección del REM más conveniente en función de las finalidades lícitas buscadas por los cónyuges, debe considerar los objetivos siguientes: *a)* el grado de participación de cada cónyuge (mínimo, medio o máximo) en el enriquecimiento o ganancias obtenidas durante el matrimonio; *b)* el nivel de protección patrimonial de los bienes propios y comunes respecto de los acreedores de los cónyuges; y *c)* el grado de independencia y autonomía en la gestión de los bienes.

En el Derecho positivo catalán se prevén tres sistemas o regímenes matrimoniales básicos y otros tres que son de origen histórico local y gozan de limitada vigencia práctica. No obstante, debido a la vigencia del principio de libertad capitular, aunque en el segundo supuesto se trate de regímenes económicos locales, siempre que así convenga, cumpliendo los trámites legales y prevenciones previstas al efecto, estos regímenes pueden pactarse libremente en cualquier momento y lugar.

Siguiendo la expresada ordenación, los REM son los siguientes:

1. Régimen de separación de bienes (arts. 231-1 a 231-12).
2. Régimen de participación en las ganancias (arts. 232-13 a 232-24).
3. Régimen de comunidad de bienes (arts. 232-30 a 232-38).
4. Asociación de compras y mejoras (arts. 232-25 a 232-27)
5. El "*agermanament*" o pacto de mitad por mitad (*pacte de mig per mig*) (art. 232-28)
6. La "*convinença*" o "*mitja guadanyeria*" (art. 232-29).

Por otro lado, al amparo de la libertad de pacto, la enumeración y regulación de los REM típicos, no cierra la posibilidad de determinar e integrar el REM por medio de las opciones siguientes: *a)* un régimen económico típico con modificaciones; *b)* un régimen atípico; y *c)* un régimen de derecho extranjero[139]:

*a)* La opción por un REM típico con pactos especiales puede implicar la exclusión de determinadas normas legales que serían aplicables en otro caso, por ello, con el fin de evitar situaciones

---

[139] Serrano de Nicolás (2012: 272-273).

que, en el futuro, puedan ser fuente de duda o generar conflictos interpretativos, los pactos modificativos deben ser suficientemente claros, congruentes y explícitos.

*b)* En el supuesto de un REM totalmente atípico, la regulación
debe ser completa y no contradictoria. En todo caso, deben
respetarse: las reglas del denominado régimen primario; las
disposiciones imperativas del *Codi*; y la dignidad y derechos
fundamentales de la persona (fundamentalmente, derechos de
libertad e igualdad entre ambos cónyuges).

*c)* Por último, en el supuesto de opción por un REM extranjero, no cabe su remisión meramente nominativa ni a los usos o
costumbres vigentes en el país extranjero porque debe partirse
del principio que el derecho extranjero debe ser probado en
cada momento (arts. 281 LEC y 33 LCJIC). No obstante, ello
no es óbice para que las partes transcriban, en forma íntegra,
el contenido de dicho régimen en la escritura de capítulos matrimoniales, que pasaría a convertirse en la regulación pactada
aplicable al matrimonio. En este caso cabe pactar que el concreto ordenamiento extranjero se toma como elemento interpretativo pero no integrador ni como norma jurídica, porque, aparte
del mencionado problema de la prueba y vigencia del derecho
extranjero, este puede ser objeto de cambios legislativos y precisar su interpretación según su propia evolución jurisprudencial.

Por otra parte, en el supuesto de matrimonios transfronterizos, en
materia de elección de la ley aplicable al matrrimonio, la elección de
la ley debe cumplir los requisitos previstos en las normas de conflicto
y, cuando este se halle en vigor, los artículos 22 y ss. (Cap. III) del
Reglamento UE 2016/1103, referente a la elección de la ley aplicable,
el consentimiento y la validez formal de la elección de la ley y de las
capitulaciones matrimoniales[140].

---

[140]    Reglamento (UE) 2016/1103 del Consejo de 24 de junio de 2016 por el que se
establece una cooperación reforzada en el ámbito de la competencia, la ley aplicable, el reconocimiento y la ejecución de resoluciones en materia de regímenes
económicos matrimoniales.

## 10. EL RÉGIMEN ECONÓMICO MATRIMONIAL DE SEPARACIÓN DE BIENES

### 10.1. Introducción. Ámbito de aplicación del régimen de separación de bienes

Si futuros cónyuges o los cónyuges, ni antes ni después de su matrimonio, pactan sobre su REM, es la ley la que determina, con carácter supletorio, el REM legal que debe regir la economía matrimonial. Cuando las relaciones matrimoniales deban regirse por el Derecho civil catalán, en ausencia de capítulos matrimoniales o de ineficacia de los otorgados, el REM *legal supletorio* es el régimen de "separación de bienes" (*règim de "separació de béns"*) (arts. 231-10 y 232-1 a 232-12). Por otra parte, con independencia del REM aplicable, todos los matrimonios regidos por el Derecho civil catalán están vinculados por las disposiciones generales o normas referentes al derecho o régimen matrimonial primario (arts. 231-2 a 231-18 y ccdts.).

De *lege data*, de acuerdo con el artículo 231-10: "1. El régimen económico matrimonial es el convenido en capítulos. 2. Si no existe pacto o si los capítulos matrimoniales son ineficaces, el régimen económico es el de separación de bienes.". En el régimen de separación de bienes, "cada cónyuge tiene la propiedad, el goce, la administración y la libre disposición de todos sus bienes, *con los límites establecidos por la ley*" (art. 232.-1) (é.a.), y "son propios de cada uno de los cónyuges todos los que tenía como tales cuando se celebró el matrimonio y los que adquiera después por cualquier título" (art. 232-2).

El régimen de separación de bienes rige la mayor parte de los matrimonios regulados por el Derecho civil catalán. Este régimen constituye el elemento básico del sistema matrimonial catalán. En relación con su concreta regulación legal, el Código Civil de derecho común no puede actuar como supletorio, pues los principios ordenadores que inspiran ambas regulaciones son autónomos y absolutamente diferentes. En cambio, en defecto de pacto, las normas que regulan el régimen

---

Art. 69. [Rglto.] "3. Las disposiciones del capítulo III solo serán aplicables a los cónyuges que hayan celebrado su matrimonio o que hayan especificado la ley aplicable al régimen económico matrimonial después del 29 de enero de 2019.".

de separación de bienes se aplican como normas complementarias del régimen de participación en las ganancias (art. 232-13.3).

El REM de separación de bienes rige las relaciones económicas entre los cónyuges en los casos siguientes[141]:

1) Cuando no exista pacto sobre el REM y de acuerdo con las normas de derecho interregional o internacional privado sea aplicable la legislación civil catalana (art. 231-10.2);

2) Cuando los cónyuges hayan pactado, antes o después de la celebración del matrimonio, este REM; y

3) Cuando los capítulos en que se haya pactado cualquier régimen, sean ineficaces por cualquier casusa (art. 231-10.2).

En los supuestos en que, de acuerdo con lo previsto en las normas de Derecho interregional privado, sea aplicable el Derecho civil común, el REM legal supletorio es el de sociedad de gananciales (art. 1316 CC). En los demás casos, la determinación del REM legal supletorio, de Derecho civil especial, foral o propio de las CC.AA. con competencia en esta materia, o de Derecho extranjero, deberá deducirse de la aplicación de las correspondientes normas de conflicto de Derecho interregional o internacional privado.

En la doctrina se cuestiona si realmente este régimen puede considerase un auténtico régimen económico matrimonial, pues de acuerdo con su denominación, se parte del principio de la completa separación, uso, goce, administración y disposición de los bienes poseídos por cada uno de los cónyuges. Por otro lado, en el derecho histórico, el *Memorial de Greuges* de 1885, señalaba que en Cataluña "no se impone ningún régimen al matrimonio pudiendo este optar por lo que más le convenga mediante convención"[142]. No obstante, con el objeto de evitar las consecuencias negativas que podían recaer en el cónyuge económicamente desfavorecido, el derecho tradicional catalán reconocía por iniciativa de los propios interesados, la existencia de, por ej., instituciones dotales, el usufructo universal capitular o las adquisiciones con pacto de sobrevivencia[143], de aquí que, siguiendo a

---

[141]  Puig i Ferriol (2014: 168-169); Miralles Bellmunt (2016: 492-509).
[142]  Sobre la evolución histórica del régimen catalán de separación de bienes y sus aspectos críticos, v. Roca Trias (2014: 335-347); Follia i Camps (2014: 144-146).
[143]  Faus y Condomines (1960: 45-46).

Garrido Melero (2013, I: 47-49) "se ha llegado a afirmar que no se puede decir que en Cataluña haya regido un puro régimen de separación de bienes […y] ni siquiera puede afirmarse que fuera el régimen propio de todos los catalanes, porque en ciertos sitios se conocieron modalidades diferentes y opuestas al régimen de separación (Camp de Tarragona, Tortosa, valle de Arán)".

Por otro lado, como consecuencia de la introducción en el Código Civil de 1889, de la licencia marital para la validez de los actos efectuado por la mujer casada respecto de sus bienes propios —norma que era de aplicación general al preverse en las reglas del Título IV, Libro I—, esta circunstancia motivó que el régimen de separación de bienes catalán se mantuviera pero desnaturalizado pues al exigirse la licencia marital, aunque la mujer fuera la propietaria de los bienes, se la convertía en dependiente del marido. Con ocasión de la promulgación de la Compilación de 1960, se definió y consagró de forma legal que el REM de Cataluña era el de separación de bienes y nada de ello cambiaba cuando los cónyuges habían pactado una dote (art. 7 CDCC); respecto de los bienes parafernales, se establecía la libre disposición de estos bienes por parte de la mujer y sin que fuera necesaria la licencia del marido (art. 49 CDCC). La Compilación remarcó la vigencia de este régimen, aunque se mantenían determinadas reglas como las relativas a la prohibición de la fianza entre cónyuges y a favor de terceras personas (arts. 321 y 322 CDCC).

Vigente el nuevo marco constitucional y como consecuencia de la posterior generalización del divorcio, este REM entró en crisis debido a la entrada en escena del reconocimiento de pensiones compensatorias. Durante la tramitación parlamentaria de la reforma de 1993, con el fin de atemperar las consecuencias perjudiciales que para uno de los cónyuges podía deducirse de la vigencia del régimen de separación de bienes, y ante la práctica desaparición de las medidas correctoras tradicionales, se llegó a cuestionar su mantenimiento como régimen legal supletorio sugiriéndose su sustitución por el sistema de participación en las ganancias. Finalmente el legislador decidió mantener dicho régimen pero también introdujo determinadas modulaciones o previsiones correctoras, que, en cierto modo, han difuminado la pureza del régimen de separación.

A tal fin, la Ley [catalana] 8/1993, estableció determinados "correctivos al régimen legal con el fin de evitar las posibles situaciones de desigualdad en el momento de la extinción" [del matrimonio]" (preámbulo) y modificó el artículo 23 CDCC, que introdujo la posibilidad de que el cónyuge que se había dedicado al hogar o había trabajado de forma desinteresada pudiera obtener, en determinadas circunstancias, una compensación con el fin de corregir la situación de desigualdad generada entre los patrimonios de uno y otro cónyuge.

Esta tendencia correctora se mantuvo con la aprobación del Código de Familia de 1998, que incluso calificó la desigualdad de "enriquecimiento injusto" (art. 41 CF), aunque, entre otras, más atinadamente, la STSJC 27 abril 2000, prefiere calificar el desequilibrio patrimonial como un resultado derivado del "propio sistema económico matrimonial de separación de bienes".

La indefinición derivada, en parte, por una regulación insuficiente y el elevado margen de discrecionalidad con que fue interpretada la atribución de la compensación, motivaron que en el Libro Segundo del *Codi*, el legislador estableciera "una regulación más completa y cuidadosa de la compensación económica por razón de trabajo […] la nueva regulación abandona toda referencia a la compensación como remedio sustitutorio de un enriquecimiento injusto, prescinde de la idea de sobrecontribución a los gastos familiares, implícita en la formulación del artículo 41 del Código de familia, vigente hasta la entrada en vigor de la presente ley, y se fundamenta, sencillamente, en el desequilibrio que produce entre las economías de los cónyuges el hecho de que uno realice una tarea que no genera excedentes acumulables y el otro realice otra que sí que los genera" (preámbulo Ley 25/2010, de 29 julio, ep. III)

Como señala Garrido Melero (2013, I: 170 y ss.), en el vigente régimen de separación de bienes "los cónyuges gozan de la misma autonomía que tenían antes de contraer matrimonio, sin que, por tanto, suponga éste una modificación de su situación patrimonial presente o futura", pero asimismo, se prevén determinados mecanismos correctores en consideración a la existencia del vínculo matrimonial y del "interés de la familia", lo que conlleva la aplicación de las "disposiciones generales" (régimen primario) antes citadas, y deberes, derechos, obligaciones y responsabilidades, tanto durante la vigencia del régimen, como la previsión de especiales medidas de compensación económica, en los supuestos de disolución y extinción del matrimonio, de crisis matrimonial, o en relación con las situaciones concursales. Según Roca Trias (2014: 335 y ss.), más que una realidad exitosa de definir el régimen de bienes, el mantenimiento del régimen de separación de bienes resulta ser "un canto a la tradición jurídica catalana", pero ante la existencia de los mecanismos correctores, en especial, la compensación por razón del trabajo, cabe preguntarse si los matrimonios catalanes se siguen rigiendo por un régimen de separación de bienes (STSJC, Sec. 1ª, 27 octubre 2005).

> En este sentido la STSJC, Sec. 1ª, 27 octubre 2005, señala que: "no resulta ja escaient parlar a Catalunya de la vigència estricte de la separació de béns, sinó de la separació de béns amb la compensació econòmica per raó del treball desinteressat, ja que, en aquests moments no és possible considerar la primera premissa (separació de béns) sense la segona (compensació econòmica per raó del treball desinteressat) ja que, en cas contrari es donaria un tractament greujós a un dels cònjuges (en certs casos) contrari al principi d'igualtat d'abast constitucional" (FD 5).

Según la regulación legal de este REM, los bienes adquiridos a título oneroso durante el matrimonio pertenecen al cónyuge que conste como titular (titularidad formal). Si se prueba que la contraprestación se pagó con bienes o dinero del otro cónyuge, se presume que hubo donación. Como *excepción* a la citada regla general, si los bienes adquiridos a título oneroso durante el matrimonio son bienes muebles de valor ordinario destinados al uso familiar, se presume que pertenecen a ambos cónyuges por mitades indivisas, sin que prevalezca contra esta presunción la mera prueba de la titularidad formal (art. 232-3) y cuando sea dudoso a cuál de los cónyuges pertenece algún bien o derecho, "se entiende que corresponde a ambos por mitades indivisas. Sin embargo, se presume que los bienes muebles de uso personal de uno de los cónyuges que no sean de extraordinario valor y los que estén directamente destinados al ejercicio de su actividad le pertenecen exclusivamente" (art. 232-4).

La libertad de contratación entre los cónyuges con carácter general, está prevista en el artículo 231-11 (Subsección 1ª. *Disposiciones generales*), que dispone que "Los cónyuges pueden transmitirse bienes y derechos por cualquier título y hacer entre ellos todo tipo de negocios jurídicos. En caso de impugnación judicial, corresponde a los cónyuges la prueba del carácter oneroso de la transmisión.".

## 10.2. Mecanismos correctores

Los mecanismos correctores del régimen catalán de separación de bienes, se centran, fundamentalmente, en los siguientes puntos[144]:

*a) Derecho de compensación*. La reforma de 1993 introdujo el llamado "derecho de compensación" económica por razón del trabajo que preveía que en los casos de *extinción del régimen* o de *separación judicial, divorcio* o *nulidad* del matrimonio, cuando concurriera alguno de los supuestos legales previstos por la norma, el cónyuge que sin retribución o con retribución insuficiente, hubiese trabajado para la casa o para el otro cónyuge, tenía derecho a recibir de éste una compensación, en el caso de que, por este motivo, se hubiese generado una situación de desigualdad entre el patrimonio de los dos. En el caso de esta compensación se computara en sentido amplio, el resultado sería parecido al que resultaría de aplicarse un sistema de régimen matrimonial de participación en las ganancias.

En el Derecho vigente, según se examina en otro lugar, esta materia está regulada en los artículos 232-5 (*Compensación económica por razón de trabajo*) y ccdtes. y es de aplicación exclusivamente a los matrimonios que se rijan por el REM de *separación de bienes* regulado en el *Codi* sin que sea aplicable en el caso de que se trate del régimen de separación de bienes del Código Civil de Derecho común; en este caso es de aplicación el artículo 1438 CC (SSAP Barcelona, Sec. 12ª, 19 abril 2006[145] y 3 diciembre 2012). Asimismo, según se examina

---

[144] En la doctrina, *v., a.e.*, Calleja Gómez (2015: 119-161); Puig i Ferriol (2014: 168-204); Garrido Melero (2013, I: 178 y ss.); Gómez Ligüerre (2012: 33-55); Follia i Camps (2014: 148-153).

[145] "es obvio que no puede solicitarse la compensación económica del artículo 41 del Código de Familia de Cataluña, en los supuestos que rija entre los cónyuges otro régimen legal, tanto de los que se incluyen en tal Texto legal como en cualquier otra normativa de carácter nacional o extranjera. En resumen se trata, el artículo 41 del Código de Familia de Cataluña, de un derecho típico del régimen de separación de bienes catalán regulado en tal Texto legal, dado que el Código Civil tiene su propia regulación en el artículo 1.438, en el capítulo propio del régimen de separación de bienes de derecho común, que tiene una sustancial

más adelante, la protección legal del cónyuge superviviente a la disolución de la unión, que no esté separado legalmente o de hecho, prevé
la existencia de derechos viduales como el derecho de predetracción
del ajuar familiar (art. 231-30) y el denominado año de viudedad (art.
231-31).

*b) Limitaciones legales para disponer de ciertos bienes.* Con independencia del régimen económico matrimonial vigente, incluso en el
supuesto de REM de separación de bienes, la capacidad de disposición de bienes propios de los cónyuges se ve limitada cuando se trate
de actos de disposición sobre la *vivienda familiar* y *muebles de uso
ordinario* de la misma (art. 231-9). En estos supuestos, predomina
el *interés familiar*, todo ello, independientemente de que se trate de
una relación matrimonial o también de una unión estable legal de
pareja. Esta protección se prevé tanto en el supuesto de normalidad
de la relación familiar como en las situaciones de crisis matrimonial,
por lo que el titular exclusivo de estos bienes ve limitado su poder
de disposición, lo que también puede incidir en el "uso" o "goce" de
dichos bienes.

*c) Gastos familiares.* Respecto de determinadas obligaciones contraídas por razón de los gastos familiares ordinarios, siempre que se
trate de gastos adecuados al uso y al nivel de vida de la familia y
aunque la deuda haya sido contraída exclusivamente por uno de ellos,
ambos cónyuges *responden solidariamente* frente a terceros y respecto de otras obligaciones responde el cónyuge que las contrae (art.
231-8). Como observa Garrido Melero (2013, I: 48) "La relatividad
de lo que debemos entender los *"usos y el nivel de vida de la familia"*
y sobre todo el amplio concepto de gastos familiares nos sitúa en una
quiebra importante del sistema puro de la separación de bienes, que
queda desplazado por los intereses derivados de la protección de la
familia y de los grupos parafamiliares".

---

semblanza con la norma Catalana, si bien en un ámbito más reducido, pues
únicamente contempla la compensación económica por el trabajo para la casa,
omitiendo cualquier referencia al trabajo para el otro cónyuge, si bien es más
amplio en cuanto a sus presupuestos, ya que no se condiciona el reconocimiento
del derecho indemnizatorio a la existencia de una desigualdad patrimonial efectiva entre los patrimonios de ambos esposos" (SAP Barcelona, Sec. 12ª, 19 abril
2006, FD 4); *v.* Calleja Gómez (2015: 369-376).

*d) Delimitación legal de determinados gastos familiares.* El Código de Familia dispuso que los gastos derivados de la adquisición, del pago de mejoras y de préstamos concedidos con la finalidad de adquirirla o de hacer mejoras en la vivienda familiar y en otros bienes de uso de la familia tenían la consideración de gastos familiares en la parte que correspondiese al "valor de su uso" si se trataba de titularidad de los uno de los cónyuges en régimen de separación de bienes (art. 4.1 CF). En este caso una interpretación amplia del "valor de uso" podría llevar a considerar como gasto toda o la mayor parte del importe dedicado a la adquisición del bien. Este efecto ha sido parcialmente corregido en el vigente CCC ya que sólo considera gastos familiares, entre otros, "los gastos ordinarios de conservación, mantenimiento y reparación de las viviendas familiares o demás bienes de uso de la familia", pero no los gastos de su adquisición y financiación (art. 231-5.b).

*e) Presunciones varias.* Según se ha anticipado, en relación con este REM, el legislador pone de relieve lo siguiente. "El capítulo II, relativo a los regímenes económicos matrimoniales, mantiene el régimen de separación de bienes como legal supletorio y conserva, con algunas modificaciones remarcables, sus características definitorias. Se mantiene el principio que los bienes adquiridos a título oneroso durante el matrimonio pertenecen al cónyuge que conste como titular, tradicionalmente reforzado con la presunción de donación de la contraprestación si consigue probarse que esta proviene del patrimonio del otro. *Como novedad*, sin embargo, se excluyen de este régimen los bienes muebles destinados al uso familiar, como los vehículos, el mobiliario, los aparatos domésticos o los demás bienes que integran el ajuar de la casa. En este tipo de bienes, la mera acreditación de la titularidad formal, por ejemplo por medio de recibos de compra, es a menudo poco significativa y, por ello, dado el destino familiar de los bienes, se ha considerado preferible partir de la *presunción de que pertenecen a ambos cónyuges por mitades indivisas*, sin perjuicio de la posibilidad de destruir esta presunción por medios de prueba más concluyentes." (preámb. Ley 25/2010, de 29 de julio, del libro segundo del Código Civil de Cataluña, relativo a la persona y la familia, ep. III; v. art. 231-12 y el antes citado art. 232-3) (é.a.).

## 10.3. *Liquidación del régimen*

La liquidación del régimen comprende las operaciones necesarias para determinar el estado de los patrimonios privativos de cada cónyuge en función las titularidades formales y presunciones previstas en los artículos 232-3 y 232-4 y de las relaciones de crédito o de deuda entre ambos cónyuges y con terceros.

En los supuestos de separación, divorcio o nulidad o de ejecución en el orden civil de las decisiones o resoluciones eclesiásticas, también debe considerarse la división de las comunidades ordinarias comunes que se hayan originado (art. 232-12) que puede convenirse en el convenio regulador, lo que antecede sin perjuicio de la acción ordinaria de división de la cosa común. En el supuesto de nulidad del matrimonio es aplicable al cónyuge de buena fe lo previsto en el artículo 95 CC.

# 11. REFERENCIA A LOS RESTANTES REGÍMENES ECONÓMICOS MATRIMONIALES

## 11.1. *Régimen de participación en las ganancias*

1. *Antecedentes*. En el Derecho civil catalán el régimen de participación en las ganancias (*règim de "participació en els guanys"*) aparece regulado en la Ley 8/1993, de 30 de septiembre, de modificación de la Compilación en materia de relaciones patrimoniales de los cónyuges. Con anterioridad a esta reforma era posible adoptar el régimen previsto en el Código Civil al amparo del artículo 1 de la Compilación (heterointegración). Se considera como un antecedente de derecho catalán del régimen de participación el régimen de *"l'associació a compres i millores"* del Campo de Tarragona[146].

En el derecho vigente, el régimen de participación en las ganancias es de adopción voluntaria y está regulado en el Libro II, Título III, Capítulo II del Código Civil de Cataluña (arts. 232-13 al 232-24). Aunque reúne cualidades muy interesantes, este régimen tiene escasa vigencia práctica y como inconvenientes más destacados, se citan: la

---

[146]   M. Garrido Melero (2013, I: 326-327); Puig i Ferriol (2014; 205); Follia i Camps (2014: 154-156); Casas Vallés (2011: 720).

necesidad de pactarlo en capítulos matrimoniales; la desconfianza de los operadores jurídicos; la complejidad del régimen; y los costes de la formación de cuatro inventarios (dos iniciales y dos al finalizar el régimen)[147].

2. *Concepto y constitución*. El régimen económico matrimonial de participación en las ganancias atribuye a cualquiera de los cónyuges, en el momento en que se extingue el régimen, el derecho a participar en el incremento patrimonial obtenido por el otro durante el tiempo en que este régimen haya estado vigente. Durante el matrimonio, cada cónyuge tiene la propiedad, el goce, la administración y la libre disposición de sus bienes, pero tiene el deber de informar adecuadamente al otro de su gestión patrimonial. Si no existe pacto y no puede aplicarse lo establecido en los artículos 232-13 a 232-17, el régimen de participación en las ganancias se rige por las normas del régimen de separación de bienes (art. 232-13).

La escritura pública de constitución del régimen de participación en las ganancias debe acompañarse con un inventario del patrimonio inicial de cada cónyuge, en el que deben reseñarse los bienes, indicando su estado material, cargas y obligaciones (art. 232-14). Los pactos que atribuyan una participación en las ganancias diferente a la mitad del incremento patrimonial solo son válidos si se establecen con carácter recíproco e igual en favor de cualquiera de los cónyuges. La invalidez del pacto determina la participación en las ganancias en la mitad (232-15).

3. *Extinción*. El régimen de participación en las ganancias se extingue por: a) La nulidad o disolución del matrimonio o la separación legal. b) El acuerdo de los cónyuges mediante el cual estipulan en capítulos matrimoniales un régimen diferente. c) Por resolución judicial, a petición de uno de los cónyuges, si se produce alguna de las siguientes circunstancias: 1) Separación de hecho por un período superior a seis meses. 2). Incumplimiento grave o reiterado por el otro cónyuge del deber de informar, de acuerdo con lo establecido por el artículo 232-13.2. 3). Gestión patrimonial irregular o supervención de alguna circunstancia personal o patrimonial en el otro cónyuge

---

[147]    Cosialls Ubach (2014: 300) con apoyo en Casas (2011) y Del Pozo/Vaquer/ Bosch (2013).

que comprometa gravemente los intereses de quien solicita la extinción (art. 232-16).

4. *Retroacción de los efectos de la extinción.* Si el régimen de participación en las ganancias se extingue por resolución judicial, los efectos de la extinción se retrotraen al momento de la presentación de la demanda. A petición de uno de los cónyuges o de sus causahabientes, la autoridad judicial puede acordar la retroacción de los efectos de la extinción a la fecha en que cesó la convivencia (art. 232-17).

5. *Liquidación del régimen* El régimen de participación en las ganancias, una vez extinguido, debe liquidarse para fijar el crédito de participación, estableciendo la diferencia entre el patrimonio final y el inicial de cada cónyuge. Las reglas de cálculo de patrimonio final e inicial se establecen, respectivamente, en los artículos 232-19 y 232-10.

En defecto de pacto, el *crédito de participación* se determina de acuerdo con las siguientes reglas: a) Si únicamente uno de los cónyuges ha obtenido un incremento patrimonial, calculado por la diferencia entre el patrimonio final y el inicial, el otro o sus sucesores tienen derecho a la mitad del valor de este incremento. b) Si ambos cónyuges han obtenido un incremento patrimonial, quien haya obtenido menos, o sus sucesores, tienen derecho a la mitad de la diferencia entre el valor de su propio incremento y el del otro cónyuge. c) Si ninguno de los cónyuges ha obtenido un incremento patrimonial, no existe crédito de participación (art. 232-21).

En su caso, para determinar el crédito de participación o para liquidar los regímenes económicos matrimoniales de comunidad, debe seguirse el procedimiento establecido por los artículos 806 a 811 LEC. También debe aplicarse este procedimiento para dividir los bienes en comunidad ordinaria indivisa en el supuesto a que se refiere el artículo 232-12.2 (DA 3ª Libro segundo).

6. *Pago del crédito de participación.* El pago del crédito de participación debe hacerse en dinero, salvo que las partes acuerden otra cosa. Sin embargo, por causa justificada y a petición de cualquiera de las partes o de sus herederos, la autoridad judicial puede ordenar el pago total o parcial con bienes de la persona obligada. Si el régimen se extingue por el fallecimiento de uno de los cónyuges y al superviviente le corresponde el crédito de participación, puede solicitar que se le

adjudique la vivienda familiar en propiedad o en usufructo. Si el valor del bien o el derecho adjudicado es superior al del crédito de participación, el adjudicatario debe pagar la diferencia en dinero. Por causa justificada y a petición del cónyuge deudor o de sus herederos, la autoridad judicial puede aplazar el pago u ordenar que se haga a plazos con un vencimiento máximo de tres años y un devengo del interés legal a contar del reconocimiento. En este caso, la autoridad judicial puede ordenar la constitución de garantías en favor del acreedor (art. 232-22). El acreedor o sus sucesores pueden solicitar la adopción de medidas cautelares, incluida la anotación preventiva de embargo en los registros públicos, para asegurar el pago del crédito de participación mientras se tramita su reclamación (art. 232-23).

En caso de que no existan en el patrimonio del cónyuge deudor bienes suficientes para satisfacer el crédito de participación, el acreedor puede solicitar la reducción o supresión de las donaciones y las atribuciones particulares en pacto sucesorio hechas por aquel durante la vigencia del régimen y hasta que haya sido liquidado, comenzando por la más reciente, siguiendo por la siguiente más reciente y así sucesivamente, por orden inverso de fecha. La reducción se hace a prorrata si la fecha es la misma o es indeterminada. El acreedor también puede impugnar los actos a título oneroso realizados por el deudor en fraude de su derecho. Estas acciones caducan a los cuatro años de la extinción del régimen y no son procedentes cuando los bienes están en poder de terceras personas adquirentes a título oneroso y de buena fe (art. 232-24)[148].

## 11.2. Régimen de comunidad de bienes

1. *Introducción*. En el Derecho vigente el régimen de comunidad de bienes está regulado en los artículos 232-30 a 232-38. Este régimen debe diferenciarse del régimen de *sociedad de gananciales*, regulado en el Código Civil o de otros regímenes matrimoniales de comunidad previstos en la legislación civil foral o autonómica.

---

[148]   En la doctrina, *v.*, *a.e.*, Puig i Ferriol (2014: 205-225); Cosialls Ubach (2014: 299-313); Vaquer Aloy (2014: 313-333); Garrido Melero (2013, I: 326-348); Solé Resina (2013: 213-220); Bosch Capdevila *et al.* (2013: 257-273); Lucas Esteve (2012: 313-322); Casa Vallès (2011: 720-764).

El régimen de comunidad de bienes fue introducido *ex novo* en el Código de Familia (Ley 9/1998, de 15 de julio), pero siguiendo a Campo Villegas (2014: 13), como evidencian determinados pactos locales, históricamente, la legislación catalana de algunas comarcas ha conocido de regímenes económico matrimoniales de comunidad, uno de carácter universal, como el *"agermanament"* o *"matrimoni de mig per mig"* de Tortosa, y otros de comunidad restringida, como la asociación a compras y mejoras del Campo de Tarragona y la análoga, pero distinta, que se estipula en los pactos nupciales de Tortosa. Por otra parte, de acuerdo con el autor citado (*ibdm.*: 110), "el régimen de comunidad, tanto restringida como universal, históricamente siempre pudo ser pactado en Cataluña al amparo de la tradicional libertad de capitular, y ello, antes de la Compilación de 1960 y después, hasta hoy".

2. *Concepto y contenido.* En el régimen de comunidad de bienes, las ganancias obtenidas indistintamente por cualquiera de los cónyuges y los bienes a los que confieran este carácter devienen comunes (art. 232-30).

3. *Bienes comunes.* Tienen el carácter de bienes comunes: *a)* Los bienes a los que los cónyuges confieren este carácter en el momento de convenir el régimen o con posterioridad. *b)* Las ganancias obtenidas por la actividad profesional o por el trabajo de cualquiera de los cónyuges. *c)* Los frutos y rentas de todos los bienes, si no existe pacto en contra. *d)* Los bienes adquiridos por subrogación real de otros bienes comunes. *e)* Las ganancias obtenidas en el juego por cualquiera de los cónyuges (art. 231-31).

4. *Bienes privativos.* Se califican de cómo bienes privativos de cada cónyuge, los siguientes: *a)* Los que pertenecían a cada cónyuge antes de iniciar el régimen, si no se les ha conferido el carácter de comunes. *b)* Los adquiridos por donación o título sucesorio. *c)* Los adquiridos por subrogación real de otros bienes privativos. *d)* Las indemnizaciones por daños personales, excluida la parte correspondiente al lucro cesante durante el tiempo de vigencia del régimen. *e)* Los bienes de uso personal que no sean de un valor extraordinario y los utensilios necesarios para ejercer la profesión, aunque la adquisición se haya hecho con cargo a los bienes comunes (art. 231-32).

Lo previsto en este último supuesto supone una excepción al principio de subrogación real recogido en el anterior punto *c)*, por lo que estas adquisiciones no deben ser de valor extraordinario. Esta cuestión debe determinarse en función del nivel de vida familiar, y sin excluir, en el caso de bienes de extraordinario valor o de la adquisición de los utensilios necesarios para ejercer la profesión, el posible nacimiento de un derecho de crédito a favor del patrimonio común, que deberá tenerse en cuenta en el momento de liquidar el régimen de comunidad[149].

5. *Administración y disposición de los bienes.* Cada uno de los cónyuges tiene la administración y libre disposición de sus *bienes privativos* dentro de los límites establecidos por la ley. De las deudas contraídas por cualquiera de los cónyuges, por razón de la tenencia y

---

[149]  Puig i Ferriol (2014: 244). Esta cuestión no es pacífica en la doctrina. Por ejemplo: para Bosch Capdevila *et al.* (2013: 317) dado que el precepto no se pronuncia, el cónyuge beneficiario no debe reembolsar por la adquisición de los bienes del apartado *e)*; lo que supone una diferencia respecto del art. 1346 *in fine* CC; para Solé Resina (2013: 227), los bienes profesionales financiados con patrimonio común, generan un derecho de reembolso, pero la adquisición de ropa y otros bienes de uso personal (art. 231-5) debe incluirse dentro del concepto de gasto familiar, a cargo del patrimonio común y sin derecho a reembolso; Lucas Esteve (2012: 327) señala que la adquisición de bienes profesionales con cargo al patrimonio común, genera un derecho de reembolso porque supone un enriquecimiento injusto del patrimonio privativo, pero esto no sucede respecto de bienes personales que no sean de valor extraordinario; para Garrido Melero (2013, I: 355), los enseres profesionales pueden tener un valor extraordinario y si se han financiado con fondos comunes no pierden su carácter privativo pero generan el correspondiente derecho de compensación entre los patrimonios comunes y privativos; para Marsal Guillament (2011) debe poder exigirse el reembolso de lo pagado con bienes comunes para adquirir bienes profesionales, pero el patrimonio común no debería reclamar más que el valor venal del bien en el momento de extinción del régimen; por último, con apoyo en Marsal, Ginebra Molins (2014: 369) afirma que la expresión "utensilios" ("*estris*)" supone una concreción dentro de los bienes muebles (arts. 231-30.1 y 511-2.3), pero la norma en cuestión no parece que excluya a los bienes de extraordinario valor, pero en todo caso, la expresión se contrapone a la "bienes muebles" afectos a la profesión o a una actividad mercantil de uno de los cónyuges (art. 232-33.3) y debe entenderse que el patrimonio común tiene un derecho de reembolso contra el cónyuge titular, aunque que como sea que las ganancias obtenidas por la actividad profesional se consideran bienes comunes (art. 232-31,b), el derecho de reembolso debería limitarse al valor venal.

administración de los bienes privativos, responden estos. Si los bienes privativos son insuficientes, el acreedor puede pedir el embargo de bienes comunes. El embargo debe notificarse al otro cónyuge, el cual puede exigir la disolución de la comunidad y que tenga lugar sobre la mitad correspondiente al cónyuge deudor (art. 232-34).

En defecto de pacto, la administración y la disposición de los *bienes comunes* corresponde a los cónyuges conjuntamente, o a uno de ellos con el consentimiento del otro. Cualquiera de los cónyuges puede contraer obligaciones con cargo a la comunidad y disponer de los bienes comunes para pagar los gastos familiares. Si uno de los cónyuges ejerce una actividad profesional o mercantil valiéndose de bienes comunes con el consentimiento del otro, puede hacer solo, con relación a los bienes muebles que estén afectos, los actos de administración y disposición que sean consecuencia del ejercicio normal de aquella actividad. En caso de falta de capacidad de uno de los cónyuges o de imposibilidad de gestión conjunta, la autoridad judicial puede conferir la administración de la comunidad y la disposición de los bienes comunes a uno solo de los cónyuges. También puede autorizar que uno solo haga actos dispositivos, en interés de la familia o si se produce otra justa causa, si el otro no da el consentimiento.

6. *Responsabilidad por gastos familiares.* De las deudas contraídas para atender a gastos familiares, responden solidariamente los bienes de la comunidad y los del cónyuge deudor, y subsidiariamente los del otro cónyuge (art. 232-35).

7. *Extinción y liquidación del régimen.* El régimen de comunidad de bienes se extingue por las siguientes causas: *a)* La nulidad o disolución del matrimonio o la separación judicial. *b)* El acuerdo de los cónyuges mediante el cual estipulan en capítulos matrimoniales un régimen diferente. El régimen de comunidad de bienes se extingue por resolución judicial, a petición de uno de los cónyuges, si se produce alguna de las siguientes circunstancias: 1) Separación de hecho por un período superior a seis meses. 2) Incumplimiento grave o reiterado por el otro cónyuge del deber de informarlo de sus actividades económicas. 3) Gestión patrimonial irregular o supervención de alguna circunstancia personal o patrimonial en el otro cónyuge que comprometa gravemente los intereses de quien solicita la extinción. 4) Embargo de bienes comunes en el supuesto del artículo 232-34.2 (art. 232-36).

A los efectos de la división de la comunidad, los bienes comunes y los bienes privativos deben determinarse con referencia al momento de la disolución. Los bienes comunes que se posean en el momento de la disolución de la comunidad deben computarse según el valor que tengan en el momento de efectuar su liquidación (art. 232-37).

8. *División de los bienes comunes.* En caso de extinción de la comunidad, los bienes comunes deben dividirse entre los cónyuges o entre el cónyuge supérviviente y los herederos del premuerto a partes iguales, salvo que se haya convenido otra cosa. En ese supuesto, si la vivienda conyugal y sus muebles de uso ordinario tienen la condición de bienes comunes, el cónyuge supérviviente (no, los herederos del cónyuge premuerto), puede solicitar que le sea atribuida la propiedad de estos bienes en pago de su cuota. Si el valor es superior al valor de su cuota, el adjudicatario debe pagar la diferencia en dinero.

En la división de los bienes comunes, cada cónyuge puede recuperar los bienes que eran de su propiedad antes del inicio del régimen de comunidad y que subsisten en el momento de la extinción, según el estado inicial. Los demás bienes y las mejoras hechas en los bienes aportados deben incluirse en la división de la comunidad y, si el valor de aquellos bienes es superior al valor de la cuota, el adjudicatario debe pagar la diferencia en dinero (art. 232-38). En su caso, para liquidar los regímenes económicos matrimoniales de comunidad, debe seguirse el procedimiento previsto en los artículos 806 a 811 LEC. También debe aplicarse este procedimiento para dividir los bienes en comunidad ordinaria indivisa en el supuesto a que se refiere el artículo 232-12.2 (DA 3ª Libro segundo)[150].

## 11.3. *La asociación de compras y mejoras*

1. *Concepto y contenido.* De acuerdo con Campo Villegas (2014: 15), la "asociación de compras y mejoras" (*l'associació a compres i millores*), se trata de un régimen matrimonial de "comunidad restringida a las ganancias y mejoras que se obtengan durante el matrimonio, con

---

[150]    En la doctrina, *v.*, *a.e.*, Campo Villegas (2014: 111-181); Puig i Ferriol (2014: 237-253); Ginebra Molins (2014: 357-389); Garrido Melero (2013, I: 348-371); Solé Resina (2013: 225-231); Bosch Capdevila *et al.* (2013: 316-324); Follia i Camps (2014: 160-163).

tradición en las comarcas del sur de la provincia de Tarragona y antecedentes desde el siglo XIII, habiendo sido su única fuente reguladora los pactos nupciales, sin normativa de derecho positivo hasta la Compilación del Derecho Civil de Cataluña de 1960". Según Bosch Capdevila (2014: 334), se trata de una institución de origen consuetudinario sita en dichos territorios "en virtud de la cual los contrayentes, y en ocasiones sus ascendientes, se "asocian", con carácter recíproco o no, en las "compras y mejoras" que realicen durante el matrimonio, lo cual viene a significar que repartirán los ingresos que deriven de su profesión, industria o trabajo obtenidos durante la vigencia de la asociación y que no se hayan consumido en las atenciones familiares, así como los bienes adquiridos con estos ingresos". Con todo, a pesar de su notable aceptación histórica, su práctica actual es escasa[151].

En el *Codi*, la asociación a compras y mejoras, propia del Campo de Tarragona y de otras comarcas, pero susceptible de ser adoptada por todos los matrimonios catalanes (art. 231-10.1), exige un *pacto expreso* en capítulos matrimoniales. En lo no regulado por los pactos de la constitución del régimen ni por la normativa legal, la asociación a compras y mejoras se rige por la costumbre de la comarca y, en su defecto, por las disposiciones del régimen de participación en las ganancias, en la medida en que lo permita su naturaleza específica.

Cada cónyuge puede asociar al otro a las compras y mejoras que haga durante el matrimonio. También puede establecerse la asociación con carácter recíproco o asociando los cónyuges a sus ascendientes, les hayan hecho heredamiento o no. Como consecuencia de estas previsiones la doctrina discrepa sobre la naturaleza de este régimen que ofrece cierta complejidad en su contenido económico y personal, y observa que además existe un divorcio entre la práctica de la institución y la doctrina científica. En este punto resulta relevante la composición de los intervinientes en el pacto (solo los cónyuges o estos junto con otras personas) y el concreto contenido y regulación del pacto capitular que tiene carácter preferente a las demás fuentes legales supletorias (art. 232-25.2).

Por otro lado, la remisión legal como normas supletorias, a la costumbre de la comarca y, en la medida en que ello sea posible, al

---

[151]  Bosch Capdevila (2014: 334); Garrido Melero (2013, I: 380-381); Follia i Camps (2014: 156-159).

régimen de participación en las ganancias, aproxima la figura a esta última institución, pero el régimen también puede configurarse como un régimen de comunidad restringida que, a su extinción, se liquida mediante una partición de aquella comunidad, en este caso, con una naturaleza similar a la del régimen gananciales de derecho común[152].

Cuando en el pacto intervienen los cónyuges y los ascendientes, debe entenderse que su voluntad es crear una comunidad de tipo familiar sin personalidad jurídica propia o independiente, que es ajena a la voluntad de establecer un REM. En dicho caso el REM será el de separación de bienes (art. 231.10.2) pero sin excluir que, al amparo de la libertad de pacto, aquellos puedan convenir otro REM. En todo caso, los únicos otorgantes del REM son los cónyuges (art. 231.10.2 y art. 9.2 y 3 CC)[153].

La norma legal, define las "compras" como los bienes que, constando la asociación, cualquiera de las personas asociadas adquiera a título oneroso u obtenga por su actividad profesional o trabajo. Se consideran "mejoras" los aumentos de valor de los bienes de cualquiera de los asociados debidos a impensas útiles y a la liberación de cargas y gravámenes (art. 232-25).

2. *Administración.* La administración de la asociación a compras y mejoras corresponde al asociado que se indique en los capítulos. En defecto de designaciones, corresponde a todos los asociados. El administrador único de la asociación, si procede, puede, sin que intervenga nadie más, disponer a título oneroso de los bienes que la constituyen, pero no puede afianzar en nombre de la asociación, si no es para provecho de la familia. Las deudas particulares de cada asociado gravan exclusivamente su parte (art. 232-26).

3. *Liquidación.* La liquidación de las ganancias de cada asociado se refiere al momento de su muerte o de la extinción del régimen y puede efectuarse con dinero o con otros bienes de la asociación (art. 232-27)[154].

---

[152]  Campo Villegas (2014: 17-27),
[153]  Puig i Ferriol (2014: 227-228).
[154]  En la doctrina, *v.*, *a.e.*, Campo Villegas (2014: 15-49); Puig i Ferriol (2014: 226-230); Bosch Capdevila (2014: 333-346); Garrido Melero (2013, I: 380-385); Lucas Esteve (2012: 334-336); Navas Navarro (2011: 281-287); Espiau Espiau (2011: 765-772).

## 11.4. El "agermanament" o "pacte de mig per mig"

*1. Introducción.* El *"agermanament"*, *"matrimoni de mig per mig"* o pacto de mitad por mitad, es otra institución de derecho tortosino, ya regulada en el siglo XIII, que se encuentra en las antípodas del régimen legal supletorio catalán de separación de bienes y también difiere del más reciente régimen de comunidad de bienes[155]. Según Campo Villegas (2014: 58), "se trata de una comunidad conyugal de carácter universal en la que entran incluso los bienes que los esposos tuvieran con anterioridad o posteriormente adquirieran por donaciones o herencias". Esta figura es similar a la del Fuero del Baylio, la de Vizcaya o la "hermandad llana" aragonesa, y también se halla próxima a los regímenes previstos por pacto o disposición legal en algunos REM extranjeros como los de Alemania, Portugal, Brasil, Holanda y otros países europeos. Se trata del único régimen regulado en el Derecho civil catalán que configura una comunidad absoluta o universal de bienes[156].

El principio fundamental que inspira este REM es el de establecer un paralelismo entre la comunidad de vida derivada del matrimonio (art. 231.2.1) y una unión patrimonial plena, entendida en el sentido de que todo el patrimonio que un cónyuge aporta al matrimonio o adquiere mientras está vigente el vínculo matrimonial, se convierte en patrimonio común de ambos cónyuges (art. 90.1 RH)[157], sin que, constante el mismo, existan bienes privativos.

En el vigente derecho catalán, el *agermanament* (hermandad) o pacto de mitad por mitad, exige un *pacto expreso* en capítulos matrimoniales. En todo lo no regulado por los pactos de la constitución del régimen ni por la norma legal aplicable, el *agermanament* se rige por la costumbre del lugar y, en su defecto, por las disposiciones del régimen de comunidad, en la medida en que lo permita su naturaleza específica.

La comunidad incluye todos los bienes que tengan los cónyuges al casarse o en el momento de convenir el pacto de *agermanament*, que se aportan o comunican por los cónyuges para la comunidad, los que adquieran por cualquier título y las ganancias o lucros de todo

---

[155]   Garrido Melero (2013, I: 374 y ss.).
[156]   Lucas Esteve (2012: 336 y ss.); Follia i Camps (2014: 159).
[157]   Puig i Ferriol (2014: 254).

tipo mientras subsista el régimen; estos bienes y ganancias pasan a ser de la cotitularidad de ambos cónyuges, pero sin que ello les atribuya una cuota ideal sobre cada uno de los bienes, lo que impide que un cónyuge pueda disponer de su cuota sobre un bien concreto de los que forman parte de la comunidad. El pacto no puede calificarse de donación de un cónyuge a favor de otro porque el matrimonio y el concepto de REM dan cobertura jurídica propia a la adquisición; no obstante, el pacto no puede perjudicar los derechos adquiridos por terceras personas o acreedores, concepto en el que no quedan incluidos los legitimarios[158].

2. *Administración.* La administración de la comunidad corresponde a ambos cónyuges y otro tanto cabe afirmar en relación con los actos de disposición sobre los bienes comunes, todo ello sin perjuicio de la actuación de uno de ellos con el consentimiento del otro o del recurso supletorio a la autoridad judicial (art. 232-33.4). Respecto de los gastos familiares no se aplica el artículo 231-8 porque debe partirse del principio de que el patrimonio común responde de las deudas familiares[159].

3. *Extinción y liquidación.* Las causas de extinción del *agermanament* no están previstas en su normativa reguladora pero por tratarse de un régimen de comunidad de bienes cabe remitirse al artículo 232-38 que las prevé para este supuesto.

La liquidación del *agermanament* debe hacerse adjudicando los bienes que comprenda, entre los cónyuges o entre el cónyuge superviviente y los herederos del premuerto, a partes iguales (art. 232-28). Por análoga razón a lo antes expuesto, la doctrina considera aplicables los artículos 232-38.2 (atribución preferente en pago de su cuota al cónyuge superviviente de la vivienda conyugal y muebles de uso ordinario) y 232-38.3 (atribución preferente de los bienes que eran de la propiedad del cónyuge respectivo antes del inicio del régimen de comunidad y que subsistan en el momento de la extinción y en su caso, con abono de las mejoras hechas)[160].

---

[158]   Bosch Capdevila (2014: 349-350, arg. arts. 231-24, y por analogía, 461-23).
[159]   Puig i Ferriol (2014: 257).
[160]   V., *a.e.*, Campo Villegas (2014: 58-110); Puig i Ferriol (2014: 254-258); Bosch Capdevila (2014: 346-350); Garrido Melero (2013, I: 374-378); Lucas Esteve (2012: 336-338); Navas Navarro (2011: 288-291); Espiau Espiau (2011: 773-775).

4. *Pacto tortosino de comunidad restringida.* Además del pacto de comunidad de mitad por mitad, Campo Villegas (2014: 51-58) señala que existe otra modalidad de pacto tortosino de comunidad conyugal, esta vez, restringida a los bienes que los esposos adquieren mediante su actividad, sin norma de derecho positivo alguno, que es una comunidad semejante a la de gananciales del Código civil de derecho común. Señala el autor citado que "La influencia aragonesa se evidencia en que el régimen pactado tradicionalmente es el aragonés: unos gananciales con un usufructo vidual intocable. Y su carácter retroactivo procede del *agermanament* tortosino".

Siguiendo a dicho autor, en síntesis, las notas características de este pacto son las siguientes:

*a)* En un pacto capitular matrimonial exclusivo de los cónyuges, nunca familiar, de la comarca tortosina con la proximidad y correlación de Aragón y Valencia.

*b)* Se estipula constante matrimonio, nunca antes, como es el caso de la asociación a compras y mejoras, Suele convenirse entre cónyuges de edad avanzada que al mismo tiempo ordenan la sucesión hereditaria en sendos testamentos.

*c)* El pacto se establece con efectos retroactivos referidos al momento de celebración del matrimonio; en el instrumento público los cónyuges afirman que el pacto fue pactado verbalmente al tiempo de contraer el matrimonio y, sin perjuicio de terceros, proceden a darle forma pública. En ningún caso el pacto se considera donación encubierta.

*d)* El instrumento comprende el pacto referente al REM restringido a las compras y ganancias y otro pacto, en el que los cónyuges se conceden el usufructo universal y recíproco.

*e)* Se trata de un régimen de comunidad restringida, no universal, y en la que se integran los frutos y las rentas de los patrimonios privativos. Se consideran bienes comunes o gananciales: todas las adquisiciones que a título oneroso hagan los cónyuges; el producto de su trabajo y de su patrimonio privativo; y los aumentos y mejoras de los privativos debidos a impensas útiles y a la actividad de los cónyuges.

*f)* Tradicionalmente, se ha considerado que este pacto se refiere a un régimen parecido al de la sociedad de gananciales del CC y su liquidación se realiza como si se tratara de un régimen de gananciales del CC con la partición y división de un patrimonio común del que son titulares, en pie de igualdad, ambos cónyuges.

g) Por otra parte, sin perjuicio de las previsiones existentes para los supuestos de crisis matrimonial, según se examina más adelante, con carácter general, en el supuesto de viudedad también se prevén determinados beneficios legales a favor del cónyuge supérstite.

h) Por lo que atañe al derecho supletorio, el autor citado, advierte de la problemática que han supuesto los diversos cambios legislativos, que antes conducían a la aplicación del régimen de gananciales de Derecho común, solución que dicho autor considera igualmente aplicable en conexión con la "tradición jurídica catalana" (art. 111-2), que tradicionalmente ha recurrido a dicha legislación con carácter supletorio o incluso, al amparo de los artículos 111-5 CCC y 149.3 *in fine* CE.

## 11.5. La "convinença" o "mitja guadanyeria"

1. *Introducción.* El denominado pacto de "*convinença*"[161], o "*mitja guadanyeria*", consiste en una asociación propia del Valle de Arán, que exige un pacto expreso en capítulos matrimoniales. En todo lo no regulado por los pactos de la constitución del régimen ni por la sección 5ª (artículo único), deben aplicarse la costumbre del Valle de Arán y el capítulo X del privilegio de la *Querimònia* otorgado por Jaume II en el año 1313 (art. 232-29).

La *convinença* también puede establecerse con inclusión de los progenitores y los hijos, e incluso de extraños, pactando que los bienes ganados y los que se ganarán queden en comunidad mientras sub-

---

[161] En el DIEC, la expresión "*convinença*", significa: "Hecho de concluir un acuerdo con alguien sobre un punto determinado"; "El mismo acuerdo concluido". La expresión pacto de *convinença*, viene a decir dos veces la misma cosa (pleonasmo). Respecto de la expresión "*mitja guadanyeria*, en aranés *mija guadanyeria*, los diccionarios de catalán consultados solo se refieren a la misma por referencia a un régimen económico de comunidad limitada de bienes propio del Valle de Arán.

sista la asociación. Según la doctrina científica del pasado siglo y del actual, la vigencia práctica de este pacto puede considerares nula[162], pero su expresa tipificación legal, desde la Compilación hasta el texto actualmente vigente, deja abierta la posibilidad de convenir dicho pacto que tanto puede ser convenido por los araneses como por los matrimonios que se acojan a la libertad de pactar capítulos matrimoniales de acuerdo con la normativa conflictual aplicable [art. 9.3 CC y Reglamento (UE) 2016/1103 del Consejo de 24 de junio de 2016].

Uno de los rasgos distintivos más singulares que presenta este pacto es que puede acoger dentro del mismo a personas distintas de los cónyuges, progenitores e hijos de ambos, o sea, a personas extrañas a las mencionadas; de aquí que la norma legal se refiera a una "asociación", y que la doctrina observara que estos extraños no eran ajenos a la casa sino que tenían algún lazo de parentesco. Actualmente, aparte de su posible aplicación a las explotaciones agrarias, el pacto también puede tener por objeto la explotación de una empresa familiar, negocio o industria.

Siguiendo a Puig i Ferriol (2014: 231) debe distinguirse entre el pacto convenido solo por los cónyuges o futuros cónyuges, que es un auténtico REM que presenta los caracteres del régimen de participación en las ganancias (art. 232-13.1), del supuesto en que el pacto incluye a otras personas (familiares o terceras personas) en que debe entenderse que "en realidad se trataría de constituir una comunidad de tipo familiar […] que a falta de pacto expreso en contrario, determinaría que el régimen económico matrimonial de los cónyuges que han convenido la *convinença* sería el legal o supletorio según el art. 231-10.2. Y si la *convinença* se ha constituido entre los cónyuges o futuros cónyuges y unos extraños, como prevé el art. 232-29,3, entonces debe concluirse que nos encontramos ante una institución ajena al derecho de familia, que debería calificarse de sociedad civil carente de personalidad jurídica…". En todos los casos, se trata de un pacto o régimen convencional que requiere pacto expreso en los términos acabados de exponer.

---

[162]   G. M. de Brocà (1918: 844); Garrido Melero (2013: 378); Florensa i Tomás (2014: 351); Puig i Ferriol (2014: 230-231); Campo Villegas (2014:14); Follia i Camps (2014: 160).

2. *Gestión*. La gestión del régimen y los actos de disposición deberán ajustarse al supuesto concreto en función de las personas integrantes en el pacto. Por lo que atañe a las cargas derivadas del régimen y del gobierno de la casa, serán de cuenta y a cargo de los cónyuges a partes iguales (v., asim. art. 231-6.1), pero cuando se presente el supuesto alternativo, también deberán contribuir los demás miembros de la asociación.

3. *Disolución y liquidación*. El pacto se extingue por muerte de uno de los cónyuges, por divorcio o por cambio del régimen matrimonial. No obstante, cuando existan hijos del matrimonio, el pacto puede continuar con el cónyuge sobreviviente y los otros posibles asociados (hijos, nueras, yernos, y terceras personas). El cálculo, división y liquidación de las ganancias y aumentos debe regirse por lo convenido en los capítulos matrimoniales y en su defecto, se siguen las normas del régimen de participación en las ganancias. Cuando además de los cónyuges formen parte del pacto otras personas, deberán aplicarse, con las adaptaciones oportunas, las normas sobre división de una comunidad de bienes (arts. 552-11 y 552-12) o de liquidación de una sociedad (art. 1708 CC) y por analogía, los artículos 464-1 y ss. en materia de partición de la herencia (Puig i Ferriol)[163].

## 12. INSTITUCIONES DOTALES Y PARADOTALES

Debido a su desuso y a la práctica desaparición en el momento actual de las antiguas instituciones dotales y paradotales, en este apartado solo se hará una breve referencia a sus fuentes normativas. Como señala Brocà (1918: 745), la palabra dote (*dot*), conserva su significación romana y se refiere "a lo que la mujer u otro en su nombre, aporta al matrimonio para el sostén de sus cargas, aun cuando no sea de un modo completo [...]; en el uso corriente, llámase también dote, la donación otorgada a favor de la que contrae o ha contraído

---

[163]    En la doctrina, *v*., Puig i Ferriol (2014: 230-234); Florensa i Tomás (2014: 350-357); Garrido Melero (2013, I: 378-389); Bosch Capdevila et al. (2013: 326-328); Lucas Esteve (2012: 338-339); Navas Navarro (2011: 291-293); Espiau Espiau (2011: 776-777).

matrimonio por ser aportado a éste, y con el verbo dotar se expresa el otorgamiento de esta donación".

La dote y otras instituciones parecidas, como el *escreix*, eran vistas como un sistema por medio del cual las mujeres colaboraban en el mantenimiento de la familia por medio de una aportación material —sin tenerse en cuenta sus aportaciones productora al hogar y reproductora— y como una forma de amparo en el supuesto de que el marido falleciera antes que ella, constituyendo así una especie de seguridad económica, relativa, porque los importes de las dotes y la composición de los propios bienes dotales, raramente permitían el mantenimiento de la mujer viuda (Pérez Molina (1997: 162-188). En este sentido, en el derecho tradicional las citadas instituciones pretendían mitigar las consecuencias negativas derivadas del régimen de separación de bienes.

La Compilación de Derecho Civil de Cataluña de 1960 (CDC) preveía sobre estas instituciones pero al promulgarse el Código de Familia (Ley 9/1998, de 15 de julio) y hallarse vigente el régimen de separación de bienes, el legislador reconocía que las instituciones dotales "han caído en desuso" y en su lugar, introdujo "como factor correctivo, ya incorporado en la Ley 8/1993, de 30 de septiembre, la posibilidad de que el cónyuge que ha trabajado desinteresadamente para la casa o para el otro cónyuge pueda obtener una compensación económica en las situaciones de crisis del matrimonio y, por lo tanto, de posibles enfrentamientos separación, divorcio y nulidad, como medida de protección de la parte más débil." (preámb., ep. II).

Como señalan los comentaristas de la Compilación, Faus y Condomines (1960: 72), la decadencia de estas instituciones ya había sido apuntada por Borrell en 1923, al afirmar este que había lugares "donde han perdido la fuerza las costumbres tradicionales, y no se entrega nada a la que se casa o se le señala una pensión a precario para sus gastos"; y siguiendo a los autores citados, dicha "observación ha ido adquiriendo cada vez más realidad sobre todo en los matrimonios de la ciudad, donde la dote se ha convertido en algo insólito, para ser sustituida por obsequios de mayor o menor importancia que, dada la forma de su entrega, tienen aspecto de verdaderos parafernales, o en esa pensión generalmente mensual a que también aludía el maestro Borrell".

Finalmente, el legislador eliminó en el Código de Familia de 1998, las normas sobre la dote (arts. 26 a 37 CDC); la "tenuta" (arts. 38 a 40 CDC); del esponsalicio o "escreix" (arts. 44 a 47 CDC); del "tantumdem" (art. 48 CDC), del "aixovar" y del "cabalatge" (arts. 41 a 43 CDC); y del pacto de igualdad de bienes y ganancias (art. 57 CDC); y la DT 2ª, dispuso que estas instituciones y demás derechos similares constituidos y, en su caso, "que se constituyan, se rigen por las disposiciones que les son de aplicación hasta hoy, contenidas en la compilación del Derecho Civil catalán.".

Posteriormente, la Ley 25/2010, de 29 de julio, del libro segundo del Código Civil de Cataluña, relativo a la persona y la familia, reitera la anterior previsión legal y en su DT 2ª, aptdo. 3, dispone que: "Las dotes, las tenutas, los ajuares y los *cabalatges*, los esponsalicios o *escreixos*, los *tantundem*, los pactos de igualdad de bienes y ganancias y los demás derechos similares constituidos antes de la entrada en vigor de la presente ley continúan rigiéndose por el texto refundido de la Compilación del derecho civil de Cataluña, aprobado por el Decreto Legislativo 1/1984, de 19 de julio". Estas instituciones se integran en la "tradición jurídica catalana" y las que puedan hallarse vigentes deben regularse por dichas previsiones legales.

La posibilidad de que en la actualidad se constituyan nuevas dotes o instituciones afines es remota. Con todo, la doctrina pone de relieve la importancia que en su momento tuvo la "tenuta" en garantía de la restitución de la dote, ya que confería a la viuda, inmediatamente después de la disolución del matrimonio, un derecho *ipso iure* de posesión y usufructo de los bienes del marido, por lo que convertía a la viuda en regente del patrimonio del cónyuge fallecido, situación que se mantenía vigente mientras los herederos no procedieran a la restitución y pago de la dote[164]. Este derecho sería accionable en el momento actual. En el derecho vigente, según se examina en apartados específicos, existen determinadas acciones de protección patrimonial *post mortem* en relación con el matrimonio, la nulidad y las situaciones de crisis matrimonial (separación y divorcio).

---

[164]   En la doctrina, *v.* Faus y Condomines (1960: 68-85); Castán Tobeñas (1961: 574-591); Badosa i Coll (2000: 1099-1103); Garrido Melero (2013, I: 385-399); Lamarca i Marqués (2014: 1108-1109).

# Capítulo IV
# MONOPARENTALIDAD MATRIMONIAL
# *POST MORTEM.* DERECHOS VIUDALES
# Y SUCESORIOS

## 1. DERECHOS VIDUALES. INTRODUCCIÓN

Entre otras consecuencias, la extinción del matrimonio con hijos a su cargo por causa de muerte de uno de los cónyuges, afecta el estado civil del cónyuge supérstite y, en general, incide en la aportación de ingresos al hogar familiar y en la situación patrimonial del cónyuge viudo. En el derecho tradicional y en el marco de la autonomía privada de la voluntad, las instituciones dotales y paradotales, los capítulos matrimoniales y las disposiciones testamentarias o pactos sucesorios, solían prever *ad casum,* sobre la situación patrimonial del cónyuge supérstite, de aquí que los autores catalanes pusieran de relieve que no se producían conflictos graves, porque era frecuente pactar en capítulos o prever, en la correspondiente disposición testamentaria, el usufructo universal u otros derechos económicos en favor del cónyuge viudo[165].

Sin embargo, según se ha puesto de relieve, con el paso del tiempo, las antiguas disposiciones sobre el usufructo legal de viudedad (*usatje Vidua*) cayeron en desuso y además, como consecuencia del decreto de Nueva Planta (1716), la producción legislativa catalana quedó congelada y no podía legislarse *ex novo* para hacer frente al decaimiento de los pactos capitulares y adaptar la legislación a las nuevas necesidades provocadas por los cambios en los modelos familiares y las estructuras socio-económicas que, entre otros efectos, conllevaban el paso del modelo de familia de tipo rural, estable, extendida y patriarcal a la familia urbana, nuclear, igualitaria, heterogénea e inestable[166]. Por otro lado, a partir de mediados del siblo XX, también debían tenerse

---

165 Sobre la evolución histórica de los derechos viduales, *v., a.e.,* Miralles Bellmunt (2016: 110 y ss.).
166 Roca Sastre (1943), Garrido Melero (2012: 45-86).

presentes las naturales exigencias derivadas de la necesaria adecuación de las instituciones jurídicas a los derechos fundamentales.

Sin perjuicio del avance que, en su momento, supuso la promulgación de la Compilación de 1960[167], la doctrina era consciente del
"baldío jurídico catalán" (*l´erm jurídic català*) (Follia i Camps, 2012:
185). La reforma y actualización del Derecho civil catalán solo pudo
emprenderse, con la profundidad requerida, a partir de la aprobación
de la CE de 1978 que supuso la recuperación de la competencia legislativa en materia civil por parte de la Generalitat de Cataluña en los
términos prevenidos en el artículo 149.1.8ª CE y el EAC.

Desde el punto de vista patrimonial, sin perjuicio de los pactos
matrimoniales sobre la determinación, vigencia y efectos del REM,
los pactos en previsión de una ruptura matrimonial, y las disposiciones de última voluntad y pactos sucesorios, en el derecho vigente la
protección legal del cónyuge viudo se prevé tanto en relación con el
Derecho de familia como en el Derecho de sucesiones[168]:

– En el *Derecho de familia* esta protección se concreta en los
  derechos (o beneficios, porque se conceden cuando concurren
  determinadas circunstancias) del *ajuar familiar* (art. 231-30) y
  el *año de viudedad* (art. 231-31)[169]. Estos derechos se califican
  de *beneficios viduales legales* o derechos matrimoniales *mortis
  causa* que se atribuyen por razón, causa o derivación del matrimonio y surgen o nacen en el momento de fallecimiento, constante el matrimonio, de uno de los cónyuges. Estos derechos
  también se reconocen en caso de extinción de la pareja estable
  por muerte de uno de los convivientes (art. 234-14). El presupuesto esencial de estos derechos lo constituye la convivencia
  conyugal, lo que justifica su aplicación extensiva a los supuestos de extinción de la unión estable de pareja (art. 234-14)[170].
  Por otra parte, según se ha expuesto al examinar este REM, en
  el régimen matrimonial de comunidad de bienes se prevé sobre
  la división de los bienes comunes (art. 232-38).

---

[167]  Bosch Capdevila (2010: 181-196); López Burniol (2012: 25-43).
[168]  Rivas Martínez (2009: 1668 y ss.); Roca-Sastre Muncunill (1997, II: 363-413).
[169]  Y con carácter marginal o residual, según se expone más adelante, por medio de
       la tenuta (DT 2ª, aptdo. 3, libro segundo CCC).
[170]  Zahíno Ruiz (2011: 225).

– En el *Derecho de sucesiones*, el cónyuge viudo no es legitimario ni en la sucesión voluntaria (testamentaria o contractual), ni en la intestada. Como se verá, en la primera clase de sucesión, la ley no impone al causante ningún derecho legitimario referente al cónyuge viudo, pero en la sucesión intestada, el cónyuge viudo (o el conviviente en pareja estable superviviente) goza del *usufructo universal* de la herencia si concurre a la misma con hijos o descendientes del causante, o bien tiene el carácter de *heredero*, en plena dominio, cuando el causante fallece sin hijos o descendientes (arts. 441-2 y 442-3, respect.). Por otra parte, como institución calificada de derecho sucesorio, también existe la llamada "cuarta vidual" (antes cuarta marital o uxoria), que atribuye este derecho al cónyuge viudo y también a la persona superviviente de una unión estable de pareja (art. 452-1).

En atención al objeto de este estudio, en los apartados siguientes se procederá a un examen de las citadas instituciones y se pondrá especial énfasis en aquellas materias que, *prima facie*, ofrecen mayor interés en relación con la monoparentalidad por causa de la extinción del matrimonio.

## 2. ATRIBUCIÓN DEL AJUAR DE LA VIVIENDA CONYUGAL

Con carácter de derecho *ex lege* corresponde al cónyuge superviviente, *no separado legalmente o de hecho*, como destinatario concreto, la propiedad exclusiva (derecho personalísimo) de la ropa, del mobiliario y de los utensilios que forman el ajuar de la vivienda conyugal (*dret al parament de l'habitatge*) (art. 231-30.1). Este derecho de predetracción también se reconoce al miembro conviviente en caso de extinción de la pareja estable por muerte de uno de los convivientes (art. 234-14).

El *dret al parament de l'habitatge* fue introducido por el legislador catalán por la Ley 13/1984, de 20 marzo y por el DLeg. 1/1984, de 19 julio, que aprobó el texto refundido de la CDCC. La atribución forma parte del *régimen económico matrimonial primario*, por lo que es aplicable al cónyuge viudo con independencia del REM vigente durante el matrimonio y para acreditarlo, el matrimonio debe haberse disuelto por causa del fallecimiento de uno de los cónyuges. Estos efectos no se producen en el supuesto de divorcio (art. 85 CC), ni en los casos de separación legal o de hecho. En los supuestos de separación legal o divorcio con hijos comunes, entre otras cuestiones, el convenio regulador debe prever, sobre la atribución o distribución del uso de la vivienda familiar con su ajuar (art. 233-2.5.*b*).

Los bienes afectados no tienen carácter sucesorio, no se computan en el caudal relicto, no forman parte, se sustraen y detraen, de la herencia del causante; en consecuencia no se aplican las causas de indignidad sucesoria[171]; se trata de derechos que no pueden ser reclamados por los herederos ni están sujetos a la responsabilidad por las cargas de la herencia o por las deudas del causante (*v.*, *a.e.*, arts. 411-1, 461-1 y 461-19; STSJC, Sec. 1ª, 6 marzo 2008[172]). Se trata de una atribución formal *ex lege* de carácter imperativo, y salvo la excepción que se menciona más adelante, no cabe disponer la predetracción en favor de otras personas; no obstante, una vez nacido, el derecho podrá ser objeto de renuncia (art. 111-6).

En aquellos bienes que ya eran propios del cónyuge sobreviviente, en realidad, no existirá transmisión alguna en su favor; pero sí habrá

---

[171] Sin embargo, la doctrina entiende que como sea que es preciso que exista un vínculo afectivo manifestado por medio de la convivencia, el derecho puede quedar excluido en caso de asesinato (*a.e.*, Miralles Bellmunt, 2016: 600-601; en sentido parecido, Garrido Melero (2013, I: 204).

[172] *STSJC, Sec. 1ª, 6 marzo 2008.* "En efecto, siempre que en la herencia concurra el cónyuge —superviviente— del causante, se detraerá previamente en su favor del caudal relicto el ajuar del domicilio conyugal, integrado por la propiedad de la ropa, el mobiliario y los enseres destinados al uso doméstico, sin que ello compute en su haber hereditario, con independencia de cuál sea el título de la sucesión. Esto supone que tales bienes no llegan a integrarse en ningún momento en el caudal relicto, de manera que ni están sujetos a responsabilidad a favor de los acreedores de la herencia (arts. 34 a 37 CS), ni, lógicamente, pueden servir para el cómputo de la legítima (art. 355 CS).
[...]
Nada de lo dicho resulta desautorizado por la previsión contenida en el art. 123.2 CS, en el que se contempla la posibilidad de que el causante disponga, entre otros objetos, de la "roba i parament de la casa" por medio de memorias testamentarias, ya que la validez de esta disposición se encuentra condicionada en todo caso a la inexistencia de cónyuge superviviente con derecho de predetracción o a que se refiera a los objetos del ajuar excluidos de dicho derecho (art. 35.2 CF)." (FD 5).

transmisión legal de aquellos bienes que eran de la titularidad exclusiva del causante o de aquellos bienes comunes a ambos cónyuges, en que se produce "una especie de acrecimiento, a favor de la persona superviviente, de la cuota que antes correspondía a la persona premuerta" (Puig i Ferriol, 2014: 264). Como dicen Bosch Capdevila *et al.* (2013: 180), "La utilidad del art. 231-30 es que al no tener en cuenta el origen de los bienes, evita toda discusión sobre la corrección de su atribución al viudo".

Por lo que respecta a la contradicción que se observa en el artículo 232-38.2 en que se afirma que en caso de extinción del régimen de la comunidad de bienes, si la vivienda conyugal y sus muebles de uso ordinario tienen la condición de bienes comunes, el cónyuge superviviente puede solicitar que le sea atribuida la propiedad de estos bienes en pago de su cuota y si el valor es superior al valor de su cuota, el adjudicatario debe pagar la diferencia en dinero, la doctrina señala que debe tenerse presente que, en la mayoría de los casos, los muebles de uso ordinario que se hallen en la vivienda conyugal tendrán la consideración de "ajuar" de la vivienda, por lo que, en aplicación de la norma general *ex* articulo 231-30, estos bienes deberán atribuirse directamente al cónyuge viudo y no deben incluirse en el proceso de liquidación y división patrimonial del régimen de comunidad de bienes[173].

La atribución se refiere a bienes de valor ordinario que componen el ajuar de la casa. No pueden detraerse del ajuar familiar: *a)* las joyas, los objetos artísticos o históricos; *b)* los demás bienes del cónyuge premuerto que tengan un *valor extraordinario* con relación al nivel de vida del matrimonio y el patrimonio relicto; y *c)* los *muebles de procedencia familiar* si el cónyuge premuerto ha dispuesto de ellos por actos de última voluntad en favor de otras personas (art. 231-30.2). Esta exclusión solo opera respecto de los bienes que eran de la propiedad exclusiva del cónyuge premuerto lo que deberá determinarse en función del REM y la naturaleza del acto adquisitivo.

La expresión "muebles" (art. 231-30.2) debe entenderse sinónima de "mobiliario" (art. 231-30.1). Lo contrario, obligaría al causante

---

[173]	Zahíno Ruiz (2011: 230-233); Bosch Capdevila *et al.* (2013: 323); Puig i Ferriol (2014: 264).

a disponer *mortis causa* de manera individualizada todos los bienes muebles con independencia de si pueden considerarse ajuar o no, ya que en caso contrario, todos estos bienes deberían adjudicarse al cónyuge viudo, lo que no siempre resultaría conforme con la voluntad del causante. No obstante, la casuística puede ser muy variada y en este sentido habrá que estar al nivel de vida, uso ordinario, valor, y calidad de los muebles en general[174].

Los objetos a que se refiere la norma solo comprenden los que se encuentran en la vivienda familiar o principal, y no en las varias que, en su caso, puedan ser utilizadas de forma más o menos habitual. Los objetos deben servir para el menaje de la casa o domicilio familiar, lo que permite excluir aquellos bienes que sirven para el uso particular de uno de los cónyuges o convivientes (por ej., una biblioteca de libros profesionales)[175]; ni a los utensilios o enseres de locales profesionales o de negocios[176]. La procedencia familiar debe entenderse respecto de bienes relacionados con el cónyuge premuerto, incluso aunque procedan de parientes más allá del cuatro grado en línea colateral, porque lo que realmente interesa es la relación de procedencia de los bienes y siempre que reúnan los requisitos exigidos por la citada norma legal[177].

## 3. AÑO DE VIUDEDAD

1. *Introducción.* Como afirma Birriel Salcedo (2008: 14-15), uno de los efectos más conocidos y estudiados de la viudedad en el derecho histórico "y que solo afecta a las viudas, es aquel que se conoce como *tempus lugendi, tiempo de duelo, any de plor*, es decir, el periodo tras la muerte del marido durante el cual se prohíbe a la viuda contraer nuevas nupcias, cuya duración solía ser de doce meses como indican algunas de las acepciones que hacen referencia a este periodo. El fundamento de esta limitación a la capacidad de obrar de la viuda es la evitación del problema de la *conmixtio sanguinis*, en otras pa-

---

[174]   Bosch Capdevila *et al.* (2013: 182-183).
[175]   Garrido Melero (2013, I: 202-205).
[176]   Zahíno Ruiz (2011: 237).
[177]   Puig i Ferriol (2013: 265).

labras, la preocupación por la indeterminación de la paternidad del *nasciturus*. Es, pues, una restricción solo y exclusivamente de la mujer que enviuda y resalta, una vez más, cómo el matrimonio tiene como objetivo fundamental la atribución del hijo de una mujer a un varón, su legitimidad"[178].

En el derecho catalán, el año de viudedad, antes conocido como "l'any de plor" (literalmente, "año de llanto") o año de luto, procede del *Usatge Vidua*, contenida los *Usatges de Barcelona* (S. XII) que eran una recopilación de usos jurídicos iniciados en tiempos de Ramón Berenguer I. El usatge configuraba el usufructo vitalicio a favor de la viuda de los bienes del caudal hereidtario de su cónyuge premuerto mientras la esposa permaneciera viuda y perdía el derecho si llevaba una vida deshonesta.

> El *Usatge* n° 147 (*u. vidua*) (*Vidua si honeste et caste post mortem viri sui*), es sumamente preciso[179]:
> "Vidua si honestament e casta viura apres la mort de son marit en sa honor, nodrint be sos fills, naja la substantia de son marit, aytant com estara sens marit. Si cometra adulteri[180] e lo lit de son marit violara, perda sa honor e tot lo haver de son marit; e la honor venga en poder dels filis si en edat ne seran, o de altres propinques d'aquells; axi empero que no perda son haver si en present apparra, ne perda lo sponsalici mentre viura, e puys retorn al filis o als propinques".

Con la recepción del Derecho romano la duración del derecho se limitó al primer año de viudez y así se recoge en el derecho consuetudinario de Barcelona. El derecho se sancionó en los capítulos del

---

[178]  En las Partidas, *v*. Ley 3 del Título 12 de la Partida Cuarta (P. 4.12.3). No obstante, "desde comienzos del siglo XV y a lo largo de toda la Edad Moderna, el derecho castellano no prohíbe ni castiga el matrimonio de la viuda en el año inmediato a la muerte del marido, del mismo modo que tampoco lo hacía el derecho canónico, aunque la moral imperante obligara a las viudas a guardar luto(*)" [Nota a p.p. de la autora citada]: (*) "El Código Civil restauraría la prohibición de casar antes de los trescientos un días inmediatos a la muerte del marido, vid. MUÑOZ LÓPEZ, Pilar, *Sangre, amor e interés. La familia en la España de la Restauración*, Madrid, Marcial Pons, 2001, p. 62"].

[179]  Pelaez (1987); Pella y Forgas (1943: 225-229); Comas Via (2012: 42 y ss.).

[180]  Como dice Comas Via (2012: 51): "Segons expressa aquest usatge, es considerava també adulteri les relacions que la dona pogués mantenir després de la mort del marit".

privilegio *Recognoverum proceres* (1284), elevándose a ley general en Cataluña, con la Constitución *Hac nostra* (Cortes reunidas en Perpiñán, 1351) y fue complementado en algunos aspectos en las Cortes de Barcelona de 1564.

El derecho se concedía exclusivamente a toda mujer viuda al considerarse que durante dicho plazo temporal la mujer debía llorar la muerte de su marido y también según afirma Pella y Forgas (1943, III: 293) "para evitar la violencia moral y aun escándalo de arrojar la viuda de la casa del marido"[181]. Si la viuda era *pauper et indotata*, tenía además la cuarta marital. Transcurrido dicho año, si tenía dote o esponsalicio, también tenía derecho a los frutos de los bienes del marido hasta que le fueran devueltos los bienes expresados. La Compilación de 1960, recogió estas especialidades en el artículo 25 (año de luto) y en los artículos 38 a 40 (tenuta), y en la reforma de 1984, el derecho se atribuye al "consorte sobreviviente", sin distinción de sexo. La Ley de 1998 modificó su denominación por la actual de "año de viudedad" (*any de viduïtat*).

En el derecho vigente la figura también pretende paliar las consecuencias negativas que pueden derivarse de la muerte del cónyuge pero el fundamento del derecho y el contexto social en que se aplica la norma, son muy diferentes. En este sentido, cabe destacar la citada reforma de 1984, que prevé el principio de igualdad y no discriminación por razón de sexo, y las razones que lo fundamentan, se basan en el respeto de la dignidad de la persona y la solidaridad inherente a la relación de convivencia.

El artículo 231-31 (*Any de viduïtat*), dispone que durante el año siguiente a la muerte o declaración de fallecimiento de uno de los cónyuges, el superviviente *no separado legalmente o de hecho* que no sea

---

[181]   V., asim., Brocà (1918: 859-863); Rivas Martínez (2009: 1671); Roca-Sastre Muncunill (1997, II: 380-392). Con arreglo a Birriel Salcedo (2008: 19) "Los juristas como Fontanella o Cáncer hacen significativamente hincapié en que el *any de plor* obliga también a las mujeres indotadas(*). En fin, el *tempus lugendi* es una ficción mediante la cuál se prolonga el matrimonio doce meses más: La viuda no puede casarse porque es como si siguiera casada; nada debe comprometer su honestidad ya que arriesga en ello la pérdida de los alimentos y que no le sea restituida la dote, recayendo sobre ella la pena de infamia pues incluso puede acusársela de adulterio" [(*) No se incluye la nota a p.p. con referencias].

usufructuario universal del patrimonio del premuerto —en cuyo caso este usufructo absorbe el derecho—, tiene derecho a continuar usando la *vivienda conyugal y a ser alimentado* a cargo de este patrimonio, de acuerdo con el *nivel de vida que habían mantenido los cónyuges y con la importancia del patrimonio*. Este derecho es independiente de los demás derechos, de naturaleza familiar o sucesoria, que le correspondan en virtud de la defunción del premuerto y de la situación de eventual necesidad efectiva, y es exigible con independencia del REM aplicado durante la vigencia del matrimonio[182].

A pesar de que el legislador se refiere en el apartado 1 del artículo citado, a "este derecho"), el contenido económico del derecho es doble y así lo refleja la expresión "estos derechos" que figura en el apartado 2 del mismo artículo.

Los derechos son los siguientes:

*a)* Continuar usando la *vivienda conyugal*, con lo que se protege, aunque su dimensión temporal sea limitada, el derecho al disfrute de la vivienda familiar; y

*b) Ser alimentado* a cargo del patrimonio del causante de acuerdo con el nivel de vida mantenido por los cónyuges. No se tiene en cuenta si el titular del derecho lo necesita o no y en este sentido, el derecho no tiene carácter de un auténtico derecho de alimentos, situación que implicaría considerar la situación de necesidad del cónyuge viudo[183].

*2. Naturaleza jurídica.* La naturaleza jurídica de este derecho es controvertida. La doctrina mayoritaria afirma que el derecho de viudedad familiar es de naturaleza patrimonial *post mortem* y no legitimaria ni sucesoria, y de carácter personalísimo. En el *Codi* el derecho se ubica en el Libro segundo (Código de familia), Título II (La familia), Capítulo I (*Alcance de la institución familiar*), Sección quinta

---

[182]  En la doctrina, *v.*, *a.e.*, Arnau Raventós (2014:196-207); Garrido Melero (2013, I: 202-208; 2009: 119-121); Puig i Ferriol (2014: 265-270); Bosch Capdevila *et al.* (2013: 179-187); Caso Señal (2011: 679-682); Zahíno Ruiz (2011: 240-253); Rivas Martínez (2009: 1671 y ss.); Roca-Sastre Muncunill (1997, II: 374-377); Miralles Bellmunt (2016: 558-593).

[183]  Como dice Llebaría Samper (2006: 29-30): ¿Cónyuge rico, cónyuge pobre?: cónyuge viudo, y nada más."; en el mismo sentido, Bosch Capdevila *et al.* (2013: 184-185).

236 Josep Mª Fugardo Estivill

*(Los derechos viduales familiares).* Según la STSJC 8 junio 1993, este derecho se configura "como un beneficio viudal de urgencia y de una duración limitada, para que durante el primer año de viudedad el consorte superviviente pueda vivir en consonancia con su posición social y la cuantía del patrimonio del consorte premuerto".

3. *Legitimación.* Tienen derecho a este beneficio, el cónyuge sobreviviente (art. 231-31) y el sobreviviente de una unión estable de pareja (art. 234-14), lo que implica, respectivamente, la existencia del matrimonio o de la unión estable en el momento del fallecimiento de uno de los dos miembros de la unión. En el derecho vigente el cónyuge supérstite acredita este derecho cualquiera que fuere su REM. Esto es así porque, como se ha señalado, el año de viudedad está regulado en un capítulo que hace referencia a los efectos generales del matrimonio[184]. Respecto del conviviente en unión estable de pareja, como se ha expuesto, es necesario que se mantenga la situación de pareja de hecho. Como dice la SAP Girona, Sec. 1ª, 25 febrero 2013: "no concurriendo uno de los requisitos para la aplicación de lo dispuesto en el Art. 234-14 y 231-31 del CCC, cual es que al momento del fallecimiento del Sr. H. se mantuviera la convivencia *more uxorio* con la Sra. T. apelante, procede desestimar el recurso y confirmar íntegramente la sentencia de Instancia..." (FD 3).

Por lo dicho, el derecho no es oponible en los siguientes casos:

*a)* Cuando en el momento del fallecimiento no exista matrimonio (nulidad o sentencia firme de divorcio), porque, en ambos casos, no surge el estado civil de viudez.

*b)* Cuando el superviviente estuviera separado legalmente o de hecho, sin que se prevea referencia alguna a la necesidad o no de culpabilidad por parte del consorte titular del derecho.

*c)* Cuando no sea necesario, supuesto que se presenta cuando el cónyuge viudo sea usufructuario universal de la herencia, por habérsele atribuido el usufructo universal en una sucesión testada o contractual o el usufructo universal capitular, o cuando se trate de una sucesión intestada a la que concurran los des-

---

[184] En el derecho anterior, las SSTSJC 4 diciembre 1989 y 8 junio 1993, imponían que el REM fuera el de separación de bienes, en razón de los principios informadores de este régimen.

cendientes del causante, pues en este caso, la ley atribuye el cónyuge supérstite el derecho de usufructo, que es un derecho de mayor entidad.

4. *Uso de la vivienda familiar.* El derecho a usar la vivienda parte de la base que la vivienda sea de la propiedad exclusiva del difunto y debe considerarse como un gravamen sobre la finca asimilable al derecho de uso de una vivienda. De acuerdo con el artículo 562-7, cabe deducir que el derecho de uso se extiende a la totalidad de la vivienda y comprende el de las dependencias y los derechos anexos[185]. El derecho no tiene carácter de derecho real de usufructo, uso o habitación, sino que se trata de permanecer en la misma situación posesoria que se tenía.

Cuando la vivienda se posea en copropiedad por ambos cónyuges o convivientes el derecho de uso debe hacerse conforme a su finalidad social y económica e incide y acrece en la parte que pertenecía al fallecido; y en el supuesto de vivienda arrendada, el derecho a seguir en el arrendamiento de la vivienda se ampara en la posibilidad de subrogación prevista en el artículo 16.1, letras a y b, LAU.

5. *Derecho a ser alimentado.* El contenido de este derecho se interpreta en sentido amplio (mismo nivel de vida) y, en su caso, se convierte en un derecho de crédito dinerario. Su importe debe determinarse en función del *nivel de vida* que mantenían los interesados y la *importancia del patrimonio* (SAP Barcelona, Sec. 16ª, de 2 julio 2015)[186]. Si el titular del derecho lo reclama durante el año de viu-

---

[185]  Según la SAP Girona, Sec. 1ª, 25 febrero 2013 (*obiter dicta*): "es indudable que este derecho de "l'any de plor" es aplicable sobre la vivienda conyugal, cuando ésta forma parte de la masa de la herencia, y el cónyuge viudo no ostenta el usufructo sobre el caudal relicto del consorte difunto. Y en el caso presente la vivienda familiar ya no formaría parte de la masa hereditaria ya que el Sr. E. había donado dichos bienes a sus hijas antes de su fallecimiento" (FD 3).

[186]  En relación con la determinación económica del derecho de alimentos del *any de plor* y ante la pretensión de los herederos de reducir a 486 euros, el importe que en primera instancia se había fijado en 2.500 euros mensuales, la SAP Barcelona, Sec. 16ª, de 2 julio 2015, por remisión al artículo 231-31.1 CCC señala que "la impugnación no puede prosperar, ya que los cálculos que hace la juez de primera instancia sobre las necesidades de Z. para mantener durante el año siguiente al fallecimiento de su esposo el "nivel de vida" anterior —no equivalente a un estricto nivel de subsistencia, tal como pretenden los recurrentes— se ajustan a la

dedad, tiene derecho a percibirlos en toda su integridad (STSJC 4 diciembre 1989). La norma reguladora establece que la cuantía de los "alimentos" debe considerar tanto el elemento cualitativo (en nivel de vida mantenido por los cónyuges o convivientes) como el factor cuantitativo (la importancia del patrimonio del cónyuge o conviviente premuerto).

6. *Pérdida del derecho*. El cónyuge superviviente pierde estos derechos: si durante el año siguiente a la muerte o declaración de fallecimiento de su cónyuge, vuelve a casarse o pasa a vivir maritalmente con otra persona, sin exigirse en este último supuesto que se haya constituido una pareja estable; y si abandona o descuida gravemente a los hijos comunes en potestad parental. En ningún caso, el cónyuge o conviviente supérstite está obligado a devolver el importe de los alimentos percibidos. También se pierde el derecho por muerte del beneficiario, por renuncia en dicho plazo, que no cabe presumir, y se extingue por el transcurso del plazo legal del primer año de viudedad.

En el ámbito de la monoparentalidad merece especial interés el supuesto de pérdida del derecho en caso de abandono o descuido grave de los "hijos comunes en potestad parental". La expresión abarca a todos los hijos que se encuentren bajo la potestad (ordinaria; prorrogada o rehabilitada), lo que excluye el supuesto de hijos emancipados o mayores de edad que continúen habitando en la vivienda familiar.

---

norma legal, que prescinde, a diferencia de lo que ocurre para la determinación de la cuota viudal (artículo 452.1 CCC), de toda comparación entre los patrimonios de uno y otro cónyuge. La abundante prueba practicada revela un nivel de vida medio-alto de la familia Pr./Z.S., atendido en exclusiva con los ingresos periódicos de Pr. (pensión de jubilación cercana a 800 euros y rentas mobiliarias de unos 2.500 euros), y también un notable volumen del patrimonio del consorte premuerto (superior al millón de euros), todo lo cual justifica la percepción por la viuda durante ese primer año de una contribución económica a cargo del patrimonio relicto proporcionada a esos parámetros (2.500 euros mensuales)" (FD 5).
La SAP Barcelona, Sec. 11ª, 4 diciembre 2006, adopta una solución salomónica y señala que "el "quantum" correspondiente al "any de plor" no debe ser el total de la pensión del marido toda vez que la exégesis de la norma comporta que se trataba de una cantidad que incidía en el nivel de vida de los dos; por tanto, al fallecer uno de ellos, debe, por tal concepto computarse únicamente el 50% de los ingresos de éste..." (FD 3).

La dicción literal de la norma también parece excluir el supuesto del abandono de otros hijos menores del cónyuge o conviviente premuerto (familias reconstituidas). Esta exclusión es cuestionada por Bosch Capdevila *et al.* (2013: 187), que entienden que el adjetivo "comunes" es fruto de un error del legislador que, en las distintas versiones de la norma, ha recurrido a esta expresión de forma errática y sobre todo porque una interpretación contraria iría en contra de la finalidad de la figura y del principio de protección de los menores; de aquí que dichos autores entiendan que el precepto incluye cualquier hijo del difunto y como argumento lógico, señalan que es el patrimonio de los hijos del difunto, que en muchos casos serán los herederos del premuerto, el que financia el mantenimiento de la persona y a los que perjudicaría en el caso de abandono o grave negligencia en su cuidado.

También apoya esta interpretación el concepto de gastos familiares del artículo 231-5.2 que incluye los gastos de alimentos de los hijos no comunes que convivan con los cónyuges; por último, respecto de estos hijos, el fallecimiento del progenitor puede conllevar que, en caso de que exista y sea legalmente hábil, los hijos se atribuyan al otro progenitor común titular de la potestad parental o que deba procederse al nombramiento de tutor.

7. *Prescripción del derecho.* La doctrina se plantea si el plazo es de caducidad o no, en cuyo caso, el derecho caducaría una vez transcurrido el año de luto. La SAP Barcelona, 2 de marzo 1989, rechaza la caducidad y entiende que el derecho prescribe como pensión alimenticia por el transcurso de cinco años (arts. 1966.1 CC y 334 Compilación; actualmente, tres años, *ex* art. 121-21)[187].

## 4. SEPARACIÓN DE BIENES Y COMPENSACIÓN ECONÓMICA POR RAZÓN DE TRABAJO

### 4.1. Introducción

De acuerdo con el artículo 232-5, en el régimen de *separación de bienes* regido por el Derecho civil catalán, si un cónyuge ha *trabajado para la casa sustancialmente más que el otro*, tiene derecho a una

---

[187]  Garrido Melero (2009, II: 1001).

compensación económica por esta dedicación siempre y cuando en el momento de la *extinción del régimen por separación, divorcio, nulidad o muerte* de uno de los cónyuges o, *en su caso, del cese efectivo de la convivencia*, el otro *haya obtenido un incremento patrimonial superior* de acuerdo con lo establecido por la presente sección. También tiene derecho a compensación, el cónyuge que ha trabajado para el otro sin retribución o con una retribución insuficiente.

> *Uniones estables de pareja.* Asimismo, si un conviviente en unión estable de pareja ha trabajado para la casa sustancialmente más que el otro o ha trabajado para el otro sin retribución o con una retribución insuficiente, tiene derecho a una compensación económica por esta dedicación siempre y cuando en el momento del cese de la convivencia el otro haya obtenido un incremento patrimonial superior, de acuerdo con las reglas del artículo 232-6. A esta compensación económica por razón de trabajo le es de aplicación lo establecido por los artículos 232-5 a 232-10 (art. 234-9).

Desde el punto de vista histórico, la aportación de la mujer a la economía doméstica y familiar ha sido muy valiosa pero ha carecido de especial reconocimiento y no ha sido debidamente valorada. Actualmente, los datos estadísticos evidencian que, en general, las mujeres continúan asumiendo, en mayor medida que los hombres, tareas doméstico-familiares no remuneradas[188].

---

[188]   En general, porcentual y cuantitativamente, la dedicación diaria a las tareas domésticas y familiares generalmente es mucho mayor en las mujeres que en los hombres, pero para acreditar el derecho no basta esta circunstancia sino que el mismo debe integrar los requisitos previstos por la norma citada.
Según datos del INE (18 julio 2016), la dedicación de las mujeres y los hombres a las tareas domésticas y el cuidado de niños, ancianos y personas dependientes, era la siguiente:
"El 91,9% de las mujeres (de 10 y más años) realizan tareas domésticas y se ocupan del cuidado de niños, ancianos y personas dependientes durante 4 horas y 29 minutos diarios, frente al 74,7% de los hombres que dedican en promedio 2 horas y 32 minutos.
Respecto de las personas que realizan las actividades de hogar y familia según el tipo de hogar, es superior la dedicación media diaria de las mujeres en todos los tipos de hogar, pero especialmente en el caso de hogar formado por pareja con hijos, en que la dedicación diaria de la mujer casi duplica la dedicación del hombre (4 horas y 37 minutos la mujer, 2 horas 34 minutos el hombre). Esta diferencia de dedicación es casi la misma en el caso de pareja sola (4 horas y 45 minutos la mujer, 2 horas y 34 minutos el hombre).

A medio y largo plazo, en régimen de separación de bienes, la perduración de la dedicación al trabajo de la casa de uno de los miembros de la pareja o el trabajo para el otro sin retribución o con una retribución insuficiente, puede producir desigualdades económicas relevantes en el patrimonio personal acumulado por ambos cónyuges, lo que incide negativamente en el momento de extinción del matrimonio o en supuestos de crisis matrimonial o extinción de la convivencia.

> Como dice el preámbulo de la Ley 25/2010, de 29 julio (ep. II): "la incorporación de la mujer al mercado de trabajo no ha ido paralela, a la práctica, a un reparto de las responsabilidades domésticas y familiares entre los dos cónyuges y que en bastantes casos la actividad laboral o profesional de uno de los cónyuges se supedita aún a la del otro, hasta el punto de que, en determinados niveles educativos y de renta, continúa siendo habitual que uno de los cónyuges, típicamente la mujer, abandone el mercado de trabajo al contraer matrimonio o al tener hijos".

Para paliar los efectos negativos de esta situación, concurriendo determinados requisitos, y en armonía con las tendencias internacionales sobre esta cuestión (*a.e.*, Resolución n.º 37/1978, de 27 de septiembre, del Comité de Ministros del Consejo de Europa, sobre la igualdad de los esposos en el Derecho Civil), el legislador catalán, primero, con ocasión de la reforma del artículo 23 CDCC (Ley 8/1993), después, en el Código de Familia (arts. 41 y 42, L. 9/1998), y posteriormente, en el libro segundo del *Codi*, ha introducido un mecanismo corrector consistente en la denominada "compensación económica por razón de trabajo"[189]. Esta regulación solo es aplicable cuando el régimen matrimonial de separación de bienes se rige

---

En el caso de hogares unipersonales formados por mujeres y hogares de madre sola con algún hijo, la dedicación diaria de la mujer a tareas de hogar y familia es menor que en el caso de pareja sola o pareja con hijos, 3 horas y 38 minutos diarios en los hogares unipersonales formados por mujeres y 4 horas 38 minutos en los hogares de madres solas con algún hijo.
Atendiendo a la situación laboral, las mujeres ocupadas dedican 3 horas y 46 minutos diarios a las actividades de hogar y familia y 2 horas y 21 minutos los hombres. La diferencia es mucho mayor en el caso de inactividad (estudiantes, jubilados o pensionistas, labores del hogar), 4 horas y 49 minutos las mujeres y 2 horas y 25 minutos los hombres.".
Aguilera Rull (2012: 56-57).

[189] En el Derecho civil común, aunque de modo más limitado, *v*. art. 1348 CC.

por derecho civil catalán (STSJC, Sec. 1ª, 22 septiembre 2008[190]), sin que pueda entenderse que esta especialidad sea contraria al principio constitucional de igualdad (STSJC 22 septiembre 2008). Por otra parte, la regulación vigente es de aplicación general para los supuestos surgidos tras la entrada en vigor de la Ley reguladora (1 enero 2011) (DT 2ª, L. 25/2010)[191].

De acuerdo con el citado preámbulo, la vigente regulación legal: abandona toda referencia a la compensación como remedio sustitutorio de un "enriquecimiento injusto"; prescinde de la idea de sobrecontribución a los gastos familiares, implícita en el anterior artículo 41 CF, vigente hasta la entrada en vigor de la presente ley; y se fundamenta, "sencillamente, en el *desequilibrio que produce entre las economías de los cónyuges* el hecho de que uno *realice una tarea que no genera excedentes acumulables y el otro realice otra que sí que los genera*. Por ello, *basta con acreditar que uno de los dos se ha dedicado a la casa sustancialmente más que el otro*. Para calcular el importe de la compensación se tienen en cuenta el tipo de trabajo prestado y la duración e intensidad de la dedicación, y se restringe la discrecionalidad judicial a la hora de apreciar la relevancia de estos factores con el establecimiento de un límite de cuantía, que es el de la cuarta parte de la diferencia de los incrementos patrimoniales obtenidos por los cónyuges durante la vigencia del régimen. Sin embargo, se permite el otorgamiento de una compensación de cuantía superior si el cónyuge acreedor puede probar que la incidencia de su trabajo en el incremento patrimonial del otro cónyuge ha sido notablemente superior. La regulación de la compensación aclara también el alcance de la autonomía de los cónyuges para adoptar pactos sobre la compensación, incluso en previsión de una ruptura matrimonial. Como *novedad*, el supuesto de hecho se extiende también a los casos de extinción del ré-

---

[190]   "Su ámbito de aplicación se circunscribe por tanto al sistema de separación de bienes de Cataluña" (sentencia citada, FD 4, en que el matrimonio se regía por el régimen de separación de bienes regulado por el Código Civil alemán); otro tanto sucede en el supuesto de aplicarse el régimen de separación de bienes del CC, que prevé su propia medida correctora (art. 1348 CC) (SSAP Barcelona, Sec. 12ª, 19 abril 2006 y 3 diciembre 2012).

[191]   En este sentido, cabe reclamar la compensación en el divorcio si en el momento de la separación no estaba vigente la norma sobre la compensación (STSJC 7 junio 2004).

gimen por muerte de uno de los cónyuges si es el superviviente quien tiene derecho a la compensación" (é.a.)[192].

La filosofía que subyace en esta regulación es que el cónyuge que ha trabajado para el hogar o para su consorte o para el otro conviviente, sin retribución o con retribución insuficiente y haya obtenido menos ganancias, pueda participar de las obtenidas por el otro, con lo que, en cierta medida y de acuerdo con sus requisitos propios y límites, el supuesto recuerda el mecanismo equilibrador previsto para el régimen matrimonial de participación en las ganancias o crédito de participación reducido, pero con la particularidad de que debe haber concurrido una aportación al matrimonio por razón de trabajo[193]. Esta tesis es alternativa a las tesis más controvertidas basadas en la compensación por causa de un enriquecimiento injusto, o la pérdida de oportunidades; por otra parte, también se ha cuestionado el acierto y adecuación de la institución[194].

En todo caso, "el trabajo familiar se ha de tener en cuenta en dos momentos. Primero, con el reparto del excedente matrimonial mediante la determinación de una compensación económica por razón de la contribución que ha supuesto el trabajo doméstico, y después, en el momento de conceder una prestación compensatoria (art. 232-10 CCC)" (Aguilera Rull, 2012: 65). No obstante, conviene advertir que la institución que se examina no es adecuada para "poner precio a la solidaridad conyugal" (v. STSJC 30 septiembre 2009, FD 4).

La regulación vigente prevé esta compensación tanto en caso de extinción del REM de separación de bienes por causa de divorcio, nulidad o separación, como para el caso de extinción del matrimonio por *muerte* o *declaración de fallecimiento* de uno de los cónyuges. No obstante, en caso de extinción del régimen de separación por muerte, el cónyuge superviviente puede reclamar la compensación económica

---

[192] En la doctrina, *v.*, *a.e.*, Solé Resina (2011: 301-311; 2013: 206-212); Aguilera Rull (2012: 56-76); Nasarre Aznar (2011: 233-300); Garrido Melero (2013, I: 429-447); Ribot Igualada (2014: 226-295); Farnós Amorós (2014: 161-178); Roca Trias (2014: 185-201); Bosch Capdevila *et al.* (2013: 244-255); Bayo Delgado (2011: 693-716); Arnau Raventós (2011: 269-281); Ginebra Molins (2012); Miralles Bellmunt (2016: 613-680).

[193] Solé Resina (2012: 209); Bosch Capdevila *et al.* (2013: 248-249).

[194] Aguilera Rull (2012: 58-66); Solé Resina (2011: 310-311).

por razón de trabajo como derecho personalísimo, siempre y cuando los derechos que el causante le haya atribuido, en la sucesión voluntaria o en previsión de su muerte, o los que le correspondan en la sucesión intestada, no cubran el importe que le correspondería (art. 232-5.5).

El derecho es de naturaleza dispositiva y está sujeto al principio de rogación. Por referirse a una regulación propia del REM y en virtud de la autonomía de voluntad de las partes, el derecho es esencialmente renunciable. No obstante, la doctrina mayoritaria limita la renuncia al momento en que ha surgido el derecho y este puede ser ejercitado, momento en que puede darse una renuncia tácita si la petición de compensación no se incluye en las demandas de nulidad matrimonial, separación o divorcio o, en su caso, en la reconvención (STSJC, Sec. 1ª, 3 junio 2011, FD 4).

## 4.2. Legitimación y reglas de cálculo de la compensación

En síntesis, los requisitos exigibles para que sea oponible el derecho de compensación por razón de trabajo son los siguientes[195]:

*a)* Matrimonio en régimen catalán de separación de bienes. El legislador considera que en el resto de REM el cónyuge económicamente más débil ya queda suficientemente protegido o compensado al hacerse comunes las ganancias (regímenes de comunidad o regímenes de participación en las ganancias).

*b)* Extinción del REM de separación de bienes por cualquier causa (disolución de matrimonio por muerte o declaración de fallecimiento; crisis matrimoniales: nulidad, separación o divorcio). Nada prevé la norma en el supuesto de extinción voluntaria por cambio a otro REM, pero nada impide aplicarla, máxime si se tiene en cuenta la posibilidad legal de acordar pactos entre los cónyuges sobre esta materia (art. 232-7).

*c)* Que el cónyuge perjudicado haya trabajado para la casa o haya realizado una actividad económica para el otro cónyuge.

---

[195]   Roca Trias (2014: 189); Bosch Capdevila *et al.* (2013: 246-247); Garrido Melero (2013, I: 434-439).

*d)* Debe existir un desequilibrio patrimonial favorable al cónyuge no aportante de trabajo para la casa o que haya recibido la prestación del otro. En suma, "no siempre el trabajo doméstico superior se verá recompensado; no lo será, por ejemplo, cuando quien trabaje más para la casa sea a su vez quien tiene un salario más elevado, o quien obtiene unas mayores rentas de su patrimonio" (Bosch Capdevila *el at.*, 2013: 250). En su caso, cuando existan sociedades de los cónyuges, la apreciación del desequilibrio patrimonial puede deducirse de la aplicación de la doctrina del "levantamiento del velo" (STSJC 19 enero 2004).

*e)* Se trata de un derecho personalísimo de los cónyuges. Si fallece el cónyuge acreedor de la compensación, los herederos de éste no podrán exigir la compensación; a *contrario sensu*, si fallece el cónyuge deudor, el cónyuge viudo podrá reclamar la compensación a los herederos del fallecido (art. 232-11-2). Se trata de un derecho de crédito que debe ser reclamado por el interesado en tiempo oportuno (art. 232-11). El derecho es compatible con los demás derechos de carácter económico que correspondan al cónyuge acreedor (art. 232-10).

Siguiendo de cerca la doctrina de la STSJC, Sec. 1ª, R. 49/2016, 27 junio 2016, FD 3, la finalidad, requisitos y modo de cálculo de la compensación son los siguientes (é.a.):

1. *Finalidad.* Según la sentencia del Pleno de esta Sala (STSJC, R. 49/2016, de 27 junio), "la compensación regulada en el art. 232-5 CCC tiene como *finalidad equilibrar las desigualdades patrimoniales* que pudieran resultar entre los cónyuges tras la separación, el divorcio o la nulidad del matrimonio concertado bajo *el régimen de separación de bienes* o tras la muerte de cualquiera de ellos o, si procediere, después del cese definitivo de la convivencia".

2. *Requisitos subjetivos.* Deben cumplirse los siguientes dos requisitos:

*a) Contribución sustancialmente superior al trabajo para la casa o el otro cónyuge.* El supuesto se presentará cuando "el cónyuge acreedor de la compensación se hubiera dedicado durante la convivencia matrimonial al cuidado del hogar y de la familia "sustancialmente más que el otro", o hubiera trabajado para él "sin retribución o con retribución insuficiente".

La dedicación al trabajo doméstico puede no ser total (STSJC, Sec. 1ª, 12 julio 2011), pero puede negarse la compensación cuando la solicitante compaginó su actividad profesional con la dedicación a la casa y los hijos con ayuda externa, habiendo recibido además de su cónyuge un importante patrimonio (STSJC, Sec. 1ª, 25 julio 2011); si ambos cónyuges trabajan durante el matrimonio y ha sido la abuela quien se ha encargado del cuidado de la hija, no cabe apreciar una dedicación materna sustancialmente superior (STSJC 28 junio 2011); no se requiere un trabajo especialmente gravoso porque la norma no lo exige y basta con que el trabajo sea para el hogar o en beneficio del otro cónyuge, sin exigirse la concurrencia de ambos supuestos (STSJC, Sec. 1ª, 27 octubre 2005)[196].

*STSJC 17 noviembre 2016*. "… existe un notorio error respecto al tiempo de dedicación a la familia e hijas que fueron tres y no una, siendo de considerar que de los 13 años, en nueve de ellos fue exclusiva, y, posteriormente compartida con otros empleos, debiéndose destacar, a dichos efectos, que la intensidad de la dedicación ha de ponerse en relación con la previsión del art. 232-5. 1 CCCat , es decir, su dedicación debe ser sustancial y no necesariamente exclusiva, por lo cual, el porcentaje del 7% resulta exiguo, a entender de la Sala, puesto que las tres hijas —aun cuando dos de ellas adquieren la mayoría de edad en dicho período siguen conviviendo con sus padres y en la norma se comprenden no solamente los hijos sino incluso otros miembros de la familia que convivan con los cónyuges— y la dedicación de la recurrente fue exclusiva y posteriormente compartida pero sustancial, por lo cual, el porcentaje solicitado del 17 % y la cantidad fijada en el recurso de 63.000 euros, se adecua al tiempo de convivencia y al resto de criterios establecidos en el art. 232-5. 3 del CCCat , pues no solamente debe valorarse el tiempo de dedicación a una hija sino a las tres que convivieron con los cónyuges durante los 13 años que transcurren desde la reconciliación hasta el cese efectivo de la convivencia" (FD 2).

La apreciación de la si la retribución es insuficiente o no debe hacerse conforme al precio de mercado del trabajo, sin que deba presumirse que por el mero hecho de tratarse de un trabajo prestado por un cónyuge, la retribución deba ser más elevada por su carácter de "colaborador institucional"[197].

---

[196]  V., asimismo, tabla referente a la jurisprudencia del TSJC, período 2003 a 2010, en Garrido Melero (2013, I: 457-463) con desglose de: actividad y circunstancias personales de la parte demandante; cuantías de los patrimonios y rentas; e importe de la compensación acordada.

[197]  Aplica esta tesis, la STSJC, Sec. 1ª, 21 octubre 2002, pero acoge la tesis del valor de mercado, la STSJC, Sec. 1ª, 19 enero 2004 (Bosch Capdevila *et al.*, 2013: 251-252).

*b) Incremento patrimonial superior.* El supuesto precisa que "El cónyuge deudor hubiera visto *incrementado en el ínterin su patrimonio privativo* en cuantía superior al incremento que, en su caso, hubiera podido experimentar el patrimonio del cónyuge deudor.".

> Se produce error de cálculo cuando, por ejemplo, se computa como incremento de valor el importe total de una hipoteca de máximo cuando, en realidad, se tenía que computar solo el menor importe utilizado (STSJC, Sec. 1ª, 16 septiembre 2013). Para el cálculo no se computa el patrimonio que el demandado recibió por causa de herencia, ni la plusvalía de tales bienes debida al transcurso del tiempo o por las oscilaciones del mercado, pero sí la rentabilidad extraída de dichos bienes (STSJC, Sec. 1ª, 12 julio 2011). No existe incremento patrimonial si en el momento de la ruptura los cónyuges tenían las mismas propiedades; la vivienda se compró a nombre de ambos, y habían repartido por mitades los ahorros del negocio (SSTSJC 30 septiembre 2009 y 7 julio 2008).

3. *Requisito objetivo.* Además de los requisitos indicados, es necesario, como elemento objetivo, que "en el patrimonio del cónyuge deudor se hayan producido o generado excedentes sobre su patrimonio privativo inicial, de manera que —como decíamos en la referida STSJCat 49/2016, con cita de las SSTSJCat 69/2014, de 30 octubre, y 57/2015, de 15 julio— *la nueva institución repudia su anterior consideración como remedio del enriquecimiento injusto* y gravita ahora sobre "la descompensación de las ganancias entre ambos cónyuges", establecidas con arreglo a unas reglas de cálculo prefijadas que pretenden restringir el margen de discrecionalidad judicial (art. 232-6 CCC).

La cuantía de la compensación no se conocerá hasta que se hayan realizado las operaciones de cálculo del artículo 232-6 y ello exige dos operaciones sucesivas[198]: *a)* Fijar si existe o no incremento patrimonial conforme a los parámetros del artículo 232-5.3; *b)* Una vez calculado el incremento, determinar si da derecho o no a la petición de la compensación, lo que exige conocer los incrementos patrimoniales de los cónyuges según las reglas de cálculo del artículo 232-6 y normas complementarias.

---

[198]    Roca Trias (2014: 191).

De acuerdo con la DA 3ª, libro segundo, debe acompañarse "una propuesta de inventario que incluya los bienes propios y los del otro cónyuge, con la indicación de su valor, y el importe de las obligaciones, así como con la documentación de relevancia patrimonial de que se disponga". El incumplimiento de estos requisitos "impide deducir con una mínima seguridad jurídica los diferenciales patrimoniales sobre los que debe realizarse el cálculo" (SAP Barcelona, Sec. 18ª, 16 septiembre, FD 2).

*STSJC 28 septiembre 2017.* "La nueva forma de establecer si existen excedentes capitalizados por uno de los cónyuges o pareja de hecho exige que quien demande esa compensación facilite al Juzgado los datos precisos para hacer los cálculos necesarios. El derecho tiene carácter dispositivo por lo que no cabe la actuación de oficio.

Esta aportación ha de ser realizada en forma de inventario, en el cual deben relacionarse los bienes que a cada uno pertenecían al inicio del matrimonio o convivencia y los bienes existentes al cese de la convivencia, así como sus cargas y los restantes datos a los que se refiere el artículo 232-6 CCCat.

Sin embargo, la ley no exige que el inventario deba guardar una forma especial o que se presente en escrito separado, de modo que basta que se relacionen los bienes que se conozcan en el cuerpo de la demanda.

No en vano la palabra "inventari" no supone más que una relación de bienes y demás cosas pertenecientes a una persona (:Enumeració dels béns, mobles i totes altres coses pertanyents a una persona o comunitat, de les mercaderies, els crèdits, deutes, etc., d'un negociat, dels objectes que componen una col·lecció, un conjunt, etc., que hi ha en un indret según el diccionario catalán) realizada con un cierto orden y precisión.

Si esa relación se contiene en la demanda basta para entender cumplido con dicho requisito. Entenderlo de otro modo supondría confundir el inventario con su soporte material, con la consecuencia de la pérdida infundada de un derecho reconocido en la ley y vulneración del principio de tutela judicial efectiva reconocido en el art. 24 de nuestra Carta Magna.

Tampoco con la presentación de la demanda precluye el derecho a conformar los elementos patrimoniales necesarios para obtener la diferencia de incrementos patrimoniales, pues para el caso de que no se disponga -porque no se conozca-, o no pueda obtenerse esa información —porque existan inconvenientes legales para ello— la norma contempla que pueda pedirse en el propio procedimiento, antes de la vista, que sea el Juzgado el que, con sus propios medios, recabe la información.

[...]

Es por ello que, salvo la excepción que regula el apartado b) del número 1, de la DA 3ª [Si las partes no han podido tener acceso a información relevante para fundamentar sus pretensiones, antes de la vista pueden solicitar a la autoridad judicial que la obtenga utilizando los medios de que dispone], y la ampliación del plazo para preparar la propuesta de inventario del apartado a) [diez días improrrogables, para que la parte reconviniente pueda preparar la propuesta de inventario], resultan de aplicación las restantes normas sobre presentación de documentos y pruebas periciales previstas en la Lec 1/2000 y también, finalmente, las reglas sobre la carga de la prueba contempladas en el art. 217 de la Lec , en todos sus apartados, por tanto también el séptimo que tiene en cuenta la facilidad probatoria y cercanía a la fuente de la misma, pudiendo valorarse, en consecuencia, la actitud obstruccionista por parte de quien tiene mayores posibilidades de acreditar determinados extremos" (FD  2).

*STSJC 23 enero 2017.* "no resulta admisible que se deniegue cualquier compensación con el argumento de que el inventario no contiene una relación "clara" de los bienes o elementos patrimoniales del demandante por el hecho de que algunos de los bienes relacionados en la demanda reconvencional no puedan ser tomados en consideración —por haberse adquirido y vendido durante la convivencia— o porque en el informe pericial aportado en relación con una de las sociedades —C.P. SL— no conste la participación del Sr. A. cuando en un FJ anterior, la propia Sala había tenido por probada su participación en un 8,55% y bastaba una operación matemática simple.

En suma, una cosa es que no todos los bienes y derechos relacionados en la demanda puedan ser valorados a los efectos de realizar los cálculos exigidos en el art. 232-6 CCCat y otra diferente que se rechace toda compensación por esta circunstancia, cuando existen elementos suficientes que la propia Sala da por acreditados para realizar el cálculo correspondiente".

4. *Reglas de cálculo*. Las reglas legales de cálculo previstas en el artículo 232-6, "detallan ahora de forma clara y precisa que el *activo patrimonial* de cada uno de los cónyuges estará integrado por los bienes y derechos que tuviere en el momento de la extinción del régimen o del cese de la convivencia —"una vez deducidas las cargas que les afecten y las obligaciones"—, incrementado con el valor de los bienes de que hubiere dispuesto a título gratuito calculado en el momento de su transmisión —"excluidas las donaciones hechas a los hijos comunes y las liberalidades de uso"—, así como el *valor del detrimento* producido por actos efectuados con la intención de perjudicar al otro cónyuge. A dicho activo *habrá de deducirse* el valor de los bienes que cada cónyuge tenía al comenzar el régimen y que conserve en el momento en que se extingue —"una vez deducidas las cargas que los afecten"—, así como el valor de los adquiridos a título gratuito

durante la vigencia del régimen y las indemnizaciones por daños personales —" excluida la parte correspondiente al lucro cesante durante el tiempo de convivencia"—.

Respecto del *lucro cesante,* el TSJC con referencia a las SS, Sec. 1ª, 51/2014, de 17 de julio, y 24/2016, de 11 de abril, afirma que en dichas sentencias "precisamos —entre otros extremos— que *no podían computarse* para establecer el aumento patrimonial 'los bienes que los cónyuges hubieren adquirido privativamente antes del matrimonio y aquellos otros que adquirieren durante la convivencia en sustitución o merced a la inversión de aquellos, así como las plusvalías de los mismos debidas al simple transcurso del tiempo, a las oscilaciones del mercado o a cualesquiera otras circunstancias ajenas a su administración, conservación, reparación, renovación, reforma o ampliación'".

Pero, en cambio, *sí deben incluirse*:

"a) 'los bienes adquiridos mediante la inversión de rentas obtenidas durante la convivencia matrimonial, especialmente las procedentes del trabajo o de la actividad mercantil o industrial, así como el aumento y la conservación del valor experimentados por los bienes privativos de los cónyuges en razón a su actuación directa (administración, conservación, reparación, renovación, reforma o ampliación) o a las inversiones realizadas con las antedichas rentas',

y b) 'aquellas rentas generadas por uno de los cónyuges constante el matrimonio y dedicadas a la amortización de los préstamos concertados para financiar la adquisición, reparación, conservación o mejora de sus bienes privativos, estuvieren dedicados o no al uso familiar'".

Por otra parte, de acuerdo con el artículo 232-6.2. "Las atribuciones patrimoniales que el cónyuge deudor haya hecho al cónyuge acreedor durante la vigencia del régimen se imputan a la compensación por el valor que tienen en el momento de la extinción del régimen".

5. *Porcentaje a aplicar y límite ordinario.* Sobre la diferencia que resultare entre los activos patrimoniales así calculados "se aplicará un porcentaje para cuya fijación se tendrá en cuenta "la duración e intensidad de la dedicación, teniendo en cuenta los años de convivencia y, concretamente, en caso de trabajo doméstico, al hecho que haya incluido la crianza de hijos o la atención personal a otros miembros de la familia que convivan con los cónyuges" (art. 232-5.3 CCC),

estableciéndose como *límite ordinario la cuarta parte*, que *podrá superarse* si se justifica que la contribución del cónyuge acreedor ha sido "notablemente superior" (art. 232-5.4 CCC).

La fijación de este límite ordinario pretende poner fin a la discrecionalidad judicial y fijar un tope, todo ello, sin perjuicio de excepciones especialmente cualificadas. En estos casos, cabe entender que el límite deberá situarse en la mitad de la diferencia de incrementos patrimoniales[199]. Por otro lado, el tiempo que el matrimonio estuvo en régimen de sociedad de gananciales, antes de los capítulos matrimoniales en que se pactó el régimen de separación de bienes, no es computable (SAP Barcelona, Sec. 12ª, 16 marzo 2012).

## 4.3. Forma de pago de la compensación

La compensación debe pagarse en dinero y al contado, salvo que las partes acuerden otra cosa[200]. Sin embargo, por causa justificada y a petición de cualquiera de las partes o de los herederos del cónyuge deudor, la autoridad judicial puede ordenar su pago total o parcial con bienes. A petición del cónyuge deudor o de sus herederos, la *autoridad judicial puede aplazar el pago* de la compensación u ordenar que se haga a plazos, con un vencimiento máximo de tres años y el devengo del interés legal a contar del reconocimiento. La autoridad judicial puede, en este caso, ordenar la constitución, si procede, de una hipoteca, de acuerdo con lo establecido por el artículo 569-36, o de otras garantías en favor del cónyuge acreedor (art. 232-8).

---

[199]   Bosch Capdevila *et al.* (2013: 253).

[200]   En relación con un acuerdo de separación matrimonial, habiéndose formulado un convenio regulador en escritura pública ante notario, en aplicación de lo establecido en los artículos 82 y 90 CC y artículo 232-2 CCC, y en el cual, en aplicación de lo previsto en el artículo 232-6 CCC, se fijó una compensación económica a satisfacer mediante la entrega de un inmueble y dinero, a los efectos del artículo 33.3 d) Ley 35/2006, de 28 de noviembre, del Impuesto sobre la Renta de las Personas Físicas (ganancias o pérdidas patrimoniales), la DGT (Consulta vinculante V-1913-17, de 18 julio 2017) señala que "la compensación establecida en aplicación del artículo 232-5 del Código Civil de Cataluña a que se refiere la consulta, no constituye renta para su perceptora ni reduce la base imponible del cónyuge obligado a satisfacerla, sin que proceda actualizar los valores de los bienes o derechos adjudicados".

*Actos en perjuicio del derecho a la compensación.* Si no existen bienes suficientes en el patrimonio del cónyuge deudor para satisfacer la compensación por razón de trabajo, el acreedor puede solicitar la *reducción o supresión de las donaciones y atribuciones particulares* en pacto sucesorio hechas por aquel durante la vigencia del régimen, comenzando por la más reciente, siguiendo por la siguiente más reciente y así sucesivamente, por orden inverso de fecha. La reducción debe hacerse a prorrata si la fecha es la misma o es indeterminada. El acreedor también puede impugnar los *actos a título oneroso* realizados por el deudor *en fraude* de su derecho. Las acciones a que se refiere este supuesto caducan a los cuatro años de la extinción del régimen y no son procedentes cuando los bienes estén en poder de terceras personas adquirientes a título oneroso y de buena fe (art. 232-9).

### 4.4. Otras cuestiones

1. *Compatibilidad.* "El derecho de compensación es *compatible* con los demás derechos de carácter económico que corresponden al cónyuge acreedor y deben tenerse en cuenta para fijar estos derechos y, si procede, para *modificarlos.*" (art. 232-10) (é.a.). En este punto, el artículo 232-5.5 prevé expresamente que en caso de *extinción del régimen de separación de bienes por muerte,* "el cónyuge superviviente puede reclamar la compensación económica por razón de trabajo como derecho personalísimo, siempre y cuando los derechos que el causante le haya atribuido, en la sucesión voluntaria o en previsión de su muerte, o los que le correspondan en la sucesión intestada, no cubran el importe que le correspondería". Cuando estos derechos cubran dicho importe no es posible la acumulación.

> Otro tanto es aplicable respecto de las *uniones estables,* al disponer el artículo 234-14 que en caso de extinción de la pareja estable por muerte de uno de los convivientes, el superviviente tiene, además de la compensación por razón de trabajo que eventualmente le corresponda de acuerdo con el artículo 232-5.5, los derechos viduales familiares reconocidos por los artículos 231-30 y 231-31.

Para que la acumulación de derechos sea posible es preciso que el valor de todo lo recibido por el cónyuge supérstite en concepto de derechos sucesorios sea menor a lo que le correspondería en concepto de compensación, por lo que en este caso tendrá derecho a reclamar la diferencia. En este supuesto es preciso coordinar la liquidación del régimen económico matrimonial con los derechos sucesorios que corresponden al cónyuge supérstite. Por otra parte, a la hora de fijar la prestación compensatoria, el artículo 233-15.*a* prevé que la autoridad judicial debe valorar especialmente, entre otras cuestiones, "la posición económica de los cónyuges, teniendo en cuenta, en su caso, la compensación económica por razón de trabajo o las previsibles atribuciones derivadas de la liquidación del régimen económico matrimonial".

2. *Modificación del régimen legal y pactos sobre la compensación.* El artículo 232-7 (*Pactos sobre la compensación*), dispone que en previsión de una ruptura matrimonial o de disolución del matrimonio por muerte, "puede pactarse el *incremento, reducción* o *exclusión* de la compensación económica por razón de trabajo de acuerdo con lo establecido por el artículo 231-20" (regulación de los pactos en previsión de una ruptura matrimonial) (é.a.).

Por remisión al citado artículo 231-20, la posibilidad de cambio de régimen por medio de una escritura pública que no sea de capítulos matrimoniales parece constituir una excepción a la norma general que exige que la escritura sea de capítulos matrimoniales (art. 231-19), pero más bien cabe entender que dicha remisión es a efectos de fondo; de ello se sigue que estos pactos han de reunir los requisitos previstos en la norma citada: tener carácter recíproco; precisar con claridad los derechos que limitan o a los que se renuncia; derecho de información suficiente y sobre los aspectos económico-patrimoniales que incidan en el pacto; ineficacia ulterior de pactos que en el momento de su ejecución sean perjudiciales por haber sobrevenido circunstancias relevantes que no se previeron ni podían razonablemente preverse en el momento en que se otorgaron; y especial información notarial. En todo caso, el pacto debe constar en instrumento público y también puede preverse en el convenio regulador (arg. art. 233-2.5.*c*).

El pacto puede referirse al incremento, reducción o exclusión de la compensación por razón de trabajo. Aunque a este respecto, en relación con la regulación precedente, existía discrepancia doctrinal, la admisión de esta clase de pactos está expresamente reconocida en la STSJC, Sec. 1ª, 12 julio 2012, cuando pone de relieve que "en el punto de decidir si tales pactos eran posibles en la legislación precedente al

*Llibre Segon* del CCCat y si los mismos podían abarcar la exclusión o reducción de la compensación prevista en el art. 41 CF [hoy, 232-5], hemos de concluir afirmativamente, teniendo en cuenta que constituyen una concreción del principio de libertad de contratación entre los cónyuges (art. 11 CF [hoy, art. 231-11]) y que […], no existe ninguna prohibición legal expresa o implícita que impida su renuncia anticipada (art. 111-6 CCCat" (FD 3). Asimismo, el derecho es renunciable una vez que se ha producido el hecho que faculta para su reclamación (SSTSJC 19 julio 2004 y 12 julio 2012)[201].

La renuncia en convenio extrajudicial de separación ha de ser expresa e inequívoca (STSJC 19 julio 2009), pero también puede ser tácita, lo que en principio, se presenta, cuando la petición de la compensación no se incluye en la demanda o, en el su caso, en la reconvención (STSJC 3 junio 2011). La ausencia de ratificación judicial no es impedimento para la misma si se dan los requisitos exigidos (SAP Barcelona, Sec. 12ª, 16 julio 2005).

*3. Reclamación del derecho.* El derecho a la compensación se reconoce a favor de todos los matrimonios con independencia de su fecha de celebración, lo que significa que la norma es igualmente aplicable a los matrimonios celebrados con anterioridad a la promulgación de esta regulación (DT 2.1 L. 25/2010).

*4. Ejercicio del derecho a la compensación (art. 232-11).* En caso de nulidad del matrimonio, separación o divorcio, la compensación económica por razón de trabajo debe reclamarse en el proceso que causa la extinción del régimen, y en el caso de resoluciones o decisiones eclesiásticas, en el proceso dirigido a obtener su eficacia civil. Como cuestión previa, la sentencia matrimonial puede pronunciarse sobre el régimen vigente si las partes hacen cuestión de él. En caso de extinción del régimen de separación por muerte, la pretensión para reclamar la compensación económica por razón de trabajo prescribe a los tres años del fallecimiento del cónyuge. Sin embargo, si el cónyuge superviviente interpone una demanda relativa a un proceso matrimonial o no se establece en el primer convenio regulador pierde el derecho (art. 233-14.2).

En el supuesto de *uniones estables de pareja*, el derecho a la compensación económica por razón de trabajo prescribe en el plazo de un año a

---

[201]   Roca Trias (2014: 196-198).

contar de la extinción de la pareja estable y deben reclamarse, si procede, en el mismo procedimiento en que se determinan los demás efectos de la extinción de la pareja estable (art. 234-13).

Por último, según se ha anticipado parcialmente, como especialidad procesal, la DA 3.1 L. 25/2010, dispone que para determinar, en el procedimiento matrimonial, la compensación por razón de trabajo, así como la titularidad de los bienes, si es preciso para establecer la procedencia y cuantía de la compensación, deben aplicarse las siguientes reglas:

*a)* La demanda o, en su caso, la reconvención debe acompañarse con una propuesta de inventario que incluya los bienes propios y los del otro cónyuge, con la indicación de su valor, y el importe de las obligaciones, así como con la documentación de relevancia patrimonial de que se disponga. A petición de la parte reconviniente, la autoridad judicial puede ampliar motivadamente el plazo de contestación a la demanda en diez días improrrogables, para que la parte reconviniente pueda preparar la propuesta de inventario.

*b)* Si las partes no han podido tener acceso a información relevante para fundamentar sus pretensiones, antes de la vista pueden solicitar a la autoridad judicial que la obtenga utilizando los medios de que dispone.

## 5. USUFRUCTO UNIVERSAL CAPITULAR

### 5.1. Introducción

Al amparo de la libertad de pacto es admisible la posibilidad de convenir en *capítulos matrimoniales* un *usufructo universal recíproco* en favor del cónyuge sobreviviente. El Código de Familia (Ley 9/1998, de 15 de julio), regulaba esta clase de usufructo en los artículos 24 al 30. Sin embargo, como pone de relieve el propio legislador (Ley 25/2010, de 29 de julio, preámbulo, III), sin perjuicio de la vigencia de los pactos convenidos al amparo de la normativa derogada, en el derecho vigente esta regulación ha sido suprimida porque, ante la nueva configuración que "el libro cuarto del Código civil de Cataluña da a los pactos sucesorios, se ha optado por no incluir, entre otras normas, las que regulaban el usufructo universal capitular, ya que respondían a un modelo de sucesión contractual propio de una economía rural que no tiene nada que ver con la sociedad catalana de hoy. Está claro, sin embargo, que si las partes quieren pactarlo pueden hacerlo".

Aunque formalmente este derecho se configura en términos de usufructo, en palabras de Puig i Ferriol (2014: 272), en el fondo, el derecho "atribuye al cónyuge sobreviviente el carácter de regente del patrimonio familiar y le inviste de un conjunto de derechos y facultades que ha de ejercitar en beneficio de la comunidad familiar".

En el derecho anterior, en relación con la viuda, esta peculiar posición conyugal, solía expresarse por medio de la fórmula de atribuirle la condición de "*senyora, majora, poderosa i usufructuària*" que tenía por designio fundamental una posición jurídica de contenido más amplio que el simple usufructo, ya que le correspondía la conservación de la unidad del patrimonio familiar, al ser la viuda, quien regía, administraba y gobernaba el patrimonio de los hijos. Como disponía el artículo 69.1 del Código de Sucesiones (CS), el contenido de este usufructo universal capitular, "autorizará al usufructuario para regir y gobernar la casa y todos sus bienes"[202]. La *extinción* del usufructo se producía por las causas generales y por incumplimiento de los deberes prevenidos en el artículo 69 CS. Asimismo, a petición de las personas interesadas, el artículo 29 CF preveía su extinción anticipada en los supuestos de indignidad sucesoria para suceder al premuerto y de abandono de los hijos comunes bajo potestad o por desatender gravemente su cuidado.

## 5.2. Fórmulas usufructuarias posibles

Las fórmulas usufructuarias posibles a estas situaciones, son las siguientes (Garrido Melero, 2016: 169 y ss.):

a) *Institución en usufructo: usufructo universal capitular y legado de usufructo universal*

Aparte de la fiducia sucesoria no secreta, el llamamiento al cónyuge viudo puede ordenarse por medio de dos instituciones: el usufructo capitular y el usufructo testamentario:

1. *Usufructo capitular*. En síntesis, la regulación de este usufructo universal estaba regulada en el Código de Familia y son de aplicación

---

[202]   Garrido Melero (2016: 169-189).

las previsiones siguientes: debe reservarse o atribuirse en capítulos matrimoniales (art. 24 CF); puede otorgarse por quienes pueden contraer válidamente matrimonio, pero si procede, necesitan los correspondientes complementos de capacidad, y la atribución debe formalizarse en escritura pública (arts. 17.1 CF y 231-22.1 CCC). Respecto de su contenido ha de estarse a lo convenido por los otorgantes y, en su defecto, se aplicaban las reglas de los artículos 24 a 30 CF y 69 del Código de Sucesiones.

El usufructo universal capitular es inalienable, sin perjuicio de que, con el consentimiento de los nudos propietarios, pudieran enajenarse bienes determinados en los términos y las condiciones establecidos en el artículo 69 del Código de Sucesiones (art. 30). Como se ha expuesto, el legislador actual no regula este clase de usufructo y favorece la aplicación de otras instituciones, pero, deja claro que "si las partes quieren pactarlo pueden hacerlo" (preámb. cit.).

2. *Usufructo testamentario.* Dentro del capítulo dedicado a las clases de legados, el *Codi* regula el *legado de usufructo universal* (art. 427-34). Según la norma citada, el legado de usufructo universal, salvo que la voluntad del causante sea otra, se extiende a todos los bienes relictos, salvo los que hayan sido objeto de donación por causa de muerte, sin perjuicio de lo que el libro cuarto establece sobre las legítimas.

El causante puede relevar al usufructuario de la obligación de tomar inventario y de prestar caución y puede concederle facultades dispositivas sobre los bienes usufructuados, a las que deben aplicarse las normas que regulan el fideicomiso de residuo. Si el usufructo se lega a varias personas, el correspondiente a cada legatario que vaya faltando por muerte o por otra causa incrementa los de los demás, incluso el de quien ha renunciado al mismo o lo ha cedido anteriormente, salvo en el caso en que el causante haya indicado partes. El legado tiene la condición de legado de eficacia real, salvo que haya sido ordenado con eficacia obligacional.

### b) Usufructo con facultad de disposición en general

Se trata de supuestos en que el llamamiento usufructuario va acompañado de facultades dispositivas sobre los bienes, que puede atribuirse de forma genérica sólo para el caso de necesidad (art. 561-23), o bien precisar el consentimiento de determinadas personas (561-

22) o ser precisa la prestación de determinadas garantías. En el derecho catalán, la normativa que regula este supuesto se inspira en las
construcciones jurídicas elaboradas en otros ámbitos, especialmente,
en materia de fideicomisos de sustitución y se halla en los artículos
561-21 a 561-24.

Con carácter general, estos usufructuarios pueden disponer de los
bienes usufructuados si así lo establece el título de constitución. El
otorgamiento de la simple facultad de disposición incluye las disposiciones a título oneroso. La facultad de enajenar a título de venta
comprende la de hacerlo por cualquier otro título oneroso y el otorgamiento de la facultad de disposición a título gratuito debe expresarse
con claridad (art. 561-21).

*Disposición de los bienes usufructuados en caso de necesidad.* En
relación con el objeto de este estudio, en el supuesto de autorización
al usufructuario para la disposición de los bienes usufructuados solo
en caso de necesidad, el artículo 561-23, dispone lo siguiente: "1. Los
usufructuarios, si se ha establecido que solo pueden disponer de los
bienes usufructuados en caso de necesidad, pueden hacerlo siempre
que se trate de necesidades personales o familiares o, si procede, del
otro miembro de la pareja estable, salvo que el título de constitución
establezca otra cosa. 2. Los usufructuarios no pueden ejercer la facultad de disposición si antes no han dispuesto de los bienes propios no
necesarios para alimentos o para el ejercicio de su profesión u oficio.
3. Los usufructuarios deben notificar el acto de disposición a los nudos propietarios en el plazo de un mes a contar del otorgamiento. 4.
No es preciso el consentimiento de los nudos propietarios para ejercer
la facultad de disposición, pero los usufructuarios responden de los
perjuicios causados si no había necesidad o no actuaron de acuerdo
con lo establecido por el apartado 1".

Por otra parte, una vez ejercitada la facultad de disposición a título
oneroso, la contraprestación es de libre disposición de los usufructuarios y en el supuesto de facultad de disposición por caso de necesidad,
"la parte de la contraprestación que no ha tenido que aplicarse a
satisfacerla se subroga en el usufructo" (art. 561-24).

# 6. REFERENCIA A LA TENUTA

Como se ha expuesto en el capítulo precedente, las antiguas instituciones de la dote, los esponsalicios y otras figuras similares, antes reguladas en la Compilación de Derecho Civil de 1960 y actualmente, en desuso, han quedado huérfanas de regulación en las leyes posteriores (Código de Familia de 1998 y Libro Segundo CCC, Ley 25/2010)[203].

En relación con la tenuta, baste con decir que, entre otras previsiones, el artículo 38 CDCC (*De la tenuta*) señala que la "La viuda, mientras no se le restituya la dote y pague el esponsalicio o "escreix´´, poseerá y usufructuará todos los bienes del marido, soportando sus cargas con obligación de alimentar a los hijos menores, a los imposibilitados para el trabajo y a los que aun siendo mayores, mantenía aquél en la casa".

De acuerdo con Faus y Condomines (1960: 77-78), la tenuta consiste en otra garantía de restitución de la dote y pago del esponsalicio, que "confiere a la viuda, inmediatamente después de la disolución del matrimonio, un derecho de posesión y usufructo de los bienes del marido que juega automáticamente o por ministerio de la ley y dura mientras no se verifique la restitución y pago". En caso de tenuta la posesión "se adquirirá automáticamente por ministerio de la Ley; pero cesará de derecho en cuanto los herederos del marido pongan íntegramente la dote a disposición de la mujer y le paguen el esponsalicio o "escreix´´" (art. 39.I CDCC). Este derecho se otorga a la viuda en todo caso, sin distinguir entre la divorciada con o sin culpa del marido u otras circunstancias del matrimonio. La tenuta es renunciable y es compatible con el año de viudedad, pues éste tiende a asegurar un derecho de alimentos y la tenuta opera en función de garantía, sin que sean causa de pérdida de la misma, las segundas nupcias o su conducta irregular[204].

---

[203]    V., Faus y Condomines (1960: 68-85); Castán Tobeñas (1961: 574-591); Badosa i Coll (2000: 1099-1103); Garrido Melero (2013, I: 385-399); Lamarca i Marqués (2014: 1108-1109).

[204]    V. Faus y Condomines (1960: 76-78); Rivas Martínez (2009: 1679-1682); Roca-Sastre Muncunill (1997, II: 377-380).

## 7. DERECHOS SUCESORIOS DEL CÓNYUGE VIUDO

Señala Garrido Melero (2009, I: 113 y ss.) que, a diferencia del sistema de protección patrimonial del cónyuge viudo imperante en el derecho civil común (sistema de gananciales y derechos legitimarios del cónyuge viudo, *ex* arts. 834 y ss. CC), tradicionalmente, la protección del cónyuge viudo en el derecho catalán se ha ordenado en torno a instituciones que, fundamentalmente, con preferencia al derecho de sucesiones, se incardinaban en el derecho de familia, y la protección se hacía desde el pacto más que desde la imposición legal. En este sentido, según se ha expuesto, se preveían usufructos universales capitulares (*"senyora, majora, poderosa i usufructuària"*) que permitían, una situación de poder y regencia al cónyuge viudo, y en régimen de separación de bienes, se preveían determinados contrapesos para evitar situaciones consideradas injustas (singularmente, sistemas dotales) y en relación con la viuda, existía el denominado "año de viudedad".

La paulatina disminución de los pactos capitulares y el cambio social, han motivado que el legislador moderno haya actualizado, perfilado e introducido, determinadas atribuciones legales, tanto en el ámbito del derecho de familia (predetracciones viduales, año de viudedad, compensación económica por razón del trabajo, y pacto de sobrevivencia, antes examinadas), como del de sucesiones, todo ello, con el fin de mejorar la situación patrimonial del cónyuge viudo.

En el vigente derecho de sucesiones, según se examina en los apartados que siguen, el libro cuarto del *Codi* prevé los siguientes derechos sucesorios viduales: *a)* la denominada "cuarta vidual"; y *b)* en la sucesión intestada, y según cuál sea el supuesto de hecho, el reconocimiento del usufructo vidual, o el derecho a suceder, con carácter de heredero y con preferencia a los ascendientes, al cónyuge fallecido sin descendencia.

## 8. RÉGIMEN JURÍDICO DE LA CUARTA VIDUAL

### 8.1. Introducción

El cónyuge viudo (o, en su caso, el conviviente en unión estable de pareja legal) que, con los bienes propios, los que puedan corresponderle por razón de liquidación del régimen económico matrimonial y los que el causante le atribuya por causa de muerte o en consideración a esta, *no tenga recursos económicos suficientes* para satisfacer sus necesidades tiene derecho a obtener en la sucesión del cónyuge o conviviente premuerto la cantidad que sea precisa para atenderlas, hasta *un máximo de la cuarta parte* del activo hereditario líquido, calculado de acuerdo con lo establecido por el artículo 452-3. Para determinar las necesidades del cónyuge o del conviviente acreedor, debe tenerse en cuenta el *nivel de vida de que disfrutaba durante la convivencia y el patrimonio relicto*, así como su *edad, el estado de salud, los salarios o rentas* que esté percibiendo, las perspectivas económicas previsibles y cualquier otra circunstancia relevante (art. 452-1).

En el derecho vigente, la cuarta vidual se diferencia de su planteamiento tradicional y ha experimentado cambios importantes[205]:

En primer lugar, la regulación antigua pretendía favorecer la viuda pobre, con fines de su "congrua sustentación", concepto vinculado "a una concepción social en declive de la viudedad" (preámb. L. 10/2008, de 10 julio, libro cuarto CCC, ep. VI); actualmente, se trata de subvenir a las necesidades del supérstite acordes con su status o nivel de vida mantenido durante la convivencia.

En segundo lugar, el derecho se atribuye no sólo al cónyuge viudo, sino también al sobreviviente de una pareja estable y en ambos casos, sin discriminación por razón de sexo (antes se regulaba la "cuarta marital a favor de la viuda"); no obstante, probablemente como tributo al origen histórico de la figura, el legislador mantiene la expresión "cuarta vidual", que no se acomoda exactamente al supuesto cuando se trata del ejercicio de este derecho por parte del conviviente supérstite de una unión estable de pareja.

En tercer lugar, aunque la cuarta vidual, "sigue sin ser un derecho legitimario" (*ibdm.*; SSTSJC 4 diciembre 1989 y 26 enero 1995)[206],

---

[205]   Pella y Forgas (1943, III: 294-300); Faus y Condomines (1960: 190-198); Marín Sánchez (1994: 1272-1288); Roca-Sastre Muncunill (1997, II: 392-413); preámbulo Ley 10/2008, de 10 julio, ep. VI; STCC 8 marzo 1937, pte. R. M. Roca i Sastre; Garrido Melero (2009, I: 113-131; II, 830-833; 999-1000); Puig i Ferriol *et al.* (2010: 706 y ss.); Jou Mirabent (2011: 1174-1191); Gómez Taboada (2012: 423-426); Miralles Bellmunt (2016: 305-363).

[206]   Señala Gómez Taboada (2012: 423) que, por un lado, la cuarta vidual "se configura casi como un derecho legitimario", lo que justifica por su ubicación sistemática en el título V del libro cuarto, y por la abundancia de normas de remisión,

la nueva regulación ha reformado las reglas de cálculo individual de la cuota vidual y se parte de *"criterios como, por ejemplo, el nivel de vida, edad, estado de salud, salarios y rentas percibidas o perspectivas económicas previsibles*, que son análogos a los que sirven para fijar la pensión compensatoria en una crisis matrimonial. La remisión al marco normativo de la pensión compensatoria pretende *asegurar, precisamente, que en caso de viudedad el cónyuge no quede paradójicamente en una condición peor de la que podría haber disfrutado si el matrimonio se hubiese disuelto por divorcio"* (preámb.)(é.a.).

En cuarto y último lugar, "se introducen para el cálculo de la cuarta reglas análogas a las de la legítima, y también *se permite reducir o suprimir legados y donaciones aplicándole las reglas sobre inoficiosidad legitimaria*. En consonancia con el carácter finalístico de esta atribución patrimonial, se establece que esta *se extingue si el viudo o el conviviente muere sin haberla reclamado"* (preámb.) (é.a.).

## 8.2. *Caracteres de la cuarta vidual*[207]

1. Se trata de una atribución determinada por la ley, que es de *carácter sucesorio*, regulada por el derecho de sucesiones (preámbulo L. 10/2008, de 10 julio, ep I; arts. 452-1 a 452-6; SSTSJC 4 diciembre 1989 y 26 enero 1995). La sucesión debe regirse por el Derecho civil catalán[208].

2. Consiste en un *derecho de crédito* de carácter *personalísimo*. En su caso, la demanda de reclamación de la cuarta vidual puede ser objeto de anotación preventiva en el Registro de la Propiedad (arts. 452-4.4 CCC y 42.10º LH). Para poder ejercitar el derecho, el reclamante ha de haber sobrevivido al causante (art. 412-1) y no hallarse incurso en ninguna causa de indignidad para suceder (arts. 412-3 y 412-6).

---

pero, por otro lado, también le separan de la legítima: su supeditación al estado de necesidad del viudo que la aproxima a un derecho alimenticio; y su aplicación, si concurren los requisitos correspondientes, a la sucesión testada, contractual o intestada y aunque la legítima también puede aparecer en contados casos en la sucesión intestada, no es su campo natural de actuación.

[207] Puig i Ferriol *et al.* (2010: 707 y ss.); Rivas Martínez (2009: 1684 y ss.).
[208] Jou Mirabent (2011: 1175).

3. *No tiene carácter de derecho legitimario.* Según se ha expuesto, no tiene carácter legitimario porque, por un lado, la exigencia del derecho depende de la concurrencia de determinados presupuestos legales; y por otro lado, si se así se calificara, ello sería contradictorio con la exigencia del mantenimiento de ciertas situaciones para poder conservar el derecho (art. 452-6.b) (SSTSJC 4 diciembre 1989 y 26 enero 1995). Por tratarse de un derecho de crédito el titular del derecho *no sucede* al causante en sus obligaciones y relaciones jurídico-reales. El derecho tiene un *tope máximo* o límite fijado en la cuarta parte de la masa a computar; en consecuencia, el montante del derecho podrá ser menor a la cuarta parte de la base de cómputo; pero aunque se entienda que las necesidades económicas son mayores, no podrá superarse dicho porcentaje límite.

4. Es un derecho que es *independiente de la clase de sucesión.* Se trata de una atribución legal que puede darse en toda clase de sucesión, pero será difícil oponerlo en caso de sucesión intestada, al atribuirse al cónyuge viudo porque si concurre con descendientes, tiene derecho al usufructo universal de la herencia o a la facultad de conmutación que implica el derecho a una cuarta parte alícuota de la herencia y, además, el usufructo de la vivienda conyugal o familiar (art. 442-5), o puede ser heredero, en ausencia de descendientes o con estos pero sin derecho a suceder por causa de indignidad. No obstante, incluso en el supuesto de sucesión intestada, el derecho podrá reclamarse cuando el causante haya dispuesto de la práctica totalidad del caudal hereditario mediante legados o donaciones *mortis causa* o atribuciones por causa de muerte, en que gozará del derecho de solicitar la reducción o incluso, la supresión de dichas atribuciones en cuanto afecten a la cuarta vidual (art. 452-5.1).

## 8.3. *Presupuestos para la exigencia del derecho*[209]

*a) Presupuesto subjetivo*: la *convivencia* en el momento del fallecimiento del otro conviviente (art. 452-2). La relación de convivencia puede proceder de un vínculo matrimonial o de una unión estable (art. 452-1.1). El conviviente debe gozar de *capacidad sucesoria* que

---

[209]  Puig i Ferriol *et al.* (2010: 709-711); Jou Mirabent (2011: 1176-1177).

se concreta en lo siguiente: la supervivencia del conviviente respecto del causante (art. 412-1); y no hallarse este incurso en alguna causa de indignidad para suceder (arts. 412-3 y 412-6).

*Exclusión del derecho a la cuarta viudal.* El cónyuge viudo o el conviviente en pareja estable superviviente no tiene derecho a reclamar la cuarta viudal si, *en el momento de la apertura de la sucesión*, está *separado* de este legalmente o de hecho o si estaba *pendiente una demanda* de nulidad del matrimonio, de divorcio o de separación, salvo que los cónyuges se hubieran reconciliado (art. 452-2). También quedará excluido en el caso de divorcio (ex cónyuge) o declaración de nulidad matrimonial (pseudo-cónyuge). En el caso de uniones estables, la separación de hecho supondrá la exclusión del derecho[210].

*b) Presupuesto objetivo*: la *falta de recursos económicos* para satisfacer sus necesidades económicas ("El cónyuge viudo o el conviviente en pareja estable que, con los bienes propios, los que puedan corresponderle por razón de liquidación del régimen económico matrimonial y los que el causante le atribuya por causa de muerte o en consideración a esta, no tenga recursos económicos suficientes para satisfacer sus necesidades…", art. 452-1). En este sentido, la STS de 14 octubre 1971, a la luz del resultado probatorio practicado llegó a la conclusión "de que la suficiencia de medios económicos de la recurrente, conjugada con dichos módulos [art. 147 CDCC] se opone a la tutela del pretendido derecho a reclamar la cuarta marital"[211].

*c) Necesidades a cubrir.* La determinación de las *necesidades que deben cubrirse* y de cuáles son los *recursos propios*, son cuestiones de hecho (STSJC 26 enero 1995). La norma legal prevé un sistema abierto ya que dispone que a tal fin deben tomare en consideración las siguientes variables: el nivel de vida de que disfrutaba durante la convivencia y el patrimonio relicto; su edad; el estado de salud; los salarios o rentas que esté percibiendo; las perspectivas económicas previsibles y cualquier otra circunstancia relevante (art. 452-1.2).

Estas previsiones presentan cierto paralelismo con lo previsto en relación con la *prestación compensatoria* (art. 233-15; preámb. cit.), pero las diferencias entre ambos conceptos son notables: *a)* la pensión

---

210   Puig i Ferriol *et al.* (2010: 708-709).
211   Citada por Rivas Martínez (2009, II: 1690).

tiene por finalidad compensar el desequilibrio económico por causa de ruptura o crisis de la convivencia; en cambio, la cuarta vidual requiere la existencia de convivencia; *b)* la cuarta vidual tiene un límite porcentual, y la prestación compensatoria no lo prevé; *c)* por último, el *quantum* de la cuarta vidual es inmodificable, pero la prestación compensatoria puede serlo si mejora la situación económica de quien la percibe o empeora la de quien la paga (art. 233-18).

*d) Cálculo de los recursos propios.* La cuantificación de los recursos propios con los que cuenta el cónyuge (o conviviente) supérstite, debe considerar las partidas siguientes:

1) El patrimonio propio o bienes y derechos privativos de que disponga el supérstite antes de la apertura de la sucesión por cualquier título. Estos bienes o rentas pueden proceder del trabajo, o proceder de rendimientos del capital mobiliario o inmobiliario, empresariales o profesionales. Si los activos no son productivos, se computan por su valor en venta. También deben computarse los actos fraudulentos hechos previamente que tengan por finalidad reducir sus recursos económicos (por ej., bienes enajenados o dados a título gratuito, *ex.* art. 452-3), pero no cuentan, en ningún caso, las expectativas sucesorias.

2) Lo que se le atribuya en la sucesión, testada, pactada o intestada, del causante (institución de heredero, legados, donaciones *mortis causa...*) o en consideración a esta.

3) Lo que le corresponda en la liquidación del REM (en el régimen de comunidad o de participación en las ganancias) y en el régimen de separación de bienes, la compensación prevista en el artículo 232-5.5, y asimismo, los beneficios de viudedad y "su parte" en las compras con pacto de supervivencia.

4) Las indemnizaciones que perciba por razón de seguros de vida y productos financieros asimilados. Por último,

5) Sus salarios y pensiones (STSJC 4 diciembre 1989).

*e) Cómputo de la cuarta viudal.* Para calcular la cuarta viudal, se parte del valor de los bienes del *activo hereditario líquido* en el momento de la muerte del causante y se *descuenta* solo el valor de los bienes de la herencia atribuidos al cónyuge viudo o al conviviente en pareja estable superviviente. A la cantidad resultante debe añadirse el valor de los bienes dados o enajenados por el causante por otro título gratuito, aplicándole las reglas del artículo 451-5.b, c y d (normas sobre el cómputo de la legítima), pero *sin incluir las donaciones* hechas al cónyuge viudo o al conviviente superviviente (art. 452-3).

Para calcular el activo hereditario *líquido*, del valor de los bienes y derechos del causante, deben deducirse los gastos de última enfermedad, de entierro o incineración y de los demás servicios funerarios y las deudas hereditarias. Por otra parte, no cuentan en la base de cálculo: los bienes que por disposición de la Ley o del causante pasan al supérstite (usufructo intestado o la cuarta parte equivalente, legados atribuidos por el causante a favor del supérstite, incluso, si procede, el usufructo universal); tampoco se incluyen en la base, las donaciones efectuadas a favor del supérstite, concepto que, en congruencia con la razón de la deducción, ha de abarcar cualquier atribución gratuita. La valoración del *donatum* debe hacerse en el momento de la muerte y deben descontarse los gastos útiles efectuados por el donatario y los extraordinarios o de conservación o reparación, que se deban a culpa del titular de los bienes y añadirse, la deterioración de valor que le sea imputable[212].

De las citadas reglas de cálculo se desprende que la base es menor que la que correspondería en relación con el cálculo de la legítima. Una vez obtenida la cuarta parte de la base de cómputo, el tope es la cuarta parte, pero su importe concreto, con tal que se cumpla la finalidad objetiva del precepto, puede ser inferior a aquella. En suma, existe un doble tope cuantitativo: lo necesario para satisfacer las necesidades del supérstite; y, hasta un máximo de la cuarta parte del activo hereditario líquido calculado según lo previsto en el artículo 452-3[213].

*f) Reclamación y pago de la cuarta viudal.* La cuarta viudal confiere *acción personal* contra los herederos del causante (sujetos pasivos) al cónyuge viudo o al conviviente en pareja estable superviviente en el que concurran los requisitos establecidos por el artículo 452-1. Según la STSJC 4 febrero 1999, la transacción convenida entre el heredero y el cónyuge supérstite, "a fin de evitar cuestionar si tiene o no derecho a la cuarta" y en que renuncia a la cuarta viudal a cambio de una pensión y otras atribuciones es válida, aunque el supérstite no estuvie-

---

[212]   Puig i Ferriol *et al.* (2010: 711-712)
[213]   Jou Mirabent (2011: 1177 y ss.).

ra en situación económica que permitiera claramente reclamar dicho derecho. Si aceptan pura y simplemente, los herederos responden con todo su patrimonio (art. 1911 CC) y si son aceptantes a beneficio de inventario, responden solo con los bienes de la herencia.

El heredero o las personas facultadas para efectuar el pago pueden optar por hacerlo en dinero o en bienes de la herencia (relación obligatoria facultativa) de acuerdo con las normas sobre el pago de la legítima. Si se opta por el pago en bienes de la herencia, han de ser bienes de plena, libre y exclusiva propiedad, lo que antecede salvo en los casos en que: no los haya en la herencia; el destinatario de la atribución sea cotitular del bien con el causante; o sea titular de un derecho susceptible de consolidación el dominio con el bien atribuido. Si los bienes no cumplen estos requisitos debe reconocerse al beneficiario del derecho el derecho de aceptar la atribución o rechazarla y solicitar lo que le corresponda. Iniciado el pago de una forma (bienes o metálico), el acreedor puede exigir que el resto se le sea satisfecho en la misma forma[214].

El importe de este derecho es fiscalmente deducible de la base imponible sometida a tributación por el impuesto sucesorio. A diferencia de la legítima, la cuarta viudal solo devenga interés desde que es reclamada judicialmente. El cónyuge viudo (o el conviviente en pareja estable superviviente) puede solicitar que la demanda o acción judicial de reclamación de la cuarta viudal se anote preventivamente en el Registro de la Propiedad (art. 452-4). Esta anotación podrá hacerse sobre los bienes de la herencia y los bienes propios de los herederos, excepto si estos han aceptado a beneficio de inventario.

*g) Reducción o supresión de legados y donaciones.* Si el valor del activo hereditario líquido no permite al heredero efectuar el pago de la cuarta viudal con bienes de la herencia o, si procede, para retenerla sin detrimento, el cónyuge viudo o el conviviente en pareja estable superviviente y los herederos del causante pueden ejercitar una acción para reducir o suprimir legados, donaciones y demás atribuciones por causa de muerte. No se pueden reducir ni suprimir los legados, donaciones y demás atribuciones hechas en concepto de legítima o que sean imputables a la misma, en la parte correspondiente a la cuantía

---

[214]   Puig i Ferriol *et al.* (2010: 713).

de la legítima. Se aplican a la acción de reducción o supresión de legados, donaciones o demás atribuciones patrimoniales las normas reguladoras de la acción de inoficiosidad legitimaria (art. 452-5). En suma, como señala Jou Mirabent (2011: 1188), la legítima es preferente a la cuarta, por lo que el patrimonio relicto calculado según el artículo 451-5, debe cubrir la legítima, y calculado con arreglo artículo 452-3, y una vez pagada la legítima, debe cubrir las necesidades del supérstite con el límite de la cuarta parte.

## 8.4. *Extinción y prescripción de la cuarta viudal*

Sin perjuicio de las causas impeditivas del ejercicio del derecho por no concurrir los requisitos legalmente previstos, el derecho a reclamar la cuarta viudal se extingue por las causas siguientes (art. 452-6.1):

*a)* Por renuncia hecha *después* de la muerte del causante. La renuncia no puede perjudicar a terceros (art. 111-6) y puede exteriorizarse de forma expresa o tácita. La renuncia puede ser pura y simple o a cambio de una contraprestación inferior a la que podría corresponderle[215].

*b)* Por matrimonio o convivencia marital con otra persona, después de la muerte del causante y antes de haber ejercitado el derecho. Una vez ejercitada la pretensión, el posterior matrimonio o convivencia marital no constituyen causa de pérdida de la cuarta vidual.

*c)* Por la muerte del cónyuge viudo o el conviviente en pareja estable superviviente sin haberlo ejercitado. Esta causa extintiva se explica por el carácter finalístico y personalísimo de esta atribución patrimonial. Si fallece una vez interpuesta la acción, los herederos del fallecido le suceden no en el derecho sino en los concretos bienes objeto de la cuarta.

*d)* Por suspensión o privación de la potestad del cónyuge viudo o conviviente en pareja estable superviviente, sobre los *hijos comunes* con el causante, por *resolución* o *sentencia firme* y por *causa que le sea imputable*. El derecho no será exigible si la privación era anterior al fallecimiento del causante. Existirá extinción del derecho si el supuesto de hecho se ha producido con anterioridad al ejercicio de la

---

215  Jou Mirabent (2011: 1190).

pretensión, y pérdida del derecho, si el hecho es posterior, en cuyo caso, los bienes percibidos deberán restituirse a los herederos, con liquidación de la situación posesoria *ex* art. 522-2.

*Prescripción del derecho*. La pretensión para reclamar la cuarta viudal prescribe al cabo de tres años de la muerte del causante (art. 452-6.2). Se trata de una causa de prescripción y no de caducidad, con aplicación, en su caso, de lo previsto en materia de interrupción o suspensión de la prescripción. El plazo de tres años previsto por la norma presenta cierta descoordinación en relación con la acción de reducción o supresión por inoficiosidad de legados, donaciones y demás atribuciones por causa de muerte, que tiene un plazo de caducidad de cuatro años (art. 451-24). Esta circunstancia deja abierta la posibilidad del mantenimiento de la acción de supresión o reducción y que la acción para reclamar la cuarta ya esté prescrita y que los obligados a su pago puedan hacer valer la excepción[216].

## 9. ORDEN GENERAL DE LOS LLAMAMIENTOS EN LA SUCESIÓN INTESTADA

### 9.1. Introducción

En relación con el cónyuge viudo (o del conviviente supérstite en unión estable de pareja), el segundo derecho vidual sucesorio se refiere a los derechos que le corresponden en el supuesto de *sucesión intestada*. En caso de monoparentalidad, interesa conocer especialmente los derechos sucesorios que asisten a los hijos o descendientes del progenitor fallecido y también los que corresponden al cónyuge o conviviente. Ambas relaciones de convivencia reciben el mismo tratamiento legal. A los efectos indicados, con carácter previo, se hará una referencia a los rasgos básicos y el orden de suceder en el ámbito de la sucesión intestada. Las restantes cuestiones de derecho sucesorio se examinan más adelante (v. caps. XV y XVI).

En síntesis, los fundamentos de la relación sucesoria son: el testamento; el heredamiento y lo establecido por la ley (sucesión intestada) (art. 411-3.1). La sucesión intestada solo puede tener lugar en defecto

---

[216] Puig i Ferriol *et al.* (2010: 715).

de heredero instituido, y es incompatible con el heredamiento y con la sucesión testada universal. La sucesión testada universal solo puede tener lugar en defecto de heredamiento (art. 411-2).

*Apertura de la sucesión intestada.* Según el artículo 441-1, que "La sucesión intestada se abre cuando una persona muere sin dejar heredero testamentario o en heredamiento, o cuando el nombrado o nombrados no llegan a serlo.". La apertura de la sucesión intestada procede en los casos siguientes[217]: la falta de título voluntario de un acto o disposición de última voluntad sucesoria universal (testamento o heredamiento); cuando el título formal sucesorio se halla afectado de una causa de nulidad; la destrucción del testamento o su caducidad; la ausencia o falta de institución de heredero y los supuestos de repudiación, premoriencia o indignidad para suceder[218]; y el supuesto de ineficacia sobrevenida de la institución de heredero[219].

*Orden de suceder.* En la sucesión intestada, el orden de suceder se ordena, jerárquicamente, con arreglo a los principios de: relación consanguínea o conyugal-familiar; prelación de llamamientos, salvo cuando proceda aplicar el derecho de representación; prelación de grado; descendencia y ascendencia ilimitada; colateralidad limitada hasta el cuarto grado; y en defecto de todos los anteriores, principio de cierre (Generalitat de Cataluña).

> "Artículo 441-2. *Llamamientos legales.*
> 1. En la sucesión intestada, la ley llama como herederos del causante a los parientes por consanguinidad y por adopción y al cónyuge viudo o al conviviente en pareja estable superviviente en los términos, con los límites y en los órdenes establecidos por el presente código, sin perjuicio, si procede, de las legítimas.
> 2. En defecto de las personas a que se refiere el apartado 1, sucede la Generalidad de Cataluña.
> 3. El cónyuge viudo o el conviviente en pareja estable superviviente, si no le corresponde ser heredero, adquiere los derechos establecidos por el artículo 442-3.1.".

---

[217]  Berenguer Sabatè (2011: 941-947); Garrido Melero (2009, I: 47-51): Puig i Ferriol *et al.* (2010: 676-677).

[218]  Salvo que no entren en juego, la sustitución de heredero, el derecho de acrecer o el derecho de transmisión.

[219]  *V., a.e.,* Gómez Clavería (2016: 81 y ss.)

En síntesis, el orden prelatorio es el siguiente[220]:

1) Hijos y, en su defecto, descendientes.

2) Cónyuge supérstite o conviviente de unión estable de pareja.

3) Padres y, en su defecto, ascendientes.

4) Colaterales hasta el cuarto grado: Primero: hermanos (segundo grado de parentesco). Segundo: sobrinos (tercer gado). Tercero: otros parientes de tercer grado (tíos). Cuarto: parientes de cuatro grado (primos, tíos abuelos y sobrinos nietos). Por último,

5) Generalitat de Cataluña.

> *Cómputo del parentesco.* La proximidad del parentesco se determina por el número de generaciones. Cada generación forma un grado, y cada serie de grados, una línea. La línea puede ser directa o colateral. La línea es directa si las personas descienden una de la otra, y puede ser descendente y ascendente. La descendente une al progenitor con quienes descienden de él. La ascendente une a una persona con aquellas de las que desciende. La línea es colateral si las personas no descienden una de la otra pero vienen de un tronco común (art. 441-3).
>
> En la línea directa se computan los grados por el número de generaciones, descontando la del progenitor (entre padre e hijo, existe una generación, o sea, un grado; entre abuelo y nieto, existen dos generaciones, o sea dos grados...). En la línea colateral se computan los grados sumando las generaciones de cada rama que sale del tronco común (art. 441-4); así, el parentesco entre hermanos es de segundo grado.
>
> *Sucesión por grados y órdenes.* Si ninguno de los parientes más próximos llamados por la ley no llega a ser heredero por cualquier causa o es apartado de la herencia por indignidad sucesoria, la herencia se defiere al siguiente grado, y así sucesivamente, de grado en grado y de orden en orden, hasta llegar a la Generalidad de Cataluña.
>
> Si solo uno o algunos de los llamados no llegan a ser herederos, la cuota hereditaria que les habría correspondido *acrece la de los demás* parientes del mismo grado, *salvo el derecho de representación,* si es de aplicación.
>
> Lo establecido en estos supuestos, se entiende sin perjuicio del derecho de transmisión de la herencia deferida y no aceptada y de los demás casos en que el presente código establece un orden de sucesión especial (art. 441-6).

---

[220] *V., a.e.,* Ruiz Martínez y Amills Eras (2010: 361-382); Garrido Melero (2009: 52-132); Puig i Ferriol *et al.* (2010: 674-687); Gómez Taboada (2012: 345-377).

*División de la herencia.* En la sucesión intestada, la herencia se divide a partes iguales entre los llamados que la han aceptado, salvo en los casos en que el presente código establece otra cosa.

Si es de aplicación el *derecho de representación entre descendientes*, la herencia se divide por ramas o estirpes, y los representantes de cada rama se reparten a partes iguales la porción que habría correspondido a su representado.

Si es de aplicación el derecho de representación en la línea colateral, la herencia se divide de acuerdo con lo establecido por el artículo 442-10.2 (*infra*) (art. 441-8).

## 9.2. *Examen del orden de suceder*

### 1) *Hijos, y en su defecto, descendientes*

La herencia se defiere primero a los hijos del causante, por derecho propio, y a sus descendientes por derecho de representación, sin perjuicio, si procede, de los derechos del cónyuge viudo o del conviviente en pareja estable superviviente. En caso de repudiación de uno de los llamados, su parte acrece la de los demás del mismo grado (art. 442-1).

*Derecho de representación.* Por medio de esta expresión se designa el efecto sucesorio consiste en que los descendientes de una persona premuerta (premoriencia), declarada ausente (ausencia) o indigna (indignidad para suceder) son llamados a ocupar su lugar en la sucesión intestada. Este efecto solo se aplica a los descendientes del causante, sin limitación de grado, y a los sobrinos, pero no se extiende a los descendientes de éstos. El representante que, por repudiación o por otra causa, no llega a ser heredero del representado no pierde el derecho de representación (art. 441-7).

*Delación a los descendientes de grado ulterior.* Si todos los descendientes llamados de un mismo grado repudian la herencia, esta se defiere a los descendientes del siguiente grado, por derecho propio, pero dividiéndola por estirpes y a partes iguales entre los descendientes de cada estirpe. La herencia no se defiere a los nietos o descendientes de grado ulterior si todos los hijos del causante la repudian, en vida del cónyuge o del conviviente en pareja estable, y este es su progenitor común (art. 442-2).

*Supuesto de adopción.* En el caso de adopción, rige el principio de equiparación. Esto significa que el parentesco por adopción surte los mismos efectos sucesorios que el parentesco por consanguinidad.

Por tanto, la persona adoptada y sus descendientes adquieren derechos sucesorios *abintestato* respecto a la persona adoptante y a su familia, y éstos respecto a aquéllos.

La adopción extingue los derechos sucesorios *abintestato* entre el adoptado y sus parientes de origen, *excepto* en los casos regulados por los artículos: 443-2 (*Adopción de hijos del cónyuge o de la persona con quien el adoptante convive*); 443-3 (*Adopción en la propia familia*); y 442-4 (*Sucesión de los hermanos por naturaleza*). En los supuestos regulados en los artículos 443-2 a 443-4, los derechos sucesorios quedan excluidos si se acredita que el causante y el sucesor no han mantenido el trato familiar (art. 443-5).

"Artículo 443-2. *Adopción de hijos del cónyuge o de la persona con quien el adoptante convive.*

En caso de adopción de hijos del cónyuge o de la persona con quien el adoptante convive en relación de pareja con carácter estable, los hijos adoptivos y los ascendientes del progenitor de origen sustituido por la adopción conservan el derecho a sucederse ab intestato.".

"Artículo 443-3. *Adopción en la propia familia.*

En caso de adopción de un huérfano por un pariente dentro del cuarto grado, se mantienen los derechos sucesorios ab intestato entre el adoptado y sus ascendientes de la rama familiar en que no se ha producido la adopción, con las siguientes particularidades:

a) En la sucesión del adoptado y en la de sus descendientes, dichos ascendientes de origen solo suceden si no existen ascendientes de los padres adoptivos.

b) En la sucesión de dichos ascendientes de origen, los hijos adoptados por un pariente de la otra rama familiar solo suceden si no existen hijos o descendientes del causante que no hayan sido adoptados por otra persona.".

"Artículo 443-4. *Sucesión de los hermanos por naturaleza.*

En los casos de adopción regulados por los artículos 443-2 y 443-3, los hermanos por naturaleza conservan el derecho a sucederse ab intestato entre sí".

*Concurrencia del cónyuge viudo (o del conviviente en unión estable de pareja superviviente).* El cónyuge viudo o el conviviente en pareja estable superviviente, si concurre a la sucesión con hijos del causante o descendientes de estos, tiene derecho al usufructo universal de la herencia, libre de fianza, si bien, según se examina más adelante, puede ejercer la opción de conmutación legal del usufructo (art. 442-3.1).

*2) Cónyuge supérstite o conviviente de unión estable de pareja*

Si el causante muere *sin hijos ni otros descendientes*, la herencia se defiere al cónyuge viudo o al conviviente en pareja estable superviviente. En este caso, los padres del causante conservan el derecho a legítima (art. 442-3.2).

En relación con este llamamiento, son relevantes las siguientes consideraciones: en comparación con otros ordenamientos, por ejemplo, en régimen de Derecho civil común, la legislación catalana sitúa en posición ventajosa al cónyuge supérstite porque, a falta de descendientes, se halla en segundo lugar en el orden sucesorio, con lo que es llamado con preferencia a los padres y ascendientes del causante, aunque a los padres se les reconoce el derecho a solicitar la legítima; la equiparación de los derechos sucesorios abintestato del conviviente en unión estable de pareja con los atribuidos al cónyuge viudo; y, la atribución al cónyuge o conviviente supérstites del usufructo de toda la herencia en el supuesto de que concurran con descendientes, así como la facultad de poder conmutar el usufructo.

*Exclusión del derecho a suceder.* El cónyuge viudo no tiene derecho a suceder abintestato al causante si en el momento de la apertura de la sucesión estaba separado de este legalmente o de hecho o si estaba pendiente una demanda de nulidad del matrimonio, de divorcio o de separación, salvo que los cónyuges se hubieran reconciliado (art. 442-6.1). Asimismo, el conviviente en pareja estable superviviente no tiene derecho a suceder abintestato al causante si estaba separado de hecho del causante en el momento de la muerte de éste (art. 442-6.1).

Esta exclusión se justifica por la ausencia de una relación conyugal-familiar o falta de convivencia de vida entre los miembros de la pareja. La ley contempla tanto la separación de hecho, como la legal y la situación de pendencia en relación con las demandas de nulidad, divorcio o separación, y en el supuesto de las uniones estables, la separación de hecho. En el supuesto de divorcio, el cónyuge que sobrevive ya no es cónyuge sino ex cónyuge. Por último, en caso de reconciliación conyugal deben cumplirse los requisitos legales que califican el supuesto.

Por lo que se refiere al alcance del derecho de legítima, este derecho se reconoce solo respecto de los padres del causante y no a los demás ascendientes de grado ulterior. La legítima de los progenitores es subsidiaria de la línea descendiente. Si el causante no tiene descendientes que le hayan sobrevivido, son legitimarios los progenitores por mitad. Estos no tienen derecho a legítima si el causante tiene descendientes pero han sido desheredados justamente o declarados indignos. Si solo sobrevive un progenitor o la filiación solo está determinada respecto a un progenitor, le corresponde el derecho de legítima íntegramente. Si sobreviven los dos pero uno de ellos ha sido desheredado justamente o ha sido declarado indigno, la legítima corresponde solo al otro. En este caso, debe aplicarse lo establecido por el artículo 451-6 (art. 451-4). Según el artículo 451-6 (Legítima individual): "Para determinar el importe de las legítimas individuales, hacen número el legitimario que sea heredero, el que ha renunciado a la misma, el desheredado justamente y el declarado indigno de suceder. No hacen número el premuerto y el ausente, salvo que sean representados por sus descendientes.". La legítima debe satisfacerse, a elección del heredero, en dinero, aunque no lo haya en la herencia, o en bienes del caudal relicto (art. 451-11).

3) *Causante que muere sin hijos ni descendientes y sin cónyuge o conviviente*

En este supuesto, la herencia se defiere a los progenitores del causante, a partes iguales. Si solo sobrevive uno de los dos, la delación a este se extiende a toda la herencia. Si el causante muere sin hijos ni descendientes, sin cónyuge o conviviente y sin progenitores, la herencia se defiere a los ascendientes de grado más próximo. Si existen dos líneas de parientes del mismo grado, la herencia se divide por líneas y, dentro de cada línea, por cabezas (art. 442-8).

4) *Causante fallecido sin hijos ni descendientes, sin cónyuge o conviviente y sin ascendientes*

La herencia se defiere a los parientes colaterales. Debe distinguirse entre el llamamiento a los hermanos e hijos de hermanos del causante; o el llamamiento a los demás colaterales:

> "Artículo 442-10. *Hermanos e hijos de hermanos.*
>
> 1. Los hermanos, por derecho propio, y los hijos de hermanos, por derecho de representación, suceden al causante con preferencia sobre los demás colaterales, sin distinción entre hermanos de doble vínculo o de vínculo sencillo.

2. Si concurren a la herencia hermanos e hijos de hermanos y existe una sola estirpe de sobrinos, estos perciben, por cabezas, lo que corresponde a la estirpe. Si existen dos o más, se acumulan las partes que corresponden a las estirpes llamadas y todos los sobrinos que las integran suceden en el conjunto por cabezas.

3. Si se frustra la delación a alguno de los sobrinos, la parte vacante acrece la de todos los demás sobrinos por partes iguales. Si este sobrino es único en la estirpe o si se frustran todas las delaciones a sobrinos de una misma estirpe, la parte vacante acrece la de los hermanos vivos del causante, si existen, y la de los demás sobrinos, con aplicación de la regla de división establecida por el apartado 2.

4. Si no existen hermanos, los sobrinos suceden al causante por derecho propio y por cabezas.".

"Artículo 442-11. *Llamamiento a los demás colaterales.*

Si no existen hermanos ni hijos de hermanos, la herencia se defiere a los demás parientes de grado más próximo en línea colateral dentro del cuarto grado, por cabezas y sin derecho de representación ni distinción de líneas".

## 5) *Sucesión a falta de parientes dentro del cuarto grado*

Por último, en defecto de todos los supuestos anteriores, sucede la *Generalitat* de Cataluña. En este caso la herencia es aceptada a beneficio de inventario mediante declaración de heredero previa. La *Generalitat* de Cataluña debe destinar los bienes heredados o su producto o valor a establecimientos de asistencia social o a instituciones de cultura, preferentemente del municipio de la última residencia habitual del causante en Cataluña. El Consejo General de Arán es receptor de los bienes heredados en lugar de la *Generalitat* si el causante de la sucesión intestada tiene residencia en Arán (v. arts. 442-12 y 442-13).

*División de la herencia.* En la sucesión intestada, impera el principio de igualdad entre los llamados, pero existen ciertas excepciones: la herencia se divide a partes iguales entre los llamados que la han aceptado, salvo en los casos en que el CCC establece otra cosa. Si es de aplicación el derecho de representación entre descendientes, la herencia se divide por ramas o estirpes, y los representantes de cada rama se reparten a partes iguales la porción que habría correspondido a su representado. Si es de aplicación el derecho de representación en la línea colateral, la herencia se divide de acuerdo con lo establecido por el artículo 442-10.2 (art. 441-8). En este último supuesto, si concurren a la herencia hermanos e hijos de hermanos y existe una sola estirpe de sobrinos, estos perciben, por cabezas, lo que corresponde a la estirpe. Si existen dos o más, se acumulan las partes que corresponden a las estirpes llamadas y todos los sobrinos que las integran suceden en el conjunto por cabezas.

### 9.3. Sucesión intestada del impúber

El artículo 441-1 se refiere a la sucesión intestada del impúber, que es aplicable en defecto de sustitución pupilar. De acuerdo con el artículo 425-5, los progenitores, mientras tengan la potestad parental sobre su hijo impúber, pueden sustituirlo pupilarmente en el testamento que otorguen para la herencia propia, en previsión de que muera antes de llegar a la edad de testar. Se considera hijo impúber el menor de catorce años. Los progenitores también pueden sustituir al hijo concebido que en el momento de nacer deba quedar bajo su potestad parental (*v.* arts. 425-5 a 425-9).

En el supuesto de sucesión intestada del impúber, como especialidad extraordinaria, se introduce el principio de troncalidad:

> "Artículo 444-1. *Carácter troncal de los bienes.*
> La sucesión intestada del causante impúber, en defecto de sustitución pupilar, se rige por las siguientes normas:
> a) En los bienes procedentes de un progenitor, o de los demás parientes de este dentro del cuarto grado, adquiridos a título gratuito, son llamados a la sucesión los parientes más próximos del impúber, por su orden, dentro del cuarto grado en la línea de la que proceden los bienes.
> b) Si sobrevive el progenitor de la otra línea, conserva su derecho a la legítima sobre dichos bienes.
> c) En los demás bienes del impúber, así como en los frutos de los bienes troncales, la sucesión intestada se rige por las reglas generales, sin distinción de líneas.".

## 10. EL LLAMAMIENTO, EN USUFRUCTO UNIVERSAL, DEL CÓNYUGE VIUDO O DEL CONVIVIENTE SUPÉRSTITE DE UNA UNIÓN ESTABLE

Según se ha expuesto, de *lege data*, el artículo 442-3.1 dispone que: "El cónyuge viudo o el conviviente en pareja estable superviviente, si concurre a la sucesión con hijos del causante o descendientes de estos, tiene *derecho al usufructo universal de la herencia, libre de fianza, si bien puede ejercer la opción de conmutación* que le reconoce el artículo 442-5" (é-a.).

La doctrina advierte que la expresión "universal" tiene que ver con el hecho de que se extiende a todos los bienes que puedan componer el caudal hereditario pero, esto no significa que, como se expone acto seguido, su ámbito objetivo se extienda a todos los bienes que lo componen[221].

El régimen jurídico de este usufructo es el siguiente:

*a) Ámbito objetivo.* Según el artículo 442-4.1, el usufructo universal del cónyuge o del conviviente en pareja estable *se extiende a las legítimas*, pero no a los legados ordenados en codicilo (arts. 421-20.1 y 427-1), a las atribuciones particulares ordenadas en pacto sucesorio a favor de otras personas (art. 431-30.4) ni a las donaciones por causa de muerte (art. 442-4.1).

Por tanto, el usufructo vidual no es un usufructo sobre el total caudal hereditario sino un derecho sobre el patrimonio del causante que no haya sido dispuesto *mortis causa* en los términos previstos en la norma reguladora. Aunque en la práctica estos supuestos no son frecuentes, en el caso de que dichas atribuciones fueran considerables, el derecho de usufructo podría verse reducido de forma significativa. En estos casos, el usufructuario deberá valorar si le es más conveniente optar por la conmutación del usufructo.

Por otra parte, aunque esta posibilidad es igualmente remota, el causante puede llegar a modular esta conmutación, por ejemplo, si decide que su sucesión testada se rija por los órdenes sucesorios abintestato y atribuye a título particular la vivienda conyugal o familiar a otra persona, o impone a los herederos la forma de pago de la cuarta parte alícuota[222].

*b) Carácter vitalicio.* El usufructo universal se extingue por las causas generales de extinción del derecho de usufructo y *no se pierde* aunque se contraiga nuevo matrimonio o se pase a convivir con otra persona (art. 442-4.3). Como sea que este usufructo se extiende tanto

---

221  Berenguer Sabaté (2001: 1000), con cita de Vaquer Aloy.
222  Berenguer Sabaté (2011: 1011) con remisión a Vaquer Aloy.

al cónyuge viudo como al conviviente en pareja estable superviviente y no se extingue cuando el cónyuge viudo deje de serlo, su calificación de usufructo "viudal" decae por partida doble. Por otra parte, aunque la norma parece que solo se refiere al cónyuge viudo ("nuevo matrimonio"), análoga solución legal debe aplicarse en relación con el conviviente de una unión estable de pareja si este contrae matrimonio o forma una nueva pareja estable.

*c) Adjudicación formal del usufructo.* Los derechos del cónyuge viudo, o del conviviente en pareja estable superviviente en la sucesión intestada, *deben atribuirse expresamente* en las declaraciones de heredero abintestato, que deben tramitarse, en ambos casos, por acta notarial de notoriedad (art. 442-7; arts. 55-56 LN).

En el supuesto de matrimonio, salvo que los cónyuges se hubieran reconciliado, la simple separación de hecho, la separación legal, o si estaba pendiente una demanda de nulidad del matrimonio, de divorcio o de separación (sin que haya que esperar a las resultas del procedimiento), da lugar a la pérdida del derecho a suceder abintestato (art. 442-6.1). En el supuesto de pareja estable, el conviviente superviviente no tiene derecho a suceder abintestato al causante si estaba separado de hecho del causante en el momento de la muerte de éste (art. 442.6.2).

Respecto de la prueba de la separación de hecho o de la reconciliación, en el acta notarial deberán acreditarse debidamente los hechos procedentes (prueba del matrimonio, resolución judicial, documentos públicos, etc.) y en caso de que la separación de hecho, no sea reconocida de modo concluyente por el cónyuge supérstite o exista discrepancia sobre estos extremos, deberá acudirse a la vía judicial. En caso de unión estable, el acta de notoriedad deberá acreditar, por un lado, la existencia o notoriedad de la unión; en este sentido, deberá acreditarse que existe una pareja que reúne los requisitos establecidos por la norma legal en relación con las uniones estables; y por otro lado, que el conviviente no se hallaba en situación de separación de hecho en el momento de fallecer el causante (art. 442-6.2), lo que puede exigir o aconsejar la necesidad de contar con pruebas o la aseveración de las personas que podrían resultar llamadas en lugar del conviviente[223].

---

[223]    Garrido Melero (2009, I: 128-129).

*d) Aceptación del usufructo y nudos propietarios menores de edad.*
En el supuesto de monoparentalidad con hijos menores de edad, el
cónyuge viudo o conviviente se convierte en el titular único de la patria potestad de los hijos comunes que ha tenido con el causante y
asimismo, junto con ellos, es parte interesada en la herencia. A este
respecto, para flexibilizar el tránsito sucesorio, el legislador estima
que no existe verdadero conflicto de intereses y dispone que si el cónyuge viudo, o el conviviente en pareja estable superviviente, concurre
a la sucesión con herederos menores de edad de los que sea representante legal, puede ejercitar su representación para la aceptación de
la herencia, sin necesidad de la intervención de un defensor judicial,
y adjudicarse el usufructo universal (art. 442-4.2). Excepcionalmente, el supuesto también puede presentarse respecto de herederos que
no sean hijos sino otros descendientes del causante de grado ulterior
menores de edad. En este caso, el cónyuge o conviviente deberá ser
representante legal del menor y actuar en calidad de tutor. En defecto
de esta representación deberá intervenir el tutor.

*e) Fianza.* A diferencia de la regla general sobre la necesaria prestación de fianza (art. 561-7), en el presente caso, la atribución legal
del usufructo es de origen legal y está "libre de fianza" (art. 442-3.1).

*f) Régimen legal del usufructo.* En general, los gastos de conservación, mantenimiento, reparación ordinaria y suministro de los bienes
usufructuados, y los tributos y tasas de devengo anual corren a cargo de
los usufructuarios. Los gastos de reparaciones extraordinarias que no
derivan de ningún incumplimiento de los usufructuarios corren a cargo
de los nudos propietarios. Igualmente corren a su cargo las contribucio-
nes especiales que implican una mejora permanente de los bienes usufructuados. En todos estos casos, los nudos propietarios pueden exigir
a los usufructuarios el interés de las cantidades invertidas (art. 561-12).
En el supuesto de usufructo de una finca hipotecada, al constituirse el
usufructo, el usufructuario no ha de pagar la deuda garantizada con
la hipoteca. Los nudos propietarios, si la plena propiedad de una finca
hipotecada se vende forzosamente para pagar la deuda, responden ante
los usufructuarios del perjuicio causado (art. 561-13).

También existen normas especiales según la clase de bien objeto
del usufructo; por ej., usufructo de dinero (art. 561-33), de participaciones en fondos de inversión (art. 561-34), de bosques y plantas

(arts. 561-25), y de bienes deteriorables (art. 561-4). Por último, el usufructo universal a que se refiere el artículo 442-4 es hipotecable (art. 569-32.1), lo que implica que también es enajenable.

*g) Extinción y renuncia del usufructo.* El usufructo universal *se extingue* por las causas generales de extinción del derecho de usufructo y *no se pierde* aunque se contraiga nuevo matrimonio o se pase a convivir con otra persona (art. 442-4). Las causas generales de extinción del usufructo comprenden los supuestos siguientes[224]:

1. La muerte del usufructuario o usufructuaria.

2. Por consolidación. Si el objeto del usufructo es un bien mueble, excepto si los usufructuarios tienen interés en la continuidad de su derecho (art. 516-1.*c*).

3. Por la pérdida total y sobrevenida de los bienes usufructuados. Cuando la pérdida afecte solo a una parte del bien o bienes, el usufructo continúa sobre la parte restante. En general, el derecho real subsiste en los casos de subrogación real sobre otros bienes, sobre determinadas indemnizaciones derivadas de seguros o de expropiación forzosa o sobre otras indemnizaciones análogas.

4. A causa de la expropiación forzosa de los bienes usufructuados, sin perjuicio de la subrogación real si procede.

5. Por la nulidad o resolución del derecho.

La *extinción voluntaria* del derecho de usufructo no comporta la extinción de los derechos reales que le afectan hasta que vence el plazo o se produce el hecho o causa que comportan la extinción. Una vez extinguido el usufructo los bienes usufructuados deben restituirse a los nudos propietarios (arts. 561-16 y 561-17).

*Renuncia.* El derecho también se extingue si los titulares, unilateral y espontáneamente, renuncian al mismo, pero es ineficaz la renuncia hecha en fraude de acreedores de los renunciantes o en perjuicio de los derechos de terceros (art. 532-4).

---

[224] Sobre el régimen general y especialidades del usufructo y sus causas de extinción, v. arts. 532-1 a 532-4; 561-16 a 561-20.

## 10.1. Conmutación del usufructo

La posibilidad de convertir o conmutar el usufructo está regulada en el artículo 442-5. Los apartados 1 y 2 de esta norma disponen, respectivamente, que: "El cónyuge viudo o el conviviente en pareja estable superviviente *puede optar* por conmutar el usufructo universal por la atribución de una cuarta parte alícuota de la herencia y, *además*, el usufructo de la vivienda conyugal o familiar". "La opción de conmutación del usufructo universal puede ejercerse en el *plazo de un año* a contar de la muerte del causante y se extingue si el cónyuge viudo o el conviviente en pareja estable superviviente acepta de forma expresa la adjudicación del usufructo universal" (é.a.).

> Como señala el preámbulo del libro cuarto "Esta facultad de conmutación, que el viudo o conviviente tiene durante el año siguiente a la apertura de la sucesión, mejora sensiblemente la posición de este en la sucesión intestada, como también la refuerza el hecho de que estos usufructos, tanto el universal como el que recae sobre la vivienda, tengan carácter vitalicio y no se pierdan por el hecho de contraer un nuevo matrimonio o iniciar una nueva convivencia" (ep. V).

*Legitimación activa.* Se trata de un derecho que, con los requisitos previstos en la norma citada y dentro del plazo legal indicado, la ley confiere exclusivamente al usufructuario, esto es, al cónyuge o conviviente supérstites y siempre que estos no hayan aceptado de forma expresa la adjudicación del usufructo universal. Los hijos o descendientes no pueden imponer la conmutación.

La conmutación también puede hacerse de mutuo acuerdo, en cuyo caso, podrá acordarse en cualquier momento, al amparo del principio de autonomía de la voluntad (art. 111-6) y en los términos o modo que el usufructuario y nudos propietarios estimen más conveniente. Cuando estos últimos sean menores de edad o carezcan de capacidad jurídica de obrar, el negocio de conmutación deberá hacerse con la intervención del defensor judicial (arts. 236-18 y 236-20)[225].

De acuerdo con lo previsto en la norma legal, el contenido del derecho de conmutación es doble: *a)* atribución de una cuarta parte

---

[225]  Berenguer Sabaté (2011: 1007)

alícuota de la herencia; y *b)* además, el usufructo de la vivienda conyugal o familiar:

*a) Atribución de una cuarta parte alícuota de la herencia*

*Reglas de cálculo y pago.* Para calcular la cuarta parte alícuota de la herencia, se parte del *valor de los bienes del activo hereditario líquido* en el momento de la muerte del causante, esto es, deben *deducirse del activo hereditario las deudas* del causante, y *se descuentan* los bienes dispuestos en codicilo o pacto sucesorio y, si procede, debe imputarse (restarse), *el valor del usufructo de la vivienda* (o parte alícuota que forme parte de la herencia del causante) que también se atribuye al cónyuge viudo o al conviviente en pareja estable superviviente, pero no las legítimas (art. 442-5.4).

En relación con la cuarta viudal, advierte la doctrina que el cónyuge viudo que tiene el usufructo universal de la herencia no podrá exigir la entrega de una cuarta parte de la herencia líquida, porque, en la práctica, la opción de conmutación que otorga al sobreviviente una cuarta parte alícuota de la herencia impide de hecho solicitar la cuarta viudal[226].

A efectos valorativos deben aplicarse las reglas del legado de parte alícuota (arts. 442-5.5). Si aparecieran nuevas deudas o nuevos bienes o derechos deberá recalcularse la cuarta parte alícuota y proceder a los abonos o reintegros que procedan (art. 427-36). Según esta norma, dicha clase de legados tienen el carácter de legado de eficacia obligacional (derecho de crédito contra los herederos).

La cuarta parte alícuota de la herencia puede pagarse adjudicando bienes de la herencia o con dinero, a elección de los herederos. A la pregunta de si el cónyuge o el conviviente, en pago de la cuarta parte alícuota de la herencia, podrá solicitar la entrega de la vivienda familiar que forme parte del caudal hereditario sin destinación específica de dicho bien, la doctrina contesta negativamente. A estos efectos, el artículo 442-5.5 establece que la cuarta parte alícuota de la herencia "puede pagarse adjudicando *bienes* de la herencia *o con dinero, a elección de los herederos...*" (é.a.). Por tanto, para que dicha opción

---

[226]    Garrido Melero (2009, I: 128).

sea posible es preciso contar con el consentimiento de los herederos[227].

### b) Usufructo de la vivienda conyugal o familiar

El cónyuge viudo o el conviviente en pareja estable superviviente
solo puede pedir la atribución del usufructo de la vivienda conyugal o
familiar si este bien forma parte del activo hereditario y el causante no
ha dispuesto del mismo en codicilo (que no puede contener la institución de heredero) o en pacto sucesorio (de atribución particular, que
tampoco implica institución de heredero). Si el viudo o el conviviente
superviviente eran *copropietarios* de dicho bien junto con el causante,
el usufructo se extiende a la cuota que pertenecía a este. Este usufructo se extingue por las causas generales de extinción del derecho de
usufructo y no se pierde aunque se contraiga nuevo matrimonio o se
pase a convivir con otra persona (art. 442-5.3)

Si el causante ha dispuesto de la vivienda conyugal o familiar en
codicilo o en pacto sucesorio, el ejercicio de dicho derecho no será
posible (art. 442-4.1). Tampoco será posible si el título del causante
era el de usufructo o era arrendatario. La imposibilidad de goce del
usufructo de la vivienda no impide el ejercicio del derecho de conmutación pero el derecho del cónyuge viudo o del conviviente no podrá
extenderse a este supuesto.

En caso de arrendamiento podrá convenirse la subrogación *mortis
causa* del cónyuge del arrendatario que al tiempo del fallecimiento
conviviera con él o de la persona que hubiera venido conviviendo con
el arrendatario de forma permanente en análoga relación de afectividad a la de cónyuge, con independencia de su orientación sexual,
durante, al menos, los dos años anteriores al tiempo del fallecimiento,
salvo que hubieran tenido descendencia en común, en cuyo caso bas-
tará la mera convivencia, todo ello, de acuerdo con los términos previstos en la legislación sobre arrendamientos urbanos (art. 16 LAU)
o, en su caso, según lo previsto en la legislación especial que sea aplicable (viviendas de protección oficial).

---

227  Berenguer Sabaté (2011: 1010).

## Capítulo V
# LA MONOPARENTALIDAD Y LOS SUPUESTOS DE SEPARACIÓN, DIVORCIO Y NULIDAD MATRIMONIAL (I)

## 1. LAS CRISIS MATRIMONIALES

### 1.1. Introducción

Las crisis matrimoniales se producen cuando existe un cambio significativo o profundo, de consecuencias importantes en sentido negativo, que afecta el estatus y relaciones personales, paternofiliales, familiares o patrimoniales del matrimonio. Según su duración, importancia y consecuencias jurídicas estas crisis pueden tener carácter transitorio o definitivo, y desde un punto de vista legal, según la concreta circunstancia o soluciones que se apliquen, de menos o más, alternativa o cumulativamente, pueden concretarse en: una *separación de hecho*; una *separación legal*, o un *divorcio*. También puede presentarse el supuesto de *nulidad matrimonial*[228]. *En relación con la monoparentalidad, todos estos supuestos pueden incidir de forma relevante en el ejercicio de la potestad parental, la guarda y custodia de los hijos, la contribución a los gastos familiares y las restantes cuestiones relacionadas con la vida y economía personal, conyugal y familiar*[229].

---

[228] Según datos estadísticos (INE, 2017), en el año 2016, se produjeron 96.824 divorcios, 4.353 separaciones y 117 nulidades. Los divorcios representaron el 95,6% del total, las separaciones el 4,3% y las nulidades el 0,1% restante. En los supuestos de separación matrimonial o divorcio el 47,2% tenían solo hijos menores de edad, el 4,6% solo hijos mayores de edad dependientes económicamente y el 5,2% hijos menores de edad y mayores dependientes. El 26,3% tenía un solo hijo (menor o mayor dependiente), http://www.ine.es/prensa/ensd_2016.pdf

[229] Con sus particularidades específicas, estas consecuencias también pueden producirse en relación con el matrimonio poligámico (Juárez Pérez, 2012; Lara Aguado, 2015; Diago Diago, 2015; Carrascosa González, 2017: 148-158).

*La ausencia del hogar conyugal y la falta de convivencia, pueden implicar la existencia o no de una verdadera separación de hecho,* con efectos jurídicos distintos según el supuesto considerado. Según se ha expuesto, pueden darse situaciones de monoparentalidad de hecho debidas a la separación temporal de los progenitores por razones muy diversas (trabajo, enfermedad, privación de libertad, etc.) sin que ello suponga la existencia de una crisis matrimonial.

En particular, según se examina más adelante, se encuentra en este supuesto la figura del denominado "matrimonio a distancia" y aunque este modelo se aparta del modelo tipo de familia nuclear tradicional y completa —en el sentido de no mantenerse una residencia y convivencia común entre los miembros de la familia—, en principio, cabe afirmar que, salvo que dicha circunstancia vaya asociada a determinadas situaciones de conflicto, este supuesto no está incluido en los supuestos típicos vinculados a la separación de hecho o a las crisis matrimoniales.

Cuestión diferetne es cuando existe una *separación de hecho,* querida o no por ambos miembros de la pareja —que puede ir asociada a alguna de las circunstancias antes indicadas— que implique la ruptura de la convivencia y la existencia de una situación de conflicto o crisis.

La *separación legal* acredita un estadio jurídico caracterizado por la constatación explícita y formal de una situación de crisis matrimonial que produce efectos jurídicos específicos. Esta separación puede tener carácter transitorio o definitivo o constituir la antesala del divorcio. La separación de hecho o la legal, no extinguen el vínculo matrimonial; en cambio, el *divorcio* supone la ruptura definitiva del vínculo matrimonial.

Por último, la *nulidad matrimonial* "es la total ineficacia del matrimonio declarada judicialmente por una causa coetánea a su celebración y con efecto retroactivo a tal momento. La nulidad viene determinada por la ausencia o el defecto de alguno de los requisitos personales, materiales o formales del matrimonio. Si de la nulidad matrimonial deriva la falta de vida en común de los cónyuges [con hijos menores de edad o con dependencia] se origina una familia monoparental" (Vela Sánchez, 2005: 31).

A pesar de sus diferencias institucionales, constitutivas y formales del matrimonio respecto de las uniones estables de pareja, en determinadas cuestiones clave, son comunes gran parte de los problemas de la convivencia y la parentalidad que pueden prestarse en los supuestos de crisis de la pareja, matrimonial o no matrimonial. En el supuesto de que existan hijos en curso o hijos menores o dependientes, cuando el pacto sea posible, es preciso convenir al respecto y establecer un *plan de parentalidad* que prevea sobre la guarda, custodia y relaciones con los hijos y el cumplimiento del deber de alimentos que, según el supuesto, puede incluso extenderse a hijos mayores de edad; también deberá decidirse sobre el destino y uso de la vivienda habitual y la liquidación, cuando proceda, de las relaciones económicas de los miembros de la pareja entre sí y sus efectos respecto de terceros; por último, pueden surgir o pretenderse derechos y obligaciones económicas diversas derivadas de la separación o el divorcio o la extinción de la unión estable. En todo caso, cuando existen menores, el límite de las posibilidades de pacto entre los progenitores se halla en la protección del "interés superior del menor".

En defecto de pacto, habrá que estar al correspondiente marco legal y a las resoluciones adoptadas por el órgano jurisdiccional. Cuando sea posible, también puede acudirse a sistemas extrajudiciales alternativos para la resolución de disputas como la mediación, la conciliación, el arbitraje y otras instituciones [*Alternative Dispute Resolution*, hoy *Adequated Dispute Resolution* (ADR)], que han alcanzado un protagonismo relevante para la resolución de situaciones en conflicto, lo que permite una mayor autocomposición de intereses por medio de opciones múltiples o *multi-door*[230]. *Según se examina más adelante, en el derecho catalán, la mediación familiar ha recibido de especial atención por parte del poder legislativo y la administración pública catalana.*

*En materia de separación y divorcio, la entrada en vigor de la Constitución, impuso un mandato al legislador para que regulara los derechos y deberes de los cónyuges con plena igualdad jurídica*, así como las causas de separación y disolución del matrimonio y sus efectos (Leyes 30/1981, de 7 de julio y 15/2005, de 8 de julio). Esta labor

---

[230]   Barona Vilar (2014: 5-7)

legislativa ha permitido superar, a partir de 1981, las limitaciones y rígidos esquemas referentes a la separación y el divorcio, y la tradición antidivorcista que, salvo el breve período republicano, se aplicaban en el ordenamiento jurídico español. A partir del año 2005, se dio un nuevo paso porque la separación y el divorcio dejaron de ser causales y pueden solicitarse: de mutuo acuerdo; por uno de los cónyuges con el consentimiento del otro; o por la única voluntad de uno de los miembros de la pareja. También son relevantes, los siguientes cambios legislativos: la admisión del matrimonio entre personas del mismo sexo (Ley 13/2005, de 1 de julio); la separación y el divorcio pueden solicitarse una vez transcurridos tres meses desde al celebración del matrimonio —y en algunos casos, sin fijación de plazo mínimo—; y, la existencia, por el momento, de regulaciones autonómicas sobre las uniones estables de pareja.

Como consecuencia de todas estas reformas legales cabe afirmar que la regulación española referente a estas materias se sitúa entre las más liberales y abiertas del ámbito europeo[231]; lo que, asimismo, corrobora, la Ley 15/2015, de 2 de julio, de la Jurisdicción Voluntaria (LJV), al preverse que, en determinados supuestos, pueda acordarse la separación legal judicial o el divorcio de mutuo acuerdo de los cónyuges sin hijos menores de edad fuera del ámbito judicial, con intervención de letrado de la Administración de Justicia o de notario, y sin que sea preciso acudir a un procedimiento con intervención judicial.

## 1.2. *Competencia y normas de procedimiento*

La Constitución ampara la libertad de contraer o no matrimonio (STC 155/1998, de 13 de julio, FJ 3). Jurídicamente, desde su perspectiva pública, en lo que se refiere a las formas de constitución, celebración, disolución y efectos, el matrimonio es una institución jurídica (*matrimonio institución*) regulada por normas imperativas o de *ius cogens*.; y desde la perspectiva del Derecho privado, el matrimonio es un negocio jurídico, bilateral y formal, celebrado entre particulares (*matrimonio-contrato*) basado en la autonomía y libertad de quienes lo celebran y contraído de conformidad con los requisitos formales y

---

[231]   Martínez de Morentín Llamas (2006).

materiales exigidos, en especial, la capacidad o ausencia de impedimentos. El matrimonio da lugar a la existencia de un vínculo jurídico o conjunto de derechos y deberes recíprocos entre los cónyuges, que se mantiene y obliga, de forma permanente, mientras el matrimonio no se disuelva o extinga.

Constitucionalmente, el artículo 32.2 CE dispone que "la ley regulará las formas de matrimonio, la edad y capacidad para contraerlo, los derechos y deberes de los cónyuges, las causas de separación y disolución y sus efectos". Como dice la STC 184/1990, de 15 de noviembre, "El matrimonio es una institución social garantizada por la Constitución, y el derecho del hombre y de la mujer a contraerlo es un derecho constitucional (art. 32.1), cuyo régimen jurídico corresponde a la Ley por mandato constitucional (art. 32.2) [...] El vínculo matrimonial genera *ope legis* en la mujer y el marido una pluralidad de derechos y deberes que no se produce de modo jurídicamente necesario entre el hombre y la mujer que mantienen una unidad de convivencia estable no basada en el matrimonio" (FJ 3).

En relación con la distribución de competencias legislativas entre el Estado y las CC.AA., el artículo 149.1.8ª CE, atribuye al Estado la competencia exclusiva en materia de legislación civil y en "todo caso", entre otras materias, le atribuye esta competencia en lo que se refiere a las "relaciones jurídico-civiles relativas a las *formas de matrimonio*" (é.a.); lo que antecede, "sin perjuicio de la conservación, modificación y desarrollo por las Comunidades Autónomas de los derechos civiles, forales o especiales, allí donde existan".

En consecuencia, las materias referentes a la forma, civil o religiosa, los requisitos, la inscripción del matrimonio, y las causas de nulidad, separación y divorcio, y la promesa de matrimonio, se rigen por la legislación estatal que es de aplicación general. En este sentido, las disposiciones del título IV del libro I CC *con excepción* de las normas de este último relativas al *régimen económico matrimonial*, tendrán aplicación general y directa en toda España (art. 13 CC).

Según se ha puesto de relieve en otro lugar, en relación con las CCAA con Derecho civil propio, como sucede con el Derecho civil catalán, la competencia estatal no se extiende a las normas que se refieren a materias de puro derecho civil, como el régimen económico matrimonial y el derecho familiar y sucesorio (arts. 13 y 16 CC; arts.

5, 14 y 129 EAC). En estos ámbitos, la aplicación del Derecho civil que, respectivamente proceda, debe determinarse de acuerdo con la correspondiente distribución de competencia legislativa y las normas de conflicto (Derecho interregional privado; Derecho internacional privado y Derecho comunitario).

En consecuencia, con arreglo a este sistema de distribución de competencia legislativa en materia civil, las CCAA que de acuerdo con su Estatuto de Autonomía, tengan competencia en materia civil, pueden conservar, modificar y desarrollar su derecho civil propio. A este respecto, salvo las materias previstas en el artículo 149.1.8ª CE, la Generalitat de Cataluña, ha asumido la competencia exclusiva en materia de derecho civil (art. 129 EAC). A estos efectos, el artículo 107 CC dispone que la separación y el divorcio legal se rigen por las normas de la Unión Europea o españolas de Derecho internacional privado y la nulidad del matrimonio y sus efectos se determinarán de conformidad con la ley aplicable a su celebración[232].

El *Codi Civil de Catalunya* regula el conjunto de derechos y deberes de los cónyuges y el correspondiente estatuto matrimonial personal y patrimonial en la normalidad y en supuestos de crisis. En relación con el derecho civil, los *efectos comunes* a la nulidad del matrimonio, del divorcio y de la separación legal, están regulados en el capítulo III del libro segundo del *Codi* (arts. 233-1 a 233-25) que comprende cuatro secciones, destinadas respectivamente a las siguientes materias: Sección 1.ª: Disposiciones generales (arts. 231-1 a 233-7); Sección 2.ª: Cuidado de los hijos (arts. 233-8 a 233-13); Sección 3.ª: Prestación compensatoria (arts. 233-14 a 233-19); y Sección 4.ª. Atribución o distribución del uso de la vivienda familia (arts. 233-20 a 233-25).

Según se examina más adelante, todas las materias contempladas se refieren a cuestiones familiares personales y relaciones paternofiliales y patrimoniales especialmente relevantes que se centran, fundamentalmente, en lo siguiente: la filiación; la atribución de las cargas del matrimonio; el régimen de alimentos; la pensión compensatoria; la atribución del uso de la vivienda familiar; el ejercicio de la potestad parental, la guarda y protección de los hijos menores o dependientes; y la eventual liquidación de las relaciones patrimoniales existentes entre los cónyuges.

---

[232]  Garrido Melero (2013, I: 72-73).

*Competencia jurisdiccional.* En materia de competencia de los juzgados y tribunales españoles en el orden civil es aplicable lo previsto en los artículos 21 y 22 LOPJ. De acuerdo con el artículo 22.1 "Los Juzgados y Tribunales españoles conocerán de los juicios que se susciten en territorio español entre españoles, entre extranjeros y entre españoles y extranjeros con arreglo a lo establecido en la presente ley y en los tratados y convenios internacionales en los que España sea parte.". En el supuesto de actos de jurisdicción voluntaria la competencia funcional se prevé en la ley sustantiva aplicable o en la propia LJV.

Con carácter general, son competentes los órganos jurisdiccionales españoles cuando las partes se hayan sometido, expresa o tácitamente, a los Juzgados o Tribunales españoles, así como cuando el demandado tenga su domicilio en España y en defecto de este criterio, el artículo 22.3 LOPJ prevé la competencia de dichos tribunales en materia de relaciones personales y patrimoniales entre cónyuges, nulidad matrimonial, separación y divorcio, cuando ambos cónyuges posean residencia habitual en España al tiempo de la demanda o el demandante sea español y tenga su residencia habitual en España, así como cuando ambos cónyuges tengan la nacionalidad española, cualquiera que sea su lugar de residencia, siempre que promuevan su petición de mutuo acuerdo o uno con el consentimiento del otro.

Las demandas de separación y divorcio, salvo las previstas en el artículo 777 LEC (separación o divorcio presentadas de común acuerdo por ambos cónyuges o por uno con el consentimiento del otro), las de nulidad del matrimonio y las demás que se formulen al amparo del título IV del libro I del Código Civil, se sustanciarán por los trámites del *juicio verbal*, conforme a lo establecido en el capítulo I del título I (De los procesos sobre capacidad, filiación, matrimonio y menores) y con sujeción a las reglas especiales previstas en el artículo 770 LEC. Las peticiones de separación o divorcio presentadas de común acuerdo por ambos cónyuges o por uno con el consentimiento del otro se tramitarán por el procedimiento establecido en el artículo 777 LEC[233].

---

[233] De acuerdo con los datos estadísticos procedentes del INE (2015), el 76,5% de los divorcios y separaciones en el año 2014 fueron de mutuo acuerdo, mientras que el 23,5% restante fueron contenciosos; por tipo de proceso, del total de

Con el fin de facilitar la efectividad de todos los intereses propios a los procedimientos familiares, estos procedimientos se rigen por unos principios diferentes o modalizados respecto de los suelen regir en los procedimientos generales.

En este sentido[234]: se simplifican las formas procedimentales; aunque se mantiene el principio de rogación; el art. 233-4 permite la adopción de determinadas medidas a la autoridad judicial (v. art. 233-4); el objeto del proceso no es disponible, lo que excluye la admisión en los procedimientos matrimoniales y de menores de la renuncia, y según los casos, el desistimiento requiere la conformidad del Ministerio Fiscal, todo ello, salvo que se trate de materias sobre las que las partes puedan disponer libremente, según la legislación civil aplicable (*v.* art. 751 LEC). En principio, las pruebas se practican a instancia de parte (art. 282 LEC), pero salvo que se trate de materias de libre disposición, el tribunal podrán decretar de oficio la práctica de cuantas pruebas estime pertinentes y la conformidad de las partes sobre los hechos no vinculará al tribunal, ni podrá éste decidir la cuestión litigiosa basándose exclusivamente en dicha conformidad o en el silencio o respuestas evasivas sobre los hechos alegados por la parte contraria y el tribunal tampoco estará vinculado, en esta clase de procesos a las disposiciones de la LEC en materia de fuerza probatoria (art. 752 LEC). También se aplica, de modo limitado, la regla de la cosa juzgada (modificación de medidas adoptadas); puede ser preceptiva la intervención del Ministerio Fiscal (art. 749.2 LEC); la reconvención está limitada (art. 770.2ª LEC); y es admisible interponer recurso de casación en la modalidad de interés casacional (art. 477 LEC).

Por otra parte, según se ha indicado, el cauce procedimental de la separación o el divorcio, puede diferir según se proceda de mutuo acuerdo, en el ámbito de la jurisdicción voluntaria con intervención de letrado de la Administración de Justicia o de notario, o se decrete con intervención de la autoridad judicial cuando por razones de competencia o por tratarse de un procedimiento judicial la nulidad,

---

divorcios, el 76,1% fueron de mutuo acuerdo y el 23,9% contenciosos; del total separaciones, el 85,5% fueron de mutuo acuerdo y el 14,5% contenciosas.
[234]   Roca Trias (2014: 284).

separación o el divorcio deban tramitarse ante un tribunal (art. 777 LEC)[235].

## 2. RESOLUCIÓN DE CONFLICTOS FAMILIARES A TRAVÉS DE LA MEDIACIÓN

La Recomendación 81 del Consejo de Europa adoptada por el Comité de Ministros, en la reunión 616 de los Delegados de Ministros, celebrada el 21 de enero de 1998, ofrece un concepto amplio de mediación, al señalar que se trata de un "proceso en el que un tercero —el mediador—, imparcial y neutro, asiste a la partes de la negociación sobre las cuestiones que son objeto del litigio con vista a la obtención de acuerdos comunes"[236]. El Consejo Consultivo de la mediación familiar de Francia (creado en 2002), define la "mediación familiar" como "un proceso de construcción y de reconstrucción del vínculo familiar sobre los ejes de la autonomía y de la responsabilidad de las partes afectadas por un conflicto, en cuyo proceso interviene un tercero imparcial, independiente, cualificado y sin ningún poder de decisión, que es el mediador familiar, para facilitar, a través de la realización de entrevistas confidenciales, la reanudación de la comunicación entre las partes y la autogestión del conflicto dentro del ámbito privado familiar, teniendo en consideración la peculiaridad de las situaciones, su diversidad y la evolución de las relaciones familiares"[237].

De acuerdo con las tendencias internacionales y europeas sobre la materia, en lo que se refiere a la mediación familiar[238], cabe señalar que, en su momento, la Ley 1/2001, de 15 de marzo, de mediación familiar de Cataluña, supuso una innovación importante en el ámbito del derecho de familia, ya que en el resto del Estado español no existía una práctica generalizada de la mediación. "Hasta entonces, en Europa, únicamente Francia, con la reforma del Código de procedimiento

---

[235]    Sobre las principales normas y procedimientos aplicables en el ámbito del Derecho Internacional de Familia y Sucesiones, *v.* Bayo Delgado (2017).
[236]    García Villaluenga (s.f.: 16) (c. 06.04.2018).
[237]    Ortuño (2013: 5).
[238]    Sobre el derecho comparado y la institución de la mediación, *v.* García del Vado (2015); Barona Vilar (2014).

civil de 1995, tenía una legislación específica en vigor, pese a que la práctica de la mediación se había extendido de forma incipiente en la mayor parte de los países europeos" (preámbulo de la nueva Ley [catalana] 15/2009, de 22 de julio, de mediación en el ámbito del derecho privado, que ha derogado la ley anterior. En la actualidad, la mediación viene a ser "una modernización y mejora de la vieja conciliación, con la incorporación de ciertos parámetros específicos que, sobre todo, hacen referencia a la formación del mediador" (Barona Vilar, 2014: 8).

La Ley catalana 15/2009 tiene en cuenta la experiencia obtenida y los antecedentes y avances experimentados en la Unión Europea en esta materia, entre los que destacan: la Recomendación (2002) 10 del Consejo de Europa; las inquietudes reflejadas en el Libro Verde sobre las modalidades alternativas de resolución de conflictos en el ámbito del derecho civil y mercantil; la Directiva 2008/52/CE del Parlamento Europeo y del Consejo sobre ciertos aspectos de la mediación en asuntos civiles y mercantiles; y en el ordenamiento jurídico español, la puesta en marcha de la modificación de la Ley de Enjuiciamiento Civil a través de la Ley 15/2005, de 8 de julio, que introdujo la mediación familiar en el ámbito de los procedimientos de familia (v. preámb. cit.). Como señala De la Torre Olid (2011: 583), la mediación protege la institución familiar "apostando por pacificar la conflictividad desde un ámbito de libertad de las personas (*ex* art. 17) coherente expresión del principio de autonomía privada que es informador del Ordenamiento jurídico en general [...] y dispensando la tutela efectiva (que se ha de garantizar según el cuadro de derechos fundamentales relacionado en la Carta Magna, aunque reinterpretando el art. 24 para entender la tutela judicial como recurso necesario que garantiza el Estado después de la primera regla que es la natural y extrajudicial tutela efectiva); además de buscar esa pacificación guardando la debida privacidad familiar (según el art. 18 CE)"[239].

La mediación puede ser judicial, articularse con carácter intrajudicial o extrajudicial y en la esfera jurisdiccional puede implementarse en cualquier fase del procedimiento, incluso en fase de ejecución de

---

[239] *V.*, asim., Rocha Spindola (2013: 360-370).

sentencia o durante la segunda instancia[240]. También puede convenir-se con carácter preventivo, por medio de la incorporación de un compromiso de sometimiento a mediación en el pacto de capitulaciones matrimoniales o de una cláusula de sumisión a mediación en caso de conflicto incorporada al convenio regulador o al plan de parentalidad[241]. Como dice Bernal Samper (2005: 17), "la mediación aplicada a los conflictos de pareja, es una forma de abordar la ruptura, enseña a la pareja a separarse y al mismo tiempo a mantener su responsabilidad como padres, posibilitando el que los hijos mantengan una relación adecuada, con ellos, después de la ruptura"; en suma, se trata de facilitar, si esta es la voluntad de las partes, la separación o ruptura de la pareja utilizando un modo de hacerlo que no aumente los conflictos en curso.

Según la Ley catalana 15/2009, "1. [...] se entiende por mediación el procedimiento no jurisdiccional de carácter voluntario y confidencial que se dirige a facilitar la comunicación entre las personas, para que gestionen por ellas mismas una solución a los conflictos que las afectan, con la asistencia de una persona mediadora que actúa de modo imparcial y neutral. 2. La mediación, como método de gestión de conflictos, pretende evitar la apertura de procesos judiciales de carácter contencioso, poner fin a los ya iniciados o reducir su alcance". Esta mediación "se basa en el principio de voluntariedad, según el cual las partes son libres de acogerse a la misma o no, así como de desistir en cualquier momento" (art. 5); el mediador debe ejercer "su función con imparcialidad y neutralidad, garantizando la igualdad entre las partes..." (art. 6) y está obligado a la confidencialidad por el secreto profesional (art. 7).

El *objeto* de la mediación es muy amplio y contempla hasta dieciocho situaciones distintas con un añadido final a modo de cajón de sastre. Entre otras materias, la mediación puede referirse a las siguientes cuestiones (art. 2)[242]:

---

240   Sobre el protocolo de la mediación familiar intrajudicial, *v. Guía práctica de la mediación intrajudicial*, del CGPJ [s.f., 2016(?), pp. 47-92], coord. Raquel Alastruey (c. 06.04.2018); Ortuño (2013).

241   García Herrera (2016: 25).

242   Ysàs Solanes (2011: 597-602).

Las reguladas por el Código civil de Cataluña que en situaciones de nulidad matrimonial, separación o divorcio deban ser acordadas en el correspondiente convenio regulador; la liquidación de los regímenes económicos matrimoniales; los elementos de naturaleza dispositiva en materia de filiación, adopción y acogida, así como las situaciones que surjan entre la persona adoptada y su familia biológica o entre los padres biológicos y los adoptantes, como consecuencia de haber ejercido el derecho a conocer los datos biológicos; los conflictos derivados del ejercicio de la potestad parental y del régimen y forma de ejercicio de la custodia de los hijos; los conflictos relativos a la comunicación y relación entre progenitores, descendientes, abuelos, nietos y demás parientes y personas del ámbito familiar; los conflictos relativos a la obligación de alimentos entre parientes; y, en general, "Cualquier otro conflicto en el ámbito del derecho de la persona y de la familia susceptible de ser planteado judicialmente" (art. 2.s).

Los acuerdos que puedan adoptarse deben dar prioridad al interés superior de los menores y de las personas incapacitadas. Los acuerdos respecto a materias y personas que necesitan una especial protección, así como las materias de orden público determinadas por las leyes, tienen carácter de propuestas y necesitan, para su eficacia, la aprobación de la autoridad judicial. Los abogados de las partes pueden trasladar el acuerdo alcanzado mediante la mediación al convenio regulador o al documento o protocolo correspondiente, para que se incorpore al proceso judicial en curso o para que se inicie, para su ratificación y, si procede, aprobación. En la mediación realizada por indicación de la autoridad judicial, la persona mediadora debe comunicar a esta autoridad, en el plazo de cinco días hábiles desde el fin de la mediación, si se ha alcanzado un acuerdo o no (art. 19).

El Centro de Mediación de Derecho Privado de Cataluña (*Centre de Mediació de Dret Privat de Catalunya*) tiene por objeto promover y administrar la mediación regulada por la Ley 15/2009 y facilitar el acceso a la misma. El Centro es un órgano adscrito al departamento competente en materia de derecho civil mediante el centro directivo que tiene atribuida su competencia (art. 20)[243].

---

[243]  La relación de la normativa referente a la mediación en Cataluña puede consultarse    en:    http://www.diariodemediacion.es/wp-content/uploads/2016/03/

La posibilidad de acudir a la mediación en el marco del derecho familiar, está expresamente regulada en el artículo 233-6 del *Codi*. De acuerdo con esta norma, los cónyuges, en *cualquier fase del procedimiento matrimonial* y en *cualquier instancia*, pueden someter las discrepancias a mediación e intentar llegar a un acuerdo total o parcial, *excepto* en los casos de violencia familiar o machista. El inicio de un proceso de mediación familiar, antes de la interposición de la demanda o en cualquier fase del procedimiento matrimonial, a *iniciativa de las partes* o *por derivación de los abogados o de otros profesionales*, está sujeto a los principios de voluntariedad y confidencialidad y en caso de desistimiento, este no puede perjudicar a los litigantes que han participado en dicho proceso.

La *autoridad judicial* puede remitir a los cónyuges a una sesión informativa sobre mediación, si considera que, dadas las circunstancias del caso, aún es posible llegar a un acuerdo. Las partes pueden solicitar, de mutuo acuerdo, la suspensión del proceso mientras dura la mediación. La comunicación a la autoridad judicial del desistimiento de cualquiera de las partes o del acuerdo obtenido en la mediación da lugar al levantamiento de la suspensión.

Los *acuerdos* obtenidos en la mediación, una vez incorporados en forma al proceso, deben someterse a la *aprobación judicial* en los mismos términos que el artículo 233-3 establece para el convenio regulador. Los acuerdos conseguidos en mediación respecto al régimen de ejercicio de la responsabilidad parental se consideran adecuados para los intereses del menor. La falta de aprobación del acuerdo por parte de la autoridad judicial debe fundamentarse en *criterios de orden público* e *interés del menor*. Esto último implica que existe una presunción legal favorable a la bondad del acuerdo conseguido con la mediación y para desvirtuar su contenido la autoridad judicial deberá basarse en dichos fundamentos.

Asimismo, el Decreto 357/2011, de 21 de junio, de los servicios técnicos de punto de encuentro, señala que en el marco de la Administración de la *Generalitat,* los *servicios técnicos de punto de encuentro familiar* tienen por finalidad trabajar "para la normalización del ejer-

---

CATALU%C3%91A.pdf (c. 06.04.2018); sobre una experiencia piloto de mediación familiar en Cataluña, *v.* Guillamat Rubio (2012: 35-43).

cicio de los derechos de relación y comunicación de los y las menores
con sus progenitores y/o familiares, en situaciones de conflictividad,
siempre que sea posible y a tenor de la evolución del niño. En este sentido, mientras la situación de conflictividad exista, hay que garantizar
a los y a las menores su derecho a relacionarse con sus progenitores
y/o familiares, velando por su bienestar emocional y preservándolos
de la relación conflictiva y/o de todo tipo de violencia de las personas
adultas, y en especial de la violencia machista, de acuerdo en lo que
establece el artículo 233-13.2 del Código civil de Cataluña." (art. 2).

En el ámbito estatal, tras numerosos intentos fallidos para aprobar
una regulación general de la mediación en los asuntos civiles y mercantiles, el Real Decreto-Ley 5/2012, de 5 de marzo, y su posterior
conversión en la Ley [estatal] 5/2012, de 6 de julio, de mediación en
asuntos civiles y mercantiles, con su normativa de desarrollo, culmi-
nan un largo recorrido legislativo desarrollado por medio de la legislación promulgada por las Comunidades Autónomas[244] (v. preámb.
de la Ley). La Ley se dicta al amparo de la competencia exclusiva del
Estado en materia de legislación mercantil, procesal y civil, establecida en el artículo 149.1.6.ª y 8.ª CE (DF 5ª), lo que conlleva la validez de las disposiciones promulgadas por las CC.AA. competentes de
acuerdo con lo previsto en el artículo 149.1.8ª CE[245].

De acuerdo con el artículo 25 (*Formalización del título ejecutivo*)
de la Ley 5/2012, las partes pueden *elevar a escritura pública el acuerdo* alcanzado tras un procedimiento de mediación. El acuerdo debe
presentarse por las partes ante un notario acompañado de copia de
las actas de la sesión constitutiva y final del procedimiento, sin que sea
necesaria la presencia del mediador. A los indicados efectos, el notario
debe verificar el cumplimiento de los requisitos exigidos en esta Ley
y que su contenido no es contrario a Derecho. Cuando el acuerdo de

---

[244]   Sobre el proceso legislativo de la mediación en el Estado español y las CCAA *v.*
García del Vado (2015: 71-133).

[245]   Como dice el preámbulo de la Ley 5/2012: "La presente Ley se circunscribe
estrictamente al ámbito de competencias del Estado en materia de legislación
mercantil, procesal y civil, que permiten articular un marco para el ejercicio de
la mediación, sin perjuicio de las disposiciones que dicten las Comunidades Autónomas en el ejercicio de sus competencias."; *v.* García Villaluenga, Vázquez de
Castro (2013).

mediación haya de ejecutarse en otro Estado, además de la elevación a escritura pública, será necesario el cumplimiento de los requisitos que, en su caso, puedan exigir los convenios internacionales en que España sea parte y las normas de la Unión Europea. Por último, cuando el acuerdo se hubiere alcanzado en una mediación desarrollada después de iniciar un proceso judicial, las partes podrán solicitar del tribunal su homologación de acuerdo con lo dispuesto en la Ley de Enjuiciamiento Civil.

Por último, determinados conflictos también pueden resolverse acudiendo a un procedimiento de *jurisdicción voluntaria*. En materia de familia, la LJV se refiere a las siguientes intervenciones judiciales: desacuerdos en el ejercicio de la patria potestad (art. 85); desacuerdos en el ejercicio de la patria potestad (art. 86); medidas de protección relativas al ejercicio inadecuado de la potestad de guarda o de administración de los bienes del menor o persona con capacidad modificada judicialmente (art. 87); e intervención judicial en los casos de desacuerdo conyugal y en la administración de bienes gananciales (art. 90).

## 3. MATRIMONIO A DISTANCIA Y MONOPARENTALIDAD

### 3.1. *Introducción*

Entre otros factores, la movilidad social, la globalización, el cosmopolitismo, la facilidad en los medios de comunicación y transporte, el multiculturalismo, la expansión, oportunidades y diversificación de los mercados de trabajo y servicios, las migraciones (nacionales e internacionales), el individualismo, la igualdad de género y el libre desarrollo de la personalidad, han supuesto que en un número creciente de matrimonios, uno o ambos cónyuges, desempeñen actividades de larga duración en localidades lejanas o en distintos países, dando lugar a la figura denominada "matrimonios a distancia"[246]. Este supuesto suele integrar la falta de convivencia, más o menos duradera, en un

---

[246] Según se expone en otro lugar de este estudio, análoga problemática cabe observar en relación con las uniones estables de pareja.

solo domicilio, que es aceptada por los cónyuges de matrimonios que, *prima facie*, no se hallan en situación de conflicto o crisis matrimonial.

En el derecho comparado, en ocasiones, las expresiones utilizadas pueden referirse, separada o conjuntamente, tanto a las parejas matrimoniales como a las uniones estables, y se aplican para describir distintos tipos de convivencia, que como rasgo común se caracterizan por lo siguiente: aunque la pareja mantiene una relación afectiva y con compromiso basada en el matrimonio o en una unión estable, por lo menos, varios días a la semana, vive separada (no en fase de ruptura o de crisis), y ambos miembros de la pareja, poseen residencias o residen en lugares diferentes y alternan la vida en común con la separada[247].

Las causas personales o estructurales que dan lugar al supuesto, pueden deberse a los factores siguientes: motivos económicos; seguridad en uno de los trabajos; dobles carreras profesionales; traslados; por los hijos; dificultades para obtener la residencia administrativa en el lugar donde vive el otro miembro de la pareja, y por seguridad. El plazo de tiempo de la falta de convivencia puede oscilar entre unos meses hasta decenas de años y depender de: las condiciones de la actividad que motiva la separación; la edad de los cónyuges; y la composición y circunstancias del grupo familiar. En la doctrina comparada se pone de relieve que en una elevada proporción, la mayoría de los matrimonios que están en esta situación consiguen reunirse de nuevo tras cinco años de separación; y en una proporción mucho menor, permanecen en dicha situación o han roto su relación[248].

Centrando la atención en el "matrimonio a distancia" (MAD), Rodrigo Soriano (2005: 125), propone la siguiente definición: "las parejas casadas que alternan la vida en común con la vida separada durante determinados días a la semana o durante largas temporadas, debido a empleos en lugares distintos o trabajos móviles".

Las expresiones más interesantes propuestas por la doctrina extranjera son las siguientes:

---

[247]    Rodrigo Soriano (2005: 85 y ss.) a la que se sigue de cerca en relación con las definiciones siguientes y el contenido de este epígrafe.

[248]    Rodrigo Soriano (2005: 127) con apoyo en Villeneuve-Gopalk; Sandow (2010).

- *commuter marriage* (matrimonio viajante): designa a las parejas con dos carreras que tienen residencias independientes y viven separadamente por lo menos tres días (Gerstel, 1977, 1980)
o cuatro (Gross, 1980) a la semana. Según Glotzer y Cairns
(2007: 7), la expresión se refiere a los matrimonios con un cónyuge residente en el hogar familiar, con frecuencia con trabajo y
al cargo del cuidado de los hijos, mientras que el otro cónyuge,
trabaja y vive lejos durante períodos de tiempo prolongados.
- LDRs (*Long Distance Relationschip*): relaciones de larga distancia, donde cada uno de los miembros de la pareja vive en
una ciudad diferente.
- *conyugalidad a distancia* (Villeneuve-Gokalp, 1997): uniones
sin cohabitación permanente en la que los dos miembros conservan dos domicilios, incluso aunque preferentemente comparten uno.
- *matrimonio a distancia* (Peuckert, 1989): alternativa de la vida
en común con la separada, debido a empleos en lugares distintos o por otras razones.
- LAT (*Living Togheter, Apart*. Parejas que viven juntas, aparte)
(Winfield, H, 1985): matrimonios con doble carrera que alternan la vida en común con la separada por motivos profesionales; y entre otras definiciones, y según el CIS n.º 8 (1988):
parejas que residen en viviendas distintas; por último,
- Caradec (1996), distingue entre: *cohabitación intermitente*,
cuando los dos cónyuges no viven juntos siempre; y *cohabitación alternada*, cuando los dos cónyuges viven continuamente
juntos, pero unas veces en la casa de uno y otras veces en la casa
del otro.

Por razones funcionales, cabe distinguir dos clases de matrimonios
a distancia:

a) *Matrimonio a distancia tradicional.* Se refiere al supuesto en que
el cónyuge que trabaja alejado de los hijos, asume o recupera
la función tradicional de aportante de ingresos (*breadwinner*),
mientras que el cónyuge que se halla al cuidado de los hijos
(*homemaker*), acumula, como mínimo durante la situación de
monoparentalidad, las funciones inherentes a esta situación. Si
ese cónyuge no trabaja en una actividad remunerada, en cierto

modo, excluida la residencia conjunta, este reparto de funciones se aproxima al modelo de la familia matrimonial nuclear tradicional y de tipo patriarcal. No obstante, las diferencias se hallan en que, en las sociedades modernas, el reparto funcional de tareas puede no coincidir con su asignación tradicional por razones de género, y las decisiones sobre el hogar, aunque se adopten a distancia, pueden decidirse de modo conjunto.

b) *Matrimonio a distancia igualitario.* De acuerdo con su denominación, este modelo se basa en un enfoque igualitario, en que ambos padres trabajan, por lo menos, cuatro días a la semana, pero en sentido estricto, en este modelo familiar, es difícil conseguir una balanza funcional igualitaria. La filosofía que subyace en este modelo es que ambos progenitores tienen iguales derechos y responsabilidades tanto en relación con la familia como frente a sus empleadores, y contemplan ambas perspectivas como un factor de enriquecimiento personal[249].

El matrimonio a distancia debe distinguirse de los siguientes supuestos:

a) Del *matrimonio simulado,* también llamado, matrimonio blanco, de conveniencia o de complacencia, expresiones que se refieren a los matrimonios generalmente convenidos mediante precio o contraprestación y celebrados para obtener un beneficio para uno de los contrayentes (permiso de residencia u obtención de la nacionalidad del otro cónyuge). En estos casos, a pesar de que los contrayentes prestan su consentimiento matrimonial, en realidad no quieren que nazca vínculo alguno, y es indiferente la proximidad o lejanía de los cónyuges. La simulación puede ser absoluta o relativa, en cuyo caso, puede entrar en juego el fraude de ley (art. 6.4 CC)[250].

b) Del *matrimonio por medio de apoderado.* Este supuesto tipifica una forma especial de contraer matrimonio admitida por el ar-

---

[249]  Van der Klis (2009).
[250]  Martinez de Aguirre (2013: 128-130); Calvo Caravaca, Carrascosa González (2011: 1052-1061); Ortega Giménez (2017); "Handbook on addressing the issue of alleged marriages of convenience between EU citizens and non-EU nationals in the context of EU law on free movement of EU citizens", Bruselas, 26.9.2014 SWD(2014) 284 final.

tículo 55 CC y según la cual, cumpliendo los requisitos legales previstos al efecto, uno de los contrayentes podrá contraer matrimonio por apoderado, a quien tendrá que haber concedido poder especial en forma auténtica, siendo siempre necesaria la asistencia personal del otro contrayente.

c) De la *ausencia*, entendida como la situación jurídica de una persona que ha desaparecido de su domicilio o la ignorancia sobre su paradero, por no saberse donde ésta y ser ilocalizable, sin tener noticias de ella, con la imposibilidad de poder contactar con ella, incluso aunque se pueda saber donde está. Estas circunstancias generan un halo de incertidumbre sobre la existencia de la persona que pueden calificar situaciones y efectos jurídicos de mayor o menor trascendencia: simple ausencia; ausencia legal; mayor o menor probabilidad de vida del ausente o del desaparecido; posible reaparición de la persona en cuestión; o declaración legal de fallecimiento (arts. 181-198 CC). Estos supuestos se diferencian claramente del MAD que se configura a partir del conocimiento de la residencia, en lugares distintos, de ambos cónyuges; porque se mantiene el ideal de la convivencia; y porque no se trata de supuestos de crisis matrimonial.

## 3.2. Matrimonios de fin de semana

Como resulta de su denominación, y de acuerdo con Ruiz Becerril (2003: 180, n. 2), los matrimonios de fin de semana (*commuter marriage*) son siempre matrimonios, lo que excluye del supuesto otras formas de relación en pareja. "Su separación está marcada por una distancia física que impide la vida en común y está motivada por razones laborales. Además, los matrimonios de fin de semana no tienen contacto físico durante la mayor parte de la semana. Las relaciones LAT se refieren, fundamentalmente, a parejas de hecho (no siendo válido aquí el concepto de cohabitantes[251]) y admiten en su definición los matrimonios. Las dos residencias de la pareja suelen estar en un

---

[251]　[Según el DRAE y en lo que aquí interesa, "cohabitar" significa: 1. Habitar juntamente con otra u otras personas. 2. Hacer vida marital. En relación con el contexto de referencia el significado que interesa es el segundo. Nota añadida por el autor que cita. El concepto de "vida marital" se he examinado en otro lugar

mismo municipio o cercanas, y la motivación de la doble residencia está determinada, generalmente, por el deseo de independencia o de tener seguridad en la relación de pareja. Por otra parte, los dos miembros de la pareja no tienen que estar necesariamente trabajando y el contacto de las relaciones LAT puede ser, en principio, todo lo frecuente que deseen".

La admisión de este tipo de relación matrimonial responde al cambio social y supone la quiebra de uno de los rasgos tradicionalmente definidores del matrimonio y la vida familiar basados en la unidad de residencia, la unión y la comunidad; "los matrimonios de fin de semana se definen por ser unas parejas donde se conjuga la independencia con la vida en común" (*ibdm.*).

Los cuatro factores que identifican el supuesto son los siguientes (Gerstel y Gross, 1984): igual compromiso en las carreras profesionales de ambos miembros de la pareja; una distancia considerable que determina una doble residencia; la permanencia de la situación (no hay metas específicas o duración marcada); y la preferencia por vivir juntos (*ibdm.*). En esta modalidad de vida matrimonial la existencia de redes de apoyo familiar o social suele hallarse muy presente.

Por lo que se refiere a las relaciones personales, de filiación, patrimoniales y sucesorias, en general, el supuesto no cabe ubicarlo en la tipología propia de la monoparentalidad y tampoco son aplicables las previsiones legales sobre supuestos de crisis matrimonial propias a la separación de hecho o legal.

*Matrimonio/cohabitación conmutable.* En sentido próximo al acabado de examinar y entendiendo por "conmutable" el hecho de recorrer largas distancias para ir de la casa de uno a la del otro, por referencia a Winfield (1985), Trost y Levin señalan que si los dos miembros de la pareja viven en una misma vivienda y uno de ellos (o ambos) tienen una segunda vivienda o departamento donde él o ella se quedan cuando están lejos de casa debido al trabajo o a los estudios, en este caso se trata de una relación marital/cohabitacional conmutable. Cuando existan dos viviendas, dos residencias, se tratará de una relación LAT.

---

de este trabajo en relación con las uniones estables de pareja y la STS 9 febrero 2012].

## 3.3. Ventajas e inconvenientes del matrimonio a distancia

Las ventajas e inconvenientes que cabe atribuir a la figura del MAD, son las siguientes:

En el lado de las ventajas, se afirma que puede convenir a cierto tipo de personas que están dispuestas a pagar el precio de la lejanía física algunas de las veces, para gozar de una mayor autonomía personal, mayor autoestima y autoconfianza, y un espacio de realización personal y profesional más libre y satisfactorio. Por otra parte, la facilidad de comunicación ofrecida por las modernas tecnologías, el uso de redes sociales y la amplia disponibilidad de medios de transporte, facilita que estos matrimonios puedan intercomunicarse con gran inmediatez y a pesar de la lejanía, ambos miembros de la pareja pueden mantener un elevado grado de compenetración e interdependencia. Lo que antecede, representa una mejora significativa en relación con situaciones anteriores en las que no existían dichas facilidades de comunicación o cuando no sea posible disponer de ellas.

En contra, a pesar del posible doble ingreso obtenido en caso del trabajo externo de ambos cónyuges, los costes —personales y económicos— de este modelo pueden ser notables porque implican: cambios relevantes en las relaciones de la convivencia marital y familiar y en la toma de decisiones; asunción en gran parte de determinadas tareas de necesario ejercicio directo, en especial, el cuidado y la crianza de los hijos menores a cargo de uno de los cónyuges; situaciones de soledad; posibles efectos sobre la salud psíquica y física y horarios intempestivos; cambios en las redes de relación social, en las aficiones, ocio y viajes; menor tiempo disponible para interactuar y socializar con la familia y el entorno próximo; costes añadidos en materia de comunicaciones y transportes, y los derivados de la necesidad de mantener dos hogares independientes[252].

Si en sentido lato, la monoparentalidad se caracteriza por la ausencia de uno de los progenitores, no cabe duda que en estos matrimonios con hijos menores o dependientes, existen etapas o situaciones temporales de monoparentalidad más o menos significadas. En todo caso, como apunta la doctrina, se trata de una monoparentalidad *de*

---

[252]    Ben-Zeév (2013), Glotzer y Cairns (2007: 11); Anderson y Spruill (1993).

*hecho* y no *de derecho* (Trost, 1980) porque no existe una ruptura o crisis matrimonial. En la práctica, el MAD funciona como una familia monoparental impropia durante la mayor parte del tiempo y como una familia biparental el resto del tiempo.

En síntesis, los conflictos personales y paternofiliales que, con carácter general, pueden presentarse en los MAD de doble carrera se centran, en un doble ámbito: *a)* en la esfera personal: rivalidad profesional entre los cónyuges; lucha por el poder familiar; fallos en la estructura de mantenimiento del hogar; y *b)* en relación con el cuidado de los hijos, los conflictos familiares son potencialmente mayores cuando los hijos son menores de seis años o dependientes y no pueden ser escolarizados o no se dispone de ayudas públicas, se carece de redes de apoyo familiar y no se puede acceder a servicios externos de ayuda o cuando el trabajo del cónyuge cuidador se desarrolla en horas nocturnas o intempestivas[253].

# 4. CUESTIONES JURÍDICAS RELACIONADAS CON EL MATRIMONIO A DISTANCIA

## 4.1. *Viabilidad legal del MAD*

El requisito de convivencia de los cónyuges tenía especial importancia en el derecho derogado porque de su cese dependían cuatro de las cinco causas de divorcio, pero actualmente, este requisito ha perdido dicha relevancia. En régimen de derecho común, en principio, los cónyuges "están obligados a vivir juntos" (art. 68 CC); "Los cónyuges fijarán de común acuerdo el domicilio conyugal y, en caso de discrepancia, resolverá el Juez, teniendo en cuenta el interés de la familia" (art. 70 CC); "Se presume, salvo prueba en contrario, que los cónyuges viven juntos" (art. 69 CC). A pesar de las previsiones legales anteriores, que suelen responden a la situación más común y previsible, la posibilidad legal de acordar o convenir sobre una residencia distinta para cada uno de los cónyuges debe darse por plenamente válida.

Respecto de la obligación de *convivencia,* cabe poner de relieve que, de acuerdo con sus circunstancias personales, los cónyuges pue-

---

[253]   Rodrigo Soriano (2005: 156 y ss.)

den pactar o convenir sobre la forma material de su cumplimiento en los términos que estimen más conveniente, siempre que con ello no resulten contradichas leyes imperativas o de orden público. En esta materia debe respetarse el programa de vida que las partes hayan acordado sobre el contenido y desarrollo de sus relaciones matrimoniales, todo ello, en función de sus apetencias y posibilidades materiales y proyecciones profesionales, y los principios de libertad, igualdad, libre autonomía de la voluntad y desarrollo de la personalidad.

Como señalan Díez-Picazo y Gullón (2012: 91-92), "la obligación de vivir juntos, definida en el artículo 68 como la primera de todas, es un obligación instrumental. Pero no debe entenderse de modo tan absoluto que impida que por mutuo acuerdo puedan los cónyuges establecer períodos de separación temporal". Existiendo mutuo acuerdo, incluso es admisible convenir un pacto conyugal que exima mutuamente de la obligación de convivencia, pues como afirma Ragel Sánchez (2011: 652-653; 680) "es perfectamente posible que los cónyuges, previendo ese futuro conflicto, lo eviten y se perdonen anticipadamente ese incumplimiento. Lo que realmente interesa es que estén de acuerdo"[254] y que la separación "sea transitoria, en el sentido de que no tenga la finalidad de convertirse en definitiva [...] Lo único importante es que los cónyuges tengan el ánimo de iniciar o de reanudar la cohabitación, una vez que haya cesado la causa externa que la impida". Para Garrido Melero (2013, I; 77), a la vista de la presunción *ex* artículo 69 CC, se entiende que los cónyuges viven en comunidad y no que se encuentran separados, "Esto es cierto pero no necesariamente obligatorio ni siempre que no se produce una convivencia podemos negar la existencia de un matrimonio [...] la existencia de un domicilio común es una presunción del legislador que puede verse desvirtuada por la práctica [...] No obstante, tenemos que admitir que debe existir, al menos, una vocación de convivencia en común, de querer constituir una comunidad de vida, de constituirla al menos en el plano espiritual, porque lo contrario sería destruir la base material de la unión matrimonial".

---

[254]  En contra, el autor citado se remite a la opinión de García Cantero (1982). No obstante, la vigente normativa legal del matrimonio y la realidad social son otras.

Por otra parte, doctrina y jurisprudencia ponen de relieve que, en materia de convivencia, es habitual distinguir, entre: el *elemento material* de la convivencia (habitar bajo un mismo techo) y el *elemento espiritual* o anímico (la voluntad de vivir juntos, la comunidad de vida)[255].

En general, en un gran número de matrimonios, ambos elementos se dan juntos. Cuando a causa de las circunstancias personales de ambos cónyuge, estos viven materialmente separados, por un tiempo más o menos largo, y conservan intacta la voluntad de mantener la comunidad de vida y de convivir de consuno cuando sea nuevamente posible, ello permite afirmar que, a efectos jurídicos, la separación material no supone cesación de la convivencia. También puede darse la situación contraria: convivencia meramente material incompatible con la convivencia espiritual (STS 25 noviembre 1985)[256].

Solamente, en caso de mantenerse dicha situación durante largo tiempo sin ir acompañada de períodos de convivencia intermedios (vacaciones, fines de semana…), esta circunstancia objetiva hace difícilmente compatible el cumplimiento de la previsión legal del artículo 68 CC y mediando oposición de uno de los cónyuges, esta sitaución puede calificar la existencia de una "separación de hecho", con los efectos jurídicos consiguientes o incidir directamente en la esfera de las crisis matrimoniales. En este caso, la falta de convivencia "debe empezar a computarse desde que se entró en la segunda situación…" y tampoco sería efectiva la convivencia "cuando las personas *se relacionan pero no lo hacen como cónyuges*, sino en otro sentido distinto" (Ragel Sánchez, 2011: 681-682).

Debe distinguirse entre causa interna y causa externa de la falta de convivencia. Siguiendo al autor citado (*ibdm.*: 681), cuando los cón-

---

[255]    Martínez de Aguirre (2013: 149-150); Díaz Martínez (2013: 782-786); Ragel Sánchez (2011: 641 y ss.).

[256]    "Entendida la convivencia conyugal propiamente dicha, como la manifestación de la comunidad de vida, obviamente compartible con la individual de cada esposo, es claro que puede resultar rota esa unidad a pesar de que marido y mujer sigan pernoctando bajo el mismo techo, […] pues lo que dá color a tal situación es el cumplimiento de los deberes de colaboración y auxilio […] manifiestamente quebrantados por recurrente y recurrida, que viven en el orden de los efectos [*sic*, afectos(?)] totalmente desligados, aunque el marido acuda para el descanso nocturno al domicilio conyugal" (STS 25 noviembre 1985, FD 3).

yuges pueden vivir juntos y de mutuo acuerdo "deciden no hacerlo o cuando uno de ellos toma esa decisión y abandona unilateralmente al otro, se interrumpirá la convivencia cuando la separación esté motivada precisamente por la intención de no compartir el hogar, los pensamientos y las preocupaciones. La causa es *interna*, porque afecta directamente a la voluntad de uno o de ambos cónyuges, que ya no tienen el deseo de convivir"[257].

Por lo que atañe al *domicilio civil*, este se determina en razón de principio de la "residencia habitual" de las personas (art. 40 CC) y según el ámbito o supuesto que se considere, el ordenamiento prevé la existencia de domicilios diferentes (mercantil, procesal, administrativo, fiscal, etc.). La determinación del *domicilio conyugal* se relaciona con el deber de convivencia de los cónyuges y normalmente será único, pero por las razones antes aludidas y a causa de la mayor libertad de autoorganización de la convivencia y las relaciones conyugales y familiares, queda abierta la posibilidad de pactar o convenir un régimen distinto de convivencia. Como señala, por ej., la STS, 25 noviembre 1985, la obligación de convivencia *ex* art. 68 CC "reflejada en la tradicional expresión de unidad de techo, mesa y lecho (*thorum, mensa et cohabitatio*), no impide el hecho, harto frecuente, de que no obstante su nota esencial en el matrimonio, es infringida por pacto, expreso o tácito, de marido y mujer, generalmente acompañado de un acuerdo sobre prestación de alimentos...".

En el derecho catalán, no existe un deber explícito de convivencia sino que se habla de "una comunidad de vida", pero aquella se reconoce de modo implícito en el artículo 231-2. Por lo que atañe al domicilio familiar, el artículo 231-3 dispone que los cónyuges "determinan de común acuerdo el domicilio familiar. Ante terceras personas, *se presume que el domicilio familiar* es aquel donde los cónyuges o bien uno de ellos y *la mayor parte de la familia conviven habitualmente*"

---

[257]  La SAP Barcelona, 23 enero 1995 distingue entre: *a) abandono del hogar*; no lo hay, si el cónyuge ausente por motivos laborales no hace dejación de sus deberes de asistencia para con los hijos; *b)* Con todo, puede haber *cese efectivo de la convivencia*, si el cónyuge que permanece en el hogar familiar no está de acuerdo con el distanciamiento físico y da por terminada la relación de convivencia; lo mismo sucedería si el cónyuge alejado se desentiende de relacionarse con su consorte (sent. cit. en Ragel, *ibdm.*).

(é.a.). En caso de desacuerdo respecto al domicilio —lo que puede ser el preludio de una crisis matrimonial— cualquiera de los cónyuges puede acudir a la autoridad judicial, que debe determinarlo en interés de la familia a los efectos legales y puede tramitarse en el ámbito de la jurisdicción voluntaria (art. 90 LJV).

El citado artículo 231-3 engloba, por un lado, el domicilio conyugal, que cuando contempla la existencia de otros miembros de la familia, en especial, la familia nuclear, se muda en domicilio familiar, pero por otro lado, también tiene carácter de domicilio familiar el domicilio en que *uno de los cónyuges y la mayor parte de la familia "conviven habitualmente"*, lo que deja abierta, por causas muy diversas, la posibilidad de existencia de otro domicilio, en principio no conyugal ni familiar, que puede tener constituir la "residencia habitual" del otro cónyuge.

En la esfera jurisdiccional, la posibilidad práctica de domicilios distintos se prevé en el artículo 769 LEC al disponer que, en los procesos matrimoniales y de menores, salvo que expresamente se disponga otra cosa, será tribunal competente el Juzgado de Primera Instancia del lugar del domicilio conyugal. En el caso de residir los cónyuges en distintos partidos judiciales, será tribunal competente, a elección del demandante, el del último domicilio del matrimonio o el de residencia del demandado. Los que no tuvieren domicilio ni residencia fijos podrán ser demandados en el lugar en que se hallen o en el de su última residencia, a elección del demandante y, si tampoco pudiere determinarse así la competencia, corresponderá ésta al tribunal del domicilio del actor.

## 4.2. Efectos jurídicos y cuestiones sobre el MAD

En principio, los efectos jurídicos del matrimonio a distancia, con hijos menores o dependientes y sin crisis matrimonial, no modifican el estatuto personal, parental y jurídico patrimonial de los cónyuges, salvo, como es obvio, respecto de las circunstancias inherentes a este modelo familiar que, fundamentalmente, consisten en la ausencia material de uno de los cónyuges en el ejercicio corriente y diario de la vida familiar. Según se expone más adelante, en principio, como sea que en el MAD no hay auténtica ruptura de la convivencia, el distanciamiento físico no conlleva ninguno de los efectos jurídicos que el ordenamiento prevé para el supuesto de separación de hecho, pero la ausencia del otro cónyuge puede tener efectos en relación con la dirección de la familia (art. 231-4), la administración y disposición de bienes comunes (art. 232-33), y el ejercicio de la guarda y la potestad parental (arts. 236-10 y 236-11).

Por tanto, debe distinguirse entre falta de convivencia en un MAD y la separación de hecho. De acuerdo con Martínez de Aguirre (2013: 161), la separación de hecho "supone no solo el cese de la convivencia, sino también la desaparición de la voluntad de los cónyuges de vivir juntos, de mantener la comunidad de vida matrimonial". Esta separación puede adoptarse por mutuo acuerdo o por decisión unilateral de unos de los cónyuges y en el primer caso, pude haberse convenido incluso por medio de escritura pública. En consecuencia, ante la existencia de un acuerdo o de una separación unilateral, no es suficiente el mero dato objetivo, sino que es necesario determinar su causalidad y la subsistencia o no del requisito de convivencia y las consecuencias que de ello pueden derivarse en relación con el estatus jurídico-familiar.

En relación con el estatuto matrimonial personal y patrimonial de la figura del MAD, como cuestiones más interesantes, cabe referirse a las siguientes:

### a) Ley aplicable al matrimonio y economía matrimonial

La ley aplicable al matrimonio, los efectos del matrimonio y el REM se determinan de acuerdo con la normativa general y, salvo modificación voluntaria o por causa legal, el REM permanece inmutable aunque posteriormente exista una situación de MAD. En estos casos, cabe recordar que, cuando proceda, la determinación de la ley aplicable al matrimonio puede venir determinada legalmente en función de la ley de la residencia habitual común inmediatamente posterior a la celebración, y que, a falta de esta residencia común, los efectos se rigen por la ley del lugar de celebración del matrimonio (art. 9.2 CC).

Es igualmente aplicable al MAD el régimen primario matrimonial o disposiciones generales referentes a la dirección de la familia, régimen de los gastos familiares, contribución y responsabilidad por los gastos familiares, deber de información recíproca…), todo ello, de acuerdo con la ley aplicable al matrimonio. Por otro lado, si se prevé la existencia futura de un MAD o en caso de producirse este supuesto, los futuros cónyuges o estos, según proceda, pueden pactar en capítulos matrimoniales o en los pactos en previsión de una ruptura sobre los aspectos referentes al caso.

### b) Domicilio familiar

Sin perjuicio de las reflexiones antes expuestas, es de aplicación la normativa sobre protección de la vivienda familiar. En este sentido, el cónyuge titular de la vivienda (que puede ser el cónyuge que reside a distancia), sin el consentimiento del otro, no puede hacer acto alguno de enajenación, gravamen o, en general, disposición de su derecho sobre la vivienda familiar o sobre los muebles de uso ordinario que comprometa su uso, aunque se refiera a cuotas indivisas. Este consentimiento no puede excluirse por pacto ni otorgar con carácter general. Si falta el consentimiento, la autoridad judicial puede autorizar el acto, teniendo en cuenta el interés de la familia, así como si se da otra justa causa (art. 231-9.1). En el caso de que, ambos cónyuges tuvieran hijos menores o dependientes residiendo con ellos, y no se trate de una situación meramente transitoria o de segunda residencia, salvo mejor criterio, cabe deducir que ambas residencias tienen carácter de domicilio familiar, por lo que sería aplicable la citada norma tuitiva.

### c) Filiación y ejercicio de la potestad parental

Al amparo del artículo 69 CC, el ordenamiento da por supuesto que los cónyuges mantienen una situación normal de convivencia. La presunción sólo puede quedar destruida cuando se pruebe la falta de ánimo de convivencia y exista un desapego efectivo. En este sentido la filiación será matrimonial (art. 235-3 y ss.) pero el progenitor podrá interponer las acciones de impugnación de paternidad que estime procedentes.

Asimismo, se mantiene el principio de ejercicio conjunto de la potestad parental de ambos progenitores (art. 236-1) función que tiene carácter inexcusable (art. 236-2), lo que implica que, aunque puedan delegarse en otras personas aspectos concretos de la guarda o el cuidado de los hijos, el progenitor no puede desentenderse de su responsabilidad[258].

---

[258]   Anderson (2014: 800).

Con carácter general, el artículo 236-10 (*Ejercicio exclusivo de la potestad parental*), establece que la potestad parental es ejercida exclusivamente por uno de los progenitores en los casos de imposibilidad, ausencia o incapacidad del otro; y el artículo 236-11 (*Ejercicio de la potestad parental en caso de vida separada de los progenitores*), prevé que los progenitores pueden acordar que uno de ellos ejerza la potestad parental con el consentimiento del otro o que la ejerzan ambos con distribución de funciones y pueden otorgarse, en escritura pública, poderes de carácter general o especial, revocables en todo momento. Los poderes de carácter general deben otorgarse en escritura pública y deben revocarse mediante notificación notarial (art. 236-9). Por otra parte, las obligaciones de guarda corresponden al progenitor que en cada momento tenga los hijos con él, ya sea porque de hecho o de derecho residen habitualmente con él o porque se hallen en su compañía a consecuencia del régimen de relaciones personales que tengan convenido.

### d)  Derechos sucesorios

Mientras el supuesto no se convierta en una separación de hecho susceptible de ser incluida o prolegómeno de una crisis matrimonial, se mantiene la plena eficacia de los derechos sucesorios en favor del cónyuge viudo.

# 5. SEPARACIÓN DE HECHO Y MONOPARENTALIDAD

## 5.1. Introducción

La separación matrimonial es "aquella situación del matrimonio en la que cesa la convivencia de los cónyuges, manteniéndose el vínculo matrimonial. La nueva situación requiere la adaptación del régimen jurídico del matrimonio y de las relaciones paterno-filiales, en especial del ejercicio de la potestad de los padres sobre los hijos menores" (Ysàs Solanes, 2013: 257). La separación puede ser *de hecho* o *legal*. No existe una norma de conflicto específica reguladora de la ley aplicable a la separación de hecho. En el supuesto de que existan pactos convenidos entre los cónyuges, estos pactos se rigen por la ley

que regula las relaciones conyugales afectadas y los efectos personales
del matrimonio (arts. 9.2 y 3 CC)[259].

En sentido amplio, la separaciòn de hecho puede definirse como
"toda hipótesis de interrupción de la convivencia de cualquier tipo
y por cualquier causa determinada" (Hernández Ibáñez, 1982: 14-
15), pero como advierte la autora citada, en relación con los efectos
jurídicos de la separación de hecho, este concepto es poco relevante
porque no considera la causa que motiva el supuesto. En efecto, dicho
concepto incluye situaciones que pueden ser de causalidad muy diversa: acuerdo de separación negociado y no homologado; situación objetiva de no convivencia debida al abandono unilateral no justificado
del domiclio conyugal; mera interrupción de la convivencia debida a
viajes de negocios, por trabajar en una localidad distinta del domicilio familiar, o por estar ingresado en un establecimiento sanitario o
penitenciario, etc.

En sentido estricto, si se toma en consideración tanto el elemento
físico como el intencional, de aceurdo con Vela Sánchez (2005: 27), la
separación de hecho "consiste sólo en la situación resultante de decisiones personales de los cónyuges. La separación de hecho implica no
sólo un alejamiento físico, […] *corpus*, sino además una intencionali-
dad de vivir separados que sería el *animus*"; no habrá separación de
hecho cuando los casados no viven juntos por razón de trabajo o de
enfermedad, pero la habrá, por existir *animus*, aunque la pareja viva
en la misma casa en estancias separadas sin ningún contacto físico, ni
moral.

Por otra parte, según se examina más adelante, la *separación legal*,
supone el cese la comunidad de vida entre los cónyuges formalizado,
según los casos, en sede judicial o extrajudicial. Asimismo, el encaje de
la separación matrimonial canónica en el ordenamiento jurídico civil,
sin cumplir las formalidades de la separación legal, cabe asimilarlo a
la separación de hecho[260].

Formalmente y *prima facie*, en la separación de hecho no se requiere que exista una resolución judicial (o escritura pública notarial) que
la declare lo que puede dificultar su prueba, pero su existencia puede

---

259   Calvo Caravaca, Carrascosa González (2017, II: 372).
260   Arranz Hierro (2015: 3668).

ser declarada, reconocida o acreditada en un procedimiento judicial o extrajudicial. De acuerdo con la DA 1ª LJV, "las referencias [legales] existentes a 'separación de hecho por mutuo acuerdo que conste fehacientemente' deberán entenderse a la separación notarial".

El concepto jurídico de separación de hecho se caracteriza por los siguientes dos elementos:

*a)* La desaparición de la convivencia física; y

*b)* La ausencia de voluntad en uno o ambos cónyuges de mantener una comunidad de vida matrimonial (falta o desaparición de la *affectio maritalis*).

No es preciso que exista mutuo acuerdo, sino que basta la separación unilateral o incluso el acuerdo tácito con abandono del hogar por uno de los cónyuges sin reacción o con la aquiescencia otorgada ante la decisión unilateral del otro, de aquí la intrascendencia del origen convencional o unilateral impuesto de la separación de hecho[261].

Según se ha expuesto, el mero hecho de no convivir juntos ambos cónyuges no es un dato suficiente que permita afirmar, en sentido jurídico, la existencia de dicha situación de hecho, y mantener el domicilio común no excluye la separación de hecho. Es precisa la prueba de la inequívoca voluntad de los cónyuges de poner fin a la convivencia, cuya carga, en defecto del propio reconocimiento de los interesados, corresponde a quien alega esa situación. En este sentido, por ej., no constituye motivo válido para entender que existe una separación de hecho o que no ha existido un verdadero matrimonio, la circunstancia de hallarse la cónyuge supérstite ingresada por hecho involuntario en un centro penitenciario y residir el causante en el domicilio de sus progenitores; y, en su caso, en tanto no se declare nulo el matrimonio (SAP Barcelona, Sec. 11ª, 27 junio 2012).

La separación de hecho puede convenirse de mutuo acuerdo. En este supuesto, puede suceder que el acuerdo se haya documentado en capitulaciones matrimoniales o la situación se haya previsto en los pactos en previsión de ruptura (arts. 231-19 y 231-20 CCC) o formalizado en una escritura pública *ad hoc*. La separación de hecho puede ser la antesala para la separación legal o el divorcio, pero tam-

---

[261] López Maza (2013: 6884).

bién puede suceder que se convierta en una situación fáctica. Como sea que el *Codi* no impone el deber de convivencia, sino que habla de establecer una "comunidad de vida" (art. 231-2.1) la separación de hechó existirá cuando cese dicha comunidad con carácter voluntario por una o ambas partes. El cese de la comunidad de vida es compatible con el mantenimiento o reanudación temporal de la vida en el mismo domicilio, lo que puede dificultar su acreditación en el caso de que la separación no sea reconocida por ambos convivientes o no se haya documentado.

La unilateralidad de hecho no supone que este cónyuge incurra en el delito de abandono de familia. Para que se produzca este supuesto será preciso que el cónyuge en cuestión deje de cumplir los deberes de asistencia inherentes a la patria potestad o de prestar la asistencia legalmente establecida para el sustento de sus descendientes o cónyuge (art. 226.1 CP). La separación de hecho finaliza por la reconciliación de los cónyuges, la sentencia judicial o acuerdo de separación judicial o legal, o la disolución del matrimonio, generalmente, como consecuencia del divorcio. En el supuesto de reconciliación no es preciso ponerla en conocimiento de nadie pero si la misma se formalizó documentalmente, a efectos de prueba, en especial para que los derechos de los cónyuges no puedan ser cuestionados, es conveniente utilizar la misma fórmula.

## 5.2. *Pactos referentes a la separación de hecho*

En el supuesto de pacto sobre la separación de hecho, su contenido, normalmente, deberá considerar las cuestiones siguientes:

*a) Pactos sobre la situación personal de los cónyuges.* Según se ha señalado, la separación de hecho mutuamente convenida, excluye la figura del abandono del hogar y los efectos de esta en el orden penal o civil, pero los interesados conservan el ejercicio de las acciones de separación, judicial o legal, o la acción de divorcio. El pacto crea un ámbito de libertad individual respecto de cada uno de los cónyuges, pero el mismo no tiene carácter pleno. Según la STC 73/1982, de 2 de diciembre 1982, "Es obvio que la separación de hecho no hace desaparecer los deberes derivados de la relación conyugal ni otorga un omnímodo derecho de libertad a los cónyuges; que esta subsistencia de deberes es igual para uno y otro consorte y que uno y otro se injurian, si antes de que se produzca la disolución del vínculo desarrollan comportamientos que signifiquen menosprecio o que lesionen otros bienes de la personalidad" (FJ 3).

*b) Pactos sobre el régimen económico matrimonial.* Como sea que el REM supletorio catalán es el de separación de bienes, la regla general es que cada cónyuge tiene la propiedad, el goce, la administración y la libre disposición de todos sus bienes, con los límites establecidos por la ley (art. 232-1), pero pueden verse contradichas las presunciones sobre titularidad conjunta de bienes (arts. 232.3 y 232-4).

En el supuesto de que sea aplicable otro régimen económico matrimonial, en principio, este régimen no queda alterado, pero también podrán ponerse en entredicho los efectos propios derivados de los regímenes de comunidad[262]. Para extinguir el REM vigente y pactar y modular otro distinto basado en la separación de bienes los cónyuges deberán formalizar escritura de capitulaciones matrimoniales. Cuando la separación de hecho sea por un *plazo mayor a seis meses,* cualquiera de los cónyuges puede instar la extinción del régimen de comunidad de bienes (art. 232-36.2.*a*) o del régimen de participación en las ganancias (art. 232-16.2.*a*.).

*c) Derecho de alimentos.* La posibilidad de pacto está admitida, pero los pactos en materia de alimentos, guarda y relaciones personales con los hijos menores, solo son eficaces si son conformes a su interés en el momento en que se pretenda el cumplimiento (art. 233-5.3).

*d) Régimen de la parentalidad.* La potestad parental es una función inexcusable que, en el marco del interés general de la familia, se ejerce personalmente en interés de los hijos, de acuerdo con su personalidad y para facilitar su pleno desarrollo (art. 236-2). En principio, los progenitores ejercen la potestad parental respecto a los hijos conjuntamente, salvo que acuerden otra modalidad de ejercicio o que las leyes o la autoridad judicial dispongan otra cosa (art. 236-8), La potestad parental es ejercida exclusivamente por uno de los progenitores en los casos de imposibilidad, ausencia o incapacidad del otro, salvo que la

---

[262]　La jurisprudencia del TS señala que la separación de hecho libremente consentida excluye el fundamento legal de la gananciaidad por ser contraria a la buena fe y suponer un abuso de derecho (entre otras, SSTS 13 junio 1986, 11 octubre 1999 y 21 febrero 2008).

sentencia de incapacitación establezca otra cosa, y en el caso de que la autoridad judicial lo disponga en interés de los hijos (art. 236-10).

Puede acordarse el ejercicio de la potestad parental con distribución de funciones o individual con consentimiento del otro progenitor o que la ejerzan ambos con distribución de funciones. A estos fines, los progenitores pueden otorgarse poderes de carácter general o especial, revocables en todo momento. Los poderes de carácter general deben otorgarse en escritura pública y deben revocarse mediante notificación notarial (arts. 236-9 y 236-11).

## 5.3. Efectos jurídicos de la separación de hecho

En el supuesto de separación judicial o legal, la necesidad del correspondiente convenio regulador y en su caso, el plan de parentalidad y la adopción de medidas provisionales y definitivas, implica que la mayor parte de los efectos jurídicos personales y patrimoniales y la ordenación de las relaciones de filiación estén formalmente determinadas, pero en las separaciones de hecho, en defecto de pacto válido acordado entre los cónyuges en previsión o para el supuesto de crisis matrimonial, habrá que estar a las previsiones legales que prevén sobre esta situación.

Los *efectos civiles* más relevantes de la separación de hecho se refieren a los ámbitos y cuestiones siguientes:

### 1. Efectos legales previstos en el Código Civil

En el vigente CC se refieren a la separación de hecho los artículos siguientes: imposibilidad de adquirir la vecindad civil del otro cónyuge (art. 14.4); pérdida del beneficio de adquisición de nacionalidad por residencia por el mero transcurso de un año o por no estar separado de hecho el viudo o viuda (art. 22); interrupción de la presunción de paternidad del marido pasado el plazo de 300 días siguientes a la separación de hecho (art. 116); normas sobre el ejercicio de la patria potestad (arts. 156 y 157); obligación de promover la declaración de ausencia legal (art. 182); representación del cónyuge declarado ausente (art. 184); exclusión del cónyuge no conviviente para ser tutor o curador del otro (art. 234 y 291): pérdida del derecho a heredar del cónyuge que estuviera separado en el supuesto de sucesión intestada (art. 945); responsabilidad de los bienes gananciales por los gastos de sostenimiento, previsión y educación de los hijos que estén a cargo de la sociedad de gananciales (art. 1368); concesión judicial de la administración de bienes gananciales a uno solo de los cónyuges (art. 1388); derecho a pedir la extinción del régimen de gananciales en el supuesto previsto en la norma (1393.3º) con remisión a esta regulación en el supuesto de regir el régimen de participación (art. 1415). La separación de hecho no extingue el deber de alimentos por parte del no conviviente ni la potestad doméstica. Por último, se extingue el derecho de subrogación en el arrendamiento de la vivienda por muerte del cónyuge arrendatario (arts. 7.1.a, 16.1 y DT 2ª LAU).

## 2. Efectos legales según el Código Civil catalán

a) Quedan en suspenso los deberes conyugales *ex* artículo 231-2. Esto significa que el deber de actuar en interés de la familia queda circunscrito al ámbito de las relaciones paterno-filiales; queda en suspenso el deber de compartir tareas domésticas o el de cuidar o atender parientes del otro cónyuge. El deber de socorro mutuo queda sustituido por el deber de alimentos (art. 237-2.1).

b) En caso de *vida separada de los progenitores*; cuando los progenitores viven separados, pueden acordar mantener el ejercicio conjunto de la potestad parental, delegar su ejercicio a uno de ellos o distribuirse las funciones de acuerdo con lo establecido por el artículo 236-9.1 (art. 236-11. *Ejercicio de la potestad parental en caso de vida separada de los progenitores*)[263].

c) Cesa la presunción de donación en caso de declaración de concurso de los uno de los cónyuges, respecto de los bienes adquiridos a título oneroso por el otro cónyuge (art. 231-12).

d) En régimen de separación de bienes quedan afectadas las presunciones legales sobre bienes muebles de valor ordinario destinados al uso familiar adquiridos a título oneroso durante el matrimonio (art. 232-3.2) y el régimen de las titularidades dudosas (arts. 232-4).

e) Se extinguen los beneficios viduales: el derecho al ajuar doméstico (art. 231-30); y el año de viudedad (art. 231-31).

---

[263]    Este supuesto se examina en el capítulo dedicado a la potestad parental (vol. II).

*f)* La separación de hecho por plazo mayor de seis meses, extingue el REM de participación en las ganancias por resolución judicial y a petición de uno de los cónyuges (art. 232-16.2.*a.*) e igualmente en régimen de comunidad de bienes (art. 232-36.2.*a.*).

*g)* Decae la presunción de paternidad marital (art. 235-5).

*h)* Se extingue el pacto de supervivencia (art. 231-18.1.b).

*i)* Si uno de los cónyuges muere antes de que pase un año desde la separación de hecho, el otro, en los tres meses siguientes al fallecimiento, puede reclamar a los herederos su derecho a la *prestación compensatoria* (art. 233-14-3).

*j)* Las disposiciones testamentarias, institución de heredero, legados y las demás disposiciones que se hayan ordenado a favor del cónyuge del causante y los heredamientos o atribuciones particulares a favor del cónyuge viudo devienen ineficaces y queda excluido el derecho a la cuarta vidual (art. 452-2). Lo que antecede, salvo que del contexto del testamento, el codicilo, la memoria testamentaria, heredamiento o atribución particular, resulte que el testador las habría ordenado incluso en el supuesto de separación de hecho o en su caso, se haya pactado otra cosa (arts. 422-13 y 431-17.2). El pacto sucesorio no queda alterado salvo que se haya pactado otra cosa (art. 437-17.1).

*k)* Se excluye al cónyuge viudo del llamamiento a la sucesión intestada (art. 442-6).

*l)* Se excluye al cónyuge separado del llamamiento a la tutela del cónyuge incapacitado, así como en caso de muerte de éste, de la tutela de sus hijos (arts. 222-10-2.a. y d.). Los mismos efectos se producen respecto de la curatela (art. 223-10). Inaptitud para ejercer el cargo de tutor (art. 222-15).

*m)* No es necesario el asentimiento del cónyuge del adoptante para la adopción (art. 235-41.1.a.).

*n)* Ante terceras personas ambos cónyuges responden solidariamente de las obligaciones contraídas para atender las necesidades y los gastos familiares ordinarios de acuerdo con los usos y nivel de vida de la familia. En caso de otras obligaciones responde el cónyuge que las contrae (art. 231-8).

*o)* En las pretensiones entre cónyuges, mientras dura el matrimo-nio, la prescripción se suspende hasta la separación legal o de hecho (art. 121-26), y

*p)* En materia de derechos reales cabe proceder a la extinción de comunidades ordinarias (art. 552-11).

### 3. Otros efectos legales

*a)* En el ámbito de la jurisdicción voluntaria, los cónyuges pueden solicitar, individual o conjuntamente, la intervención o autorización judicial para que se les confiera la administración de los bienes comu-nes, cuando uno de los cónyuges se hallare impedido para prestar el consentimiento o hubiere abandonado la familia o existiere separa-ción de hecho (art. 90.d LJV).

*b)* En relación con el concepto de "persona perjudicada" según el RD Leg. 8/2004, de 29 de octubre, por el que se aprueba el texto refundido de la Ley sobre responsabilidad civil y seguro en la circula-ción de vehículos a motor, "La separación de hecho y la presentación de la demanda de nulidad, separación o divorcio se equiparan a la separación legal" (art. 63.3).

## 6. LA SEPARACIÓN LEGAL

Según los casos, la separación legal puede ser: *a)* judicial o conten-ciosa; y *b)* tramitarse de mutuo acuerdo mediante un procedimiento de jurisdicción voluntaria (v. arts. 81 y 82 CC; art. 54 LN; art. 748 y ss. LEC; art. 61 LRC). Las denominadas medidas provisionales y definitivas propias a estos supuestos se tratan unitariamente por el legislador y se examinan más adelante.

### a) Separación judicial

En el supuesto de que existan *hijos menores no emancipados* o con la *capacidad modificada judicialmente que dependan de sus progeni-tores*, cualquiera que sea la forma de celebración del matrimonio, la separación se decretará *por vía judicial* y puede acordarse:

1.º A petición de ambos cónyuges o de uno con el consentimiento del otro, una vez transcurridos tres meses desde la celebración del matrimonio. A la demanda debe acompañarse una propuesta de *convenio regulador* con el contenido previsto en el artículo 233-2 CCC).

2.º A petición de uno solo de los cónyuges, una vez transcurridos tres meses desde la celebración del matrimonio.

No será preciso el transcurso de este plazo para la interposición de la demanda cuando se acredite la existencia de un riesgo para la vida, la integridad física, la libertad, la integridad moral o libertad e indemnidad sexual del cónyuge demandante o de los hijos de ambos o de cualquiera de los miembros del matrimonio. A la demanda se acompañará propuesta fundada de las medidas que hayan de regular los efectos derivados de la separación (v. art. 81 CC).

Si un cónyuge solicita la separación judicial sin consentimiento del otro, o si ambos cónyuges no llegan a un acuerdo sobre el contenido del convenio regulador, la autoridad judicial debe adoptar las *medidas definitivas* pertinentes sobre el ejercicio de las responsabilidades parentales, incluidos el deber de alimentos y, si procede, el régimen de relaciones personales con abuelos y hermanos. Asimismo, la autoridad judicial, a instancia del cónyuge con quien los hijos convivan, puede acordar *alimentos* para los hijos mayores de edad o emancipados teniendo en cuenta lo establecido por el artículo 237-1, y que estos alimentos se mantengan hasta que dichos hijos tengan ingresos propios o estén en disposición de tenerlos. Si alguno de los cónyuges lo solicita, la autoridad judicial debe adoptar las medidas pertinentes respecto al uso de la *vivienda familiar y su ajuar*, la *prestación compensatoria*, la *compensación económica por razón del trabajo* si el régimen económico es el de separación de bienes, la *liquidación del régimen económico* matrimonial y la *división de los bienes* comunes o en comunidad ordinaria indivisa (art. 233-4 CCC).

### b) Separación de mutuo acuerdo

La separación también puede adoptarse por los cónyuges de mutuo acuerdo una vez transcurridos tres meses desde la celebración del matrimonio mediante la formulación de un *convenio regulador* ante el letrado de la Administración de Justicia o en escritura pública ante notario, en el que, junto a la voluntad inequívoca de separarse, deben determinar las medidas que hayan de regular los efectos derivados de la separación en los términos establecidos en el artículo 233-2 CCC. Este procedimiento no es posible "cuando existan hijos menores no emancipados o con la capacidad modificada judicialmente que dependan de sus progenitores" (art. 82.2 CC).

En suma, las parejas que en el momento de separarse (y también en el caso de divorcio *ex* art. 87 CC) no tengan hijos menores o incapacitados judicialmente, sin perjuicio de los requisitos legales previstos al efecto, no tienen que someter el convenio regulador al control judicial, requisito que antes también era necesario en estos casos. La doctrina pone de relieve que "la posibilidad de que la separación y el divorcio, no obstante constituir nuevos estados civiles, queden sustraídos al control judicial, se justifica porque en los sistemas de divorcio sin causa no hay contradicción o conflicto de intereses entre las partes en lo referente a la pretensión misma de separación o divorcio [...], y porque se trata de una materia disponible" (Moreno-Torres Herrera, 2015: 14-15)[264].

Los cónyuges deberán intervenir en el otorgamiento de modo personal, sin perjuicio de que deban estar asistidos por Letrado en ejercicio, prestando su consentimiento ante el letrado de la Administración de Justicia o notario. Igualmente los hijos mayores o menores emancipados deberán otorgar el consentimiento ante el Secretario judicial o notario respecto de las medidas que les afecten por carecer de ingresos propios y convivir en el domicilio familiar. Los funcionarios diplomáticos o consulares, en ejercicio de las funciones notariales que tienen atribuidas, no podrán autorizar la escritura pública de separación (o divorcio) (v. arts. 82 y 90 CC y 54 LN).

## c) *Reconciliación de los cónyuges*

La reconciliación consiste en "el acuerdo de los cónyuges para el restablecimiento de la vida matrimonial con intención de poner fin a la situación de separación" (Ysàs Solanes, 2013: 262); "no supone una mera reanudación de la convivencia, o un mero intento de superar la situación de crisis matrimonial, sino que implica la vuelta a la situación de comunidad de vida que caracteriza el matrimonio" (Bosch Capdevila *et al.*, 2013: 110).

---

[264]  Con apoyo, respectivamente, en Calaza López (2009: 27) y Díez Núñez (2008: 7, siguiendo a Tapia Fernández).

La *reconciliación* de los separados deberá ser formalizada judicial o notarialmente. De acuerdo con el artículo 84 CC: "La reconciliación pone término al procedimiento de separación y deja sin efecto ulterior lo resuelto en él, pero ambos cónyuges separadamente deberán ponerlo en conocimiento del Juez que entienda o haya entendido en el litigio. Ello no obstante, mediante resolución judicial, serán mantenidas o modificadas las medidas adoptadas en relación a los hijos, cuando exista causa que lo justifique. Cuando la separación hubiere tenido lugar sin intervención judicial, en la forma prevista en el artículo 82, la reconciliación deberá formalizase en escritura pública o acta de manifestaciones. La reconciliación deberá inscribirse, para su eficacia frente a terceros, en el Registro Civil correspondiente.".

Cuando la separación hubiere tenido lugar sin intervención judicial, en la forma prevista en el artículo 82 CC, la reconciliación deberá formalizase en escritura pública o acta de manifestaciones (art. 84.II CC) y también deberá inscribirse, para su eficacia frente a terceros, en el Registro Civil correspondiente (cit. art. 84 *in fine* CC).

## 6.1. *Efectos jurídicos de la separación*

La sentencia o decreto de separación o el otorgamiento de la escritura pública del *convenio regulador* producen la suspensión de la vida común de los casados y *cesa la posibilidad de vincular bienes del otro cónyuge en el ejercicio de la potestad doméstica*. La extinción de la vinculación de los bienes del otro cónyuge en el ejercicio de la potestad doméstica solo se produce en el supuesto de separación legal, sin que este efecto pueda predicarse en el caso de separación de hecho (art. 231-8).

Los efectos de la separación matrimonial se producirán desde la firmeza de la sentencia o decreto que así la declare o desde la manifestación del consentimiento de ambos cónyuges otorgado en escritura pública conforme a lo dispuesto en el artículo 82 CC. Se remitirá testimonio de la sentencia o decreto, o copia de la escritura pública al Registro Civil para su inscripción, sin que, hasta que esta tenga lugar, se produzcan plenos efectos frente a terceros de buena fe (art. 83 CC).

Los efectos jurídicos más relevantes son los previstos, con carácter unitario, en relación con las medidas provisionales y definitivas establecidas para los supuestos de nulidad del matrimonio, del divorcio y de la separación legal que se examinan más adelante. Sin perjuicio de la aplicación, *mutatis mutandis*, de los efectos antes examinados en relación con la separación de hecho, cabe destacar, los efectos jurídicos siguientes:

En el *Codi* la presunción de paternidad se regula de conformidad con lo previsto en el artículo 235-5 y ss.; el pacto de supervivencia se extingue por la declaración de separación judicial o el divorcio (art. 231-18.1[265]); y en materia de donaciones es aplicable lo previsto en el *Codi* según se trate de donaciones que no sean por causa de matrimonio (art. 231-14), de donaciones por causa de matrimonio (art. 231-27 a 231-29) y de donaciones hechas capítulos matrimoniales (art. 231-19 CCC).

En concreto, en los términos previstos en la respectiva regulación legal, cabe referirse a los siguientes efectos jurídicos:

*a) Responsabilidad parental.* La nulidad del matrimonio, el divorcio o la separación no alteran las responsabilidades que los progenitores tienen hacia sus hijos de acuerdo con el artículo 236-17.1. En consecuencia, estas responsabilidades mantienen el carácter compartido y, en la medida de lo posible, deben ejercerse conjuntamente. Los cónyuges, para determinar como deben ejercerse las responsabilidades parentales, deben presentar sus propuestas de plan de parentalidad, con el contenido establecido por el artículo 233-9 (art. 233-8).

*b) Emancipación judicial de los hijos.* La autoridad judicial puede conceder la emancipación, a solicitud del menor de más de dieciséis años, si existen causas que hacen imposible la convivencia con los progenitores o que dificultan gravemente el ejercicio de la potestad parental (art. 211-10).

*c) Prestación compensatoria.* El cónyuge cuya situación económica, como consecuencia de la ruptura de la convivencia, resulte más perjudicada tiene derecho a una prestación compensatoria que no

---

[265] La norma citada se refiere solo a la separación judicial, pero, por identidad de razón —la separación matrimonial— también cabe predicar el mismo efecto en relación con la obtenida en un procedimiento de jurisdicción voluntaria. Por otra parte, la norma prevé la extinción del pacto en el supuesto de "separación de hecho".

exceda del nivel de vida de que gozaba durante el matrimonio ni del que pueda mantener el cónyuge obligado al pago, teniendo en cuenta el derecho de alimentos de los hijos, que es prioritario. En caso de nulidad del matrimonio, tiene derecho a la prestación compensatoria el cónyuge de buena fe, en las mismas circunstancias (art. 233-14).

*d) Compensación económica por razón de trabajo.* En el régimen de *separación de bienes*, la norma prevé la denominada compensación económica por razón de trabajo que es exigible cuando concurren los requisitos establecidos en el artículo 232-5.

*e) División de los bienes en comunidad ordinaria indivisa.* En los procedimientos de separación, divorcio o nulidad y en los dirigidos a obtener la eficacia civil de las resoluciones o decisiones eclesiásticas, cualquiera de los cónyuges puede ejercitar simultáneamente la acción de división de cosa común respecto a los bienes que tengan en comunidad ordinaria indivisa (arts. 232-12 y 552-11.6; DA 3ª Libro segundo).

*f) Ineficacia de los capítulos matrimoniales.* Los capítulos quedan sin efecto si se declara nulo el matrimonio, si existe separación legal o si el matrimonio se disuelve por divorcio, pero conservan su eficacia: a) El reconocimiento de hijos efectuado por cualquiera de los cónyuges; b) Los pactos efectuados en previsión de ruptura matrimonial; c) Los pactos sucesorios en los casos en que lo establece el presente código, y d) Los pactos que tienen los capítulos como instrumento meramente documental (art. 231-26).

*g) Régimen económico matrimonial.* Se extingue el régimen matrimonial que regía el matrimonio. Este efecto se prevé expresamente en relación con los regímenes de participación en las ganancias (art. 232-16.1.*a*); y de comunidad de bienes (art. 232-36 1-1), y por remisión, según proceda a uno de estos supuestos, en relación los regímenes de la asociación a compras y mejoras (art. 232-25); y *agermanament* o pacto de mitad por mitad (art. 238-28-2). En la asociación de *convinença* o *mitja guadanyeria*, la disolución y liquidación se produce por muerte de uno de los cónyuges, por divorcio o por cambio del régimen matrimonial, pero según los supuestos y lo pactado por las partes, la asociación puede continuar (art. 232-29).

*h) Excepción al devengo del laudemio.* El laudemio no se devenga nunca en las adjudicaciones de la finca por disolución de comunidades matrimoniales de bienes, de comunidades ordinarias indivisas entre esposos o convivientes en pareja estable o por cesión sustitutiva de pensión, en casos de divorcio, separación o nulidad del matrimonio y de extinción de la pareja estable (art. 565-16.c).

*i) Derechos sucesorios*. La institución de heredero, los legados y las demás disposiciones ordenadas a favor del cónyuge del causante devienen ineficaces si, después de haber sido otorgados, los cónyuges se separan legalmente o se divorcian, así como si en el momento de la muerte está pendiente una demanda de separación o de divorcio, salvo reconciliación. Las disposiciones a favor del cónyuge mantienen la eficacia si del contexto del testamento, el codicilo o la memoria testamentaria resulta que el testador las habría ordenado incluso en los casos indicados. Lo dispuesto en estos supuestos también se aplica a los parientes que solo lo sean del cónyuge, en línea directa o en línea colateral dentro del cuarto grado, tanto por consanguinidad como por afinidad (art. 422-13).

*j) Pactos sucesorios*. La separación matrimonial y el divorcio, de cualquiera de los otorgantes no altera la eficacia de los pactos sucesorios, salvo que se haya pactado otra cosa; como excepción a lo que antecede, los heredamientos o las atribuciones particulares hechas a favor del cónyuge o de los parientes de este, devienen ineficaces en los supuestos regulados por el artículo 422-13.1, 2 y 4, salvo que se haya convenido lo contrario o ello resulte del contexto del pacto (art. 431-17).

*k) Sucesión abintestato*. El cónyuge viudo no tiene derecho a suceder abintestato al causante si en el momento de la apertura de la sucesión estaba separado del mismo legalmente o si estaba pendiente una demanda de nulidad de matrimonio, de divorcio o de separación, salvo que los cónyuges se hubiesen reconciliado (art. 442-6).

*l) Aseguramiento de pensiones*. Los cónyuges con derecho a percibir una prestación compensatoria en forma de pensión o una pensión alimentaria, en caso de nulidad del matrimonio, divorcio o separación judicial, pueden exigir que se les garantice la percepción por medio de una hipoteca sobre los bienes de los cónyuges deudores (art. 569-36).

*i) Derecho transitorio. Modificaciones posteriores de los efectos de la separación matrimonial*. Los efectos de la nulidad del matrimonio, el divorcio o la separación judicial decretados al amparo de la legis-

lación anterior a la entrada en vigor de la Ley presente ley se mantienen, con la posibilidad de modificar las medidas por circunstancias
sobrevenidas en aplicación de las normas vigentes en el momento de
su adopción. Estos efectos se mantienen sin perjuicio de la aplicación
del Código civil en los procesos matrimoniales que puedan entablarse
entre los propios cónyuges después de la entrada en vigor de la presente ley. No obstante a petición de parte puede acordarse la revisión
de las medidas adoptadas con relación al cuidado y guarda de los
hijos comunes o el régimen de relaciones personales, la sustitución de
la pensión compensatoria acordada con anterioridad por la entrega
de un capital en bienes o en dinero, y la sustitución de la atribución
judicial del uso de la vivienda familiar por el abono de una prestación dineraria, de acuerdo con lo establecido por los artículos 233-10,
233-17 y 233-21 del Código civil. La revisión debe tramitarse por el
procedimiento establecido para la modificación de medidas definitivas. (DT 3ª, L. 25/2010, de 29 julio).

*j) Pensión de viudedad.* El artículo 220 LGSS regula el devengo
de la pensión de viudedad en los casos de separación o divorcio, que
corresponderá a quien, concurriendo los requisitos en cada caso exigidos en el artículo 219, sea o haya sido cónyuge legítimo, en este
último caso siempre que no hubiera contraído nuevas nupcias o hubiera constituido una pareja de hecho en los términos regulados en el
artículo 221 LGSS.

# 7. DIVORCIO

Mediante el divorcio se disuelve el matrimonio en vida de los contrayentes. La acción de divorcio es una acción de estado civil impres-
criptible e irrenunciable, de carácter personal y exclusiva de los cónyuges. La diferencia más relevante entre el divorcio y la separación
legal es la ruptura del vínculo matrimonial que solo se produce en
el primer supuesto. En las demás cuestiones, según se examina más
adelante, la ley regula unitariamente la adopción de las medidas provisionales y definitivas.

Para instar la acción de divorcio son aplicables las prescripciones
antes examinadas en relación con los artículos 81 y 82 (arts. 86 y 87,
respect.), sin que, en su caso, transcurrido el plazo mínimo legal pre-

visto para interponer la acción, la regulación legal prevea la exigencia de causa legal alguna para instar o acordar el divorcio.

En la legislación vigente el divorcio puede decretarse judicialmente o convenirse de mutuo acuerdo (v. arts. 85 a 89 CC; art. 54 LN; art. 748 y ss. LEC; art. 61 LRC):

*a)   Divorcio judicial (art. 86 CC).*

El divorcio se decretará judicialmente, cualquiera que sea la forma de celebración del matrimonio, a petición de uno solo de los cónyuges, de ambos o de uno con el consentimiento del otro, en función de los requisitos y circunstancias previstas en el artículo 81 CC.

*b)   Divorcio de mutuo acuerdo (art. 82 CC)*

Los cónyuges pueden acordar su divorcio de mutuo acuerdo mediante la formulación de un *convenio regulador* ante el letrado de la Administración de Justicia o en escritura pública ante notario, en la forma y con los requisitos y contenido regulado en el citado artículo. Los funcionarios diplomáticos o consulares, en ejercicio de las funciones notariales que tienen atribuidas, no podrán autorizar la escritura pública de divorcio.

Los cónyuges deberán intervenir en el otorgamiento de modo personal, sin perjuicio de que deban estar asistidos por Letrado en ejercicio, prestando su consentimiento ante el letrado de la Administración de Justicia o notario. Igualmente los hijos mayores o menores emancipados deberán otorgar el consentimiento ante el letrado de la Administración de Justicia o notario respecto de las medidas que les afecten por carecer de ingresos propios y convivir en el domicilio familiar. No será de aplicación lo dispuesto en estos supuetos cuando existan hijos menores no emancipados o con la capacidad modificada judicialmente que dependan de sus progenitores, en este caso, el divorcio debe decretarse judicialmente.

Cuando los cónyuges formalicen los acuerdos y el convenio regulador de mutuo acuerdo ante el letrado de la Administración de Justicia o notario y éstos consideren que, a su juicio, alguno de ellos pudiera ser dañoso o gravemente perjudicial para uno de los cónyuges o para los hijos mayores o menores emancipados afectados, lo advertirán a los otorgantes y darán por terminado el expediente. En este caso, los cónyuges sólo podrán acudir ante el Juez para la aprobación de la propuesta de convenio regulador. Desde la aprobación del convenio regulador o el otorgamiento de la escritura pública, podrán hacerse efectivos los acuerdos por la vía de apremio (art. 90.2 CC).

*Extinción de la acción de divorcio.* La acción de divorcio se extingue por la muerte de cualquiera de los cónyuges y por su reconciliación, que deberá ser expresa cuando se produzca después de interpuesta la demanda. La reconciliación posterior al divorcio no produce efectos legales, si bien los divorciados podrán contraer entre sí nuevo matrimonio (art. 88).

*Efectos del divorcio.* Los efectos de la *disolución del matrimonio* por divorcio se producirán desde la firmeza de la sentencia o decreto que así lo declare o desde la manifestación del consentimiento de ambos cónyuges otorgado en escritura pública conforme a lo dispuesto en el artículo 87 CC. No perjudicará a terceros de buena fe sino a partir de su respectiva inscripción en el Registro Civil (art. 89 CC).

Con las adaptaciones procedentes, los efectos jurídicos del divorcio son los antes mencionados en relación con la separación legal o de hecho. Por otra parte, la obligación de prestar *alimentos* se extingue por el divorcio y la declaración de nulidad del matrimonio (art. 237-13.1.b), pero esta norma tiene carácter subsidiario (art. 237-14).

El divorcio no altera las responsabilidades que los progenitores tienen hacia sus hijos de acuerdo con el artículo 236-17.1 (art. 233-8). Si en el momento de la apertura de la sucesión estaba pendiente una demanda de nulidad de matrimonio, de divorcio o de separación, el cónyuge viudo no tiene derecho a suceder *ab intestato* salvo que los cónyuges se hubiesen reconciliado (art. 442-6).

# 8. MEDIDAS PROVISIONALES POR CAUSA DE SEPARACIÓN JUDICIAL, DIVORCIO Y NULIDAD MATRIMONIAL. EFECTOS COMUNES

## 8.1. Introducción

En los procedimientos contenciosos instados como consecuencia de una crisis matrimonial, procede distinguir entre: *a)* medidas previas a la presentación de la demanda; *b)* medidas provisionales aprobadas judicialmente; y *c)* medidas definitivas.

Antes de la presentación de la demanda pueden solicitarse *medidas previas* o *provisionalísimas*; y *medidas provisionales*, con la presentación de la demanda y antes de la sentencia. Las *medidas definitivas*, son las previstas para ser cumplidas después de la sentencia. Estas últimas comprenden las medidas acordadas por los cónyuges o las decididas por la autoridad judicial. A pesar de su denominación legal, estas medidas pueden ser objeto de revisión[266].

*a)* Las *medidas provisionales previas* (o provisionalísimas) a la demanda de nulidad, separación o divorcio, podrán solicitarse por el cónyuge demandante con los efectos y medidas previstos para estos casos por la normativa civil aplicable ante el tribunal de su domicilio. Estas medidas son de naturaleza cautelar, de carácter rogado, independiente y no formal (en las previas a la demanda), con eficacia provisional y limitada en el tiempo[267].

Como dice el preámb. del libro segundo CCC: "El capítulo III [art. 233-1 y ss.] se dedica a los efectos de la nulidad del matrimonio, del divorcio y de la separación judicial y comienza con una regulación específica de las medidas provisionales que se ajusta más a las necesidades propias del derecho civil catalán". El *objeto* de las medidas provisionales es "establecer un régimen jurídico que rija los intereses de los cónyuges respecto de sus personas y bienes, así como asegurar el cumplimiento de las obligaciones de los mismos para con los hijos, de manera que mientras dure el procedimiento no se vean desatendidos los intereses familiares dignos de protección" (Ysàs Solanes, 2013: 282).

Para formular la solicitud de medidas provisionales previas a la demanda no será precisa la intervención de procurador y abogado, pero sí será necesaria dicha intervención para todo escrito y actuación

---

[266] En materia de crisis matrimoniales y medidas provisionales y definitivas, v. *a.e.*, Roca Trias (2014: 279-405); E. Bosch Capdevila *et al.* (2013: 116-149); M. Garrido Melero (2013, I: 415-463); Ysás Solanes (2013: 288-308); sendos Comentarios al libro segundo del Código Civil de Cataluña (coord. general E. Roca Trias, AA. VV., 2011; J. Egea i Fernández, J. Ferrer i Riva, AA.VV., 2014) y modificaciones legales posteriores, en especial, LJV y Ley [catalana] 3/2017, de 15 de febrero, del libro sexto del Código civil de Cataluña, relativo a las obligaciones y los contratos, y de modificación de los libros primero, segundo, tercero, cuarto y quinto.

[267] Castilla Barea (2011: 299-308)

posterior (art. 771.1 LEC). Estas medidas se regulan conjuntamente con las medidas provisionales y la diferencia básica que existe entre ellas radica, fundamentalmente, en el momento en que deben aplicarse. Los efectos y medidas acordados antes de instar la demanda sólo subsistirán si, dentro de los treinta días siguientes a su adopción se presenta la demanda de nulidad, separación o divorcio (arts. 104 CC y 771 LEC).

*b)* Por lo que se refiere a las *medidas provisionales* propiamente dichas y la legitimación activa, el artículo 773 LEC, dispone que *el cónyuge* que solicite la *nulidad de su matrimonio*, la *separación* o el *divorcio* podrá pedir en la demanda lo que considere oportuno sobre las *medidas provisionales* a adoptar, siempre que no se hubieren adoptado con anterioridad. También podrán *ambos cónyuges* someter a la aprobación del tribunal el acuerdo a que hubieren llegado sobre tales cuestiones. Dicho acuerdo *no será vinculante* para las pretensiones respectivas de las partes *ni para la decisión* que pueda adoptar el tribunal en lo que respecta a las medidas definitivas. En defecto de acuerdo, las medidas serán acordadas por la autoridad judicial. También podrá solicitar medidas provisionales el cónyuge demandado, cuando no se hubieran adoptado con anterioridad o no hubieran sido solicitadas por el actor. La solicitud deberá hacerse en la contestación a la demanda y se sustanciará en la vista principal, cuando ésta se señale dentro de los diez días siguientes a la contestación, resolviendo el tribunal por medio de auto no recurrible cuando la sentencia no pudiera dictarse inmediatamente después de la vista (art. 773 LEC y 233-1 CCC).

*c)* Respecto de las *medidas definitivas*, señala el artículo 774 LEC que en la vista del juicio, si no lo hubieren hecho antes, conforme a lo dispuesto en los artículos anteriores, los cónyuges podrán someter al tribunal los acuerdos a que hubieren llegado para regular las consecuencias de la nulidad, separación o divorcio y proponer la prueba que consideren conveniente para justificar su procedencia. A falta de acuerdo, se practicará la prueba útil y pertinente que los cónyuges o el Ministerio Fiscal propongan y la que el tribunal acuerde de oficio sobre los hechos que sean relevantes para la decisión sobre las medidas a adoptar.

En las demandas de separación, divorcio presentadas por *mutuo acuerdo*, o por uno con el consentimiento del otro, el *convenio regulador*, aprobado judicialmente, es el que *determina el contenido de las medidas definitivas* (art. 777 LEC). Este artículo no se refiere al convenio regulador en las demandas de nulidad, lo que se explica porque la separación y el divorcio pueden convenirse por el simple acuerdo de las partes sin necesidad de alegar causa alguna; en cambio, la nulidad debe fundamentarse en alguna de las causas previstas por la ley (art. 73 CC). Lo que antecede no es óbice, como prevé el artículo 774.1 LEC, para que sea admisible el acuerdo de los cónyuges para regular las consecuencias de la nulidad. En el derecho catalán, el *Codi* se refiere conjuntamente a estos supuestos al disponer que "si los cónyuges llegan a un acuerdo sobre las medidas reguladoras de la separación o el divorcio o sobre las consecuencias de la nulidad del matrimonio, deben formular un convenio con el contenido que proceda de conformidad con los apartados 4, 5 y 6" (art. 232-2.1).

En los procedimientos de separación o divorcio solicitados de común acuerdo por los cónyuges, éstos podrán valerse de una sola defensa y representación. No obstante, cuando alguno de los pactos propuestos por los cónyuges no fuera aprobado por el Tribunal, el letrado de la Administración de Justicia requerirá a las partes a fin de que en el plazo de cinco días manifiesten si desean continuar con la defensa y representación únicas o si, por el contrario, prefieren litigar cada una con su propia defensa y representación. Asimismo, cuando, a pesar del acuerdo suscrito por las partes y homologado por el Tribunal, una de las partes pida la ejecución judicial de dicho acuerdo, el letrado de la Administración de Justicia requerirá a la otra para que nombre abogado y procurador que la defienda y represente (art. 750.2 LEC). Aunque la norma legal prevé que en el supuesto antes indicado puede darse una sola representación procesal, la doctrina entiende que con el fin de evitar eventuales conflictos de intereses, es preferible que en la negociación y redacción del convenio regulador intervengan letrados independientes[268].

En el derecho catalán, cuando los cónyuges tengan hijos menores no emancipados o con la capacidad modificada judicialmente que

---

[268]   Bosch Capdevila *et al.* (2013: 121).

dependan de ellos, los cónyuges deberán presentar el convenio a la *autoridad judicial* para que sea aprobado. También deberán hacerlo, en todo caso, si se trata de un convenio regulador de las consecuencias de la nulidad del matrimonio. Cuando no se encuentren en ninguno de estos supuestos, pueden formular el contenido del convenio ante un letrado de la Administración de Justicia o en escritura pública ante notario. En estos casos, es preciso que los cónyuges intervengan personalmente en el otorgamiento; deben estar asistidos por un letrado en ejercicio; y expresar la voluntad inequívoca de separarse o divorciarse (art. 232-2.2 y 3).

En los procedimientos de separación y divorcio tramitados de *mutuo acuerdo* en el ámbito de la *jurisdicción voluntaria* regirá el convenio regulador otorgado de conformidad con lo previsto para estos casos (arts. 87 CC, 233-2.3 CCC y 54 LN). Si en el ejercicio de su control de legalidad, el letrado de la Administración de Justicia o el notario considerasen que, a su juicio, alguno de los acuerdos del convenio pudiera ser dañoso o gravemente perjudicial para uno de los cónyuges o para los hijos mayores o menores emancipados afectados, lo advertirá a los otorgantes y dará por terminado el procedimiento o el expediente. En este caso, los cónyuges sólo podrán acudir ante el Juez para la *aprobación de la propuesta de convenio regulador*. El decreto no será recurrible (v. arts. 90.2 CC y 777.10 LEC).

## 8.2. *Contenido de las medidas provisionales*

El contenido de las medidas provisionales se refiere a los siguientes intereses o esferas jurídicas a tutelar (art. 233-1):

*a) Decisiones sobre relaciones paterno-filiales y potestad parental.* Puede solicitarse la determinación de la forma en que los hijos deben convivir con los padres y deben relacionarse con aquel de ambos con quien no estén conviviendo. Excepcionalmente, la autoridad judicial puede encomendar la guarda de los hijos a los abuelos, a otros parientes, a personas próximas o, en su defecto, a una institución idónea, a las que pueden conferirse funciones tutelares con suspensión de la potestad parental. También podrá determinarse la forma en que debe ejercerse la potestad sobre los hijos y el establecimiento, si procede, del régimen de relaciones personales de los hijos con los hermanos que no convivan en el mismo hogar y, si existe el riesgo, las medidas necesarias para evitar el desplazamiento o la retención ilícitos de los hijos.

*b) Fijación de alimentos.* Comprende la distribución del deber de alimentos en favor de los *hijos* y, si procede, la fijación de alimentos provisionales *en favor de uno de los cónyuges*; y la fijación de alimentos para los *hijos mayores de edad o emancipados* que no tengan recursos económicos propios y convivan con alguno de los progenitores, teniendo en cuenta lo establecido por el artículo 237-1 (*contenido del derecho de alimentos de origen familiar*).

*c) Uso del ajuar y la vivienda familiar.* Debe asignarse el uso de la vivienda familiar con su ajuar o, *alternativamente*, adoptarse las medidas que garanticen las necesidades de vivienda de los cónyuges y de los hijos. Si se atribuye el uso de la vivienda familiar a un cónyuge, la autoridad judicial debe fijar la fecha en que el otro debe abandonarla. Este derecho puede anotarse preventivamente en el Registro de la Propiedad (art. 233-22) y en el Registro Civil (v. art. 102 CC).

*d) Tenencia y administración de bienes.* Debe determinarse el régimen de tenencia y administración de los bienes en comunidad ordinaria indivisa y de los que, por capítulos matrimoniales o escritura pública, estén especialmente afectos a los gastos familiares y, si el régimen es de comunidad, de los bienes comunes.

*e) Revocación de consentimientos y poderes.* La solicitud de medidas provisionales implica la revocación, ergo ineficacia, de los consentimientos y poderes que cualquiera de los cónyuges haya otorgado en favor del otro (efecto *ex lege*).

*f) Otras previsiones.* La autoridad judicial puede acordar las garantías que sean adecuadas para asegurar el cumplimiento de las medidas provisionales y en el momento de acordar las medidas definitivas puede revisar los acuerdos conseguidos por los cónyuges respecto al contenido de las medidas provisionales. La solicitud de medidas provisionales implica la revocación de los consentimientos y poderes que cualquiera de los cónyuges haya otorgado en favor del otro.

*g) Supuestos especiales de violencia familiar.* En caso de violencia familiar o machista, la autoridad judicial competente debe adoptar, además de las medidas antes citadas, las establecidas por la legislación específica (v. arts. 49 bis LEC y 544 ter LECr.).

## 8.3. *Confirmación o modificación de las medidas provisionales adoptadas*

En el supuesto de que se hayan adoptado medidas con anterioridad a la demanda, admitida ésta, el letrado de la Administración de Justicia unirá las actuaciones sobre adopción de dichas medidas a los autos del proceso de nulidad, separación o divorcio, solicitándose, a tal efecto, el correspondiente testimonio, si las actuaciones sobre las medidas se hubieran producido en Tribunal distinto del que conozca de la demanda. Sólo cuando el Tribunal considere que procede completar o modificar las medidas previamente acordadas ordenará que se convoque a las partes a una comparecencia, que señalará el letrado de la Administración de Justicia y se sustanciará con arreglo a lo dispuesto en el artículo 771 LEC. Contra el auto que se dicte no se dará recurso alguno (art. 772 LEC).

## 9. MEDIDAS DEFINITIVAS ADOPTADAS POR LA AUTORIDAD JUDICIAL

Las demandas sustanciadas en el supuesto de procedimientos *contenciosos* deben seguir los trámites del juicio verbal y las reglas previstas en el artículo 770 LEC. Salvo que en cualquier momento del proceso —concurriendo los requisitos señalados en el artículo 777 (*Separación o divorcio solicitados de mutuo acuerdo o por uno de los cónyuges con el consentimiento del otro*)—, las partes hayan solicitado que continúe el procedimiento por los trámites que se establecen en dicho artículo, *en defecto de acuerdo de los cónyuges, el tribunal resolverá* en la sentencia sobre las medidas solicitadas de común acuerdo por los cónyuges, tanto si ya hubieran sido adoptadas, en concepto de provisionales, como si se hubieran propuesto con posterioridad.

En suma, en defecto de acuerdo de los cónyuges o en caso de su no aprobación, el tribunal determinará, en la propia resolución, las *medidas definitivas* que hayan de sustituir a las ya adoptadas con anterioridad en relación con: *los hijos, la vivienda familiar, las cargas del matrimonio, la disolución del régimen económico,* y las *cautelas* o *garantías* respectivas, estableciendo las que procedan si para alguno de estos conceptos no se hubiera adoptado ninguna.

Los *recursos* que, conforme a la ley, se interpongan contra la sentencia no suspenderán la eficacia de las medidas que se hubieren acordado en ésta. Si la impugnación afectara únicamente a los pronunciamientos sobre medidas, se declarará por el letrado de la Administración de Justicia la firmeza del pronunciamiento sobre la nulidad, separación o divorcio (art. 774 LEC).

El contenido de las medidas definitivas acordadas por la autoridad judicial. se halla previsto en el artículo 233-4 del *Codi* que establece que si un cónyuge solicita la nulidad del matrimonio, el divorcio o la separación judicial sin consentimiento del otro, o si ambos cónyuges no llegan a un acuerdo sobre el contenido del convenio regulador, la autoridad judicial *debe adoptar las medidas definitivas pertinentes* sobre el ejercicio de las responsabilidades parentales, incluidos el deber de alimentos y, si procede, el régimen de relaciones personales con abuelos y hermanos. Asimismo, la autoridad judicial, *a instancia del cónyuge con quien los hijos convivan, puede acordar alimentos para los hijos mayores de edad o emancipados* teniendo en cuenta lo establecido por el artículo 237-1 (contenido de los alimentos de origen familiar), y que estos alimentos se mantengan hasta que dichos hijos tengan ingresos propios o estén en disposición de tenerlos. Respecto de la guarda y la fijación de alimentos para los hijos comunes el importe a determinar debe considerar el tiempo de permanencia de los menores con cada uno de los cónyuges y los gastos que hayan asumido directamente (art. 233-10.3).

Cuando alguno de los cónyuges lo solicite, la autoridad judicial debe adoptar las medidas pertinentes respecto al uso de la *vivienda familiar* y su *ajuar*, la *prestación compensatoria*, la *compensación económica por razón del trabajo* si el régimen económico es el de separación de bienes, la *liquidación del régimen económico matrimonial* y la *división de los bienes comunes o en comunidad* ordinaria indivisa (art. 234-3.2).

Sin perjuicio de lo acabado de exponer y del análisis del contenido del plan de parentalidad y el convenio regulador (*v.* cap. VI), en síntesis, los puntos más relevantes referentes a las medidas definitivas son los siguientes:

*a) Responsabilidades parentales.* La nulidad del matrimonio, el divorcio o la separación no alteran las responsabilidades que los progenitores tienen hacia sus hijos de acuerdo con el artículo 236-17.1. En consecuencia, estas responsabilidades mantienen el carácter compartido y, en la medida de lo posible, deben ejercerse conjuntamente. Los cónyuges, para determinar como deben ejercerse las responsabilidades parentales, deben presentar sus propuestas de *plan de parentalidad*, con el contenido establecido de manera detallada en el artículo 233-9. La autoridad judicial, en el momento de decidir sobre las responsabilidades parentales de los progenitores, debe atender de forma prioritaria al interés del menor (art. 233-8). En el supuesto de que los cónyuges tengan hijos comunes, deben determinarse los alimentos que deben prestarles, tanto respecto a las necesidades ordinarias como a las extraordinarias, indicando su periodicidad, modalidad de pago, criterios de actualización y, si lo han previsto, garantías. En su caso, también debe preverse sobre el régimen de relaciones personales con los abuelos y los hermanos que no convivan en el mismo domicilio (art. 233-2.4).

*b) Régimen y ejercicio de la guarda.* En los supuestos de crisis matrimonial, conviene distinguir entre potestad parental, que en principio, tiene carácter conjunto, y la guarda o custodia del menor que se refiere a los aspectos del vivir cotidiano del menor junto con el o los progenitores que conviven con el. De acuerdo con los *criterios legales previstos* en el artículo 233-11, la autoridad judicial puede determinar que la guarda se ejerza de forma compartida por ambos progenitores y adoptar una configuración práctica muy diversa, o estar atribuida a uno solo de ellos, debiendo determinare el progenitor encargado de la guarda y, en su caso, el régimen de relaciones con el otro progenitor. Excepcionalmente, podrá encomendarse la guarda: a los abuelos (*a.e.* SAP Barcelona, Sec. 18ª, 3 mayo 2016); a otros parientes; a personas próximas; o, en su defecto, a una institución idónea, a las que pueden conferirse funciones tutelares con suspensión de la potestad parental (art. 233-10).

*c) Otras medidas.* El convenio regulador, también debe contener, si procede: *a*) La *prestación compensatoria* que se atribuye a uno de los cónyuges, indicando su modalidad de pago y, si procede, la duración, los criterios de actualización y las garantías; *b*) La *atribución o distribución del uso de la vivienda familiar con su ajuar; c*) La *com-*

*pensación económica por razón de trabajo*; *d)* La *liquidación del régimen económico matrimonial* y la *división de los bienes en comunidad ordinaria indivisa* (art. 233-2.5).

## 9.1. Modificación de las medidas definitivas (art. 775 LEC)

Cuando existan *hijos menores* o *incapacitados*, el Ministerio Fiscal, y, en todo caso, *los cónyuges*, podrán solicitar del tribunal que acordó las medidas definitivas, la *modificación de las medidas* convenidas por los cónyuges o de las adoptadas en defecto de acuerdo, siempre que hayan variado *sustancialmente* las circunstancias tenidas en cuenta al aprobarlas o acordarlas.

Estas peticiones deben tramitarse conforme a lo dispuesto en el artículo 770 LEC. No obstante, si la petición se hiciera por ambos cónyuges de común acuerdo o por uno con el consentimiento del otro y acompañando propuesta de convenio regulador, regirá el procedimiento establecido en el artículo 777. Las partes podrán solicitar, en la demanda o en la contestación, la modificación provisional de las medidas definitivas concedidas en un pleito anterior. Esta petición se sustanciará con arreglo a lo previsto en el artículo 773 (*Medidas provisionales derivadas de la admisión de la demanda de nulidad, separación o divorcio*).

En relación con esta cuestión, el artículo 233-7 (*Modificación de medidas*), prevé que el convenio regulador o la sentencia pueden prever anticipadamente las modificaciones pertinentes. Si la parte que solicita judicialmente la modificación de las medidas establecidas por alteración sustancial de circunstancias ha intentado llegar a un acuerdo extrajudicial iniciando un proceso de mediación, la resolución judicial que modifica las medidas *puede retrotraer los efectos* a la fecha de inicio del proceso de mediación.

*Capítulo VI*

# LA MONOPARENTALIDAD Y LOS SUPUESTOS DE SEPARACIÓN, DIVORCIO Y NULIDAD MATRIMONIAL (II)

## 1. EL CONVENIO REGULADOR

### 1.1. Concepto y caracteres

El convenio regulador es un negocio jurídico formal de derecho de familia por el cual los cónyuges, como consecuencia de un procedimiento contencioso o no contencioso, derivado de una crisis matrimonial (separación legal o divorcio), convienen de mutuo acuerdo, sobre las materias afectantes a sus relaciones matrimoniales, paternofiliales y económico-patrimoniales, de conformidad con los extremos prevenidos en la normativa que lo regula. El convenio regulador también se prevé con carácter de medidas definitivas para los casos de declaración de nulidad del matrimonio (nulidad civil; ejecución de una sentencia canónica de nulidad; o de matrimonio rato y no consumado) (art. 233-2.1). Si los cónyuges tienen hijos menores no emancipados o con la capacidad modificada judicialmente que dependan de ellos, deben presentar el convenio a la autoridad judicial para que sea aprobado. También deben hacerlo, en todo caso, si se trata de un convenio regulador de las consecuencias de la nulidad del matrimonio (art. 233-2.2).

La doctrina destaca el carácter mixto y naturaleza *sui generis* de estos convenios porque, por una parte, expresan la voluntad coincidente de los cónyuges sobre las medidas definitivas que habrá de contener la sentencia, acuerdo o escritura pública de separación o divorcio, y por otra parte, por la necesidad de contar, según los supuestos, con cierto control judicial (o del letrado de la Administración de Justicia o notario) (art. 90 CC)[269].

---

[269]  Castilla Barea (2011: 345 y ss.).

Los caracteres del convenio son los siguientes[270]:

a) Es un negocio de derecho de familia. Su objeto consiste en regular los efectos definitivos, aunque susceptibles de ulterior modificación, de la crisis matrimonial.

b) La autonomía de la voluntad de los cónyuges está limitada en ciertos aspectos, singularmente, en relación con aquellos pactos que puedan ser lesivos para los hijos o los cónyuges y, en su caso, está sometido a aprobación judicial.

c) Es un negocio jurídico que, salvo los límites legales antes indicados y la facultad decisoria del juez cuando así proceda, se sujeta a la voluntad de los cónyuges que son quienes, *prima facie*, convienen o pactan sobre su contenido.

d) No tiene carácter transaccional, en el sentido que no es forzoso que los cónyuges deban hacer concesiones recíprocas ni que las cargas sean equivalentes, todo ello, en base a la especial naturaleza familiar del convenio regulador.

En el derecho catalán el contenido del convenio regulador está previsto en el artículo 233-2.4, 5 y 6 y comprende dos ámbitos que afectan, respectivamente, el primero, a las relaciones paterno-filiales y familiares; y el segundo, a las relaciones económico-patrimoniales entre los cónyuges. La ley concede un amplio margen a la autonomía de la voluntad. Según se expone a continuación, algunas de las cuestiones que deben pactarse son de previsión necesaria y otras son potestativas, todo ello, en función de la libertad de pacto y las exigencias legales derivadas de las circunstancias del caso concreto. Cuando el convenio regulador deba ser aprobado judicialmente, su contenido debe ser conforme con el interés de los hijos menores (art. 233-3.1) y en defecto de su adecuación voluntaria la autoridad judicial debe adoptar la resolución pertinente (art. 233-3).

En cualquier fase del procedimiento matrimonial y en cualquier instancia, los cónyuges pueden someter las discrepancias a *mediación* e intentar llegar a un acuerdo total o parcial, excepto en los casos de violencia familiar o machista. Asimismo, la autoridad judicial puede remitir a los cónyuges a una sesión informativa sobre mediación, si

---

[270] Alavedra Farrando (2012: 358).

considera que, dadas las circunstancias del caso, aún es posible llegar a un acuerdo. Estos acuerdos deben incorporarse al proceso y someterse a la aprobación judicial en los mismos términos que el artículo 233-3 establece para el convenio regulador. Los acuerdos conseguidos en mediación respecto al régimen de ejercicio de la responsabilidad parental se consideran adecuados para los intereses del menor. La falta de aprobación por la autoridad judicial debe fundamentarse en criterios de orden público e interés del menor (art. 233-6).

## 1.2. Contenido del convenio regulador

En síntesis, las cuestiones que deben preverse en convenio regulador son las siguientes[271]:

### a) Relaciones paterno-filiales y familiares

Si los cónyuges tienen *hijos comunes que están bajo su potestad*, el convenio regulador debe contener:

1) Un *plan de parentalidad*, de acuerdo con lo establecido por el artículo 233-9. Según se examina en el apartado siguiente, el plan de parentalidad es un anexo específico que forma parte del convenio regulador en el que debe concretarse "documentalmente la manera en que ambos progenitores van a ejercer las responsabilidades parentales, entendidas como contenido de la potestad, relativa a la guarda, cuidado y educación de los hijos (art. 233-9 CCC)" (Ysàs Solanes, 2013: 292).

2) Los *alimentos* que deben prestarles, tanto respecto a las *necesidades ordinarias* como a las *extraordinarias*, indicando su periodicidad, modalidad de pago, criterios de actualización y, si lo han previsto, las garantías.

El legislador no ha delimitado lo que debe entenderse por necesidades "ordinarias" y "extraordinarias", lo que pueden constituir una

---

[271] Los ejemplos de modelos de convenio regulador con custodia compartida, pueden consultarse, *a.e.*, en: http://www.asociacionabogadosfamilia.com/custodiacompartida/modelo-de-convenio-regulador-custodia-compartida, http://www.padresdivorciados.es/pdf/Modelos%20de%20Convenio%20Regulador%201.pdf, https://previa.uclm.es/profesorado/mcgonzalez/pdf/DerechoCivilIV/ConveniosReguladoresMatrimoniales_modelos.pdf

fuente de conflictos, pues, su conceptuación y aceptación puede verse influida por la propia capacidad económica de los progenitores[272].

A estos efectos la SAP Barcelona, Sec. 18ª, de 13 julio 2006, con apoyo en resoluciones anteriores, recuerda que son *gastos extraordinarios*: "todos aquellos que salen de lo natural o de lo común" y "que no sean previsibles ni se produzcan con cierta periodicidad [...] el concepto de gasto extraordinario es indeterminado, inespecífico, y su cuantía ilíquida por su propia naturaleza, que necesita predeterminación y objetivación en cada momento y caso" [...] "y [...] requiere recabar y obtener del otro progenitor el consentimiento para realizar actos que impliquen cambios sustanciales para el modo de vida del menor, lo que presupone la plasmación de un principio general según el cual los progenitores han de actuar sobre una base de transparencia y de común acuerdo, solicitando finalmente la decisión judicial si no es posible de otra manera [...] en consecuencia [...] los gastos médicos no cubiertos por la Seguridad Social que se producen de imprevisto ante una necesidad concreta del menor, constituyen gastos extraordinarios y ocurre lo mismo con determinados gastos derivados de la escolarización que no se devengan con normalidad, de manera que los libros, material escolar, actividades extraescolares y excursiones ordinarias [aunque la periodicidad pueda ser anual y no mensual, SAP Barcelona, Sec.18ª, 16 octubre 2007], no pueden considerarse extraordinarios, al tratarse de gastos totalmente previsibles que se reiteran de un curso a otro. Con carácter general, no pueden hacerse mayores precisiones, pues la naturaleza extraordinaria o no del gasto, dependerá de cada caso y deberá determinarse en muchas ocasiones en ejecución de sentencia conforme a los criterios anteriormente expuestos" (FJ 2 bis)[273].

---

[272]   Alavedra Farrando (2012: 359-360).

[273]   Según la SAP Barcelona, Sec. 18ª, de 16 octubre 2007, los gastos de clases de refuerzo son un gasto extraordinario: "Y respecto a las clases de refuerzo o profesor particular del hijo Roger, debemos de discrepar de considerarlo incluido dentro de la pensión alimenticia, pues dado que los mismos no son previsibles sino que dependerá de la necesidad puntual del hijo en atención específica a una u otra asignatura, sin que sea previsible que los menores precisen siempre clases de refuerzo, además cabría preguntarse de cuantas materias, incluye ello el verano, etc…, además Roger acaba de cumplir 18 años por lo que en su nueva etapa estudiantil cuando ésta empiece —universidad o formación profesional distinta— no consta *ab initio* la necesidad de clases de refuerzo, lo que determina su carácter imprevisible, y, por tanto, su inclusión en extraordinarios, que en este caso, aún cuando pueda ser negado por el padre, acreditado la necesidad por la madre, por los debidos informes escolares, puede imponerse la obligación de pago; y, en el presente caso, acudiendo a la doctrina de los actos propios, siendo que el padre ha pagado los mismos, presumiendo por que los consideraba necesarios en la formación de su hijo, debe confirmarse el que continúe con su pago,

Son gastos ordinarios los que forman parte del contenido curricular, y por ende, ordinarios de formación, por lo que están incluidos en la pensión alimenticia. Lo mismo cabe decir de los gastos de farmacia (en el supuesto en cuestión, Ibuprofeno y Paracetamol) (AAP Barcelona, Sec. 18ª, 15 marzo 2016).

La STS 13 septiembre 2017, reitera lo siguiente: "La sala, en la sentencia 579/2014, de 15 de octubre [...] sentó doctrina al respecto en los siguientes términos:

'1. Los gastos causados al comienzo del curso escolar de cada año son gastos ordinarios en cuanto son gastos necesarios para la educación de los hijos, incluidos, por lo tanto, en el concepto legal de alimentos. Sin esos gastos los hijos no comenzarían cada año su educación e instrucción en los colegios. Y porque se producen cada año son, como los demás gastos propios de los alimentos, periódicos (lo periódico no es solo lo mensual) y, por lo tanto, previsibles en el sí y aproximadamente en el cuánto.

2. La consecuencia es obvia: son gastos que deben ser tenidos en cuenta cuando se fija la pensión alimenticia, esto es, la cantidad que cada mes el cónyuge no custodio debe entregar al cónyuge custodio como contribución al pago de los alimentos de los hijos comunes.

3. Establecido lo anterior, son gastos extraordinarios los que reúnen características bien diferentes a las propias de los gastos ordinarios. Son imprevisibles, no se sabe si se producirán ni cuándo lo harán, y, en consecuencia, no son periódicos'.

La anterior doctrina vino a ser aplicada por la sentencia 557/2016, de 21 de septiembre, que en aplicación de ella, declaró que 'los gastos escolares deben entenderse como ordinarios e integrados en el concepto de alimentos, por lo que a la hora de computar éstos los operadores jurídicos deberán tener en cuenta el prorrateo de los gastos de inicio del curso escolar'".

La referencia a la "modalidad de pago" de todos estos gastos se relaciona con lo previsto en los artículos 233-10.3 y 233-20.7 del *Codi*. En consecuencia, de acuerdo con la primera norma, la forma de ejercer la guarda no altera el contenido de la obligación de alimentos hacia los hijos comunes, si bien es preciso ponderar el tiempo de permanencia de los menores con cada uno de los progenitores y los gastos que cada uno de ellos haya asumido pagar directamente. Según la segunda norma, la atribución del uso de la vivienda, si esta pertenece

---

y, ello sin perjuicio, que en un futuro decaiga dicha necesidad en el menor y la obligación del pago, lo que esperemos no haga necesario un proceso judicial — en mayor coste que el propio pago de las clases de refuerzo—" (FD 3).

en todo o en parte al cónyuge que no es beneficiario, debe ponderarse como contribución en especie para la fijación de los alimentos de los hijos y de la prestación compensatoria que eventualmente devengue el otro cónyuge.

3) *Si procede*, el régimen de *relaciones personales* con los abuelos y los hermanos que no convivan en el mismo domicilio. Si los cónyuges proponen un régimen de relaciones personales de sus hijos con los abuelos y con los hermanos mayores de edad que no convivan en el mismo hogar, la autoridad judicial puede aprobarlo, previa audiencia de los interesados y siempre y cuando estos den su consentimiento. Las personas a quien se haya concedido el régimen de relaciones personales están legitimadas para reclamar su ejecución (art. 233-12).

4) En el convenio regulador los cónyuges también *pueden acordar alimentos para los hijos mayores de edad o emancipados* que no tengan recursos económicos propios. Respecto de lo previsto en la regulación ordinaria de los alimentos de origen familiar esta cuestión se prevé de forma diferente y más abierta y con carácter potestativo (art. 237-1).

*b) Relaciones económico-patrimoniales entre los cónyuges*

Además de las materias anteriores, el convenio regulador también debe contener, *si procede*:

1) La *prestación compensatoria* que se atribuye a uno de los cónyuges, indicando su modalidad de pago y, si procede, la duración, los criterios de actualización y las garantías. Según se examina más adelante, puede suceder que en previsión de una ruptura matrimonial, se haya pactado sobre la modalidad, cuantía, duración y extinción de la prestación compensatoria, de acuerdo con el artículo 231-20 (pactos en previsión de una ruptura matrimonial). No obstante, los pactos de renuncia no incorporados a un convenio regulador no son eficaces en lo que comprometan la posibilidad de atender a las necesidades básicas del cónyuge acreedor (art. 233-16).

2) La atribución o distribución del uso de la *vivienda familiar* con su *ajuar*. Con el fin de ajustarse al supuesto concreto, la norma prevé dos opciones: la *atribución* o la *distribución* del uso de la vivienda familiar y del ajuar doméstico. Esta cuestión también se examina más adelante y está regulada en los artículos 233-20 a 233-26.

3) La *compensación económica por razón de trabajo*. Esta compensación se ha examinado anteriormente (*v.* cap. IV), y solo es aplicable en el supuesto de los matrimonios en régimen económico de *separación de bienes* (art. 232-5). En este lugar baste con recordar que la compensación económica por razón de trabajo tiene como límite la cuarta parte de la diferencia entre los incrementos de los patrimonios de los cónyuges, calculada de acuerdo con las reglas establecidas por el artículo 232-6. Sin embargo, si el cónyuge acreedor prueba que su contribución ha sido notablemente superior, la autoridad judicial puede incrementar esta cuantía (art. 232-5.4). En previsión de una ruptura matrimonial o de disolución del matrimonio por muerte, puede pactarse el incremento, reducción o exclusión de la compensación económica por razón de trabajo de acuerdo con lo establecido por el artículo 231-20 (art. 232-7).

4) La *liquidación del régimen económico matrimonial* y la *división de los bienes* en comunidad ordinaria indivisa. Por lo que se refiere a la liquidación del régimen económico matrimonial el supuesto puede revestir especial relevancia cuando se trata de regímenes de comunidad de bienes. Esta cuestión también puede haberse previsto expresamente en los pactos en previsión de una ruptura matrimonial que pueden incorporarse al convenio o, en el caso de procedimientos contenciosos, en la solicitud de medidas provisionales[274].

## 1.3. *Aprobación judicial del convenio regulador*

A la hora de aprobar el convenio regulador, el artículo 233-2, distingue dos supuestos:

*a)* Cónyuges que tienen hijos menores no emancipados o con la capacidad modificada judicialmente que dependan de ellos, que

---

[274] De la doctrina registral se desprende que los acuerdos con trascendencia inmobiliaria incluidos en un convenio regulador son título inscribible si los acuerdos de liquidación del REM, sean de separación de bienes o de comunidad, forman parte del contenido propio del convenio según la norma legal aplicable (art. 90 CC) incluso aunque se refieran a bienes privativos cuando ello suponga un requisito esencial para la completa liquidación del REM, pero al no ser necesario a tal fin, queda excluido de este carácter la inscripción de la declaración de obra nueva. A efectos registrales es preciso que la declaración de obra nueva se documente en escritura pública por el adjudicatario (RDGRN 24 octubre 2016).

deben presentar el convenio a la autoridad judicial para que sea aprobado. También deben hacerlo, en todo caso, si se trata de un convenio regulador de las consecuencias de la nulidad del matrimonio;

*b)* Si los cónyuges no se encuentran en ninguno de los supuestos anteriores, pueden formular el contenido del convenio ante un Letrado de la Administración de Justicia o en escritura pública ante notario. En estos casos, es preciso que los cónyuges intervengan personalmente en el otorgamiento, estén asistidos por un letrado en ejercicio y expresen la voluntad inequívoca de separarse o divorciarse

Los pactos adoptados en el convenio son aprobados por la autoridad judicial, con la *excepción* de los puntos que no sean conformes con el *interés de los hijos menores*. El juzgador solo puede fiscalizar los acuerdos que perjudiquen a los hijos menores, pero no los que san contrarios a los intereses de los cónyuges y en este sentido es válido el pacto de subrogación hipotecaria (sin novación subjetiva) en la medida que lo sea interpartes (STSJC, 19 septiembre 2010) y según la SAP Tarragona, Sec. 1ª, 18 marzo 2014, se puede pactar y transaccionar en el convenio la renuncia a las acciones penales y civiles en trámite judicial en la medida que no perjudiquen los derechos de los menores. En el supuesto de que haya hijos menores o incapacitados, a efectos de la aprobación del convenio, el Tribunal recabará informe del Ministerio Fiscal sobre los términos del convenio relativos a los hijos y oirá a los menores si tuvieran suficiente juicio cuando se estime necesario de oficio o a petición del Fiscal, partes o miembros del Equipo Técnico Judicial o del propio menor (art. 777.5 LEC).

En el supuesto de que la autoridad judicial deniegue la aprobación de estos pactos, existen tres posibles soluciones[275]:

*a)* El juez debe indicar los puntos que deben modificarse y fijar el plazo para hacerlo (arts. 233-3.2 CCC y 777.7 LEC).

*b)* Si los cónyuges no formulan una propuesta de modificación del convenio regulador o esta tampoco es aprobada, la autoridad judicial debe adoptar la resolución pertinente. La sentencia debe incorporar

---

[275]   Roca Trias (2014: 297-298).

los puntos del convenio que hayan sido aprobados y la decisión que corresponda en cuanto a los puntos no aprobados. También puede contener las medidas necesarias para garantizar su efectivo cumplimiento (arts. 233-3.2 CCC y 777.7 LEC).

*c)* Si atendidas las circunstancias del caso la autoridad judicial considera que aún es posible alcanzar un acuerdo, puede remitir a los cónyuges a una sesión informativa sobre mediación (art. 233-6.3) y si se alcanza un acuerdo su contenido debe incorporarse al proceso y someterse a la aprobación judicial. En este caso, el procedimiento debe considerarse como consensuado y no contencioso (art. 777 LEC) y los pactos aprobados judicialmente deben incorporarse a la sentencia.

La sentencia que deniegue la separación o el divorcio y el auto que acuerde alguna medida que se aparte de los términos del convenio propuesto por los cónyuges podrán ser recurridos en apelación. El recurso contra el auto que decida sobre las medidas no suspenderá la eficacia de éstas, ni afectará a la firmeza de la sentencia relativa a la separación o al divorcio. La sentencia o el auto que aprueben en su totalidad la propuesta de convenio sólo podrán ser recurridos, en interés de los hijos menores o incapacitados, por el Ministerio Fiscal (art. 777.8 LEC).

## 1.4. *Modificación del convenio regulador o de las medidas adoptadas*

La modificación del convenio regulador o de las medidas acordadas por el tribunal en los procedimientos a que se refiere el artículo 777 LEC se sustanciará conforme a lo dispuesto en el mismo cuando se solicite por ambos cónyuges de común acuerdo o por uno con el consentimiento del otro y con propuesta de nuevo convenio regulador. En otro caso, se estará a lo dispuesto en el artículo 775 LEC (art. 777.9 LEC). Según el artículo 90.3 CC las medidas que el Juez adopte en defecto de acuerdo o las convenidas por los cónyuges judicialmente, podrán ser modificadas judicialmente o por nuevo convenio aprobado por el Juez, cuando así lo aconsejen las nuevas necesidades de los hijos o el cambio de las circunstancias de los cónyuges. Las medidas que hubieran sido convenidas ante el letrado de la Administración de Justicia o en escritura pública notarial podrán ser modificadas por un nuevo acuerdo, sujeto a los mismos requisitos exigidos en este Código.

A su vez, el artículo 233-7 del *Codi,* prevé que las medidas estable-cidas por un proceso matrimonial o por un convenio otorgado ante notario o letrado de la Administración de Justicia pueden modificarse, mediante una resolución judicial posterior, si varían sustancialmente las circunstancias concurrentes en el momento de dictarlas. También pueden modificarse, en todo caso, de común acuerdo entre los cón-yuges dentro de sus facultades de actuación. El convenio regulador o la sentencia pueden prever anticipadamente las modificaciones per-tinentes. Si la parte que solicita judicialmente la modificación de las medidas establecidas por alteración sustancial de circunstancias ha intentado llegar a un acuerdo extrajudicial iniciando un proceso de mediación, la resolución judicial que modifica las medidas puede re-trotraer los efectos a la fecha de inicio del proceso de mediación.

## 1.5. *Ejecución de acuerdos o decisiones*

Los pronunciamientos sobre medidas se ejecutarán según las nor-mas generales de ejecución. Por lo que se refiere a los acuerdos forma-lizados en escritura pública la ejecución deberá ajustarse a los cauces procesales correspondientes. Esas resoluciones o acuerdos son inscri-bibles a los efectos que en cada caso procedan, en los Registros Pú-blicos (Registro Civil, Registros de la Propiedad y Mercantil,...) (arts. 89 CC, 61 LRC y 755 LEC). A efectos ejecutivos, debe distinguirse entre ejecución de medidas consistentes en una prestación de dinero y otras medidas.

En relación con los procedimientos judiciales, el artículo 776 LEC prevé las siguientes especialidades[276]:

*a)* Pueden imponerse multas coercitivas al cónyuge o progenitor que incumpla de manera reiterada las obligaciones de pago de canti-dad que le correspondan con arreglo a lo dispuesto en el artículo 711 LEC y sin perjuicio de hacer efectivas sobre su patrimonio las canti-dades debidas y no satisfechas.

---

[276]   Roca Trias (2014: 314-321).

*b)* En caso de incumplimiento de obligaciones no pecuniarias de carácter personalísimo, no procederá la sustitución automática por el equivalente pecuniario prevista en el artículo 709.3ª LEC y podrán, si así lo juzga conveniente el Tribunal, mantenerse las multas coercitivas mensuales todo el tiempo que sea necesario más allá del plazo de un año establecido en dicho precepto.

*c)* El incumplimiento reiterado de las obligaciones derivadas del régimen de relaciones con los progenitores, tanto por parte del progenitor guardador como del no guardador, podrá dar lugar a la modificación por el Tribunal del régimen de guarda y relaciones.

*d)* Por último, cuando deban ser objeto de ejecución forzosa gastos extraordinarios, no expresamente previstos en las medidas definitivas o provisionales, deberá solicitarse previamente al despacho de ejecución la declaración de que la cantidad reclamada tiene la consideración de gasto extraordinario. Del escrito solicitando la declaración de gasto extraordinario se dará vista a la contraria y, en caso de oposición dentro de los cinco días siguientes, el Tribunal convocará a las partes a una vista que se sustanciará con arreglo a lo dispuesto en los artículos 440 y ss. LEC y que resolverá mediante auto.

Cuando se trate de resoluciones judiciales dictadas en un país y se ejecuten en otro, o de la ejecución de documentos públicos con fuerza ejecutiva formalizados o registrados en un Estado miembro, así como los acuerdos entre las partes que tengan fuerza ejecutiva en el Estado miembro de origen, es de aplicación el Reglamento (CE) nº 2201/2003 del Consejo de 27 de noviembre de 2003 relativo a la competencia, el reconocimiento y la ejecución de resoluciones judiciales en materia matrimonial y de responsabilidad parental, por el que se deroga el Reglamento (CE) nº 1347/2000. Este Reglamento primará en las materias reguladas por el mismo, frente a los Convenios signados por los Estados miembros (art. 60 Rglto.). Por otra parte, las relaciones del Reglamento con el Convenio de La Haya de 19 de octubre de 1996 relativo a la competencia, la ley aplicable, el reconocimiento, la ejecución y la cooperación en materia de responsabilidad parental y de medidas de protección de los niños, se regulan en el artículo 61 Rglto.

*Cuestiones penales.* En la esfera penal el incumplimiento de determinadas obligaciones familiares puede motivar que se incurra en alguno de los tipos delictivos regulados en los artículos 226 a 233 CP

(Sección 3ª. *Del abandono de familia, menores o personas con disca-pacidad necesitadas de especial protección*). Estos artículos regulan distintas conductas sancionables penalmente que pueden conllevar multas y penas de prisión.

Los delitos previstos en los artículos 226 CP (incumplimiento de los deberes legales de asistencia inherentes a la patria potestad, tutela, guar-da o acogimiento familiar o de prestar la asistencia necesaria legalmente establecida para el sustento de sus descendientes, ascendientes o cónyuge, que se hallen necesitados) y 227 CP (impago de prestaciones económicas familiares), sólo se perseguirán previa denuncia de la persona agraviada o de su representante legal. Cuando aquélla sea menor de edad, persona con discapacidad necesitada de especial protección o una persona desva-lida, también podrá denunciar el Ministerio Fiscal (art. 228 CP).

Por lo que se refiere al delito de *impago de la pensión compensa-toria* establecida en convenio judicialmente aprobado o resolución ju-dicial, que es subsumible en la tipificación prevista en el artículo 227 CP, no existirá responsabilidad penal cuando el obligado al pago se encuentre en situación de insolvencia económica y no pueda afrontar el pago por carecer de medios económicos, pues de lo contrario, po-dría cuestionarse la constitucionalidad de la norma, porque la sanción podría suponer incurrir en la proscrita prisión por deudas[277].

Con el fin de paliar, parcialmente, determinadas situaciones de ries-go de exclusión social, se han creado para ciertos beneficiarios los de-nominados fondos públicos de garantía de pensiones o del pago de ali-mentos. Estos fondos tienen por objeto garantizar, mediante un sistema de anticipos a cuenta, el pago de alimentos reconocidos a favor de los hijos menores de edad en convenios judicialmente aprobados o resolu-ción judicial, en los supuestos de separación legal, divorcio, declaración de nulidad del matrimonio, procesos de filiación o de alimentos.

En la *legislación catalana*, v.: art. 44 Ley 18/2003, de 4 julio, de Apoyo a las Familias; Ley 5/2008, de 24 de abril, del derecho de las mujeres a erradicar la violencia machista; y Decreto 123/2010, de 7 de septiembre, del Fondo de garantía de pensiones y prestaciones. El preámbulo de la Ley 5/2008, señala

---

[277] Vara González (2016: 151-157). SSAP, Lleida, Sec. 1ª, 28 enero 2016; Valencia, Sec. 4ª, 22 septiembre 2016; Madrid, Sec. 23ª, 11 enero 2016, entre otras.

que uno sus objetivos consiste en "la constitución de un fondo de garantía de pensiones y prestaciones para cubrir el impago de pensiones alimenticias y compensatorias, introducido por el artículo 44 de la Ley 18/2003, de 4 de julio, de apoyo a las familias. Este fondo, que debe operar con carácter de anticipo, debe activarse cuando exista la constatación judicial de incumplimiento del deber de satisfacer las pensiones, lo cual conlleva una situación de precariedad económica". La norma prevé el *derecho de repetición* de las pensiones pagadas por el Fondo de garantía de pensiones y prestaciones contra las personas que han incumplido la resolución judicial de pago de la pensión y sin perjuicio del derecho de repetición, las personas beneficiarias del Fondo tienen la obligación de continuar los trámites del procedimiento de ejecución del título judicial que reconoce el derecho a percibir la pensión de alimentos y la pensión compensatoria. En el caso de que se obtenga el cobro de las pensiones impagadas, la beneficiaria del Fondo tiene la obligación de devolver las cantidades cobradas con cargo al Fondo (art. 52).

En la *legislación estatal*, v.: DA 19ª LO 1/2004, de 28 de diciembre, de Medidas de Protección Integral contra la Violencia de Género; DA única Ley 15/2005, de 8 de julio, por la que se modifican el Código Civil y la Ley de Enjuiciamiento Civil en materia de separación y divorcio; Ley 24/2006, de 28 de diciembre de PGE, DA 53ª; y RD 1618/2007, de 7 de diciembre, sobre organización y funcionamiento del Fondo de Garantía del Pago de Alimentos. Los beneficiarios de los anticipos del Fondo son los españoles *menores de edad*, así como los menores nacionales de los demás Estados miembros de la Unión Europea residentes en España, titulares de un derecho de alimentos judicialmente reconocido e impagado, que formen parte de una unidad familiar cuyos recursos e ingresos económicos, computados anualmente y por todos sus conceptos, no superen los límites que se establecen en el artículo 6 del RD. También serán beneficiarios los menores de edad extranjeros no nacionales de un Estado miembro de la Unión Europea que, siendo titulares de un derecho de alimentos judicialmente reconocido e impagado, cumplan los requisitos previstos en la norma citada y los hijos e hijas mayores de edad discapacitados con grado de discapacidad igual o superior al 65 por 100. Estas ayudas son incompatibles con el cobro de otras prestaciones que concedan las Administraciones Públicas y que tengan la misma finalidad. Cuando se reúnan los requisitos para cobrar más de una ayuda, deberá optarse por una de ellas. También se prevé la subrogación de pleno derecho del Estado, hasta el total importe de los pagos satisfechos al interesado, en los derechos que asisten al mismo frente al obligado al pago de alimentos y el reembolso de los anticipos indebidamente percibidos[278].

---

[278] *V.* Resolución de 15 de junio de 2017, de la Dirección General de Costes de Personal y Pensiones Públicas, por la que se publican las cuentas anuales del Fondo de Garantía del Pago de Alimentos del ejercicio 2016 y el informe de auditoría (BOE 23 junio 2017).

## 2. EL PLAN DE PARENTALIDAD

### 2.1. Introducción

Las palabras "parentalidad" o "*parentalitat*" no están incluidas, respectivamente, en el DRAE ni el DIEC, pero ambos diccionarios, recogen la expresión "parental": 1. adj. Perteneciente o relativo a los padres o a los parientes. 2. adj. *Biol.* Que se refiere a uno o ambos progenitores; adj. [LC] [AN] [BI] *Relatiu o pertanyent al pare i a la mare.*

En la doctrina, Sallés y Ger (2011: 27-28), afirman que el concepto de parentalidad "hace referencia a las actividades desarrolladas por los padres y madres para cuidar y educar a sus hijos, al tiempo que promover su socialización. La parentalidad no depende de la estructura o composición familiar, sino que tiene que ver con las actitudes y la forma de interaccionar en las relaciones paterno/materno-filiales". Asimismo, siguiendo a las autoras citadas, cabe distinguir entre dos formas de parentalidad: "la parentalidad biológica, que tiene que ver con la procreación, y la parentalidad social, que tiene que ver con la existencia de capacidades para cuidar, proteger, educar y socializar a los hijos" (Barudy, 2005, 2010).

En lo jurídico, siguiendo a Viñas Maestre (2014: 432), el plan de parentalidad es "una hoja de ruta que determina la forma de ejercer la responsabilidad parental, las pautas que han de seguirse para tomar determinadas decisiones y la organización del cuidado de los hijos menores, un plan estratégico que contiene una previsión o planificación de futuro en el que se identifican y atribuyen las responsabilidades diarias de cada progenitor lo que permite concretar el régimen de la responsabilidad parental que los progenitores asumen a partir de la ruptura de la convivencia respecto de los hijos menores comunes". Según la STSJC 20 marzo 2014, "el plan de parentalidad del CCC son declaraciones del progenitor o de los progenitores —si es de mutuo acuerdo—, relacionados con la guarda del menor para la organización de la vida diaria con una finalidad preventiva destinada a resolver los problemas más frecuentes que puedan surgir, evitando futuras disputas entre los padres, incluso acudiendo a la mediación familiar, en los términos expresados en el art. 233.9.3 CCC" (FJ 2). En la doctrina anglosajona el "*parenting plan*" consiste en "un plan que asigna la responsabilidad en la custodia y autoridad para decidir en aras al interés superior del menor y provee de un mecanismo para resolver cualesquiera conflictos futuros entre los progenitores. La expresión también es conocida como *parenting agreement*" (Dic. *Black´s Law*, B. A. Garner).

Según el preámbulo de la Ley 25/2010, de 29 de julio, en supuestos de crisis matrimonial con hijos de ambos cónyuges, a modo de *principios generales* rectores, cabe referirse a las siguientes cuestiones (ep. III):

*a) Necesidad de un plan de parentalidad*. Toda propuesta de convenio regulador de los progenitores debe incorporarse al proceso judicial en forma de plan de parentalidad. El preámbulo *define* el plan de parentalidad como "*un instrumento para concretar la forma en que ambos progenitores piensan ejercer las responsabilidades parentales, en el que se detallan los compromisos que asumen respecto a la guarda, el cuidado y la educación de los hijos*. Sin imponer una modalidad concreta de organización, alienta a los progenitores, tanto si el proceso es de mutuo acuerdo como si es contencioso, a organizar por sí mismos y responsablemente el cuidado de los hijos en ocasión de la ruptura, de modo que deben anticipar los criterios de resolución de los problemas más importantes que les afecten". Y en esta línea facilita la colaboración entre los abogados de cada una de las partes y otros profesionales independientes, para que realicen una intervención focalizada en los aspectos relacionados con la ruptura antes de presentar la demanda. Con ello "Quiere favorecerse así la concreción de los acuerdos, la transparencia para ambas partes y el cumplimiento de los compromisos conseguidos" (é.a.).

*b) Responsabilidad parental conjunta*. En segundo lugar, *se abandona* "el principio general según el cual la ruptura de la convivencia entre los progenitores significa automáticamente que los hijos deben apartarse de uno para encomendarlos individualmente al otro. Por contra, *se introduce como norma que la nulidad, el divorcio o la separación no alteran las responsabilidades de los progenitores sobre los hijos*. En consecuencia, estas responsabilidades mantienen, después de la ruptura, el *carácter compartido* y corresponde a la autoridad judicial determinar, si no existe acuerdo sobre el plan de parentalidad o si este no se ha aprobado, cómo deben ejercerse las responsabilidades parentales y, en particular, la guarda del menor, ateniéndose al carácter conjunto de estas y al interés superior del menor". En este sentido, el legislador considera que "*en general, la coparentalidad y el mantenimiento de las responsabilidades parentales compartidas reflejan materialmente el interés del hijo* por continuar manteniendo una relación estable con los dos progenitores. La igualdad de derechos y deberes entre los progenitores elimina las dinámicas de ganadores y perdedores, y favorece la colaboración en los aspectos afectivos, educativos y económicos". En suma, se trata de "favorecer las *fórmulas de coparentalidad y la práctica de la mediación*, como herramienta para garantizar la estabilidad de las relaciones posteriores a la ruptura entre los progenitores, y la adaptación natural de las reglas a los cambios de circunstancias" (é.a.).

Como se observa en la doctrina francesa, es preciso asegurarse de que el derecho protege lo mejor posible a los hijos que se desarrollan en el seno de configuraciones familiares diferentes: en este sentido "tanto en la realidad como en el imaginario social, la 'movilidad' o la 'flexibilidad' de las familias convierten al menor en el último punto fijo de referencia, de forma creciente, el hijo es preminente porque la familia se convierte en una realidad fluida [...] y frente a las incertezas de lo privado, la sociedad procura sobreponerse a su angustia convirtiendo al niño-persona en su valor de referencia" (J. Commaille)[279].

*c) Vinculaciones especiales de los progenitores.* Por lo que se refiere al papel de la madre, el legislador es consciente del papel cualitativo de la mujer en la crianza de los hijos menores y de la participación relevante de uno o ambos progenitores en el cuidado de los hijos. En este punto, en relación con la atribución de la guarda "se destacan como criterios para determinar la guarda individual la *vinculación especial de los hijos* con uno de los progenitores y la dedicación a los hijos que la madre o el padre hayan tenido antes de la ruptura" (é.a.).

*d) Relaciones de los hijos con el entorno familiar.* Por último, "reconociendo el carácter privilegiado de las relaciones de los menores con el entorno más próximo, particularmente con los abuelos y hermanos, se establece un procedimiento que fija la forma en que, en caso de crisis matrimonial, puede hacerse efectivo el derecho de los hijos menores a mantener estas relaciones personales" (*ibdm.*).

Con arreglo a Roca Trias (2013: 42.43), el plan de parentalidad es una nueva forma de estructurar las relaciones familiares que ha de

---

[279]   Hubert-Dias (2014: 20). La relevancia que tiene regular las relaciones paternofiliales en los supuestos de crisis de convivencia de la pareja se deduce de los datos estadísticos que revelan que el noventa por ciento de las mujeres y hombres que se separan tienen hijos. Más de la mitad tiene uno o dos hijos. Respecto a la edad de los hijos, uno de cada tres hijos de familia separada tiene menos de cinco años, y uno de cada cinco se acerca a la mayoría de edad o la supera (García del Vado, 2015: 523).

ser cumplido por los progenitores y no sólo por el que conviva con los hijos menores e incluye la guarda compartida. Con ello se trata de minimizar el problema de la exclusividad o no de la guarda que debe redundar en interés del menor; "no se trata de discutir quien tiene o no la relación más habitual con los hijos, sino cómo se distribuyen las tareas de guarda y cuidado y el plan permite un control más cuidadoso del cumplimiento de las respectivas obligaciones". Según Bosch Capdevila *et al.* (2013: 128) "Con el plan de parentalidad se pretende, en la medida de lo posible, que la decisión del juez se ajuste a la voluntad de los cónyuges, siempre teniendo en cuenta el interés del menor, y que se prevean y solucionen las incidencias que puedan surgir en el ejercicio de las responsabilidades parentales".

De acuerdo con lo previsto en el artículo 233-8 (*Responsabilidad parental*), la nulidad del matrimonio, el divorcio o la separación *no alteran las responsabilidades que los progenitores tienen hacia sus hijos* de acuerdo con el artículo 236-17.1. Según esa norma, los progenitores, en virtud de sus responsabilidades parentales, deben: cuidar de los hijos; prestarles alimentos en el sentido más amplio; convivir con ellos; educarlos y proporcionarles una formación integral; también les corresponde el deber de administrar el patrimonio de los hijos y de representarlos. En principio, estas responsabilidades deben mantenerse con *carácter compartido* y, *en la medida de lo posible, deben ejercerse conjuntamente*. Los cónyuges, para determinar cómo deben ejercerse las responsabilidades parentales, deben *presentar sus propuestas de plan de parentalidad*, con el contenido establecido por el artículo 233-9. La autoridad judicial, en el momento de decidir sobre las responsabilidades parentales de los progenitores, debe *atender de forma prioritaria al interés del menor*. Por lo dicho, en caso de acuerdo, el plan de parentalidad puede ser único y en caso de desacuerdo existirán dos propuestas sobre las que la autoridad judicial deberá pronunciarse.

No obstante, excepcionalmente, también queda abierta la posibilidad de encomendar la guarda a los abuelos, a otros parientes, a personas próximas, o en su defecto, a una institución idónea, a las cuales se les pueden conferir funciones tutelares con suspensión de la potestad parental (art. 233-1.*a*), aunque en vía definitiva se puede cambiar este sistema o, por el contrario, establecerlo (art. 233-9.5). La regulación también prevé una distribución de las responsabilidades alimenticias (art. 231-1.*d*). En los casos de divorcio, nulidad y separación judicial la *obligación genérica* de alimentos desaparece y sólo se deberán a los hijos (art. 233-2.4.*b*.) debiendo entenderse comprendida dentro de la prestación compensatoria.

## 2.2. Contenido y modificación del plan de parentalidad

El artículo 233-9.1 establece que el "El plan de parentalidad debe concretar la forma en que ambos progenitores ejercen las responsabilidades parentales. Deben hacerse constar los compromisos que asumen respecto a la guarda, el cuidado y la educación de los hijos".

En consideración a lo afirmado en el preámbulo del libro segundo y lo dispuesto en su regulación legal, la STSJC 23 marzo 2014 (FD 3), señala lo siguiente:

*a)* El plan de parentalidad debe presentarse no solo en los procedimientos de mutuo acuerdo (art. 232-2.*a*) sino también en los procedimientos contenciosos (art. 233-11).

*b)* Debe concretar la manera en que los dos cónyuges ejercen sus responsabilidades parentales, detallando los compromisos sobre la guarda, cuidado y ejecución, tanto en los supuestos de guarda monoparental como en los de custodia compartida, con la colaboración de los diversos operadores jurídicos para que, con carácter anticipado puedan realizar una intervención focalizada a la resolución de los problemas más frecuentes que puedan surgir.

*c)* Como señala el preámbulo del libro segundo y prevé la regulación legal del supuesto, en el plan no se recogen los alimentos que han de satisfacer los cónyuges ni otras cuestiones relevantes para el menor que están previstas en los artículos 236.11.6 y 236.12, como son aquellos caso en los que es necesario el consentimiento expreso o tácito de ambos progenitores o el deber de información previsto en el último precepto. En suma, "De acuerdo con la doctrina más autorizada, el plan de parentalidad afectaría a los asuntos de la vida diaria del menor tanto en el ámbito personal como patrimonial relacionados con la convivencia cotidiana que no puedan establecerse como hechos relevantes establecidos en los artículos 236-11.6 [consentimiento del progenitor que no ejerce la potestad parental, en actos o decisiones cualificadas] y 236-.12 CCCat, [información entre los progenitores] entre otros, y en el art. 233.9 CCCat [plan de parentalidad]" (sent. cit., FD 3).

De conformidad con el artículo 239-9.2, en las propuestas de plan de parentalidad deben concretarse los puntos siguientes[280]:

a) *"El lugar o lugares donde vivirán los hijos habitualmente. Deben incluirse reglas que permitan determinar a qué progenitor le corresponde la guarda en cada momento".* Esta previsión se inspira en el principio de *guarda compartida*. La necesidad de concretar las reglas de guarda facilita que pueda determinarse, en cada momento, el lugar habitual en que debe encontrarse el menor. En el supuesto de atribución de tiempos iguales para cada progenitor, la Instrucción 1/2006, de la Fiscalía General del Estado, de 7 de marzo, aconseja que se haga un pronunciamiento sobre el domicilio del menor a efectos de su empadronamiento.

b) *"Las tareas de que debe responsabilizarse cada progenitor con relación a las actividades cotidianas de los hijos".* El contenido de este punto puede ser muy diverso en función de las necesidades ordinarias y extraordinarias y las actividades cotidianas de los hijos y el número de estos y es conveniente prever su adecuada distribución en evitación de conflictos futuros.

c) *"La forma en que deben hacerse los cambios en la guarda y, si procede, cómo deben repartirse los costes que generen".* El supuesto exige determinar, según proceda, el lugar de intercambio o punto de encuentro (en la casa, en la escuela o en otros lugares) y puede valer tanto para la guarda compartida alternada como para los supuestos de guarda individual y la previsión de un régimen de estancias, más o menos amplia, con el otro progenitor.

d) *"El régimen de relación y comunicación con los hijos durante los períodos en que un progenitor no los tenga con él".* Este punto se refiere al tradicional "régimen de visitas", expresión suprimida por el legislador para evitar su carácter peyorativo vinculado al progenitor "visitador".

---

[280]  La guía y el modelo para elaborar un "pla de parentalitat" (plan de parentalidad) puede consultarse en E. Lauroba (2011a); Alavedra Farrando (2012: 368-371).

*e) "El régimen de estancias de los hijos con cada uno de los proge-*
*nitores en períodos de vacaciones y en fechas especialmente señaladas*
*para los hijos, para los progenitores o para su familia".* En este caso se
trata de concretar los días, fechas especiales o eventos en que el menor
estará con el progenitor y sus modos de elección o alternancia.

*f) "El tipo de educación y las actividades extraescolares, formati-*
*vas y de tiempo libre, si procede".* Con el fin de prevenir actuaciones
unilaterales de uno de los progenitores, deben fijarse, con cierta flexibilidad, determinadas pautas sobre estas cuestiones (enseñanza en
colegio público, concertado o privado; orientación educativa, etc.) y
poder anticipar en tiempo oportuno las decisiones que deban adoptarse al respecto.

*g) "La forma de cumplir el deber de compartir toda la información*
*sobre la educación, la salud y el bienestar de los hijos".* Se trata de
prever un sistema ordinario de comunicación para evitar que los hijos
se conviertan en correos de información y situaciones o controversias
insólitas ante el propio menor y terceras personas.

*h) "La forma de tomar las decisiones relativas al cambio de do-*
*micilio y a otras cuestiones relevantes para los hijos".* Esta previsión
pretende evitar la adopción de decisiones unilaterales o hechos consu-
mados que inciden en el entorno del menor y cuya puesta en cuestión
puede provocar una controversia judicial sobre hechos pasados (*v.*
STS 26 octubre 2012).

La no presentación del plan de parentalidad en la demanda o como parte íntegra del convenio regulador es subsanable (art. 231 LEC).
Si no se presenta por uno de los progenitores puede motivar que se
acepte el plan presentado por el otro. En defecto de acuerdo procede
la adopción de medidas definitivas adoptadas por la autoridad judicial (arts. 233-4 y 233-10). En todo caso, el plan de parentalidad debe
presentarse para completar lo que judicialmente no haya sido resuelto
en la sentencia (*v.* STSJC 20 marzo 2014).

En la formación del plan de parentalidad debe tenerse presente
el *interés superior del menor* y de acuerdo con su edad y capacidad
natural y, en todo caso, si ha cumplido doce años, tiene derecho a ser
informado y escuchado antes de que se tome una decisión que afecte
directamente a su esfera personal o patrimonial (art. 211-6).

Como ha señalado el TC "sobre los poderes públicos, y muy en especial sobre los órganos judiciales, pesa el deber de velar por que el ejercicio de esas potestades por sus padres o tutores, o por quienes tengan atribuida su protección y defensa, se haga en interés del menor, y no al servicio de otros intereses, que por muy lícitos y respetables que puedan ser, deben postergarse ante el "superior" del niño (SSTC 215/1994, de 14 de julio; 260/1994, de 3 de octubre; 60/1995, de 17 de marzo; 134/1999, de 15 de julio; STEDH de 23 de junio de 1993, caso Hoffmann)." (STC 141/2000, de 29 de mayo, FD 5).

El *interés superior de los hijos* conlleva que no pueda atribuirse la guarda al progenitor contra el que se haya dictado una sentencia firme por actos de violencia familiar o machista de los que los hijos hayan sido o puedan ser víctimas directas o indirectas (art. 233-11; v. STSJC 14 abril 2014; 1 junio 2017).

*Concepto de interés superior del menor:* La SAP Barcelona, Sec. 12ª, 18 mayo 2016, a la vista de las normas propias e internacionales se refiere a la necesidad de complementar en una labor de concreción e individualización, caso por caso, el concepto de interés superior del menor: "configurándose dicho principio, como un verdadero concepto jurídico indeterminado, que la doctrina ha relacionado tradicionalmente bien con el desenvolvimiento libre e integral de la personalidad del menor y la supremacía de todo lo que le beneficie, más allá de las preferencias personales de sus padres, tutores, guardadores o administraciones públicas, en orden a su desarrollo físico, ético y cultural; bien con su salud y su bienestar psíquico y su afectividad, junto a otros aspectos de tipo material; bien, simplemente, con la protección de sus derechos fundamentales. Conforme ha entendido el TC "el interés del menor debe interpretarse no como una discriminación positiva, sino que se trata sencillamente de hacerle justicia en su vertiente existencial y de garantizarle su status de persona y los bienes y derechos fundamentales de la misma que por su mera calidad de persona le corresponde, a fin de que lleguen a ser mañana ciudadanos activos y perfectamente integrados en la sociedad" (STC 141/2000), teniendo en cuenta que precisamente por su minoría de edad, necesitan de la protección y defensa de los terceros.

En suma, el interés del menor vendrá delimitado por la normas generales aplicables (en particular por los artículos 10 y 39 de la CE que pretenden asegurar que en la crianza y formación del menor se garantice el libre y armónico desarrollo de su personalidad) por las específicas leyes sectoriales, interpretadas a la luz de los Convenios internacionales ratificados por el Estado y por las concretas circunstancias fácticas del caso. Corresponde al juez, en último término, la labor de determinar cuál es el interés del menor en el caso concreto, valorando la situación concurrente teniendo en cuenta las circunstancias fácticas que se dan en cada supuesto" (FD 2).

*Doctrina constitucional.* A lo antedicho, señala la STC 185/2012, de 17 octubre que: "Cuando está en juego el interés de los menores, sus derechos exceden del ámbito estrictamente privado y pasan a tener una consideración más cercana a los elementos de *ius cogens* que la STC 120/1984, de 10 de diciembre (FJ 2), reconoce que concurren en los procedimientos judiciales relativos a la familia, a partir de que el art. 39.2 CE sanciona una protección integral de los hijos por parte de los poderes públicos. Como hemos tenido ocasión de señalar en materia de relaciones paterno-filiales (entre las que se encuentran las relativas al régimen de guarda y custodia de los menores), el criterio que ha de presidir la decisión judicial, a la vista de las circunstancias concretas de cada caso, debe ser necesariamente el interés prevalente del menor, ponderándolo con el de sus progenitores, que aun siendo de menor rango, no resulta desdeñable por ello (SSTC 141/2000, de 29 mayo, FJ 5; 124/2002, de 20 mayo, FJ 4; 144/2003, de 14 julio, FJ 2; 71/2004, de 19 abril, FJ 8; 11/2008, de 21 enero, FJ 7). El interés superior del niño opera, precisamente, como contrapeso de los derechos de cada progenitor y obliga a la autoridad judicial a valorar tanto la necesidad como la proporcionalidad de la medida reguladora de su guarda y custodia. Cuando el ejercicio de alguno de los derechos inherentes a los progenitores afecta al desenvolvimiento de sus relaciones filiales, y puede repercutir de un modo negativo en el desarrollo de la personalidad del hijo menor, el interés de los progenitores no resulta nunca preferente" (FJ 4)[281].

*Modificación del plan de parentalidad.* Las propuestas de plan de parentalidad pueden prever la posibilidad de recorrer a la *mediación familiar* para resolver las diferencias derivadas de la aplicación del plan, o la conveniencia de *modificar su contenido* para amoldarlo a las necesidades de las diferentes etapas de la vida de los hijos (art. 233-9.3; STSJC 22 mayo 2014).

# 3. EJERCICIO DE LA GUARDA O CUSTODIA DE LOS HIJOS

## 3.1. Introducción

En los supuestos de crisis matrimonial, conviene distinguir entre la potestad parental (*v.* cap. X), que en principio, tiene carácter con-

---

281  Sobre el principio de interés superior del menor, *v. a.e.*, Rocha Spindola (2013: 388-491).

junto, y la concreta guarda o custodia del menor que se refiere a los aspectos del vivir cotidiano del menor junto con el o los progenitores que conviven con el. Esta guarda puede estar compartida por ambos progenitores y tener una configuración muy diversa, o estar atribuida a uno solo de ellos; en este segundo supuesto debe determinarse cuál es el progenitor encargado de la guarda y, en su caso, el régimen de relaciones de los hijos con el otro progenitor.

Por lo que se refiere a las expresiones generalmente utilizadas para describir esta tarea o función, en la doctrina se critica el uso de las expresiones "custodia" y "compartida" porque, la primera, en cierto modo, cosifica la persona que es objeto de la custodia; y la segunda, parece no tener en cuenta que los progenitores ya no viven juntos, por lo que es preferible utilizar el adjetivo "alternativa"; también se cuestiona, el significado intrínsecamente peyorativo de la expresión "régimen de visitas", porque parece atribuir al progenitor solo este derecho como si se tratara de un progenitor de segunda[282].

El significado de la guarda y la crítica del uso de la expresión "visitas", aparece recogido en la SAP Barcelona, Sec. 12ª, 10 marzo 2017 (R 631/2015) (é.a.), como sigue:

> "Que se entienda por "guarda" puede deducirse del artículo 233-1.1.a) y 236-11.5 (antes art. 139.3 del Código de Familia), así, el primero se refiere a la determinación de la manera en la que los hijos convivirán con los padres y en la que se han de relacionar con aquel de los dos con el que no estén conviviendo, y el segundo señala que las obligaciones de guarda corresponden al progenitor que en cada momento tenga a los hijos con él, sea porque de hecho o de derecho residen con él habitualmente, sea porque estén en compañía suya a consecuencia del régimen de relaciones personales que se haya establecido; en consecuencia *la guarda es el tiempo de convivencia que cada progenitor tiene con sus hijos y durante el cual debe ejercer más directamente las responsabilidades que conforman el contenido de la potestad parental*; en este sentido puede llegarse a la conclusión de que *cualquier régimen temporal que se alcance implica una guarda conjunta, pues cada progenitor ostenta la guarda durante el tiempo en que los menores están en su compañía* (así lo hemos visto en el artículo 233-10.2 más arriba transcrito); de hecho el término "custodia compartida" no lo emplea la ley 25/2010 que, en el art. 233-20.3.a) se refiere a la "guarda compartida" para equipararla a "guarda distribuida

---

[282]   Alascio Carrasco (2012: 77-78).

entre los progenitores". No es preciso por tanto que la duración del tiempo de convivencia de los hijos con cada progenitor sea igualitaria para
decir que estamos ante una guarda compartida.

Y para decidir la concreta forma y reparto de la guarda los jueces y
tribunales deben de atender de manera prioritaria al interés del menor en
cada caso, hasta el punto de que el artículo 233-10 en los casos de pacto
entre los progenitores permite que no se apruebe cuando resulte perjudicial para los hijos; y el artículo 233-11 indica los criterios y las circunstancias que ponderados conjuntamente deben tenerse en cuenta.

En muchas ocasiones los escritos de parte y las sentencias de familia,
incluso los informes del EATAF[283], siguen empleando desafortunadamen-
te el término "visitas" cuando los padres y las madres no están "de visita"
con sus hijos sino que los tienen bajo su guarda en mayor o menor tiempo,
siendo preciso que en la práctica vaya produciéndose también un cambio
de terminología acorde a la verdadera naturaleza de las situaciones." (FD
1).

La guarda debe ejercerse según se acuerde en el "plan de parentalidad" (art. 232-8.2) y como señala Lauroba Lacasa (2011: 861),
"se sitúa al final de la secuencia: responsabilidad parental-potestad
(titularidad)-potestad (ejercicio) y guarda. La guarda se corresponde
con las decisiones y actuaciones cotidianas sobre la salud, la discipli-
na, los hábitos alimentarios o el orden —en expresión del art. 236-
14 CCCat., "los asuntos relativos a su vida diaria [del menor]—"; la
guarda se refiere a "la convivencia de los hijos menores con uno u
otro progenitor de manera separada en cada momento".

Se trata de un concepto fáctico que, a su vez, en este caso, se fundamenta en la regulación de las relaciones de parentalidad. Por lo que
atañe a su concreta denominación, el legislador catalán ha optado
por el concepto de "guarda" pero en otras leyes civiles de derecho
hispánico se habla de "guarda y custodia" y "régimen de convivencia". En general, en el ámbito que se examina, señala Viñas Maestre
(2014: 442), que estas expresiones "se refieren a la convivencia de los
hijos con uno o ambos progenitores en períodos de tiempo concretos

---

[283] Nota informativa: EATAF = *Equips d'assessorament tècnic civil en l'àmbit de
família* (*v.* DA 6 Libro segundo y publicación: Programa d'assessorament de
l'equip d'assessorament tècnic civil en l'àmbit de família (EATAF), Departament
de Justícia. Secretaria de Relacions amb l'Administració de Justícia. Generalitat
de Catalunya, Barcelona, 2014).

y determinados en los cuales corresponde a cada progenitor el ejercicio de los deberes y responsabilidades propias a esta convivencia, lo que determina que tomen decisiones sobre aspectos relacionados con la cotidianeidad de los menores que no requieren la conformidad de ambos, es decir, sobre aspectos del día a día que no determinen cambios o efectos importantes en la vida del menor. Cuando la ley habla del ejercicio de la guarda se refiere a la determinación del progenitor que convive con el hijo en cada momento y esta convivencia, aunque sea superior en el tiempo respecto del otro progenitor, no otorga más derechos ni más poder sobre el menor".

Como pone de relieve Lauroba Lacasa (2011: 861; 867), aun reconociendo que, en general, el ejercicio de la potestad parental sigue siendo conjunto, en la práctica, sucede que quien tiene atribuida la guarda, pese al carácter conjunto del ejercicio, "tiende a creer que la guarda conlleva un poder decisorio superior, o así es percibido por el otro progenitor". Técnicamente, también conviene deslindar, aunque, a veces, no sea fácil o puedan confundirse ambas situaciones, la atribución de la custodia o guarda compartida del otorgamiento de la custodia exclusiva con un régimen de visitas amplio (v. SAP Asturias, Sec. 5ª, 26 septiembre 2006). Como señala el juez de familia Oliva Vázquez (2009: 252)[284], deben aclararse dos cuestiones: "1ª precisar cuáles son los derechos y deberes que conlleva la guarda y custodia y que ostenta el progenitor al que le venga atribuida, frente al que, manteniendo la patria potestad, no tiene encomendada dicha guarda y custodia. 2ª dejar patente que el progenitor no custodio mantiene intactas todas las facultades derivadas de la patria potestad y por tanto el progenitor custodio deberá solo no impedir su ejercicio, sino incluso facilitarlo". Lo que antecede, salvo que el otro progenitor hubiera sido privado de la patria potestad.

En el derecho civil catalán, hasta la aprobación del Código de Familia de 1998, la guarda se regía por el Código Civil en su carácter de derecho supletorio. En la regulación vigente, la institución está regulada en la sección 2ª, capítulo III, del libro segundo del *Codi*, referente al "cuidado de los hijos" (arts. 233-8 a 233-13).

---

[284]    Citado por Lauroba Lacasa (2011: 861).

La determinación práctica de si la guarda o custodia de los hijos debe ser alternativa o no, constituye un tema casuístico susceptible de amplios debates y una posible fuente de situaciones conflictivas. A este respecto existen dos posibles opciones o tesis: La posición "clásica" o "tradicional" de la guarda consiste en atribuirla a uno de los progenitores, en la mayoría de los casos, a la progenitora; pero la doctrina y legislación modernas, abogan por el mantenimiento de las responsabilidades parentales conjuntas pero, en todo caso, anteponiendo de forma prioritaria el *interés superior del menor* (art. 233-8).

En el momento presente, la consideración del interés superior del menor constituye una cuestión o elemento clave esencial para decidir sobre esta y otras materias y se sustenta en múltiples preceptos y convenciones internacionales (arts. 39.4, 20.4 y 48 CE; arts. 17, 40, 44.3 y 166 EAC; art. 2 LOPJM; art. 5 LDOIA; art. 25.2 DUDH; arts. 24, 10 y 14.4 PIDCP; 10.3 y 122.a PIDESC; arts. 7, 10 17 CSE; arts. 24.2 y 32 CDFUE). Como dice la STSJC 1 diciembre 2014, "En cualquier caso, la supremacía del interés del menor resulta ser el parámetro esencial para determinar el régimen de guarda y custodia compartida o monoparental en la medida que dicho *"favor filii"*, argumentado por la recurrente, ha de ser el principio inspirador de cualquier decisión que pueda establecerse, conforme a la normativa constitucional (art. 39 CE) y la internacional aplicable sobre los derechos del niño" (FD 2).

> Sin una consideración adecuada del interés superior del menor, no pueden utilizarse sin más, criterios para excluir a uno de los progenitores de la guarda o custodia de sus hijos menores o restringir su derecho de visitas, que sea contrarios a los derechos humanos amparados por la CE o el CEDH, como, por ejemplo: por causa de las convicciones religiosas de uno de los progenitores (TEDH, asto. *Vojnity v. Hungría*, nº 29617/07, 12 febrero 2013; STC 141/2000, de 29 mayo); por el hecho de que el progenitor sea homosexual (TEDH, asto. *Salgueiro da Silva Mouta v. Portugal*, 21 diciembre 1999); o por haber iniciado uno de los progenitores un tratamiento para el cambio de sexo (TEDH, asto. *P.V. v. España*, nº 35159/09, 30 noviembre 2010 y STC 176/2008, de 22 de diciembre, sobre el mismo asunto)[285].

---

[285]   Roca Trias (2014.a: 177-180).

Siguiendo a Alavedra Farrando (2012: 365), la parentalidad conjunta, custodia compartida o coparentalidad se puede definir como: "la asunción compartida de autoridad y responsabilidad entre padres separados en relación a todo lo que se centre en los hijos comunes; el respeto del derecho de los niños a continuar contando, afectiva y realmente con un padre y una madre, y el aprendizaje de modelos solidarios entre ex cónyuges pero todavía socios parentales (Salberg)". En este sentido, el autor citado, destaca que las fórmulas de coparentalidad satisfacen el cumplimento del principio *favor filii* y el derecho de los padres a no perder su condición de progenitores por causa de la ruptura matrimonial, por lo que esta tesis supone un paso adelante frente la cuasimonoparentalidad derivada de la atribución de forma mecánica de la custodia a la madre, reservando al padre su papel de "visitante" cada quince días y, en cierto modo, tiene en cuenta el modelo de familia natural y tradicional formada por padre y madre.

En relación con la familia monoparental y la responsabilidad de cada progenitor en el cuidado, la atención y educación de los menores a cargo de un solo progenitor, en el estudio realizado por Perondi *et al.* (2012: 258) se pone de relieve que entre las personas entrevistadas se tiende a hacer cierta distinción "entre una *monomarentalidad "legal"*, derivada del incumplimiento de los acuerdos en la separación respecto a las responsabilidades con los hijos e hijas (régimen de visitas, pago de la pensión de alimentos), y la *monomarentalidad en la cotidianidad*, es decir, la ausencia del padre en las labores diarias de atención y cuidado de los y las menores, pese a que cumpla con los términos legales acordados". Siguiendo a las autoras citadas, en los supuestos de separación y divorcio es común la existencia de la figura del otro progenitor pero, en la práctica, este puede no ejercer "sus responsabilidades, ya sean de tipo legal, económico, educativo o afectivo-emocional con respecto a los hijos e hijas. Un incumplimiento de responsabilidades que no tiene por qué producirse por propia voluntad de ese progenitor "ausente", sino que la mayoría de las veces está sujeto a esa ausencia en la cotidianeidad del menor o la menor cuando no se convive con ellos".

Con la admisión del principio de la guarda compartida se produce un cambio en la posición jurídica negociadora de la progenitora a la que tradicionalmente se le concedía la guarda de los hijos menores y este cambio puede incentivar peticiones del otro progenitor para evitar que no se conceda a la madre el uso de la vivienda familiar o que para conseguir la guarda la madre deba ceder determinados activos patrimoniales. Para evitar esa situación se ha señalado que debe distinguirse entre cuestiones económicas, y guarda. Las decisiones sobre la primera cuestión deben inspirarse en el principio de protección económica del cónyuge más débil, solución que es la que ha adoptado el legislador catalán al regular la atribución o distribución del uso de la vivienda familiar (art. 233-20.3). Por otra parte, la supervisión derivada de la guarda compartida evita la existencia de asimetrías informativas sobre el destino y el buen uso de las pensiones de alimentos que debe satisfacer el progenitor deudor[286].

## 3.2. *Ventajas e inconvenientes de la guarda compartida*

En relación con las ventajas e inconvenientes de la guarda compartida, la STSJC 31 julio 2008, señala que "resulta clarificadora la enumeración de efectos positivos contenida en la Sentencia de la Audiencia Provincial de Barcelona (Secc. 18ª) de 20 de febrero de 2007", que en línea con los informes y estudios internacionales referentes a esta materia, se refiere a las siguientes ventajas e inconvenientes:

### 1. *Ventajas*

"*a)* se garantiza a los hijos la posibilidad de disfrutar de la presencia de ambos progenitores, pese a la ruptura de las relaciones de pareja, siendo tal presencia similar de ambas figuras parentales y constituye el modelo de convivencia que más se acerca a la forma de vivir de los hijos durante la convivencia de pareja de sus padres, por lo que la ruptura resulta menos traumática;

*b)* se evitan determinados sentimientos negativos en los menores, entre los cuales cabe relacionar los siguientes: miedo al abandono; sentimiento de lealtad; sentimiento de culpa; sentimiento de negación; sentimiento de suplantación; etc.;

*c)* se fomenta una actitud más abierta de los hijos hacia la separación de los padres que permite una mayor aceptación del nuevo contexto y se evitan situaciones de manipulación consciente o inconsciente por parte de los padres frente a los hijos;

*e)* [sic] se garantiza a los padres la posibilidad de seguir ejerciendo sus derechos y obligaciones inherentes a la potestad o responsabilidad

---

[286]    Alascio Carrasco (2012: 84-85).

parental y de participar en igualdad de condiciones en el desarrollo y crecimiento de sus hijos, evitando, así, el sentimiento de pérdida que tiene el progenitor cuando se atribuye la custodia al otro progenitor y la desmotivación que se deriva cuando debe abonarse la pensión de alimentos, consiguiendo, además, con ello, una mayor concienciación de ambos en la necesidad de contribuir a los gastos de los hijos;

*f)* no se cuestiona la idoneidad de ninguno de los progenitores;

*g)* hay una equiparación entre ambos progenitores en cuanto a tiempo libre para su vida personal y profesional, con lo que se evitan de esta manera dinámicas de dependencia en la relación con los hijos, pues en ocasiones el dolor y vacío que produce una separación se tiende a suplir con la compañía del hijo o hija que se convierte así en la única razón de vivir de un progenitor; y

*h)* los padres han de cooperar necesariamente, por lo que el sistema de guarda compartida favorece la adopción de acuerdos, lo que se convierte asimismo en un modelo educativo de conducta para el menor."

## 2. *Inconvenientes*

*a)* La posible inestabilidad de los menores producida por los continuos cambios de domicilio;

*b)* los problemas de integración o adaptación a los nuevos núcleos familiares que se vayan creando; y

*c)* las dificultades para unificar criterios en las cuestiones más cotidianas de la vida de los menores.

La concesión de la custodia compartida es una reivindicación formulada por diversos colectivos, singularmente, la Unión Estatal de Federaciones y Asociaciones por la Custodia Compartida (UEFACC) que la consideran como "derecho fundamental del menor" que "debe concederse siempre, a petición de cualquiera de los progenitores (excepciones, claro está, de causas graves que puedan resultar perjudiciales al menor). No puede imponerse, si alguno de los progenitores no quiere ejercerla, pero no se puede negar a ninguno porque el otro así lo desee". Por otra parte, la custodia debe aplicarse "desde el minuto 1, ya incluso en las medidas preliminares". Esa asociación considera que la custodia compartida significa "paz marital" y "más igualdad de género".

En sentido discrepante, se ha puesto de relieve que como sea que los roles familiares están marcados todavía por el género, "establecer una norma en defecto de pacto que no se corresponde con el estilo de vida y la división del trabajo de la mayor parte de las familias puede provocar dificultades para aquellas en las cuales antes de la crisis no se compartían las tareas de cuidado de los hijos, pues no sirve a los objetivos de continuidad y estabilidad y además genera riesgos de inestabilidad: requiere una reestructuración de los roles de los progenitores, que se ven abocados a realizar tareas a las que no están habituados y a sacrificar otros objetivos, especialmente los profesionales. Por otra parte, puesto que el criterio de guarda conjunta no refleja las preferencias de los progenitores, puede provocar un desequilibrio en el poder de negociación de las partes: atribuir a ambos una participación igual en las tareas de guarda de los hijos supone, probablemente, dar a uno de ellos más de lo que quiere y al otro, menos" (Garriga Gorina, 2008: 5-6).

En la realidad social, los datos estadísticos del INE (2015) sobre la guarda y custodia revelan que la custodia de los hijos menores fue otorgada a la madre en el 73,1% de los casos (año 2014), cifra inferior a la observada en el año anterior (76,2%). En el 5,3% de los procesos la custodia la obtuvo el padre (frente al 5,5% de 2013), en el 21,2% fue compartida (17,9% del año anterior) y en el 0,4% se otorgó a otras instituciones o familiares. No obstante, en pocos años, el avance de la custodia compartida es muy notable y según datos del INE, Cataluña, la Comunidad Valenciana y Baleares presentan los registros más elevados de custodia compartida (por encima del 40% en los divorcios).

## 4. CRITERIOS LEGALES PARA ESTABLECER EL RÉGIMEN DE LA GUARDA

El preámbulo del libro segundo CCC, se inclina por las fórmulas de guarda compartida, pero también advierte de la existencia del patriarcado, del papel cualitativamente relevante de la madre en relación con los menores, de dinámicas familiares que se inspiran en el modelo familiar tradicional, y la realidad de otras culturas que se han incorporado a la sociedad catalana, de aquí que, con tal que no resulten perjuicios para los hijos, debe partirse del principio de *autonomía de voluntad* de los cónyuges —aunque el acuerdo debe ser aprobado por la autoridad judicial— y de la consideración del *carácter conjunto de la guarda.*

En efecto, según se ha indicado, con arreglo al artículo 233-10, la guarda debe ejercerse de la *forma convenida* por los cónyuges en el plan de parentalidad, *salvo* que resulte perjudicial para los hijos. En defecto o existencia de acuerdo o si este no se ha aprobado, la *autoridad judicial* debe determinar la forma de ejercer la guarda, ateniéndose al *carácter conjunto* de las responsabilidades parentales, de acuerdo con el artículo 233-8.1. Sin embargo, la autoridad judicial *puede disponer* que la guarda se ejerza de *modo individual* si conviene más al interés del hijo (*v.* SSTSJC 30 octubre y 1 diciembre 2014), pues en esta materia es preferente la protección del *interés superior del menor*.

Como dice la guía sobre el plan de parentalidad del departamento de justicia de la *Generalitat* (2010: 2) "el derecho de familia catalán presenta la guarda conjunta como modalidad óptima para el ejercicio de las responsabilidades parentales de los progenitores, si bien evita imponerla de manera indiscriminada por entender que, en ocasiones, el interés superior del menor puede desaconsejarla". En este ámbito, la supremacía del interés del menor resulta ser el parámetro esencial para determinar el régimen de guarda y custodia compartida o monoparental en la medida que dicho "favor filii", […] ha de ser el principio inspirador de cualquier decisión que pueda establecerse, conforme a la normativa" (STSJC 1 junio 2017, FD 2).

> A estos efectos, la STSJC 16 junio 2011, señala que: "… si analizamos la doctrina del Tribunal Superior de Justicia de Cataluña al respecto, comprobaremos que el único principio que hemos declarado preponderante en estos casos es el *favor filii*, de modo que, como indica la STSJC de 8 de marzo de 2010, con cita de otras anteriores (así la de 31-7-2008, 25-6-2010 o 3-3-2010: '… es el interés superior de los hijos el criterio preferente a examinar y resolver en la atribución de la guarda y custodia compartida, siendo que su aplicación debe ser extremadamente cuidadosa y subordinada a la protección jurídica de la persona y de los derechos de personalidad de los menores afectados; procurando su implantación cuando resulta beneficiosa para los menores de tal modo que ni la guarda y custodia compartida constituye una situación excepcional frente a la custodia monoparental o que haya de primar una de ellas, en cualquier caso, frente a la otra pues es el interés del menor el criterio preferente'".
>
> […]
> "En dicho sentido, aun cuando la custodia conjunta por ambos progenitores puede presentar indudables ventajas para la evolución y desarrollo del niño en las situaciones de conflicto familiar producido por la crisis matrimonial, no puede afirmarse que constituya una solución única que

valga para todos y en todo caso, ni tampoco puede afirmarse, como hemos señalado precedentemente, que dicha solución radique en el sistema de la custodia monoparental acompañado de un régimen de visitas más o menos amplio, lo que habrá de tener un examen específico en cada caso. Tampoco el legislador posterior ha instaurado la guarda y custodia compartida como sistema preferente en materia de guarda y custodia." (FD 8).

La forma de ejercer la guarda *no altera el contenido de la obligación de alimentos* hacia los hijos comunes, si bien es preciso *ponderar el tiempo de permanencia* de los menores con cada uno de los progenitores y los *gastos que cada uno de ellos haya asumido pagar directamente.*

Los criterios legales para determinar el régimen y la forma de ejercer la guarda, deben basarse en las propuestas del *plan de parentalidad* y, en particular, deben considerarse los siguientes criterios y circunstancias *ponderados conjuntamente* (art. 233-11)[287]:

a) *"La vinculación afectiva entre los hijos y cada uno de los progenitores, así como las relaciones con las demás personas que conviven en los respectivos hogares".* Aunque ninguno de los criterios legales previstos por la norma se toma como criterio con preferencia absoluta, el preámbulo del libro segundo advierte que debe tenerse en cuenta el modelo familiar y "se destacan como criterios para determinar la guarda individual la vinculación especial de los hijos con uno de los progenitores y la dedicación a los hijos que la madre o el padre hayan tenido antes de la ruptura". Como sea que la determinación de la "vinculación efectiva" puede resultar compleja, a estos efectos, la DA 6ª, L. 25/2010, prevé sobre el objeto primordial de los dictámenes periciales relativos al régimen de ejercicio de la responsabilidad parental que pueden ser aportados por los partes o solicitados por la autoridad judicial cuando los medios probatorios aportados al procedimiento no ofrezcan suficientes elementos de juicio[288].

En la guía y modelo de plan de parentalidad de la *Generalitat* (2010) se prevén como posibles soluciones-tipo que los padres pueden

---

287    Viñas Maestre (2014: 448-457).
288    V. *Programa d'assessorament de l'equip d'assessorament tècnic civil en l'àmbit de família* (EATAF), Departament de Justícia. Secretaria de Relacions amb l'Administració de Justícia. Generalitat de Catalunya, Barcelona, 2014

acordar la guarda compartida de los hijos comunes con distribución por períodos de tiempo determinados y residencia de los hijos en el domicilio del progenitor que tenga la guarda periódica o bien que la guarda se atribuya a un solo progenitor y en el domicilio de este, sin perjuicio del carácter compartido de las responsabilidades parentales y que los hijos vivan habitualmente en el domicilio del progenitor guardador.

*b) "La aptitud de los progenitores para garantizar el bienestar de los hijos y la posibilidad de procurarles un entorno adecuado, de acuerdo con su edad"*. Aunque no siempre será preciso valorar este criterio, que incluso cabe que pueda deducirse de los elementos e informes aportados al proceso, observa Viñas Maestre (2014: 449) que "La capacidad parental para procurar el bienestar del hijo y ofrecerle un entorno estable y adecuado es un criterio decisivo para acordar el modelo de guarda. Asimismo, la ausencia de capacidad o aptitud determinará el contenido y extensión del régimen de comunicación". Debe tenerse en cuenta que el bienestar de los hijos comprende tanto su bienestar material como al espiritual y el desarrollo de sus potencialidades personales (art. 6 LDOIA).

En la citada guía, se prevén distintas opciones, por ejemplo: salvo acuerdo en contrario, los progenitores son los principales responsables del cuidado de los hijos comunes; cada progenitor por sí o medio de las personas por él designadas, se hará cargo de las tareas domésticas inherentes al cuidado de los hijos; de llevarlos y recogerlos en los centros escolares y tomar las decisiones cotidianas sobre los hijos mientras se hallen en su compañía.

*c) "La actitud de cada uno de los progenitores para cooperar con el otro a fin de asegurar la máxima estabilidad a los hijos, especialmente para garantizar adecuadamente las relaciones de estos con los dos progenitores"*. En este punto son relevantes, aunque sea en sus aspectos mínimos, la vinculación afectiva del menor y la capacidad de comunicación entre los cónyuges a efectos de atribuir la guarda individual o compartida. En supuestos de elevada conflictividad o violencia no es previsible conceder la guarda al progenitor que la causa. En todo caso, como afirma el TS "las relaciones entre los cónyuges por sí solas no son relevantes ni irrelevantes para determinar la guarda y custodia compartida; solo se convierten en relevantes cuando afecten, perjudicándolo, el interés del menor" (STS de 22 julio 2011, FJ 4).

Según la guía, debe precisarse la manera de hacer los cambios de guarda: en la vivienda del progenitor que tenga la guarda en cada momento, o en la del otro; al inicio o final de la jornada escolar; quién debe transportarlos; cómo debe solventarse la imposibilidad de atender, por cualquier causa, la guarda asignada o la solicitud de cambios; y el progenitor que debe asumir los gastos adicionales que pueden derivarse de estos cambios.

*d) "El tiempo que cada uno de los progenitores había dedicado a la atención de los hijos antes de la ruptura y las tareas que efectivamente ejercía para procurarles el bienestar".* Incluye los aspectos cuantitativos (tiempo) y cualitativos (necesidad o calidad de los cuidados o guarda). La doctrina anglosajona destaca la relevancia de la *primary presumption* o *primary caregiver* (cuidador primario) propuesta en la tesis de la *approximation standard,* formulada por Elizabeth S. Scott en 1992 y acogida por el *American Law Institute* en los *Principles of the Law of Family Dissolution,* como fórmula a adoptar por el juez a falta de acuerdo entre los progenitores.

Esta tesis consiste en atribuir la guarda a cada uno de los progenitores en la medida de su dedicación histórica a las tareas de cuidado de los hijos antes de la ruptura. Las ventajas de este sistema son la previsibilidad, la estabilidad y el mantenimiento de las preferencias; su inconveniente más destacado, es que impide una reestructuración diferente de la organización familiar. Debido a que tiene en cuenta las conductas procedentes este criterio es de aplicación más sencilla que cuando debe partirse de estándares cualitativos como la competencia de los progenitores o la fortaleza del vínculo paterno filial, que son criterios subjetivos y además se proyectan al futuro[289]. En este punto, la guía pregunta sobre el régimen de relación y de comunicación con los hijos durante los períodos en que un progenitor no tenga su guarda y los supuestos e intervalos de tiempo en que podrá tenerlos en su compañía.

*e) "La opinión expresada por los hijos".* Este criterio se integra en el concepto de interés superior del niño y es conforme con el artí-

---

[289]   Garriga Gorina (2008: 6-12).

culo 12 CDN (1989), según el cual, el niño tiene derecho a expresar su opinión y a que ésta se tenga en cuenta en todos los asuntos que le afectan. Este principio se prevé en los artículos 211-6 y 7 LDOIA. Como dice el artículo 211-6.2: "El menor de edad, de acuerdo con su edad y capacidad natural y, en todo caso, si ha cumplido doce años, tiene derecho a ser informado y escuchado antes de que se tome una decisión que afecte directamente a su esfera personal o patrimonial.". Con todo, "La voluntad expresada por los menores no siempre coincide con la voluntad real, ni tampoco con aquello que les es más beneficioso" (Viñas Maestre, 2014: 452; *v.* SAP Barcelona, Sec. 18ª, 70/2010, 9 febrero 2010).

En la esfera procesal los tribunales podrán pedir de oficio las pruebas pertinentes y en las exploraciones de menores en los procedimientos civiles se garantizará por el Juez que el menor pueda ser oído en condiciones idóneas para la salvaguarda de sus intereses, sin interferencias de otras personas y, excepcionalmente, cuando sea necesario, podrá recabarse el auxilio de especialistas [*v.* arts. 770.4ª y 777 LEC; art. 23 Rglto. (CE) nº 2201/2003 del Consejo de 27 de noviembre de 2003].

Con independencia del progenitor al que pueda corresponder la guarda, la citada guía inquiere sobre el régimen de estancias de los hijos con cada uno de los progenitores en períodos festivos, de vacaciones y en fechas especialmente señaladas para los hijos, los progenitores o para su familia (vacaciones de verano, navideñas; otros supuestos...).

*f)* "*Los acuerdos en previsión de la ruptura o adoptados fuera de convenio antes de iniciarse el procedimiento*". En este caso debe estarse a lo previsto en el artículo 233-5, pero los pactos referentes a la guarda y las relaciones personales con los hijos menores solo serán eficaces cuando sean conformes con el interés del menor en el momento en que se pretenda su cumplimiento, lo que deberá ser objeto de valoración judicial.

En este punto, la guía se refiere a la previsión o forma de acordar decisiones relativas a la educación (pública, privada, concertada); y a las actividades extraescolares, formativas, deportivas, sociales o de ocio.

*g) "La situación de los domicilios de los progenitores, y los horarios y actividades de los hijos y de los progenitores".* La lejanía o proximidad de domicilios, la carga emocional y logística inherente a cambios constantes de domicilio y los horarios y actividades de unos y otros, constituyen circunstancia objetivas que deben valorarse y pueden ser determinantes para una adecuada organización de un plan de vida familiar y puede favorecer o condicionar las posibilidades de una u otra opción.

> *STS 10 enero 2018.* "De las referidas sentencias [1 marzo y 21 diciembre 2016; 19 octubre 2017, con cita de otras], que constituyen doctrina jurisprudencial, se deduce que la distancia no solo dificulta sino que hace inviable la adopción del sistema de custodia compartida, dada la distorsión que ello puede provocar y las alteraciones en el régimen de vida del menor, pues como alega el Ministerio Fiscal no procede someter al menor a dos colegios distintos, dos atenciones sanitarias diferentes, y desplazamientos de 1.000 km, cada tres semanas, todo lo cual opera en contra del interés del menor, que precisa de un marco estable de referencia, alejado de una existencia nómada, lo que el padre, con evidente generosidad, parece reconocer en uno de los mensajes remitidos a la madre.
>
> Por tanto se ha de entender que se infringe en la sentencia recurrida el artículo 92 del Código Civil, el artículo 9 de la Ley Orgánica 1/1996, de 15 de enero, de Protección Jurídica del Menor y el art. 2 Ley Orgánica 8/2015 de 22 de julio" (FD 3).

La guía se refiere al deber de información e intercambio de cada progenitor al otro sobre cuestiones relativas a la salud, educación y ocio de sus hijos comunes, sin utilizar, si así lo convienen, a los propios hijos como mensajeros o para plantear cuestiones o proponer cambios.

*h) "La forma de tomar las decisiones relativas al cambio de domicilio y a otras cuestiones relevantes para los hijos".* La guía prevé diversas cuestiones: cada progenitor debe comunicar al otro con un preaviso mínimo de treinta días su intención de cambiar de domicilio; si este cambio fuera incompatible con el régimen de guarda o visitas, los progenitores deben revisar el acuerdo del plan de parentalidad para adoptarlo lo mejor posible a las necesidades de los hijos; en defecto de acuerdo los hijos deberán permanecer en el domicilio del progenitor que mantenga su domicilio inicial; si un progenitor tiene conocimiento de alguna incidencia grave que afecte a la salud del hijo, debe comunicarlo de inmediato al otro progenitor; otras cuestiones.a determinar.

*Violencia familiar.* "En interés de los hijos, no puede atribuirse la guarda al progenitor contra el que se haya dictado una sentencia firme por actos de violencia familiar o machista de los que los hijos hayan sido o puedan ser víctimas directas o indirectas. En interés de los hijos, tampoco puede atribuirse la guarda al progenitor mientras haya indicios fundamentados de que ha cometido actos de violencia familiar o machista de los que los hijos hayan sido o puedan ser víctimas directas o indirectas" (art. 233-11.3).

*Excepcionalmente*, ante la imposibilidad de ejercer, de forma voluntaria o involuntaria y de manera beneficiosa para los hijos menores, la autoridad judicial, puede encomendar la guarda a los abuelos, a otros parientes, a personas próximas o, en su defecto, a una *institución idónea*, a las que pueden conferirse *funciones tutelares* con suspensión de la potestad parental (arts. 233-10.4; 233.1.1.a; 225-3.2; STSJC 13 diciembre 2012)[290].

En suma, en materia de guarda, en primer lugar, el legislador remite la cuestión a lo convenido por los progenitores en el plan de parentalidad; el acuerdo se supedita a la aprobación judicial; en todo caso, no debe resultar perjudicial para los hijos pues en esta materia impera *el principio de interés superior del menor*.

En defecto de acuerdo o de su no aprobación, corresponde a la autoridad judicial determinar la forma de ejercer la guarda. En principio rige el principio de guarda compartida, pero también puede acordarse la guarda individual. En último extremo, la guarda puede encomendarse a los abuelos, a otros parientes, a personas próximas o, en su

---

[290]  Como sea que el concepto de guarda diseñado por el legislador catalán es más restrictivo que el concepto de custodia en el Derecho internacional, este distinto contenido obliga a que en los supuestos de sentencias con elementos de extranjería o de sustracción internacional de menores, la decisión judicial o el convenio regulador que la integra, precisen el contenido de la guarda y custodia con arreglo a la regulación aplicable (V., artículo 5 del Convenio de La Haya sobre Aspectos Civiles de la Sustracción Internacional de Menores, de 25 octubre de 1980; artículo 3 del Reglamento (CE) nº 2201/2003, de 27 de noviembre de 2003) (Viñas Maestre, 2014: 442-443); Circular 6/2015, sobre aspectos civiles de la sustracción internacional de menores (Fiscalía General del Estado, 17 noviembre 2015, Madrid).

defecto, a una institución idónea, a las que pueden conferirse funciones tutelares con suspensión de la potestad parental.

La forma de ejercer la guarda no altera el contenido de la obligación de alimentos pero deben ponderarse las circunstancias concurrentes y aportaciones directas de los cónyuges. Como sea que las
circunstancias de hecho y de derecho y la forma de ordenar y entender
la situación en conflicto pueden ser muy diversas, otro tanto, cabe
afirmar de las soluciones que pueden implementarse.

## 4.1. *La guarda y las relaciones con los hermanos y abuelos*

"En la atribución de la guarda, *no pueden separarse los hermanos*, salvo que las circunstancias lo justifiquen" (art. 233-11.2). Esta
norma parte de la presunción de que "en principio, cualquier medida
que comporte una separación de los hermanos es perjudicial para el
menor o contraria a su interés, pero puede adoptarse una medida
contraria a este recomendación cuando concurran circunstancias que
lo aconsejen" (Viñas Maestre, 2014: 455-456). En este sentido, señala
la autora citada, que el análisis de las resoluciones judiciales evidencia
que el elemento común utilizado para acordar la separación de los
hermanos radica en que éstos tienen intereses diferentes que deben
priorizarse y esta priorización conlleva que se acuerde su separación.

De acuerdo con el artículo 233-12: "1. *Si los cónyuges proponen*
un régimen de relaciones personales de sus hijos con los abuelos y con
los *hermanos mayores de edad que no convivan en el mismo hogar*, la
autoridad judicial puede aprobarlo, previa *audiencia de los interesado*s y siempre y cuando estos den su *consentimiento*. 2. Las personas
a quien se haya concedido el régimen de relaciones personales están
legitimadas para reclamar su ejecución." (é.a.).

Esta previsión concreta, explicita y prevé sobre el alcance de subjetivo de la relación, que en los supuestos de normalidad aparece enun-
ciado en el artículo 236-4 (relaciones personales), que se refiere al
derecho de los hijos y los progenitores, a relacionarse personalmente,
aunque estos no tengan el ejercicio de la potestad, y al derecho de
los hijos a "relacionarse con los abuelos, hermanos y demás personas próximas, y todos estos tienen también el derecho de relacionarse
con los hijos. Los progenitores deben facilitar estas relaciones y solo

pueden impedirlas si existe una justa causa" (apdo. 2). Por otra parte, en muchos casos, a efectos, prácticos, la ayuda y colaboración de los abuelos puede ser relevante en la crianza y guarda de los hijos y debe garantizarse su consentimiento.

Con todo, este derecho no se reconoce en sentido absoluto y puede denegarse cuando resulte perjudicial para los intereses del menor o no sea conveniente y en general, el derecho de comunicación de los menores con los abuelos no puede tener la misma extensión que la relación padres-hijos (SAP Barcelona, Sec. 18ª, 17 enero 2017, *infra*). El derecho es accionable aunque existan malas relaciones entre los abuelos y los progenitores (STSJC 7 abril 2014), pero cabe suspender el régimen de visitas con los abuelos si estos no preservan la figura de los progenitores por falta de introspección y mínimas posibilidades de un cambio de actitud por su parte (AAP Barcelona, Sec. 18ª, 19 mayo 2017).

> *SAP Barcelona, Sec. 18ª, 17 enero 2017*: "El derecho de los abuelos a relacionarse con los menores está amparado por el artículo 233-12 del *Codi Civil de Catalunya*, aprobado por *Llei* 25/2010, de 29 de julio, pero añade el art. 233-13 que la autoridad judicial puede adoptar, por razones fundadas, medidas para que las relaciones personales del menor con los abuelos u otras personas próximas se desarrollen en condiciones que garanticen la seguridad y la estabilidad emocional.
>
> *A priori* está claro que, salvo que de ello se derive una situación de riesgo o perjuicio para los menores, es conveniente mantener la relación entre abuelos y nietos porque este privilegiado grado de parentesco debe ser respetado y resulta además especialmente enriquecedor para los niños.
>
> [...] en ningún caso es razonable equiparar el régimen de visitas que de ordinario se concede al progenitor no custodio con los hijos con el régimen de visitas de los abuelos con los nietos, porque pese a tratarse de ascendientes no es igual el vínculo que les une, y en este sentido no cabe fijar una relación personal de fines de semana alternos. Pero los abuelos ocupan un lugar relevante en la vida de los niños (porque pueden aportar a la menor todo su cariño de forma efectiva sin constituir una presencia constante y sin la carga de la tarea educativa que corresponde a los padres de tal manera que el lazo entre abuelos y nietos tiene un aspecto lúdico y cómplice que enriquece enormemente la afectividad tanto de los mayores como de los niños, realizando también una importante función, la de ayudar al niño a comprender sus diferentes orígenes y a sentir que forma parte de una historia familiar con una continuidad de afectos que les proporciona una mayor seguridad y que ayuda a elaborar su autoestima. Privar a los menores de disfrutar de esta relación afectiva, cuando se ha

acreditado que la misma no es en absoluto perjudicial para ellos, tendrá consecuencias negativas que no es fácil advertir en este momento pero que se evidenciarán más adelante, a medida que los menores vayan creciendo y madurando e interrogándose sobre determinadas cuestiones" (FD1).

En una demanda de amparo sobre reconocimiento de un amplio régimen de visitas de sus hijos menores a los abuelos maternos, en la STC 138/2014 de 8 septiembre, el TC establece que la atribución judicial de forma infundada del derecho a la comunicación y visita de los hijos menores de edad bajo la potestad parental del cónyuge viudo, con los abuelos maternos, con un régimen de visitas análogo al de progenitor no custodio, realizada sin exteriorizar ninguna ponderación sobre la proyección que ello pudiera tener para el interés de los menores "torna a la resolución dictada en infundada, desde el canon constitucional exigido por el derecho a la tutela judicial efectiva (art. 24.1 CE en relación con el art. 39 CE)" (FJ 5)[291].

*Supervisión judicial.* El legislador prevé la supervisión judicial de las relaciones personales con el fin de prevenir o resolver sobre la presentación de situaciones de riesgo (v. arts. 9 CDN; 38 LDOIA). Con dicha finalidad, el artículo 233-13, dispone que "La autoridad judicial puede adoptar, por *razones fundamentadas*, medidas para que las relaciones personales del menor con el progenitor que no ejerce la guarda o con los abuelos, hermanos o demás personas próximas se desarrollen en *condiciones que garanticen su seguridad y estabilidad emocional.* 2. Si existe una situación de *riesgo social o peligro*, puede confiarse la supervisión de la relación a la red de servicios sociales o a un punto de encuentro familiar" (é.a.) (*v.* D. 357/2011, de 21 junio, de los servicios técnicos de puntos de encuentro).

El incumplimiento del régimen de relación y permanencias puede dar lugar a la adopción de medidas coercitivas (art. 776 LEC) o ser objeto de denuncia penal, pero la práctica evidencia que con preferencia a estas medidas, es más conveniente actuar sobre los motivos que pueden ser causa de los incumplimientos, el conflicto o el riesgo[292].

---

[291]  Colás Escandón (2015).
[292]  Viñas Maestre (2014: 459-460).

## 4.2. Doctrina del TSJ de Cataluña y de las Audiencias Provinciales de Barcelona sobre la guarda

La citada STSJC (civil), de 31 julio 2008, con apoyo en la SAP Barcelona, Sec. 18ª, de 20 febrero 2007, aboga por la tesis de la guarda compartida: "no cabe duda de que la llamada "custodia compartida" o conjunta por ambos progenitores presenta indudables ventajas para la evolución y desarrollo del niño en las situaciones de conflicto familiar producido por la ruptura matrimonial, en la medida en que evita la aparición de los "conflictos de lealtades" de los menores para con sus padres, favorece la comunicación de éstos entre sí, aunque no sirva para disminuir las diferencias entre ellos —tampoco puede afirmarse que las acentúe— y, en fin, coadyuva, por un lado, a visualizar la ruptura matrimonial como un conflicto en el que no existen vencedores y vencidos ni culpables e inocentes, y por otro, a concebir el reparto equilibrado de cargas derivadas de la relación paterno filial como algo consustancial y natural, y no como algo eventual o accidental, favoreciendo la implantación en los hijos de la idea de la igualdad de sexos"[293].

Según el TSJ, "… bajo la denominación equívoca de custodia "compartida" pueden hallar amparo diversas situaciones de convivencia de los hijos con sus progenitores —partida, repartida, rotativa, alterna, conjunta—, que supongan reparto no necesariamente igual del tiempo de convivencia con cada uno de los padres y/o de las tareas o funciones que en relación con su cuidado diario cada uno de ellos se obligue a asumir, en razón a muy diversos factores (la diferencia de edad de los niños, su comodidad y confort, su aprovechamiento escolar, sus problemas evolutivos particulares, el horario laboral y la disponibilidad efectiva de los padre, etc.".

Por otra parte, al amparo del principio de protección del interés superior del menor y lo previsto en la normativa de derecho transitorio (DT 3ª, L. 25/2010), es posible que a pesar de que no se haya producido un cambio sustancial de las circunstancias la autoridad

---

[293] Sobre los efectos en un estudio de campo realizado en Cataluña, de los conflictos parentales en el rendimiento educativo de los hijos, v. Escapa (2017).

judicial pueda acordar la *modificación de las medidas* del modelo de guarda adoptado (STSJC 22 mayo 2014, FD 3)[294].

*Casuística judicial.* Como ejemplos de casos resueltos por el TSJC referentes a la guarda compartida o individual, cabe referirse a las siguientes sentencias[295]:

> *a) Guarda compartida.* Se admite la guarda compartida por el TSJC, en los supuestos siguientes:
>
> – comisión por el padre de un delito de violencia de género contra la madre, debido a que la menor no presenció la comisión del mismo, ni tuvo conocimiento de ello y dada la levedad de la lesión causada (S. 12 enero 2015); en contra, S. 14 abril 2014 (ante una acusación el Ministerio Fiscal imputando al padre los delitos de amenazas, maltrato de obra y violencia familiar, con un menor de 11 meses);
>
> – porque así se acordó por los padres en el divorcio, con rechazo de la petición del menor de 16 años que quería vivir con su padre por razones de comodidad y conveniencia y no en base a un conflicto grave de convivencia con la madre) (S. 9 enero 2014); y
>
> – por tener mayor edad el hijo y existir conflictos constantes en el cumplimiento del amplio régimen de visitas actuando de oficio el juez en interés del menor, incluso, aunque no pueda hablarse de un cambio sustancial de circunstancias (S. 26 julio 2012).
>
> *b) Guarda individual.* Lo que antecede no es óbice para que, como se desprende de las sentencias TSJC que se reseñan a continuación, la protección del interés superior del menor, conlleve la adopción del modelo de guarda individual. En sentido favorable a la guarda individual o la denegación de la guarda compartida, cabe citar, por ejemplo, los casos siguientes:
>
> – se mantiene la guarda individual monoparental para evitar una posible desestabilización de los menores y en la terapia que actualmente

---

[294]    "aunque es incuestionable que la estabilidad emocional de los menores constituye un factor digno de consideración a la hora de resolver sobre el mantenimiento o la modificación de las medidas referidas a la relación con sus progenitores, ese factor no puede suponer el blindaje de las situaciones de custodia individual o monoparental decididas bajo la legislación precedente y la imposibilidad de que se adapten a la nueva regulación en aquellos casos en que así convenga al interés de los menores, ni siquiera en aquellos casos en que hubiere habido acuerdo entre los progenitores, cuya necesaria ratificación judicial se llevó a cabo bajo reglas diferentes de que las que ha introducido el *Llibre* II del CCCat." (STSJC22 mayo 2014, FD 3).

[295]    Para desarrollar todo este apartado se ha tenido en cuenta, sin proceder a su enumeración exhaustiva, la relación de sentencias recogidas en el estudio sistemático realizado por Pérez Martín y Pérez Rufián (2015: 19-21; 69-263).

siguen y además por existir una conflictividad extrema entre los cónyuges (S. 23 junio 2009);

– por haber sido condenado el padre por una falta de injurias y vejaciones —aunque con sentencia recurrida—, habiendo tenido lugar los hechos enjuiciados en presencia de la hija (S. 1 diciembre 2014); y

– se mantiene la guarda materna acordada en medidas provisionales al no estimarse conveniente el sistema de guarda compartida propuesto por el padre para el interés de las hijas menores de 12 y 14 años y por lo beneficiosa que ha resultado la convivencia de las hijas con la madre (S. 30 octubre 2014).

*Casuística de las Audiencias Provinciales.* La atribución de la guarda a uno solo de los progenitores que implica la existencia de supuestos de monoparentalidad, por concurrir alguna causa que así lo aconseja, se prevé en las sentencias siguientes de las Audiencias Provinciales de Barcelona:

– por causa de los problemas de alcoholismo del otro progenitor (SAP Sec. 18ª, 22 mayo 2015); o por adicción a la cocaína (SAP Sec. 12ª, 19 marzo 2015);

– por abandono del padre del domicilio familiar, dejando al menor al cuidado de su madre sin presentar ninguna demanda y en respuesta a la misma pide la custodia compartida con fórmulas genéricas sin hacer constar sus condiciones de vida (SAP Sec. 12ª, 29 enero 2015);

– se confirma la custodia paterna porque este atiende la hija desde el año 2006 de lunes a viernes y ha sido el padre quien se ha encargado primordialmente de la hija (SAP Sec. 12ª, 23 enero 2015);

– se rechaza la guarda paterna basada en una mayor dedicación al cuidado de la menor constante convivencia y en su actual situación de desempleo y sin ofrecer un proyecto completo de custodia ni aportar un plan de parentalidad (SAP Sec. 12ª, 24 octubre 2014);

– por abandono de la progenitora del domicilio familiar desde el año 2010 sin causa justificada más allá del deterioro de la convivencia matrimonial quedando los menores al cuidado del padre; se pide la guarda compartida sin acreditar que sea más favorables a los intereses de los menores (SAP Sec. 12ª, 22 octubre 2014);

– la madre residente en Mataró ha sido la figura principal y está vinculada a la menor desde su nacimiento, limitándose el padre, residente en Lloret de Mar, a un papel esencialmente lúdico con desentendimiento de las otras esferas (SAP Sec. 12ª, 16 octubre 2014).

– ambos progenitores con domicilios materno y paterno próximos, están capacitados para ejercer las funciones de guarda y custodia, pero dada la edad de la menor (10 años) se atribuye la guarda de la hija a la madre y la del hijo (15 años) al padre (SAP Sec. 12ª, 20 julio 2009);

– se acepta la petición de las hijas de vivir separadas con atribución de la hija mayor a la guarda y custodia de la madre y de la hija menor al padre (SAP Sec. 12ª, 20 junio 2008);

– se atribuye de la custodia de la hija al padre y del hijo a la madre ante el claro enfrentamiento que tienen madre e hija, lo cual dificultaría una convivencia normalizada (SAP. Sec. 12ª, 20 junio 2007);

– se rechaza la custodia compartida por haber cesado la convivencia paterna sin haber pagado cantidad alguna para la manutención de los hijos ni haber comparecido durante el procedimiento hasta el recurso (SAP Sec. 18ª, 5 mayo 2015);

– se mantiene la custodia materna por el alto grado de conflictividad entre las partes; la oposición de la hija mayor a relacionarse con el padre y por carecer este de espacio en el domicilio de los abuelos paternos para que puedan pernoctar los hijos (SAP Sec. 18ª, 4 mayo 2015).

## 4.3. Referencia legal y jurisprudencial a la guarda y custodia de los hijos en el Derecho civil común

Sin perjuicio de sus matices y la evolución jurisprudencial que se observa en esta materia, en el derecho civil común el legislador dispone igualmente que la separación, la nulidad y el divorcio no eximen a los padres de sus obligaciones para con los hijos aunque en la sentencia podrá acordarse la *privación de la patria potestad* cuando en el proceso se revele causa para ello (art. 92.1 y 3 CC). En síntesis (art. 92. 5, 6 y 7 CC), la *guarda y custodia compartida* se acordará cuando *así lo soliciten los padres* en la propuesta de convenio regulador o cuando ambos lleguen a un acuerdo en el curso del procedimiento, debiendo el juez procurar que no se separen los hermanos. Antes de acordar el régimen de guarda y custodia el juez deberá recabar el *informe* del Ministerio Fiscal y *oír a los menores* que tengan suficiente juicio; en todo caso, *no procederá la guarda conjunta* cuando cualquiera de los padres esté incurso en un proceso penal iniciado por atentar contra la vida, la integridad física, la libertad, la integridad moral o la libertad e indemnidad sexual del otro cónyuge o de los hijos que convivan con ambos. Tampoco procederá cuando el Juez advierta, de las alegaciones de las partes y las pruebas practicadas, la existencia de indicios fundados de violencia doméstica.

A título de excepción, aun cuando se den los supuestos previstos en el artículo 92.5 CC (solicitud de los padres en la propuesta de convenio regulador o cuando ambos lleguen a este acuerdo en el trans-curso del procedimiento), "el Juez a instancia de una de las partes, con informe del Ministerio Fiscal[296], podrá acordar la guarda y custodia compartida fundamentándola en que sólo de esta forma se protege adecuadamente el *interés superior del menor*" (art. 92.8 CC) (é.a.). Esta norma ha inducido a pensar que la guarda y custodia compartida podía considerarse como una medida excepcional, pero el régimen de guarda y custodia compartida se suele acordar por los cónyuges cada vez con más frecuencia y siempre y cuando ello redunde en interés de los hijos, la doctrina del Tribunal Supremo también apoya esta opción.

Señala la STS 16 de febrero 2015, que "Para la adopción del sis-tema de custodia compartida no se exige un acuerdo sin fisuras, sino una actitud razonable y eficiente en orden al desarrollo del menor, así como unas habilidades para el diálogo que se han de suponer existen-tes en dos profesionales, como los ahora litigantes" y recuerda que "la custodia compartida conlleva como premisa la necesidad de que entre los padres exista una relación de mutuo respeto que permita la adop-ción actitudes y conductas que beneficien al menor, que no perturben su desarrollo emocional y que pese a la ruptura afectiva de los proge-nitores se mantenga un marco familiar de referencia que sustente un crecimiento armónico de su personalidad" (FD 6).

La doctrina del Tribunal Supremo sobre esta materia (SSTS 11 marzo 2010, 21 julio 2011, 22 julio 2011, 9 marzo, 27 de abril y 25 de mayo 2012), permite deducir las siguientes pautas decisorias[297]:

---

[296]   La STC (Pleno) nº 185/2012, de 17 de octubre de 2012, declaró la inconstitu-cionalidad del inciso que aparecía en el apartado 8 del artículo 9 CC, que se destaca en corchetes y letra cursiva: "Excepcionalmente, aun cuando no se den los supuestos del apartado cinco de este artículo, el Juez, a instancia de una de las partes, con informe [*favorable*] del Ministerio Fiscal, podrá acordar la guarda y custodia compartida fundamentándola en que sólo de esta forma se protege adecuadamente el interés superior del menor". La sentencia se adoptó con el vo-to particular formulado por el Magistrado don Manuel Aragón Reyes, al que se adhirieron los Magistrados don Pablo Pérez Tremps, doña Adela Asua Batarrita y don Andrés Ollero Tassara. En la doctrina, *v.* Torra Cot (2014: 187-196).

[297]   Garrido Melero (2013, I: 425-426).

*a)* La guarda compartida puede atribuirse cuando lo piden ambos progenitores o incluso en el caso de que discrepen sobre dicha atribución.

*b)* Para su atribución o rechazo deben tenerse en cuenta varios criterios, aunque siempre debe prevalecer el interés del menor.

*c)* Que las Audiencias hayan decidido en alguna ocasión la guarda compartida y en otras no, no implica que a efectos casacionales exista una doctrina contradictoria.

*d)* La casación de las sentencias de las Audiencias se encuentra limitada y sólo puede realizarse si el juez *a quo* ha aplicado incorrectamente el principio de protección del interés del menor a la vista de los hechos probados en la sentencia que se recurre; por último,

*e)* La atribución de la guarda compartida debe *considerarse una medida ordinaria*. En este sentido, el Tribunal Supremo afirma que la guarda y custodia compartida no debe considerarse excepcional sino que se trata de una *medida normal* e incluso *deseable* (STS 25 abril 2014, FJ 4).

En la STS de 27 junio 2016, nº 433/2016 (FD 4) (é.a.), el TS se pronuncia como sigue:

"1. Según citábamos en la sentencia de 3 de mayo de 2016, Rc. 1099/2015, la Sala viene reiterando la *bondad objetiva del sistema de guarda y custodia compartida* (SSTS 4 de febrero de 2016; 11 de febrero de 2016 y 9 de marzo de 2016, entre las recientes) ya que con dicho sistema (SSTS 25 de noviembre de 2013; 9 de septiembre y 17 de noviembre 2015 y 17 de marzo de 2016, entre otras):

(i) Se fomenta la integración de los menores con ambos padres, evitando desequilibrios en los tiempos de presencia.

(ii) Se evita el sentimiento de pérdida.

(iii) No se cuestiona la idoneidad de los progenitores.

(iv) Se estimula la cooperación de los padres, en beneficio de los menores, que ya se ha venido desarrollando con eficiencia.

Por tanto, no tiene sentido, con la jurisprudencia de la Sala sobre la materia, cuestionar la bondad objetiva del sistema. […].

2. […]

La jurisprudencia del Tribunal Constitucional, de la que la Sala se hace eco en las sentencias citadas, ha supuesto *un cambio de visión extraordinario* hasta el punto de establecer que *el sistema de custodia compartida debe considerarse normal y no excepcional*, unido ello a las amplias facultades que la jurisprudencia del Tribunal Constitucional fijó para la decisión de los tribunales sobre esta materia, sin necesidad de estar vinculados al informe favorable del Ministerio Fiscal".

En suma, como señala, Sillero Crovetto (2017: 37), el examen de las sentencias más recientes del TS, evidencia "la bondad objetiva del sistema de guarda y custodia compartida. Lo que se debe de dilucidar en cada caso concreto, es si lo que se prima o no en la decisión que se adopta, es el interés del menor. Habrá de examinarse si el juez ha aplicado correctamente el principio de protección del interés superior del menor, con el fin último de que la elección del régimen de custodia sea, la más favorable para el mismo, en interés de éste".

## 5. REFERENCIA A LA PROBLEMÁTICA DE LA SUSTRACCIÓN INTERNACIONAL DE MENORES

Siguiendo a Liébana Ortiz (2015: 84), la sustracción internacional de menores (*legal kidnapping*) tiene lugar "cuando un menor es trasladado ilícitamente por uno de los progenitores a un país distinto de donde residen habitualmente, violando el derecho de custodia atribuido a una persona o a una institución, y en aquellos casos en que uno de los progenitores se traslada con el menor para residir en otro país, tomando tal decisión de forma unilateral y vulnerando el derecho a decidir sobre el lugar de residencia del menor".

De acuerdo con la "Circular 6/2015, de 17 de noviembre, sobre aspectos civiles de la sustracción internacional de menores" (Fiscalía General del Estado), en los supuestos de sustracción internacional de menores, debe partirse de "la presunción legal de que el interés del menor consiste en ser restituido o retornado al país de su residencia habitual en el plazo más breve posible una vez comprobado que concurren todos los requisitos exigidos en el Convenio aplicable. Esta regla general admite derogaciones a través del sistema de excepciones a la restitución que los propios Convenios suscritos por España contienen. La apreciación de excepciones debe hacerse siguiendo pautas interpretativas restrictivas". En defecto de otras posibles medidas correctoras, la sustracción internacional de menores acarrea un daño indemnizable para el progenitor que resulte lesionado en su derecho al impedírsele una relación con su hijo imputable al otro progenitor (STS 30 junio 2009)[298].

El marco jurídico general descansa en las normas siguientes[299]:

– La Convención de los Derechos del Niño de 20 de noviembre de 1989 que prevé el derecho de todos los niños a mantener relaciones personales y contacto directo con ambos padres de modo regular, salvo si ello es contrario a su interés (art. 9.3 CDN).

– La CDFUE, que en su artículo 34 dispone que "todo menor tiene derecho a mantener de forma periódica relaciones personales y contactos directos con su padre y con su madre, salvo si son contrarios a sus intereses".

– Los artículos 8 CEDH (Derecho al respeto a la vida privada y familiar) y 39 CE. El derecho a relacionarse con los hijos, y el derecho de visitas en caso de no convivir, se integra en el derecho a la vida familiar a que se refiere el art 8 CEDH, puesto que el disfrute mutuo de la compañía de padres e hijos constituye un elemento fundamental de la vida familiar[300].

– Las normas civiles y penales que, en materia de parentalidad, se refieren al derecho de los progenitores a relacionarse con sus hijos menores aunque no tengan la patria potestad o potestad parental y la previsión de medidas cautelares en los supuestos de crisis matrimonial (*a.e.*, arts. 233.1.1.a, 236-4 CCC, y 225 bis CP).

---

[298]  "El daño debe imputarse jurídicamente a la madre, por impedir de manera efectiva las relaciones con el padre del menor, a pesar de que le había sido atribuida a éste la guarda y custodia en la sentencia citada. No existe, pues, ninguna incertidumbre sobre el origen del daño, de modo que los criterios de probabilidad entre los diversos antecedentes que podrían haber concurrido a su producción, sólo puede ser atribuida a la madre, por ser la persona que tenía la obligación legal de colaborar para que las facultades del padre como titular de la potestad y guarda y custodia del menor, pudieran ser ejercidas por éste de forma efectiva y al impedirlo, deviene responsable por el daño moral causado al padre." (FD 6). (González Beilfuss, Navarro Michel, 2010: 805-832).

[299]  V. citada Circular 6/2015, pp. 8-12; Liébana Ortiz (2015: 89-95); Calvo Caravaca, Carrascosa González (2017, II: 597-648), que advierten que la multiplicación de instrumentos legales internacionales (*overbooking*) complica el panorama legal y en ocasiones puede perjudicar la solución del caso.

[300]  V., *a.e*, SSTEDH de 26 de octubre de 2010, *Raban v. Rumania* (JUR 2010\ 359556); de 13 de julio de 2010, *Fuşcă v. Rumania* (JUR 2010\ 233656); de 1 de diciembre de 2009, *Eberhard y M v. Eslovenia* (JUR 2009\473405) (Liébana Ortiz, 2015: 86).

– El Convenio de La Haya, de 25 de octubre de 1980, sobre los aspectos civiles de la Sustracción internacional de Menores (CH80), ratificado por el estado español en instrumento de 28 de mayo de 1987[301].

– El Convenio de Luxemburgo de 20 de mayo de 1980, sobre reconocimiento, y ejecución de decisiones en materia de custodia de menores y restablecimiento de dicha custodia (CL80), ratificado por instrumento de 1 de mayo de 1984. Este Convenio facilita que el reconocimiento y la ejecución de sentencias se efectúen con mayor rapidez y sin las formalidades típicas del exequátur.

– En el ámbito de la Unión Europea, es de aplicación el Reglamento (CE) 2201/2003 del Consejo, de 27 de noviembre (Rglto. Bruselas II-bis), que sobre la base del sistema del CH80 introduce especialidades tendentes a reforzar el principio de mutua confianza.

– En relación con Marruecos es de aplicación el Convenio sobre asistencia judicial, reconocimiento y ejecución de resoluciones judiciales en materia de derecho de custodia y derecho de visita y devolución de menores de 30 de mayo de 1997.

– Por otra parte, se halla en trámite de rúbrica el Convenio del Consejo de Europa sobre las relaciones personales del menor, de 15 de mayo de 2003[302]. Este Convenio tiene por objeto: garantizar el ejercicio del derecho de visitas transnacional; definir los principios generales que han de aplicarse en toda decisión relativa a las relaciones personales del menor; y establecer mecanismos para garantizar el correcto desarrollo del régimen de visitas, con el fin de aumentar la confianza de todos los interesados en que los menores serán devueltos al finalizar dichas visitas transfronterizas. El art. 20.3 prevé la aplicación preferente de las normas comunitarias en las relaciones entre miembros de la UE.

*Normas de procedimiento.* En materia de procedimiento interno deben aplicarse los artículos 778 quáter a 778 sexies, LEC (capítulo IV bis, rúbrica "Medidas relativas a la restitución o retorno de menores en los supuestos de sustracción internacional"), en redacción introducida por la DF 3ª LJV. La nueva regulación se apoya básicamente en criterios de celeridad, especialización, y concentración de la competencia, lo que debe redundar en una

---

[301]  Como elemento interpretativo, la citada Circular remite al Informe Pérez Vera, y a la Guía de Buenas Prácticas del Convenio de La Haya, documentos que estima de gran valor en la práctica, y a los informes y conclusiones de las reuniones de la Comisión especial sobre el funcionamiento del Convenio de La Haya.

[302]  V. BOCG Serie C (Tratados y Convenios Internacionales) 8 de septiembre de 2017, nº 55-1: 1.

mejor protección de los intereses de los menores que se encuentran en esta situación[303].

El procedimiento jurisdiccional especial regulado en la LEC es aplicable cualquiera que sea el Convenio, de entre los suscritos por España, que se alegue como fundamento de la petición de restitución (Convenio de Luxemburgo, Convenio de La Haya, Convenio Bilateral con Marruecos y Reglamento Bruselas bis II). El capítulo IV bis LEC no será aplicable el procedimiento cuando el Estado requirente no sea parte en ninguno de los Convenios. En estos casos será necesario acudir a los mecanismos generales de cooperación judicial internacional y de exequatur previstos en la Ley 29/2015, de 30 de julio, de cooperación jurídica internacional en materia civil[304].

*Regulación del procedimiento.* En síntesis, de acuerdo con lo previsto en la LEC, el procedimiento se iniciará por medio de demanda en la que se instará la restitución del menor o su retorno al lugar de procedencia y debe incluir toda la información exigida por la normativa internacional aplicable y, en todo caso, la relativa a la identidad del demandante, del menor y de la persona que se considere que ha sustraído o retenido al menor, y los motivos en que se basa para reclamar su restitución o retorno. Deberá igualmente aportarse toda la información que se disponga relativa a la localización del menor y a la identidad de la persona con la que se supone se encuentra.

El procedimiento podrá promoverse por la persona, institución u organismo que tenga atribuida la guarda y custodia o un régimen de estancia o visitas, relación o comunicación del menor; en su caso, la Autoridad Central española encargada del cumplimiento de las obligaciones impuestas por el correspondiente convenio, y, en representación de ésta, la persona que designe dicha autoridad.

El procedimiento tendrá carácter urgente y preferente. El procedimiento debe instarse ante el Juzgado de Primera Instancia de la capital de la provincia, de Ceuta o Melilla, con competencias en materia de derecho de familia, en cuya circunscripción se halle el menor que haya sido objeto de un traslado o retención ilícitos, si lo hubiere y,

---

[303]    Forcada-Miranda (2016); Calvo Caravaca, Carrascosa González (2017, II: 622-627).
[304]    Liébana Ortiz (2015: 90).

en su defecto, al que por turno de reparto corresponda. El Tribunal examinará de oficio su competencia. Deberá realizarse, en ambas instancias, si las hubiere, en el inexcusable plazo total de seis semanas desde la fecha de la presentación de la solicitud instando la restitución o el retorno del menor, salvo que existan circunstancias excepcionales que lo hagan imposible. En ningún caso se ordenará la suspensión de las actuaciones civiles por la existencia de prejudicialidad penal que venga motivada por el ejercicio de acciones penales en materia de sustracción de menores.

Si el menor fuera hallado en otra provincia, el letrado de la Administración de justicia, previa audiencia del Ministerio Fiscal y de las partes personadas por el plazo de un día, dará cuenta al Juez para que resuelva al día siguiente lo que proceda mediante auto, remitiendo, en su caso, las actuaciones al Tribunal que considere territorialmente competente y emplazando a las partes para que comparezcan ante el mismo dentro del plazo de los tres días siguientes.

Si el requerido compareciere y accediere a la restitución del menor o a su retorno al lugar de procedencia, según corresponda, el letrado de la Administración de justicia levantará acta y el Juez dictará auto el mismo día acordando la conclusión del proceso y la restitución o el retorno del menor, pronunciándose en cuanto a los gastos, incluidos los de viaje, y las costas del proceso.

Si no compareciese o si comparecido no lo hiciera en forma, ni presentara oposición ni procediera, en este caso, a la entrega o retorno del menor, el letrado de la Administración de Justicia en el mismo día le declarará en rebeldía y dispondrá la continuación del procedimiento sin el mismo, citando únicamente al demandante y al Ministerio Fiscal a una vista ante el Juez que tendrá lugar en un plazo no superior a los cinco días siguientes. Dicha resolución, no obstante, deberá ser notificada al demandado, tras lo cual no se llevará a cabo ninguna otra, excepto la de la resolución que ponga fin al proceso. El Juez podrá decretar las medidas cautelares que estime pertinentes en relación con el menor, caso de no haberse adoptado ya con anterioridad, conforme al artículo 773 LEC.

Antes de adoptar cualquier decisión relativa a la procedencia o improcedencia de la restitución del menor o su retorno al lugar de procedencia, el Juez, en cualquier momento del proceso y en presencia del Ministerio Fiscal, oirá separadamente al menor, a menos que la audiencia del mismo no se considere conveniente atendiendo a la edad o grado de madurez del mismo, lo que se hará constar en resolución motivada.

Si se acordare la restitución o retorno del menor, en la resolución se establecerá que la persona que hubiere trasladado o retenido al menor abone las costas procesales, incluidas aquellas en que haya incurrido el solicitante, los gastos de viaje y los que ocasione la restitución o retorno del menor al Estado donde estuviera su residencia habitual con anterioridad a la sustracción. En los demás casos se declararán de oficio las costas del proceso.

*Mediación.* En cualquier momento del proceso, ambas partes podrán solicitar la suspensión del mismo de conformidad con lo previsto en el artículo 19.4 LEC, para someterse a mediación. También el Juez podrá en cualquier momento, de oficio o a petición de cualquiera de las partes, proponer una solución de mediación si, atendiendo a las circunstancias concurrentes, estima posible que lleguen a un acuerdo, sin que ello deba suponer un retraso injustificado del proceso. El procedimiento judicial se reanudará si lo solicita cualquiera de las partes o, en caso de alcanzarse un acuerdo en la mediación, que deberá ser aprobado por el Juez teniendo en cuenta la normativa vigente y el interés superior del niño[305].

*Ejecución de la sentencia.* En la ejecución de la sentencia en la que se acuerde la restitución del menor o su retorno al Estado de procedencia, la Autoridad Central prestará la necesaria asistencia al Juzgado para garantizar que se realice sin peligro, adoptando en cada caso las medidas administrativas precisas. Si el progenitor que hubiera sido condenado a la restitución del menor o a su retorno se opusiere, impidiera u obstaculizara su cumplimiento, el Juez deberá adoptar las medidas necesarias para la ejecución de la sentencia de forma inmediata, pudiendo ayudarse de la asistencia de los servicios sociales y de las Fuerzas y Cuerpos de Seguridad.

*Recursos.* Contra la resolución que se dicte sólo cabrá recurso de apelación con efectos suspensivos, que tendrá tramitación preferente,

---

[305]   Orejudo Prieto de los Mozos (2010: 367-384).

debiendo ser resuelto en el improrrogable plazo de veinte días. El recurso de apelación produce los efectos devolutivo y suspensivo.

*Declaración de ilicitud de un traslado o retención internacional.* En relación con el artículo 15 del Convenio de La Haya sobre los aspectos civiles de la sustracción internacional de menores, el artículo 778 sexies LEC regula la obtención de la declaración de ilicitud de un traslado o retención internacional. Por medio de esta norma se regula lo prevenido en el citado Convenio que establece que, antes de expedir una orden para la restitución del menor, las autoridades judiciales o administrativas de un Estado contratante, pueden exigir que el demandante obtenga de las autoridades del Estado de residencia habitual del menor una decisión o una certificación que acrediten que el traslado o retención del menor es ilícito conforme a la definición de dicho Convenio internacional, siempre que pueda obtenerse en dicho Estado esa decisión o certificación. A tal fin podrán utilizarse los cauces procesales disponibles en el Título I del Libro IV para la adopción de medidas definitivas o provisionales en España, e incluso las medidas del artículo 158 LEC.

# 6. PACTOS FUERA DEL CONVENIO REGULADOR

La posibilidad de determinar, complementar o resolver sobre los efectos de la separación, el divorcio y la nulidad matrimonial también puede lograrse por cauces o medios distintos al convenio regulador. Este es el caso de los pactos fuera del convenio regulador (art. 233-5) y de la mediación familiar (arts. 235-6 y 777.2 LEC) (*v.* cap. V).

En relación con la primera cuestión, baste con poner de relieve que, el artículo 233-5 dispone que los "pactos en previsión de una ruptura matrimonial" otorgados de acuerdo con el artículo 231-20 y "los adoptados después de la ruptura de la convivencia" que no formen parte de una propuesta de convenio regulador *vinculan* a los cónyuges. La acción para exigir el cumplimiento de estos pactos *puede* acumularse a la de nulidad, separación o divorcio y puede solicitarse que se incorporen a la sentencia, o sea, en un procedimiento contencioso. También puede solicitarse que se incorporen al procedimiento sobre medidas provisionales para que sean recogidos por la resolución judicial, si procede.

Por lo que respecta a las limitaciones y efectos de esta clase de pactos, de acuerdo con lo previsto en el artículo 230-24.4 y 5, el cónyuge que pretenda hacer valer un pacto en previsión de una ruptura matrimonial tiene la carga de acreditar que la otra parte disponía, en el momento de firmarlo, de información suficiente sobre su patrimonio, sus ingresos y sus expectativas económicas, siempre y cuando esta información fuese relevante con relación al contenido del pacto. Por otra parte, los pactos en previsión de ruptura que en el momento en que se pretenda su cumplimiento sean gravemente perjudiciales para un cónyuge no son eficaces si este acredita que han sobrevenido circunstancias relevantes que no se previeron ni podían razonablemente preverse en el momento en que se otorgaron.

Las previsiones de los pactos convenidos "después" de la ruptura de la convivencia *sin asistencia letrada, independiente para cada uno de los cónyuges*, pueden dejarse sin efecto, a instancia de cualquiera de ellos, durante los tres meses siguientes a la fecha en que son adoptados y, como máximo, hasta el momento de la contestación de la demanda o, si procede, de la reconvención en el proceso matrimonial en que se pretendan hacer valer.

Por último, la norma condiciona la eficacia de los pactos en materia de *guarda* y de *relaciones personales con los hijos menores*, así como los de *alimentos* en favor de estos, que solo son eficaces *si son conformes* a su interés en el momento en que se pretenda el cumplimiento.

# 7. LA PRESTACIÓN COMPENSATORIA

## 7.1. *Introducción*

Existen dos clases de prestación compensatoria: *a)* el *derecho de compensación* o la *prestación compensatoria por razón de trabajo*, exigible en el supuesto de extinción del REM catalán de separación de bienes (art. 232-5), materia que ha sido examinada en el capítulo dedicado a los derechos viduales (*v.* cap. IV); y *b)* la *prestación compensatoria* prevista para los supuestos de *crisis matrimoniales*, que es la que se examina en este lugar. Esta prestación debe convenirse de mutuo acuerdo por los cónyuges o, en defecto de acuerdo, se determina por la autoridad judicial (arts. 233-14 a 233-19) y forma parte del convenio regulador.

Según se expone más adelante, en parte, esta prestación es subsidiaria o complementaria de la primera, pues entre otros elementos a considerar, la determinación de la prestación debe tener en cuenta, si procede, la compensación económica por razón de trabajo o las previsibles atribuciones derivadas de la liquidación del régimen económico matrimonial. Como señala Garrido Melero (2013, I: 467), su respectivo ámbito de aplicación es distinto: el primer supuesto solo se da cuando, en los términos previstos por la norma reguladora, y en REM catalán de separación de bienes, uno de los cónyuges ha trabajado sustancialmente para la casa o para el otro; en la prestación compensatoria se quiere compensar a un cónyuge porque "pasa a vivir peor que durante el matrimonio" y, "por tanto, con independencia que haya o no trabajado para la casa, haya o no trabajado para el otro o tenga o no tenga bienes con que subsistir". Cabe observar que la confusión terminológica y conceptual de ambas clases de prestación implica la desestimación inicial de la pretensión (SAP, Barcelona. Sec. 18ª, 22 diciembre 2015).

En lo que aquí interesa exponer, el artículo 233-14 (*Prestación compensatoria*), dispone lo siguiente: "1. El cónyuge cuya situación económica, como consecuencia de la *ruptura de la convivencia*, resulte más perjudicada tiene derecho a una prestación compensatoria que no exceda del *nivel de vida de que gozaba* durante el matrimonio ni del que pueda mantener el cónyuge obligado al pago, *teniendo en cuenta el derecho de alimentos de los hijos, que es prioritario.* En caso de nulidad del matrimonio, tiene derecho a la prestación compensatoria el cónyuge de buena fe, en las mismas circunstancias." (é.a.).

El fundamento de esta institución es objeto de controversia. Por un lado, se cuestiona que en caso de una ruptura de la convivencia, y con mayor razón en los supuestos de nulidad y divorcio, tenga que existir una institución que tienda a prolongar el estatus económico que se tenía durante el matrimonio, incluso, en determinados casos límite, con carácter indefinido[306]; por otro lado, desde la perspectiva de género y las corrientes feministas, se considera que este mecanismo

---

[306] Bosch Capdevila *et al.* (2013: 143).

corrige la incidencia negativa del patriarcado y protege un sector de la población —típicamente, el femenino— del empobrecimiento que puede derivarse de una crisis matrimonial[307]; también se pone de relieve que, generalmente, la ruptura de la convivencia supone mayores costes debido al mantenimiento de dos viviendas separadas con la consiguiente pérdida de las economías de escala asociadas a la convivencia en un mismo hogar lo que puede producir efectos desiguales en los cónyuges, en función de los recursos económicos propios o la perspectiva de obtenerlos que tenga cada uno de ellos[308].

Frente a estas tesis, y en sentido igualmente corrector y limitativo del derecho, otro argumento a considerar cabe basarlo en el cambio socio-legislativo de la institución del matrimonio que actualmente se caracteriza por su notable contractualización y en los efectos implícitos o subsiguientes a todo divorcio. A este respecto, en una decisión calificada de "sentencia histórica", el Tribunal Supremo de Casación italiano, civil (S. nº 11.504/2017, de 10 mayo 2017) señala que hoy el matrimonio debe ser visto como "una opción existencial, libre y consciente que se caracteriza por la asunción plena del riesgo de una eventual cese de la relación"; "un acto de libertad y auto-responsabilidad"; y con ello cabe poner en entredicho "la concepción patrimonialista del matrimonio, entendida como una colocación (social) definitiva porque el divorcio ha sido absorbido por la costumbre social"; en caso de divorcio, mantener un estatus patrimonial ligado al matrimonio supone una "ultra actividad" puramente económica del vínculo matrimonial que incluso puede condicionar la creación de una futura familia; en suma, en esta cuestión se considera que debe primar el criterio de la necesidad económica del cónyuge y no su anterior nivel material de vida[309]. Esta doctrina se ajusta a los principios del derecho europeo en materia de divorcio: la autosuficiencia (*self sufficiency*) y la ruptura limpia (*clean break*).

---

[307]   Gili Saldaña (2016: 124-127).
[308]   Ferrer Riba (2014: 462 y ss.).
[309]   Como señala el Alto Tribunal, el parámetro "tenor de vida" colisiona radicalmente con la naturaleza propia del divorcio, pues, a diferencia de la separación legal, con el divorcio "las relaciones matrimoniales se extinguen tanto en el plano personal como en el económico-patrimonial".

En el preámbulo del libro segundo, el legislador catalán señala que la regulación vigente de la institución mantiene los perfiles que ya recogía el Código de Familia de 1998 (arts. 84 y ss.), "si bien, al generalizarse la posibilidad de pago en forma de capital, pasa a recibir el nombre de prestación compensatoria". También pone de relieve que muchos divorcios afectan a matrimonios de duración media bastante breve y a personas relativamente jóvenes, por lo que, en general, "*o bien ambos pierden de forma parecida o bien la convivencia conyugal no ha comprometido irremediablemente las oportunidades económicas de ninguno de ellos*. Eso no ha llevado, sin embargo, a alterar esencialmente la configuración legal de la prestación compensatoria. Se ha tenido en cuenta que la incorporación de la mujer al mercado de trabajo no ha ido paralela, a la práctica, a un reparto de las responsabilidades domésticas y familiares entre los dos cónyuges y que en bastantes casos la actividad laboral o profesional de uno de los cónyuges se supedita aún a la del otro, hasta el punto de que, en determinados niveles educativos y de renta, continúa siendo habitual que uno de los cónyuges, típicamente la mujer, abandone el mercado de trabajo al contraer matrimonio o al tener hijos". Estas circunstancias justifican el *reconocimiento del derecho* "*vinculándolo al nivel de vida de que se disfrutaba durante el matrimonio,* si bien dando prioridad al derecho de alimentos de los hijos y fijando la cuantía de acuerdo con los criterios que la propia norma detalla". Por otra parte, si la prestación se satisface en forma de *pensión,* "se insiste en el *carácter esencialmente temporal* de esta, salvo que concurran circunstancias excepcionales que hagan aconsejable acordarla con carácter indefinido. En general, se *admite la renuncia al derecho a prestación compensatoria,* incluso la contenida en pactos prematrimoniales, pero siempre en el marco general que el libro segundo establece para estos y con el límite de que la renuncia previa *no puede acabar comprometiendo las necesidades básicas del cónyuge que tiene derecho a la prestación*" (ep. III, é.a.).

La finalidad de la prestación es "compensar al cónyuge cuya situación económica resulte más perjudicada como consecuencia de la ruptura matrimonial, compensación que tendrá como referente máximo el nivel de vida que mantenía durante el matrimonio" (Cabello Guilera, 2011: 889); por otra parte, la regla del nivel de vida se convierte en el requisito del derecho; para reclamarlo debe perderse la posibilidad de mantener el nivel de vida anterior como consecuencia de la ruptura. No obstante, en sentido restrictivo, Ferrer Riba (2014: 468) señala que "Si el cónyuge más perjudicado por la ruptura puede seguir manteniéndose con sus propios medios, el otro no deberá compensarle. […] Si ambas partes tienen recursos para rehacer su vida con

la misma calidad que tenían mientras convivían, no se puede reclamar
una ayuda con una función rehabilitadora (que en estos casos es innecesaria), ni deben indemnizarse los perjuicios que la ruptura les haya
producido (en contra, con el argumento inaceptable de que el suelo
legal se encuentra en el nivel de vida que los cónyuges habrían podido tener, independientemente del que efectivamente tenían, v. STSJC
19.1.2004 [ROJ 503]". La percepción de unos ingresos similares a los
anteriores del matrimonio, hacen que no se declare la prestación (SAP
Barcelona, Sec. 12ª, 1 marzo 2012).

> *STSJC 27 noviembre 2014*: "la finalidad actual de la pretensión com-
> pensatoria es la readaptación del cónyuge acreedor a la vida activa como
> consecuencia de las desmejoras económicas consiguientes a la disolución
> del matrimonio y a la pérdida de oportunidades experimentada precisa-
> mente por éste. No se concibe ya como una garantía de sostenimiento
> vital por parte del antiguo cónyuge ni como un derecho automático a una
> prestación económica permanente.
>
> Se presume que cada uno de los cónyuges debe ser capaz de mantener-
> se por si mismo y que tras la disolución del vínculo el menos favorecido
> debe actuar en forma proactiva para adquirir bienes propios que permitan
> su digna sustentación sin quedar sujeto a la permanente dependencia del
> otro.
>
> La pensión o prestación compensatoria tiende pues a compensar la
> disparidad en las condiciones de vida entre ambos creadas por el divor-
> cio por el tiempo necesario para que el cónyuge que perdió o disminuyó
> sus oportunidades laborales pueda volver a adquirirlas y reestablecer el
> desequilibrio que se produce en relación con el nivel de vida del otro y el
> mantenido durante el matrimonio.
>
> [...]
>
> De este modo solo podrá establecerse una permanencia de la pensión
> por tiempo indefinido cuando en el caso concreto concurra una potencia-
> lidad real y acreditada de que el beneficiario, como consecuencia de sus
> circunstancias personales (edad, estado de salud, formación profesional,
> posibilidades de adquirir ayudas públicas, etc.) y de la ausencia de patri-
> monio, no podrá alcanzar, en un plazo mayor o menor, aquella autonomía
> pecuniaria de la que hubiera podido disfrutar de no haber mediado el
> matrimonio, permitiéndole subvenir a sus necesidades." (FD 6).

De *lege data*, el reconocimiento del derecho está vinculado a la
ruptura o cese de la convivencia y no en el momento de interposición de la demanda de separación o de divorcio. Por otra parte, el
legislador ha eludido calificar este derecho como derecho alimentario,
pero en la doctrina se pone de relieve que se observa cierto matiz de

componente alimentario o bien que se trata de una institución funcionalmente híbrida que según el supuesto y las modalidades de atribución de la prestación puede tener finalidades reparadoras o alimentarias, y en caso de desacuerdo en su determinación, corresponderá a la
autoridad judicial priorizar una u otra función; bajo esta tesitura la
autoridad judicial podrá fijar la cuantía y duración de la prestación
(art. 233-15) o su atribución en forma de pensión o de capital (art.
233-17.1)[310].

> *Unión estable de pareja.* En el supuesto de *extinción de la pareja esta-*
> *ble* en vida de los convivientes, el artículo 234-10, regula la denominada,
> explícitamente, "prestación alimentaria". En este supuesto, cualquiera de
> los convivientes puede reclamar al otro una prestación alimentaria, si la
> necesita para atender adecuadamente a su sustentación, en uno de los
> siguientes casos: *a)* Si la convivencia ha reducido la capacidad del soli-
> citante de obtener ingresos; *b)* Si tiene la guarda de hijos comunes, en
> circunstancias en que su capacidad de obtener ingresos quede disminuida.

## 7.2. Pérdida y renuncia del derecho a la prestación

*Pérdida del derecho.* El derecho a la prestación compensatoria se
pierde si no se solicita en el primer proceso matrimonial (de separación, divorcio o nulidad matrimonial o el destinado a obtener la eficacia civil de las resoluciones o decisiones eclesiásticas) o se establece en
el primer convenio regulador (principio de rogación) (art. 233-14.2).

La limitación indicada no impide que no solicitada en un proceso
de separación pueda solicitarse en un ulterior procedimiento de divorcio, por primera vez, si en el primer proceso se había renunciado a o
no se había concedido, o por segunda vez, en cuantía diferente, si en
el ínterin los cónyuges se han reconciliado y concurren los requisitos
para reclamarlo por razón del nuevo período de convivencia siendo indiferente que la reconciliación se tramitase o no judicialmente
[SSTSJC 30 julio 2009; 7 septiembre 2009, en relación con el CF; en
cambio, salvo concurrencia de circunstancias modificativas, la sentencia de 28 enero 2010 y la S. 24 febrero 2014, en relación con la

---

[310] Ferrer Riba (2014: 464, con apoyo en Ginés, *RCDI*, 727-2011: 2611); Nasarre
Aznar (2011: 279-284). Según la SAP Barcelona, Sec. 12ª, 19 enero 2012, debe
adoptarse un criterio restrictivo y no es admisible el otorgamiento en consideración a similitudes con otras figuras como la pensión alimenticia.

regulación vigente, no admiten el replanteamiento de la cuestión en sede de divorcio (se había concedido la pensión compensatoria en un proceso de separación), máxime cuando las partes habían convenido su extinción mediante la adjudicación en pago de un inmueble con efectos *pro soluto*.

La fijación de la prestación tiene carácter de "medida definitiva" y no puede ser anticipada por medio de medidas provisionales, pero el cónyuge que la pretenda puede solicitar la fijación de alimentos provisionales a su favor (art. 233-1 CCC y 771 a 773 LEC) y solicitar la adopción de medidas cautelares para asegurar su efectividad (art. 721 y ss. LEC)[311].

Si uno de los cónyuges *muere* antes de que pase un año desde la separación de hecho, el otro (el cónyuge acreedor), en los tres meses siguientes al fallecimiento, *puede reclamar a los herederos* su derecho a la prestación compensatoria. La misma regla debe aplicarse si el procedimiento matrimonial se extingue por el fallecimiento del cónyuge que debería pagarla (art. 233-14.3). No obstante, en este último supuesto, los salarios del cónyuge deudor desaparecen como fuente de ingresos para determinar la posición económica. En caso de extinción del régimen económico matrimonial catalán de separación de bienes por muerte, en el supuesto de que se tenga derecho a reclamar la compensación económica por razón de trabajo, el derecho prescribe a los tres años del fallecimiento del cónyuge, pero si el cónyuge superviviente interpone una demanda al amparo del artículo citado 233-14.2, debe reclamar la compensación en el mismo procedimiento.

*Renuncia del derecho a la prestación.* El derecho a la prestación es un derecho disponible que puede ser renunciado expresa o tácitamente. Según se ha expuesto *supra*, el propio preámbulo del libro segundo del *Codi* admite la renuncia previa a este derecho pero la misma "no puede acabar comprometiendo las necesidades básicas del cónyuge que tiene derecho a la prestación". En aplicación de la jurisprudencia del TSJC y del TS, entre otras, las SSAP Tarragona, Sec. 1ª, 21 marzo 2014 (*infra*); Barcelona, Sec. 12ª, 5 septiembre 2016, admiten, respectivamente, la plena eficacia jurídica de un convenio regulador

---

[311]    Ferrer Riva (2014: 469).

extrajudicial no ratificado en el que se renunciaba a la prestación y de lo convenido en el mismo en materias de tipo dispositivo[312].

> *SAP Tarragona, Sec. 1ª, 21 marzo 2014.* "Respecto a la firma de convenios no ratificados, carece de efectividad la postura de la resolución invocada por la apelante cuando existe doctrina al respecto establecida por el TSJC, el cual en su sentencia de 9/2/2012, recurso 119/2011, señaló: Por lo que se refiere a nuestra doctrina en este tema, en la STSJC 32/2008, de 18 de septiembre (FD2), con carácter general y con cita de las SSTSJC 23/2004 y 26/2006, dijimos que de la regulación del CF —arts. 76.3.a, 77 y 83.1 CF— se desprende que en las materias de inequívoca naturaleza patrimonial los cónyuges tienen una amplia autonomía negocial (art. 1.255 C.C. y art. 11 CF) que solo se ve limitada si de su pacto se derivara perjuicio para los hijos menores o incapacitados, supuesto en el que la aprobación judicial podrá —deberá— ser denegada (art. 78 CF y art. 777 LEC), pero no en cualquier otra eventualidad, ni siquiera cuando se advirtieran "consecuencias gravemente perjudiciales para uno de los cónyuges", razón por la cual hemos venido admitiendo reiteradamente la validez y la eficacia de la renuncia a la pensión compensatoria, aun contenida en pactos privados entre los cónyuges no ratificados judicialmente —SSTSJC 26/2001, 20/2003 y 29/2006—, a los que reconocimos validez "siempre que se trate de materias... sobre las que no existan limitaciones legales, morales o de orden público (art. 1.255 C.c.), siempre que se den los requisitos mínimos imprescindibles (art. 1.261 C.C.)... entre los cuales no se encuentra ninguno específico relativo a la forma (art. 1.278 C.c. en relación con el art. 1.280 C.C.), llegándose a admitir incluso que la renuncia de los derechos pueda ser tácita —entre otras, STS 1ª 30 oct. 2001... sin perjuicio del derecho de alimentos cuando—"(STSJC 29/2006 de 10 jul. FD4)" (FD 3).

El pacto de renuncia es uno de los pactos que pueden preverse en previsión de la ruptura matrimonial (art. 233-16.1), pero los pactos de renuncia *no incorporados* a un *convenio regulador* no son eficaces en lo que comprometan la posibilidad de atender a las necesidades básicas del cónyuge acreedor (arts. 233-16.2; 233-3.1).

Este requisito evidencia el carácter proteccionista de la norma. Por otra parte, en general, los pactos en previsión de una ruptura matrimonial que sean de exclusión o limitación de derechos deben tener carácter recíproco y precisar con claridad los derechos que

---

[312]  En relación con el TS *v.* SS., entre otras muchas, de 22 abril 1977, 21 diciembre 1998, 27 marzo 2001, 15 febrero 2002 y 9 julio 2003.

limitan o a los que se renuncia (art. 231-20.3) y cuando en el momento en que se pretenda su cumplimiento sean gravemente perjudiciales para un cónyuge no son eficaces si este acredita que han sobrevenido circunstancias relevantes que no se previeron ni podían razonablemente preverse en el momento en que se otorgaron (art. 231-20.4).

### 7.3. Requisitos para ejercitar el derecho a la prestación compensatoria

La concesión de la prestación compensatoria debe ajustarse a los siguientes requisitos[313]:

*a) Desequilibrio patrimonial.* De acuerdo con el citado artículo 233-14.1, es preciso que como consecuencia de la ruptura de la convivencia uno de los cónyuges resulte perjudicado respecto del *nivel de vida de que gozaba durante el matrimonio.* A tal fin no se exige que el cónyuge acreedor no tenga ingresos, o que éstos no sean suficientes para vivir, sino que el derecho se adquiere cuando exista un desequilibrio económico entre la situación que tenía durante el matrimonio y la que previsiblemente tendrá desde la cesación de la convivencia.

*b) Capacidad económica del cónyuge deudor.* Es preciso que el cónyuge deudor pueda hacer frente al pago de la prestación compensatoria, pues este derecho a la prestación se supedita al *derecho preferente de alimentos de los hijos* tanto si non menores como si son mayores de edad.

*c) Solicitud expresa.* El cónyuge que estime ser acreedor de este derecho debe solicitarlo expresamente. La autoridad judicial no puede conceder de oficio la prestación compensatoria. El derecho a reclamar la prestación compensatoria se pierde en los términos examinados más arriba.

*d) Buena fe.* En el supuesto de nulidad del matrimonio, la norma prevé expresamente que el cónyuge acreedor debe ser de buena fe (art. 233-14.1, *in fine*).

---

[313] V. *Principles of European Family Law regarding divorce and maintenance between former spouses* (II Parte); Bosch Capdevila *et al.* (2013: 143-144); Ferrer Riba (2014: 465-467).

## 7.4. Determinación de la cuantía, duración, forma de pago y modificación de la prestación compensatoria

Debe distinguirse según que exista pacto previo al respecto o el supuesto de ausencia de pacto:

*a) Pactos previos sobre la prestación compensatoria.* En previsión de ruptura matrimonial, puede pactarse sobre la modalidad, cuantía, duración y extinción de la prestación compensatoria, de acuerdo con el artículo 231-20 (*Pactos en previsión de una ruptura matrimonial*). Según se ha indicado en otro lugar, la validez y eficacia de estos pactos se supedita a los requisitos previstos en el citado artículo. Por otra parte, los pactos de renuncia no incorporados a un convenio regulador no son eficaces en lo que comprometan la posibilidad de atender a las necesidades básicas del cónyuge acreedor (art. 233-16).

*b) Regulación legal de la prestación.* En *defecto de pacto previo o de acuerdo* en el convenio regulador, a la vista de lo previsto en el artículo 233-15, corresponde a la *autoridad judicial fijar la cuantía y duración* de la prestación compensatoria. En este caso, la autoridad judicial debe emitir una resolución sobre la *modalidad de pago* atendiendo a las *circunstancias del caso* y, especialmente, a la *composición del patrimonio* y a los *recursos económicos del cónyuge deudor* (art. 233-17.1). La posibilidad de conmutar la pensión compensatoria concedida al amparo de la legislación derogada por un capital, está prevista en la DT 3ª Ley 25/2010, pero la sustitución no puede imponerse unilateralmente y en caso de oposición de la parte obligada corresponde a la autoridad judicial decidir al respecto (arg. art. 233-17.1).

Si la elección de una u otra opción de pago resultara indiferente, su determinación puede verse influida por las circunstancias y necesidades del cónyuge acreedor y la destinación preferente de la prestación a recibir; también pueden ser relevantes las consecuencias fiscales asociadas a una u otra modalidad de pago. En la jurisprudencia anglosajona se considera preferible optar por una ruptura limpia (*clean break*) cuando: el matrimonio ha sido de corta duración y no existen hijos; si el deudor es muy rico; si los dos cónyuges tienen carreras profesionales consolidadas; o la relación entre los cónyuges es muy conflictiva[314]. A efectos del cálculo de la prestación no existen tablas específicas, que sí están previstas en algunos casos en el derecho comparado, por lo que habrá que estar a las circunstancias concretas del supuesto en función de las previsiones legales[315].

De acuerdo con el artículo 233-15, para fijar el importe y duración de la prestación compensatoria, deben valorarse "*especialmente*" —lo que significa que no se configuran con carácter de *numerus clausus*—, las circunstancias siguientes[316]:

*a)* "*La posición económica de los cónyuges, teniendo en cuenta, si procede, la compensación económica por razón de trabajo o las previsibles atribuciones derivadas de la liquidación del régimen económico matrimonial.*". Como observa Ferrer Riba (2014: 473), "La posición económica de cada cónyuge (cabe entender, con posterioridad a la ruptura), es aquello que procede comparar con el fin de determinar quién resulta más perjudicado y tiene derecho a compensación, pero también es relevante para fijar la cuantía de la prestación". Como factores que también pueden afectar la posición económica de los cónyuges se hallan las previsiones económicas sobre compensación económica por razón de trabajo (arts. 232-5 a 232-11) y en su caso, los recursos, ya computados o previsibles, procedentes de la liquidación de regímenes económicos matrimoniales que atribuyan derechos patrimoniales o participaciones exigibles en las ganancias logradas vigente el matrimonio susceptibles de liquidación. Cuando proceda, también deberá valorarse el uso de la vivienda familiar (art. 233-20.1 y 7; 233-21.b).

*b)* "*La realización de tareas familiares u otras decisiones tomadas en interés de la familia durante la convivencia, si eso ha reducido la capacidad de uno de los cónyuges para obtener ingresos*". En este caso el legislador reconoce cierta función reparadora por las tareas o decisiones adoptadas en interés de la familia (por ej., cuidado de parientes ancianos), que se condiciona a la reducción histórica de la

---

[314]   Ferrer Riba (2014: 485).
[315]   Nasarre Aznar (2011: 284-285).
[316]   Ferrer Riba (2014: 473-477); Cabello Guilera (2011: 892-894). Con carácter general, los principios legales enunciados concuerdan con los previstos en los principios de derecho europeo familiar sobre el divorcio y mantenimiento entre los ex cónyuges.

capacidad de uno de los cónyuges para obtener ingresos. Estos elementos pueden ser especialmente relevantes en matrimonios de larga duración.

c) *"Las perspectivas económicas previsibles de los cónyuges, teniendo en cuenta su edad y estado de salud y la forma en que se atribuye la guarda de los hijos comunes"*. La norma llama a valorar un futurible en consideración a las circunstancias personales de cada cónyuge (edad y estado de salud) y una circunstancia socio-familiar (la forma en que se atribuye la guarda de los hijos comunes). El rechazo de ofertas de trabajo en firme pocos meses antes del juicio es un elemento a considerar en relación con quien reclama una compensación patrimonial (STSJC 9 junio 2011). Con Ferrer Riba (2014:475), cabe señalar que la autoridad judicial puede y debe tomar en consideración cualquier otro hecho o circunstancia que pueda ser de interés en relación con la finalidad buscada por la norma. "En concreto, parece evidente que debe darse un peso importante a la formación académica, la formación profesional y la experiencia laboral, y que también merecen consideración las necesidades de atención personal a otros miembros de la familia (arg. *ex* art. 232-5.3)".

d) *"La duración de la convivencia"*. Este factor remite a un dato cuantitativo de fácil determinación que en el supuesto de que los cónyuges hayan asumido determinado rol de forma continuada durante la convivencia permite una valoración global de las aportaciones individuales realizadas por cada uno de ellos. A mayor duración de determinada función mayor puede ser la constatación de la dedicación efectuada en un sentido u otro y los costes o beneficios económicos personales consiguientes. La norma se refiere a la duración de la "convivencia" y no a la del matrimonio. Así, en la legislación derogada, el artículo 84.2*b* CF se refería a la "convivencia conyugal". La jurisprudencia del TSJC (SS 12 enero 2004, 22 febrero 2006 y 4 septiembre 2008) era favorable a sumar los tiempos de convivencia prematrimonial y matrimonial. La dicción del texto legal parece reconocer este criterio y en este sentido cabe afirmar que "Se trata de una decisión de oportunidad, que da prevalencia a la consideración de la convivencia como un todo continuo y gradual" (Ferrer Riba, 2014: 476).

e) *"Los nuevos gastos familiares del deudor, si procede"*. Este punto puede ofrecer especial interés en el caso de familias reconstituidas

(v. art. 233-18.2), pero también puede interesar en otros supuestos, por ejemplo, hijos de familias anteriores o incluso, respecto de hogares unipersonales. En relación con los hijos cabe recordar que la norma advierte del carácter prioritario del "derecho de alimentos de los hijos" (art. 233-14.1). En suma, de esta la previsión legal cabe deducir dos principios (Ferrer Riba, 2014: 477): *a)* Explícitamente, que el deber de alimentos de los hijos es, en todos los casos, prioritario (arts. 233-14.1; 233-18.2 y 236-17.1); *b)* Implícitamente, debe respetarse el principio de igualdad de rango entre las pretensiones de las ex parejas a reclamar la prestación compensatoria y de la pareja actual, a reclamar la contribución del coste a los gastos familiares (arts. 233-15 y 233-18.2).

En todo caso, como afirma Ysàs Solanes (2013: 305), los límites de la prestación vienen determinados en un doble sentido: el primer límite o techo lo establece el nivel de vida que llevaba la familia, lo que significa que "la prestación no puede suponer para el acreedor de la misma una mejora respecto de la situación económica de la que gozaba durante el matrimonio"; el segundo límite, implica que el pago de la prestación por el cónyuge deudor no puede situarle en peor fortuna que el acreedor, es decir, "que el deudor una vez satisfecha la pensión tenga que llevar un nivel de vida más bajo que el acreedor, lo que subvertiría la función equilibradora de la prestación".

## 7.5. *Duración de la prestación compensatoria*

De acuerdo con el artículo 233-17.4: "La prestación compensatoria en forma de pensión se otorga por *un período limitado,* salvo que concurran *circunstancias excepcionales* que justifiquen fijarla con *carácter indefinido*" (é.a.). De esta norma se desprende que "la regla general será la temporalidad de la prestación compensatoria y la excepción su carácter indefinido que, si se acuerda, deberá justificarse" (Cabello Guilera, 2011: 898).

En concordancia con el preámbulo del libro segundo y lo previsto en la norma, la STSJC 8/2017, de 20 febrero, alude a la jurisprudencia del TSJ (SS. 63/2013, de 7 de noviembre; 4/2015, de 20 de enero, 40/2016, de 2 de junio) y señala que el legislador, quiso poner freno a una jurisprudencia excesivamente inclinada a dotar de carácter indefinido la atribución, en detrimento de los intereses del otro cónyuge y en beneficio del principio de autosuficiencia[317]. En este sentido, ante una solicitud de prórroga de la prestación, por parte de una demandante que tenía 73 años y solicitaba un nuevo plazo de 20 años adicionales de goce de la prestación, la citada sentencia concluye que "la prórroga no puede concederse por un plazo tan dilatado —como pretende la recurrente— que en la práctica deje vacío de contenido la previsión de limitación que ha establecido el legislador" (FD 3). En las sentencias del TSJC se observa que el plazo se establece *ad casum*: por ejemplo, 3 años (S. 11 marzo 2010); 5 años (SS. 27 julio 2009; 27 mayo 2010 y 8 julio 2011); 9 años (S. 27 noviembre 2014); 10 años (S. 9 febrero 2012); o 20 años (como antecedente de hecho, sin admitirse la prórroga por otro período igual, S. 20 febrero 2017).

En la doctrina de las Audiencias el plazo de duración de la pensión se suele fijar en torno a un tercio de la duración del matrimonio (SAP Barcelona, Sec. 12ª, 7 octubre 2014) sin que supere, en ningún caso, la mitad del tiempo de duración del matrimonio (SSAP Barcelona, Sec. 12ª, de 6 junio 2012 y 14 marzo 2013). En la SAP Barcelona, Sec. 18ª, 21 enero 2015, se afirma que aunque la temporalización de la pensión compensatoria suele hacerse coincidir con un tercio de la duración del matrimonio, en el caso sentenciado (convivencia matrimonial de 17 años), en atención a la edad de los hijos, el plazo límite se estableció en ocho años.

Como observa Gili Saldaña (2016: 133), el principio de *limitación temporal* "es coherente con una sociedad en la cual, cada vez con más frecuencia, les crisis o rupturas de forma creciente matrimonios de corta duración, con mujeres jóvenes que a lo largo de su vida han recibido algún tipo de formación y que ya trabajan o bien están a tiempo de incorporarse —o reincorporarse— al mercado de trabajo[318]. En

---

[317]  No obstante, la jurisprudencia del TSJC sobre la pensión compensatoria y el anterior artículo 84 CF aunque se refería a la solidaridad matrimonial post ruptura con fines de reequilibrio económico equitativo de la pensión también advertía de la vocación inequívoca de caducidad de la pensión (SS 20 octubre 2003, 11 diciembre 2003, 25 junio 2009, 27 mayo 2010 y 20 diciembre 2010) (Ferrer Riba, 2014: 465).

[318]  "Com posa en relleu la SAP de Barcelona d'1 d'octubre de 2012 (JUR 2012/369036), '[a]quest és, tanmateix, el principi que inspira la regulació en el Codi civil de Catalunya, articles 233-14 a 233-19 (aplicable al cas d'autes en virtut del que estableix la DT tercera), en què el primitiu caràcter indefinit de la institució ha estat adaptat a la generalitat de situacions que presenta la realitat

este contexto, carecería de justificación imponer al cónyuge deudor el mantenimiento del cónyuge acreedor con carácter indefinido, cuanto este pueda superar, en un período de tiempo razonable, el desequilibrio económico derivado de la crisis conyugal. La prestación compensatoria no se debería configurar como un seguro de vida o una renta vitalicia que perpetúe un determinado *modus vivendi*, sino como un mecanismo que promueva la autonomía económica del cónyuge más débil[319]".

En este sentido, por ejemplo, declaran procedente la limitación temporal de plazo las sentencias del TSJC de 27 noviembre 2014 y 11 marzo 2010. En la primera se admite una duración de 9 años porque aunque la convivencia se prolongó durante 26 años, consta que la esposa que tenía 50 años, cotizó 16 años, gozaba de buena salud y disponía de tiempo libre habida cuenta la edad actual de las hijas; en el segundo caso, la ex esposa percibe unos ingresos salariales como enfermera profesional superiores a dos mil euros mensuales frente a los tres mil setecientos euros que le quedan al ex esposo después de atender sus gastos acreditados, incluida la pensión de alimentos del hijo menor, por lo que no se considera ni arbitraria ni ilógica ni absurda la fijación de un límite temporal *ad limine* de cinco años para la pensión compensatoria.

La STSJC 27 mayo 2010, en consideración a que ni la edad de la esposa (47 años), ni su estado de salud, son causa de limitación para su reincorporación al mercado laboral, y que la interesada podía solicitar la división del patrimonio común y acceder a rentas derivadas de aquél, estima adecuado fijar un plazo de cinco años y revoca la SAP que había otorgado la pensión compensatoria sin limitación temporal.

La polémica sobre la limitación temporal de la prestación también se hallaba presente en la regulación de derecho civil común, pero fue zanjada por las sentencias del TS de 10 de febrero y 28 de abril de 2005 y quedó definitivamente superada con la reforma del artículo 97 CC (Ley 15/2005)[320].

Por *excepción*, la norma reguladora prevé que si concurren circunstancias excepcionales la prestación puede fijarse con carácter

---

sociològica actual, que parteix de la plena incorporació de la dona a les activitats productives i de la superació dels vincles de dependència derivats de la unió matrimonial propis d'èpoques ja remotes' (FJ 2n)" [nota a p.p. de la autora citada].

319  "Lenore J. Weitzman, 'The economics of divorce: social and economic consequences of property, alimony and child support awards', UCLA Law Review, núm. 28 (1981), p. 1267." [nota a p.p. de la autora citada].

320  Gili Saldaña (2016: 131-132).

indefinido. Siguiendo a la autora antes citada, este supuesto podrá presentarse cuando el cónyuge acreedor no pueda lograr su independencia económica, situación que, en especial, puede producirse respecto de matrimonios tradicionales con convivencias de larga duración, mujeres de edad avanzada y salud precaria que se han dedicado durante toda su vida o durante muchos años al cuidado de la familia y las tareas del hogar, no disponen de formación, y tienen una probabilidad muy reducida de acceder al mercado del trabajo. En este sentido, en un caso de divorcio, la SAP Barcelona, Sec. 18ª, 15 enero 2013, aprecia circunstancias excepcionales que justifican no fijar límite temporal a la pensión, que se fijó así en la separación, la edad de la esposa, los treinta y dos años de dedicación a la familia y su nula experiencia laboral[321].

## 7.6. Forma de pago de la prestación compensatoria

Por lo dicho *supra*, la prestación puede atribuirse en forma de *capital* —ya sea en bienes o en dinero— o de *pensión* (art. 233-17).

*a) Atribución en forma de capital*. En este supuesto, la autoridad judicial, a petición del cónyuge deudor, puede aplazar el pago u ordenar que se haga a plazos, con un vencimiento máximo de tres años y con devengo del interés legal a contar del reconocimiento. A pesar de que se aplace su pago, parece que la prestación no puede extinguirse aunque se den las causas de extinción previstas en el artículo 233-19 que el legislador sólo prevé para el supuesto de pagos en forma de pensión, por lo que, por ejemplo, la prestación será exigible aunque el cónyuge acreedor se case o conviva maritalmente con otra persona al día siguiente de la sentencia de divorcio, lo que no parece congruente con la finalidad de la norma, y la doctrina se pregunta si dicha solución también deberá aplicarse cuando fallezca el ex cónyuge acreedor y tengan derecho al cobro de la prestación sus herederos, pues en este caso, el tutelado económicamente habrá dejado de existir[322]. Según la SAP Barcelona, Sec.18ª, 26 febrero 2013, la pensión compensatoria

---

[321]  En el derecho común, *v*. STS 11 octubre 2017.
[322]  Nasarre Aznar (2011: 288).

establecida en forma de capital no puede modificarse por el cambio de circunstancias en el cónyuge que paga la pensión.

*b) Atribución en forma de pensión.* En este supuesto la pensión debe pagarse en dinero y por mensualidades avanzadas. A petición de la parte acreedora pueden establecerse garantías y fijar criterios objetivos y automáticos de actualización de la cuantía. Según se ha indicado, la prestación compensatoria en forma de pensión se otorga por un período limitado, salvo que concurran circunstancias excepcionales que justifiquen fijarla con carácter indefinido (art. 233-17.4). En su caso, el índice de precios a aplicar en una pensión es el estatal, salvo que se acuerde de forma diferente o en la resolución se establezca otro índice (AAP Barcelona, Sec. 12ª, 5 marzo 2010).

*Problemática del impago de las prestaciones.* El incumplimiento en el pago de los alimentos y otros derechos económicos reconocidos tras la ruptura matrimonial puede deberse a una imposibilidad material sobrevenida por causa involuntaria (empobrecimiento del deudor y situaciones concursales); o hacerse de forma voluntaria, cuando deliberadamente la persona obligada a su pago se niega, de forma intencional y sistemática, a satisfacerlas[323].

El primer supuesto, según se analiza *infra*, se integra dentro de las causas legales de modificación de la prestación económica lo que puede motivar la reducción o incluso la suspensión de la pensión por causa de fuerza mayor por afectar al "mínimo vital" del pagador y convertirse aquella, ante el estado de necesidad del deudor, en una prestación imposible[324]. En caso de situaciones concursales, la vigente LC prevé el derecho de alimentos del concursado persona natural que se encuentre en estado de necesidad y los de su cónyuge o pareja de hecho inscrita y descendientes bajo su potestad (v. arts. 47 y 145.2 LC).

En el segundo supuesto, impago voluntario intencional o doloso, puede derivarse determinada responsabilidad penal para el obligado al pago de la pensión (art. 227 CP). La responsabilidad penal queda excluida cuando el incumplimiento se debe a las dificultades econó-

---

[323]  Carretero (2017: 158 y ss.).
[324]  *Vid.*, *a.e.*, SSTS 19 enero 2015m 12 febrero 2015, 2 marzo 2015 y 18 marzo 2016.

micas del deudor, porque esta situación objetiva excluye la voluntariedad de la conducta típica y la consecuente ausencia de culpabilidad (SAP Lleida, Sec. 1ª, 28 enero 2016; asim. en SAP Madrid, Sec. 23ª, 11 enero 2016, infra).

> *SAP Madrid, Sec. 23ª, 11 enero 2016.* "El elemento subjetivo, es el elemento intencional o dolo, de tal suerte que si el obligado no pudiera afrontar el pago por carecer de medios económicos, no puede recaer sanción penal pues llevaría a la denominada prisión por deudas que se encuentra proscrita en nuestro ordenamiento jurídico, prohibida expresamente por el Art. 11 del Pacto Internacional de Derechos Civiles y Políticos de Nueva York de 19 de diciembre de 1966 que dispone que nadie será encarcelado por el solo hecho de no poder cumplir una obligación contractual; precepto incorporado a nuestro sistema legal en virtud de los Art. 10.2 y 96.1 del texto Constitucional".

## 7.7. Modificación de la prestación compensatoria

La prestación compensatoria fijada en forma de pensión solo puede modificarse para *disminuir su importe si mejora la situación económica de quien la percibe* o *empeora la de quien la paga*. Para determinar la capacidad económica del deudor, deben tenerse en cuenta sus nuevos gastos familiares y debe darse prioridad al derecho de alimentos de todos sus hijos (art. 233-18)[325].

Fuera de este supuesto la Ley no prevé modificaciones en la forma de la prestación ni en la duración de la misma pero esta norma especial debe ponerse en relación con el artículo 233-7.1, que admite la modificación de las medidas adoptadas "si varían sustancialmente las circunstancias concurrentes en el momento de dictarlas. También pueden modificarse, en todo caso, de común acuerdo entre los cónyuges dentro de sus facultades de actuación".

La doctrina admite, por ejemplo: la posibilidad de convertir una pensión periódica en un pago único de capital cuando se presenten cambios en la composición del patrimonio del deudor que hagan viable este cambio (arg. arts. 233-7, 233-17.1 y 233-19.2); la fijación de un término (en el caso de una pensión compensatoria indefinida) o su abreviación (arg. arts. 233-19.1 y 233-7 y en el derecho común, STS

---

[325]   Ferrer Riba (2014: 490-496).

24 noviembre 2011 [ROJ 8402]); o la posible suspensión temporal
de la obligación de pago de la pensión, cuando existan circunstancias extraordinarias transitorias que afecten gravemente la capacidad
económica de pago del deudor, pues, la suspensión no empeora la
posición del deudor, por lo que no contradice lo previsto en el artículo
233-18.1. Por otra parte, de acuerdo con el citado artículo 233-7.1,
lo previsto en el artículo 233-18 solo es de aplicación en defecto de
pactos o acuerdos en otro sentido y según el artículo 233-7.2: "El
convenio regulador o la sentencia pueden prever anticipadamente las
modificaciones pertinentes".

*a) Mejora de la situación económica de la parte acreedora*

El cambio de la situación económica de la parte acreedora puede
conllevar la modificación de la pensión compensatoria y en su caso límite, ser causa de extinción de la prestación compensatoria (art.
233-19.1.a). Este motivo evidencia que la prestación tiene carácter
asistencial y no reparadora de los perjuicios derivados de la vida matrimonial, de aquí que el legislador entienda que la percepción de la
prestación no está justificada cuando su perceptor ha mejorado su situación económica. La mejora de la situación de la parte acreedora es
indiferente respecto de la mejora económica que pueda experimentar
la parte deudora, porque a efectos del artículo 233-18, lo relevante
es la mejora de la parte acreedora de la prestación de acuerdo con el
nivel de vida de que gozaba durante el matrimonio.

> A estos efectos, la STSJC de 3 julio 2008, en relación con el anterior
> artículo 86.1.*a*) CF, que se refería a la "mejora de la situación económica
> del cónyuge acreedor"[326], señala que esta expresión "no exige que la me-
> jora de la situación económica del acreedor de la pensión compensatoria
> provenga necesariamente del ingreso de rentas periódicas por una activi-
> dad laboral, profesional o mercantil, pudiendo provenir del percibo de
> una o varias cantidades de dinero, o de cualquier otra forma que suponga
> un incremento patrimonial, con tal de que, en todos los casos, pueda apre-
> ciarse que con ello se produzca una *modificación relevante* de la situación

---

[326]   "Artículo 96 [CF]. *Extinción del derecho*. 1. El derecho a la pensión compensatoria se extingue: a) Por mejora de la situación económica del cónyuge acreedor,
que deje de justificarla o por empeoramiento de la situación económica del cónyuge obligado al pago que justifique la extinción.
[…]".

de desequilibrio contemplada en su día para reconocer el derecho a la pensión compensatoria, en el sentido que propicie o favorezca la autonomía económica del cónyuge acreedor" (FD 3) (é.a.).

Por razones de "equidad, equilibrio y proporcionalidad", la STSJC de 29 junio 2011, señala que la mejora económica también puede deberse al percibo de una pensión no contributiva (SOVI) respecto de una demandante que, en el momento de pactarse la pensión compensatoria, no tenía ningún ingreso, y por la reducción de sus gastos de vivienda en otros 400 € mensuales, amén de haber pasado de tener la condición de inquilina de un piso a ostentar la de copropietaria, al 50%, de otra vivienda distinta, todo lo cual representa, en términos puramente pecuniarios, una mejora de su situación económica.

## b) Empeoramiento de la situación económica del deudor

La posibilidad de modificar la pensión compensatoria en caso de que empeore la situación del obligado a su pago es menos elevada que en el caso anterior. Esto es así, porque aunque el deudor pierda capacidad económica, ello puede "no justificar la reducción de la pensión si sigue teniendo recursos suficientes para pagarla sin detrimento del nivel de vida que llevaba durante el matrimonio o el menor que puedan mantener los dos cónyuges separados o ex cónyuges (arg. *ex* art. 233-14.1)" (Ferrer Riba, 2014: 494). El empeoramiento puede deberse a dos motivos: la disminución de recursos económicos en concepto de renta o de patrimonio del deudor. o el aumento de los gastos del deudor.

El primer caso puede deberse a una reducción sustancial de los ingresos procedentes de las rentas laborales o profesionales percibidas, las explotaciones empresariales u otros activos fructíferos de cualquier naturaleza; o el paso a la situación de pensionista o una declaración de incapacidad, pero los tribunales son renuentes a la pretensión cuando los signos externos evidencian la existencia de una capacidad de gasto (STSJC 14 octubre 2009). No obstante, según las circunstancias del supuesto, el paso a la situación de pensionista con omisión de otros ingresos complementarios o la existencia de determinado patrimonio inmobiliario pueden motivar que no se reconozca el requisito exigido por la norma (STSJC 17 enero 2011).

El segundo supuesto puede deberse a la existencia de nuevos gastos de carácter familiar (nuevos hijos *ex* art. 233-18.2; familias reconstituidas; gastos médicos relevantes…). Si esta nueva situación perjudica

el nivel de vida del deudor o la nueva familia creada por el deudor podrá solicitarse la reducción de la pensión (arts. 233-14.1 y 233-15.*e*).

> Como dice la STSJC 8 mayo 2008: "por lo que se refiere al "empeo-
> ramiento" de la situación económica del obligado al pago de la pensión
> compensatoria (art. 86.1.*a* CF), abstracción hecha de las consecuencias
> que quepa anudar a los supuestos de mala fe (art. 111-7 C.C.C.) y de abu-
> so de derecho (art. 7.2 C.C.), no se observa tampoco reparo alguno para
> que puedan tomarse en consideración, a efectos de evaluar la situación
> económica del deudor de la pensión, los nuevos o mayores gastos que
> haya debido asumir para atender a sus necesidades vitales o a las de aque-
> llas personas que de él dependan en virtud del establecimiento de nuevas
> relaciones de familia, cuando se haya mantenido o reducido el nivel de
> ingresos contemplado al tiempo de la fijación de la pensión" (FD 8).

Por lo demás, en relación con la reducción o extinción de la pensión compensatoria debida a un cambio de las circunstancias económicas del obligado al pago y del beneficiario del mismo, la jurisprudencia del TSJC establece que el correspondiente juicio del tribunal
de apelación "sólo merecerá el necesario interés casacional cuando
pueda tildarse de ilógico, irrazonable o arbitrario" (SSTSJC 11/2005
de 24 febrero, 17/2008 de 8 mayo, 26/2008 de 3 julio y 2/2011 de
17 de enero, entre otras). En su caso, según reiterada jurisprudencia,
la decisión del órgano jurisdiccional estimadora de la pretensión produce efectos *ex nunc*, esto es, desde que se dicta la resolución y hasta
dicho momento rige la situación previa[327].

---

[327]  LA STS 7 febrero 2018, desestima un recurso de casación contra una SAP de Barcelona, sobre modificación de medidas por razón de divorcio. La parte recurrida
opuso a la admisión del recurso la competencia funcional del Tribunal Superior
de Justicia (Ley [Gencat] 4/2012, de 5 de marzo, del recurso de casación en materia civil en Cataluña).
El TS señala que la parte recurrente: "no alega infracción de norma o normas de
Derecho Civil o foral, asumiendo los riesgos de una posible incoherencia entre
la fundamentación de la sentencia y la motivación de su recurso de casación,
como dijo la sentencia 947/1999, de 16 de noviembre. La sentencia recurrida se
argumenta sobre la base de una institución propia del Código Civil de Cataluña,
como es prestación compensatoria (artículo 233-14), interpretada por dos sentencias del TSJ de Cataluña de 19 de mayo y 27 de noviembre de 2014, con el
refuerzo interpretativo de la sentencia de esta sala de 24 de noviembre de 2011,
sobre las atribuciones derivadas de la liquidación del régimen económico matrimonial, incluida en el citado código como uno de los factores a tener en cuenta

# 8. EXTINCIÓN DE LA PRESTACIÓN COMPENSATORIA

## 8.1. *Causas de extinción de la prestación compensatoria*

El derecho a la prestación compensatoria fijada *en forma de pensión* se extingue por las siguientes cuatro causas (art. 233-19):

*a)* "Por mejora de la situación económica del acreedor, si dicha mejora deja de justificar la prestación, o por empeoramiento de la situación económica del obligado al pago, si dicho empeoramiento justifica la extinción del derecho". Estos supuestos se han examinado en el apartado precedente.

*b)* "*Por matrimonio del acreedor o por convivencia marital con otra persona*". En el derecho común el supuesto se expresa como sigue: "por contraer el acreedor nuevo matrimonio o por vivir maritalmente con otra persona" (art. 86.1.b CC). La STSJC 9 febrero 2012, entiende que es procedente declarar la extinción de la pensión compensatoria cuando se acredita la convivencia marital de la esposa con un tercero aunque en el convenio regulador se hubiera fijado sin sujeción a ninguna otra condición salvo el transcurso del plazo de diez años.

*c)* "*Por el fallecimiento del acreedor*". En cambio, el derecho a la prestación compensatoria fijada *en forma de pensión* no se extingue por el fallecimiento del obligado al pago, aunque el acreedor o los herederos del deudor pueden solicitar su sustitución por el pago de un capital, teniendo en cuenta el importe y, si procede, la duración de la pensión, así como el activo hereditario líquido en el momento del fallecimiento del deudor. También incide en el supuesto la declaración de fallecimiento de la persona acreedora (v. art. 86.1.b CC).

*d)* "Por el vencimiento del plazo por el que se estableció".

---

para la determinación de la cuantía y duración de esta prestación compensatoria (artículo 233-15 a).

Y el recurso que ahora se formula, además de adolecer de defectos formales evidentes en cuanto a la cita de las normas infringidas, y de desarrollarse como un escrito de alegaciones, trae a colación una normativa y una jurisprudencia que no ha podido ser infringida porque no ha sido aplicada por la resolución recurrida" (FD 2).

## 8.2. *Examen del supuesto de extinción por causa de matrimonio del acreedor o por convivencia marital con otra persona*

En la doctrina se cuestiona el arcaísmo de esta causa en la sociedad actual porque condiciona el libre desarrollo de la personalidad de la persona respecto de hechos futuros. Por otra parte, esta causa no será oponible cuando las partes así lo hayan convenido en el convenio regulador.

Como afirman Gutiérrez Santiago y García Amado (2013), por referencia a la misma causa prevista en el derecho común, "la vigente regulación, rehén de concepciones del pasado, resulta trasnochada y es el fruto de todo un encadenamiento de absurdos. Hoy día, producida una crisis matrimonial, no tiene sentido que exista una pensión fundada en el desequilibrio y empeoramiento patrimonial que la separación o el divorcio ocasione a uno de los cónyuges en relación con la posición económica del otro, y únicamente debería haber compensaciones efectivas del *enriquecimiento injusto* o del *daño* sufrido, *cuando realmente los hubiere habido*".

La autora y el autor citados, señalan que en la actualidad, "carece de toda justificación que ese derecho a percibir unas cantidades por razón de un anterior fracaso matrimonial se pierda por ulteriores nupcias o noviazgos; nuevas trayectorias vitales de pareja que ninguna relación guardan y, en verdad, nada tienen que ver con el resarcimiento de la dedicación y el trabajo *real* (y probado) realizado en su día para el otro cónyuge o para la familia o con la indemnización por el daño efectivamente padecido, sin que, por tanto, la 'vida marital' de su titular con otra persona debiera operar como causa de extinción (o de no concesión de la pensión)", lo que antecede, obviamente, sin perjuicio de las responsabilidades parentales de los progenitores en relación con sus hijos y el derecho de alimentos de éstos.

Por tratarse la expresión "convivencia marital con otra persona" de un concepto jurídico indeterminado, la correcta interpretación y aplicación de este supuesto de extinción ofrece singular interés práctico.

En este sentido la STSJC de 9 febrero 2017, tiene en cuenta la doctrina de la S. de 21 febrero 2013 y "la evolución de la jurisprudencia de la Sala Primera del TS que ha evolucionado a impulsos de dos elementos de la hermenéutica normativa, el *teleológico* y el de la *realidad sociológica,* mostrándose sensible, por un lado, ante la posible instrumentalización fraudulenta de las exigencias legales y jurisprudenciales para sortear los efectos extintivos de las ulteriores relaciones afectivas del deudor de la pensión compensatoria; y, por otro lado, ante la progresiva aproximación objetiva, más allá del cumplimiento de los requisitos formales propios del vínculo matrimonial, entre el matrimonio y la simple convivencia marital, hasta el punto de declarar que la mera convivencia estable que produce una creencia generalizada sobre el carácter de sus relaciones, aun sin compromiso de ningún, puede integrar la causa de extinción prevista en el art. 101.1 CC (SSTS 1ª 42/2012 de 9 feb. y 179/2012 de 28 mar.)" (FD 5).

En relación con ambos elementos interpretativos, la STSJC 9 febrero 2017, señala lo siguiente (FD 5):

*Elemento teleológico.* El elemento teleológico de la norma es "excluir la prestación compensatoria en favor del cónyuge que tendría derecho a la misma cuando este tiene una relación con una tercera persona que comporta un compromiso análogo al de la convivencia marital". De acuerdo con la presente realidad la exclusión de la prestación por una relación *more uxorio,* "no supone una penalización al ex cónyuge acreedor "por haber iniciado una relación afectiva o intima, con otra persona". Supondría una contradicción con el elemento teleológico considera que "ante una igual relación de compromiso que la marital, que provoca que la prestación devenga innecesaria, obligar a su pago al anterior [miembro de la] pareja cuando ya no existen vínculos afectivos ni familiares".

*Elemento sociológico.* Esta clase de relación merece "todos los respetos y la consideración del elemento sociológico no permite pensar en situaciones propias de un pasado no demasiado lejano en que se consideraba probada una relación *more uxorio* por la simple prueba de una relación íntima sin tener en cuenta la duración de las mismas, el grado de compromiso de la pareja ni la existencia de un proyecto de vida en común. No obstante, no podemos ignorar que no se puede prever de forma indubitada el grado de solidez de una relación more *uxorio* ni del proyecto de vida en común de las personas, dado que esto forma parte de su ámbito más interior y privado; tampoco podemos obviar que en algunos caso, ni los mismos implicados pueden conocer con seguridad el futuro de su relación". La convivencia efectiva "no exige que la pareja comparta de forma permanente la misma vivienda. Las relaciones actuales suponen en muchos casos un compromiso de fidelidad, de ayuda mutua, de proyecto conjunto… sin que se viva siempre bajo el mismo techo. A esta circunstancia ha de añadirse la posibilidad de actuaciones fraudulentas que ante la posible pérdida de la prestación económica es comprensible que no se consolide de forma absoluta la convivencia, pero a pesar de ello el grado de compromiso sea tan relevante que obligue a concluir que se trata de una convivencia marital".

Según la SAP Barcelona, Sec.18ª, 4 febrero 2016, con cita de la S. 2 diciembre 2013, "parece claro que las relaciones sexuales más o menos estables, las convivencias ocasionales de fines de semana o de periodos de vacaciones, las relaciones asimilables a noviazgo y las relaciones amorosas, sentimentales o sexuales no se pueden considerar relaciones maritales."

El sentido y la consideración de la convivencia marital como causa de extinción de la prestación compensatoria está […] en que la nueva convivencia pueda suponer […] un regreso o una aproximación a la situación patrimonial en la que se encontraba y que de hecho no va ser exactamente igual" […], es decir, que [la actora] pueda disponer de la ayuda y soporte económico de un nuevo compañero como causa de extinción de la prestación compensatoria; lo que justificaría la extinción de la pensión sería la constitución de un nuevo núcleo familiar en el que sus integrantes puedan reclamar del otro ayuda y solidaridad.". De acuerdo con la STSJC, 21 febrero 2013, debe distinguirse entre convivencias maritales de aquellas otras uniones simplemente sentimentales o afectivas, aun con componente sexual, que, por su falta de entidad, no pueden integrar la causa extintiva de la pensión compensatoria. Es preciso que "la relación hubiese cristalizado en un cierto compromiso materializado en un proyecto de vida en común, con el soporte o ayuda mutuos como hilos conductores, y que reuniese el grado de estabilidad, de intimidad, de comunicación de afectos e intereses y de publicidad que la hiciera comparable con la convivencia matrimonial"

Señala la AP, que las dificultades de tener por acreditada una relación marital que se oculta "obliga a considerar elementos indirectos o indiciarios de prueba, como las presunciones (STSJ, Civil sección 1 del 24 de febrero de 2014 (ROJ: STSJ CAT 1922/2014-ECLI:ES:TSJC AT:2014:1922), en razón de los encuentros más o menos continuados de los implicados, de la permanencia con pernocta en domicilios de uno u otro, de la realización de tareas domésticas continuadas, de las manifestaciones públicas de cariño, de la presentación del nuevo compañero a la familia y su consideración en público como pareja, etc." (FD 1).

*Otras resoluciones*: Recoger del colegio a los hijos o pasar unas vacaciones con un tercero no es convivir con otro (SAP Barcelona, Sec. 18ª 15 junio 2012).

Se extingue la pensión compensatoria por haber quedado acreditado con el informe de los detectives que la esposa mantenía una relación que reunía las características de asiduidad, afectividad y estabilidad propias de la vida marital (STSJC, 26 noviembre 2009)

Se extingue la pensión compensatoria al quedar acreditado que la ex cónyuge convive con una tercera persona, tiene una cuenta común y paga la hipoteca de una finca común en la que ambos residen sin que tenga trascendencia el consentimiento de tal situación por el actor, que ha ejercitado su derecho cuando ha estimado conveniente (SAP Barcelona, Sec. 12ª, 4 abril 2014).

No se puede pedir a la parte que quiere acreditar la existencia de relaciones extraconyugales una prueba diabólica más allá de su facilidad probatoria para acreditar unos hechos que se desarrollan dentro de la intimidad de otras personas (SAP Girona, Sec. 2ª, 19 enero 2009).

La SAP Barcelona, Sec. 18ª, 4 mayo 2017, tiene en cuenta la STSJC 21 febrero 2013, que distingue entre uniones *more uxorio* y otras uniones sentimentales o afectivas, aun con componente sexual, que, por su falta de entidad, no son causa extintiva de la pensión compensatoria. Partiendo de los datos probados y de la jurisprudencia del TSJC y del TS, la Sala afirma que "en este caso existe y se reconoce una relación de pareja pero entendemos que no hay prueba cumplida de que esta relación afectiva tenga la entidad suficiente como para equipararla a una convivencia marital partiendo de los dos modos complementarios de aproximación a la naturaleza de lo que el Código denomina vida o convivencia marital.

Desde un punto de vista objetivo no ha resultado acreditada su permanencia en el tiempo —la Sra. Cl. en sus escritos alega que es una relación incipiente— tampoco hay prueba clara de que al tiempo del dictado de la sentencia apelada se diera una residencia permanente y estable con esa persona y finalmente desde un punto de vista subjetivo consideramos que no hay base suficiente para afirmar la existencia de un proyectocompromiso serio y duradero de vida en común entre ambos.

Si partimos de que, como indica la sentencia del TSJC de 21 de febrero de 2013, "la causa de extinción no debe entenderse como una sanción sino como el cese de la obligación de mantener una prestación a cargo de una persona que ya no tiene ningún deber de socorro al ser o deber ser atendida por el nuevo conviviente, tras procederse a la ruptura", entendemos que en este caso y partiendo de la prueba practicada, la relación afectiva existente no puede equipararse a la marital a los efectos de excluir el derecho peticionado." (FD 4).

## 9. ATRIBUCIÓN DEL DERECHO DE USO SOBRE LA VIVIENDA FAMILIAR

### 9.1. La vivienda familiar y la atribución del derecho de uso. Protección y objeto material

La vivienda familiar es el *lugar habitual de residencia del grupo familiar*. Así cabe deducirlo del artículo 231-3, según el cual, los cónyuges determinan de común acuerdo el *domicilio familiar* y en caso de desacuerdo, cualquiera de los cónyuges puede acudir a la autoridad judicial, que debe determinarlo en interés de la familia a los efectos legales. No obstante, "Ante terceras personas se presume que el domicilio familiar es aquel donde los cónyuges o bien uno de ellos y la mayor parte de la familia conviven habitualmente" (aptdo. 2). Como dice la STSJC 30 julio 2012, la *vivienda familiar* "es aquella en la que habitualmente reside la familia y tiene por morada o centro de su convivencia, sin que pueda confundirse con aquellas otras que la familia habita o utiliza temporal o estacionalmente (conocidas como segundas o terceras residencias) o bien con otras susceptibles de ser utilizadas, también, por contar con elementos aptos para servir de domicilio familiar, aunque no lo sean de presente". Tampoco puede considerarse vivienda familiar aquella que lo fue en su día, pero que ya ha dejado de serlo, ni la que, salvo situaciones transitorias, no es objeto de ocupación efectiva y habitual por la familia.

La *protección civil* de los actos de disposición de la vivienda familiar o conyugal "como medida de protección de la familia" (preámbulo L. 25/2010, ep. III) es doble[328]:

*a) Protección constante el matrimonio*. En los términos previstos por la norma, constante el matrimonio o la convivencia de la pareja en unión estable, el cónyuge titular, sin el consentimiento del otro, o

---

[328] No se reseñan otras numerosas y posibles normas de protección, directa o indirecta, civiles, administrativas, tributarias y procesales, de la vivienda habitual o familiar, entre las que se hallan, por ejemplo, en materia de ejecución hipotecaria, las previstas en el Real Decreto-ley 27/2012, de 15 de noviembre, de medidas urgentes para reforzar la protección a los deudores hipotecarios y la Ley 1/2013, de 14 de mayo, de medidas para reforzar la protección a los deudores hipotecarios, reestructuración de deuda y alquiler social, normas modificadas por el Real Decreto-ley 5/2017, de 17 de marzo.

en su defecto, sin contar con autorización judicial, no puede hacer acto alguno de enajenación, gravamen o, en general, disposición de su derecho sobre la vivienda familiar o sobre los muebles de uso ordinario que comprometa su uso, aunque se refiera a cuotas indivisas. El acto hecho sin el consentimiento o autorización es anulable salvo que el adquiriente actúe de buena fe y a título oneroso y, además, el titular haya manifestado que el inmueble no tiene la condición de vivienda familiar, aunque sea una manifestación inexacta (art. 231-9). Esta regulación también se aplica a los actos de disposición de la vivienda familiar de la pareja estable, en que la norma remite expresamente al artículo 231-19 (art. 234-3.2).

*b) Protección en las crisis matrimoniales.* Debido a la relevancia intrínseca y el carácter primario y básico del derecho de habitar una vivienda, la atribución del uso de la vivienda y de su ajuar en los supuestos de crisis matrimonial, y muy especialmente, cuando existen menores de edad o personas dependientes o uno de los cónyuges se encuentra en situación de especial necesidad, constituye una de las cuestiones más necesitadas de concreción y justa solución. En los casos de crisis matrimonial, se pueden confrontar, por un lado, la protección del derecho de propiedad del titular de la vivienda; y por otro lado, las necesidades, en especial, la necesidad de vivienda, y otros intereses jurídicos dignos de protección de las personas implicadas en la crisis matrimonial. En el caso de atribución del uso exclusivo de la vivienda a uno de los cónyuges, especialmente, cuando este carece de derechos directos dominicales, de goce o disfrute sobre la misma, procede determinar: la causa jurídica que la justifica; y el tiempo en que debe perdurar la exclusividad.

A lo largo del proceso de crisis matrimonial, la atribución del uso de la vivienda familiar se puede producir en los momentos siguientes: *a)* cuando se soliciten medidas provisionales (art. 233-1-1.f); *b)* en el convenio regulador (art. 233-2.5.b); y *c)* como una de las medidas definitivas en el supuesto de un divorcio contencioso (art. 233-4).

En la mayoría de supuestos el acuerdo de atribución estará recogido en el convenio regulador (art. 233-2.5.b), pero su previsión también puede hallarse en los capítulos matrimoniales o en la escritura pública referente a los pactos en previsión de una ruptura matrimonial (art. 231-20), o en pactos posteriores a la ruptura que no formen parte del convenio (art. 233-5), y en estos dos últimos supuestos con los límites previstos en el artículo 233-21.3[329].

En supuestos de crisis matrimonial, la regulación de la atribución del uso de la vivienda y su ajuar está prevista en los artículos 233-20 a 233-25[330]. Asimismo, en el supuesto de crisis de parejas estables, se aplica a la atribución o distribución del uso de la vivienda lo establecido por el artículo 233-20.6 y 7 y los artículos 233-21 a 233-26. Esta regulación se caracteriza por una ponderación de intereses del cónyuge o conviviente titular y los del beneficiario del uso de la vivienda familiar[331].

De acuerdo con Bañón González (2015: 122), el derecho de uso de la vivienda familiar consiste en "un derecho temporal e indisponible a ocupar y disfrutar la vivienda habitual de la familia, libremente acordado por los cónyuges y plasmado en el convenio regulador, el cual deberá ser aprobado por el Juez en la sentencia que falle en los procedimientos matrimoniales de nulidad, separación o divorcio; o en defecto de convenio y cuando las circunstancias así lo aconsejen, el que imperativamente fije el Juez en la propia sentencia".

El derecho de uso se califica de derecho temporal —aunque puede ser objeto de prórrogas, pactarse por plazo indefinido o vitalicio—, definido, subjetivo y personalísimo, finalístico, imputable como contribución en especie al pago de los alimentos de los hijos y la prestación compensatoria, de orden puramente familiar; y sin ser propiamente un derecho real, tiene trascendencia real porque puede constituirse en relación con una vivienda arrendada, y es de configuración judicial (RRDGRN 20 febrero 2004 y 19 enero 2016, *infra*;

---

[329]  Caso Señal (2011: 910).

[330]  En la doctrina, *v., a.e.*, Milà Rafel (2016: 141-164); Egea Fernández (2014: 502-536); Bosch Capdevila (2014: 136-142); Tamayo Carmona (2015); Roca Trias (2014: 374); Ysàs Solanes (2013: 300-304); Garrido Melero (2013, I: 489-521); Caso Señal (2011: 909-934); Díaz Fraile (2011: 429-451); Berrocal Lanzarot (2011: 471-501); Puig i Ferriol *et al.* (2010: 398-400). En relación con el derecho civil común, *v.* Verdera Izquierdo (2016); De Verda y Beamonte (2015); Roca Trias (2014.a: 192-196); Cuena Casas (2011: 336-417), Riera Álvarez (2010: 899-939).

[331]  Milà Rafel (2016: 145 y ss.).

STS 14 enero 2010)[332]. El aspecto real es más evidente al declararse que el derecho de uso de la vivienda es inscribible en el Registro de la Propiedad, pero en este Registro también pueden constar inscripciones referentes a determinadas vicisitudes y circunstancias que afectan al tráfico jurídico de los bienes inscritos como sucede, respecto de las limitaciones para disponer (art. 26 LH) o la inscripción de contratos de arrendamiento (art. 2.5º LH).

> R. *19 enero 2016.* "Tal carácter impone consecuencias especiales, como la disociación entre la titularidad del derecho y el interés protegido por el mismo, pues una cosa es el interés protegido por el derecho atribuido (en este caso el interés familiar y la facilitación de la convivencia entre los hijos y el cónyuge a quien se atribuye su custodia) y otra la titularidad de tal derecho, la cual es exclusivamente del cónyuge a cuyo favor se atribuye el mismo, pues es a tal cónyuge a quien se atribuye exclusivamente la situación de poder en que el derecho consiste, ya que la limitación a la disposición de la vivienda se remueve con su solo consentimiento. Además el derecho de uso sobre la vivienda familiar integra, por un lado un derecho ocupacional, y por otro una limitación de disponer que implica que el titular dominical de la vivienda no podrá disponer de ella sin el consentimiento del titular del derecho de uso o, en su caso, autorización judicial (cfr. artículo 96, último párrafo, del Código Civil)" (FD 2).

En concreto, en el derecho catalán, el artículo 232-22 prevé que el derecho de uso "se puede" inscribir o anotar preventivamente" en el Registro de la Propiedad, pero incluso aunque no existiera una norma que expresamente así lo previniera, de acuerdo con la doctrina y la jurisprudencia, el carácter inscribible del derecho está reconocido en todo caso (v. *a.e.*, STS, Pleno, 14 enero 2010). La referencia legal a la inscripción del derecho puede apoyar la calificación del derecho de uso como derecho real, y en este caso, es necesario prever una mayor concreción de su contenido y alcance, y los requisitos registrales deben ajustarse estrictamente a las exigencias de inscripción y determinación que, en materia de derechos reales, impone la legisla-

---

[332]　Díaz Fraile (2011: 432 y ss.) que se refiere a la evolución de la jurisprudencia del TS y de la DGRN en relación con la naturaleza jurídica de este derecho; Berrocal Lanzarot (2011: 476-479), Goñi Rodríguez de Almeida (2013: 1893-1898); Cervilla Garzón (2017: 4 y ss.).

ción registral[333]. En la legislación catalana, Egea Fernández (2014: 520) señala que el derecho de uso es un verdadero derecho real (de origen familiar) porque implica un poder inmediato y directo sobre la cosa y la oponibilidad *erga omnes*, lo que antecede, sin perjuicio de su atribución cuando la vivienda pertenece a un tercero; pero Caso Señal (2011: 925), entiende que el legislador catalán no ha resuelto "expresamente el carácter real o personal del derecho de uso otorgado judicialmente"[334].

*Objeto material del derecho de uso.* De acuerdo con el artículo 233-20, la atribución del derecho de uso se refiere a "la vivienda familiar con su ajuar" (*"l'habitatge familiar amb el seu parament"*)

*Vivienda.* El local atribuido en uso debe gozar de la condición de vivienda y ser asiento del hogar familiar. En principio, la doctrina señala que la vivienda debe ser digna y adecuada (arg. art. 47 CE, norma de carácter programático), de modo que permita "albergar con decoro a un ser humano, lo que se consigue cuando reúne las condiciones suficientes para que en ella se pueda desarrollar la vida human en sus diversas facetas de una manera honrosa" (Cárcaba) y en este

---

[333] En el derecho civil común, la STS (Pleno) 14 enero 2010 dice que "el derecho de uso a la vivienda familiar concedido mediante sentencia *no es un derecho real, sino un derecho de carácter familiar,* cuya titularidad corresponde en todo caso al cónyuge a quien se atribuye la custodia o a aquel que se estima, no habiendo hijos, que ostenta un interés más necesitado de protección (así se ha estimado en la RDGRN de 14 de mayo de 2009). Desde el punto de vista patrimonial, el derecho al uso de la vivienda concedido mediante sentencia judicial a un cónyuge no titular *no impone más restricciones que la limitación de disponer impuesta al otro cónyuge,* la cual se cifra en la necesidad de *obtener el consentimiento* del cónyuge titular del derecho de uso (o, en su defecto, *autorización judicial*) para cualesquiera actos que puedan ser calificados como actos de disposición de la vivienda. *Esta limitación es oponible a terceros y por ello es inscribible en el Registro de la Propiedad* (RDGRN de 10 de octubre de 2008) (FD 3) (é.a.). En suma, derecho familiar y limitación de disposición impuesta al otro cónyuge (art. 26 L.H. y, entre otras muchas, R. 25 de octubre de 1999).
La RDGRN de 4 septiembre 2017, señala: "Como ha establecido este Centro Directivo acerca de la naturaleza del derecho sobre la vivienda habitual previsto en el artículo 90 del Código Civil constituye un derecho específico, de naturaleza familiar, pero para cuyo acceso al Registro debe cumplir, en los términos fijados por esta doctrina, los principios básicos de la legislación hipotecaria" (FD 3).

[334] Sobre la necesidad de una mayor concreción legal para que el derecho de uso se considere como derecho real, *v., a.e.,* Bañón González (2015: 140-144).

sentido, las condiciones objetivas de habitabilidad de una vivienda se acreditan por medio de la correspondiente cédula de habitabilidad (v. L. [cat.] 18/2007, de 28 de diciembre y D. 141/2012, de 30 de octubre).

No obstante, siendo la doctrina anterior tanto desde la perspectiva individual como social, la más deseable y conveniente, no parece adecuado que en este punto deba imperar una noción restringida de vivienda. En la esfera personal y familiar el goce de una vivienda constituye una necesidad básica y esencial, y la citada norma tiene una clara finalidad protectora, por ello, sin perjuicio de las acciones públicas y administrativas que puedan adoptarse en materia de vivienda y de las limitaciones legales que de ello puedan derivarse, sería un contrasentido y hasta una injusticia, que en los supuestos de crisis familiar, las familias o personas más desvalidas, quedaran excluidas de la protección o atribución del uso del bien que les sirve de albergue por causa de sus precarias condiciones. En el derecho común, en doctrina que se considera aplicable al supuesto que se examina, Elorriaga de Bonís (1995: 207 y ss.), afirma que "no parece que una vivienda, por incompleta que pueda parecer a los ojos de los observadores, deba ser excluida de la protección que brinda el artículo 1320 CC...".

> La citada Ley catalana 18/2007 define y distingue entre: "vivienda", o edificación fija que acredita el cumplimiento de las condiciones legales y reglamentarias de habitabilidad e "infravivienda" que define como: "el inmueble que, aun careciendo de cédula de habitabilidad y no cumpliendo las condiciones para su obtención, se destina a vivienda" (art. 3) y prevé diversas actuaciones y medidas administrativas para evitar estas situaciones (art. 44 L. 18/2007). No obstante si el bien utilizado como vivienda no reúne las condiciones legales de habitabilidad exigidas, esta circunstancia condiciona su viabilidad para ser objeto de tráfico jurídico con dicho carácter en el mercado inmobiliario (*a.e.*, art. 132 L. 18/2007).

En los supuestos en que debido a las características físico-materiales y urbanísticas del inmueble, sea posible la división material de la vivienda familiar y se mantenga dicho carácter en la parte que sea idónea a tal fin, esta parte tendrá carácter de vivienda familiar. Por otro lado, como señala la STSJC 16 febrero 2017, el alcance de la atribución de derecho de uso del domicilio conyugal "aun de carácter especial y familiar, se extiende a la totalidad de esta y comprende el de las dependencias y los derechos anexos según el art. 562-7 CCC ya que no hay ninguna razón jurídica para dejar de aplicar este precepto cuando la constitución del derecho deriva de la normativa propia del derecho de familia contenida en el libro II del CCC" (FD 4).

Según citada STSJC la extensión del derecho de uso prevalece incluso en caso de desacuerdo de la pareja, por lo que, en general, *el derecho se extiende no solo la vivienda en sentido estricto, sino también el uso de la plaza de parking y del trastero anejos a la vivienda y el de la zona comunitaria y sus instalaciones (por ejemplo, piscina).* Una interpretación estricta no resultaría acorde con la finalidad del derecho de uso del domicilio familiar "que es la de mantener para uno de los cónyuges, sea en función de la mayor necesidad sea el función de la necesidad de los hijos, el status quo que existía antes de la ruptura convivencial en orden al disfrute de la vivienda, lo que comporta que ese uso se extienda a las dependencias que eran anejas a ella..."; por otra parte, "el uso de elementos comunes no desafectados es, según la normativa de la propiedad horizontal, inseparable del de la propiedad y uso de los elementos privativos" (arts. 553-2, 553-41 a 43 CCC) y también se justifica por lo antieconómico que podría resultar, en caso de ser posible, la desvinculación registral "aunque los Estatutos de la Comunidad no lo prohibieran la plaza de parking y el trastero que, hoy por hoy, resultan anexos a la vivienda y la segunda, porque no cabe adoptar decisiones no exigidas por la ley, que contribuyan a generar más tensión entre los otrora cónyuges, como sería la cesión del uso de parking y trastero a quien no tiene el uso de la vivienda y que por tal razón podría forzar situaciones y encuentros no deseados" (*ibdm.*).

La STSJC 11 diciembre 2008, mantiene el carácter de vivienda familiar respecto de una vivienda arrendada por el cónyuge titular a un tercero por un plazo de doce años, antes de haberse pronunciado la sentencia de separación, lo que motivó que se compensara económicamente al cónyuge usuario. "no es que la vivienda familiar quede o no en suspenso, tal como se la califica en la impugnación, sino que aquella vivienda que fue familiar y pasa a ser "vivienda atribuida" mantiene éste carácter hasta tanto no se produzca un cambio de circunstancias (art. 80 CF), judicialmente declarada, o se impugne por quien se encuentre legitimado, cuestión que queda extramuros en estos procesos de separación y divorcio (art. 9. 2 CF)" (FD 4).

A diferencia de la legislación derogada, la regulación vigente no prevé la adjudicación en uso de segundas residencias que no tengan carácter de vivienda familiar en el sentido del artículo 233-20. Cuando proceda, la decisión sobre el destino de estas segundas residencias se integra en el procedimiento de liquidación de bienes o como acción acumulada al procedimiento matrimonial. En consecuencia, debe partirse del carácter objetivo del concepto de vivienda familiar, sin que sea admisible que los cónyuges atribuyan dicho carácter a la vivienda que no lo y no es admisible la compatibilidad en el uso simultáneo de dos fincas (SAP Barcelona, Sec. 18ª, 4 febrero 2016).

Lo que antecede, no es óbice para que en el ámbito que se examina sea válido el principio de *subrogación real*, al prever la norma que "La autoridad judicial *puede sustituir* la atribución del uso de la vivienda familiar por la de *otras residencias si son idóneas* para satisfacer la necesidad de vivienda del cónyuge y los hijos" (art. 233-20.6) (é.a.). Como observa Garrido Melero (2013, I: 489), la regulación vigente pone de relieve que más que proteger la vivienda familiar en concreto, lo que pretende el legislador es "la protección de una necesidad básica (la de tener una vivienda donde poder seguir desarrollando la vida familiar). Incluso ha dado un paso más y admite que uno de los cónyuges, precisamente el que ha de ceder el uso, solicite permanecer en la vivienda, siempre que asegure las pensiones alimenticias de los hijos y en su caso de la prestación compensatoria del otro cónyuge en una cuantía que cubra las necesidades de la vivienda". En este punto, la norma es más flexible que la regulación prevista en el derecho común[335].

> STSJC 30 julio 2012. "Estas residencias [...] pueden ser tanto las viviendas que se usan transitoria o estacionalmente, como otras que sean susceptibles de uso aunque vengan siendo rentabilizadas por los cónyuges mientras no son necesarias para la familia ya que no existe razón alguna para excluirlas..." (FD 5).

Otra cuestión a considerar es si el concepto de vivienda puede extenderse a determinados bienes muebles habitables (caravanas, casasbote, tiendas de campaña u otros bienes análogos) que hagan las veces de vivienda habitual. La opinión negativa alega los inconvenientes derivados de la naturaleza mueble de estos bienes, pero de acuerdo con dicho autor, estos bienes no pueden considerarse excluidos de la norma citada ni tampoco puede inferirse su exclusión, y en último extremo, se trataría de bienes muebles o elementos de uso ordinario de la familia.

---

[335]   De la Iglesia Monje (2013: 1888-1892).

*Ajuar.* Por ajuar, cabe entender "los muebles de uso ordinario que comprometan su uso" (art. 231-9.1), es decir, todos aquellos elementos muebles que hacen viable el uso de la vivienda familiar y por remisión al artículo 231-30 (*Derecho al ajuar de la vivienda*), la doctrina se refiere a la ropa, mobiliario y utensilios de la vivienda, sin incluir en el concepto, las joyas, los objetos artísticos o históricos, que sean de extraordinario valor con relación al nivel de vida del matrimonio y al patrimonio. Los muebles han de ser usuales y utilizables y quedan fuera el dinero, las acciones, los instrumentos propios de la profesión, arte u oficio y los vehículos automóviles[336]. Como se desprende de la jurisprudencia menor, es conveniente que el convenio regulador prevea sobre el derecho de uso de aquellos bienes que puedan resultar conflictivos.

> *Casuística procesal.* No puede considerarse parte integrante del ajuar familiar ni procede asignar en un proceso matrimonial el uso de vehículos a motor (turismos) (SSAP Barcelona, Sec. 12ª, 1 marzo 2007; Sec. 18ª, 17 marzo 2005); el uso incluye en el ajuar doméstico una cámara de video y una colección de figuras (SAP Lleida, Sec. 2ª, 20 octubre 2010); aunque los cuadros sean obra de familiares del padre, se considera que forman parte del ajuar familiar y deben permanecer en la vivienda hasta tanto se liquiden los bienes del matrimonio (SAP Barcelona, Sec. 12ª, 30 septiembre 2013).
>
> Ante la decisión unilateral de un cónyuge de privar el cuidado compartido de una mascota (una perra) adquirida a título oneroso que convivía en el domicilio conyugal, la SAP Barcelona, Sec. 12ª, 10 julio 2014, entiende que por tratarse de un ser vivo mueble es aplicable la presunción del artículo 232-3.2 y se presume que la misma pertenece a ambos cónyuges por mitades indivisas, por lo que pretensión debe deducirse en un proceso distinto al matrimonial, en concepto de juicio declarativo, sin que pueda prevalecer la mera titularidad formal administrativa (hay un voto particular favorable a la resolución de la cuestión en sede del proceso matrimonial), en otras sentencias, como las SSAP Barcelona, sec. 12ª, 25 noviembre 2009 y 19 julio 2016, la entrega de las mascotas suele preverse en el convenio regulador.
>
> Acreditada la titularidad del perro en favor de uno de los cónyuges, no puede pretender el otro que le sea atribuido su cuidado porque no probó "la parte recurrente prueba alguna de la veracidad de dicha afirmación. La carga de la prueba (art. 217 LEC) de dicho cuidado especial y diferenciado que le hubiera podido hacer merecedora de algún tipo de atención

---

[336]  Cumella Gaminde (2014: 91).

especial en el cuidado del perro, correspondía a la propia Sra. M. R. y en ninguna de las dos Instancias se ha practicado prueba alguna acreditativa del afecto y la dedicación especial prestada. Por ello, y como afirma la sentencia, no puede irse más allá de la titularidad formal no existiendo título jurídico ni vinculación personal que permita la estimación del recurso" (SAP Barcelona, Sec. 12ª, 21 febrero 2018, FD 3)[337].

Para reclamar bienes propios que eran de su familia y de los que se discute si forman parte del ajuar, deberá discutirse en un proceso declarativo y no en el de familia (SAP Barcelona, Sec. 12ª, 30 septiembre 2013); una vez extinguida la atribución del uso de la vivienda y el ajuar familiar, se declara desafectado el mobiliario y el ajuar de la vivienda afecto a ese uso y se puede retirar de su interior en el plazo de un mes, con derecho a indemnización en caso de que hubieran desaparecido, a determinar en ejecución de sentencia (SAP Lleida, Sec. 2ª, 9 diciembre 2013).

## 9.2. Titularidad de la vivienda y límites legales de la atribución

Si la vivienda pertenece, en todo o en parte, al cónyuge que no es beneficiario, la atribución del uso de la vivienda, debe ponderarse como *contribución en especie* para la fijación de los alimentos de los hijos y de la prestación compensatoria que eventualmente devengue el otro cónyuge (art. 233-20.7).

En el supuesto de *atribución judicial del derecho de uso* se prevé en el mismo sentido (art. 233-21.2) y habrá que estar a la causa que justifica la propiedad o la posesión del inmueble:

*a)* Si los cónyuges poseen la vivienda en virtud de un título diferente al de propiedad, singularmente, a título de arrendamiento (art. 15 LAU) o de usufructo, los efectos de la atribución judicial de su uso quedan limitados por lo dispuesto por el título, de acuerdo con la ley.

*b)* Si los cónyuges detentan la vivienda familiar por mera *tolerancia* de un tercero, los efectos de la atribución judicial de su uso acaban cuando este reclama su restitución. Para este caso y en otros análogos, de acuerdo con lo establecido por el artículo 233-7.2 ("El convenio regulador o la sentencia pueden prever anticipadamente las modifica-

---

[337]   *V.* arts. 511-1.3 y 644.1 CCC y en materia administrativa *v.* DLeg. [Gencat] 2/2008, de 15 de abril, por el que se aprueba el Texto refundido de la Ley de protección de los animales.

ciones pertinentes"), la sentencia puede ordenar la adecuación de las pertinentes prestaciones alimentarias o compensatorias.

> Como dice el preámb. de la Ley 25/2010, el legislador ha completado la materia para resolver un caso frecuente en la práctica, "en que algún familiar próximo haya cedido un inmueble para que vaya a vivir el matrimonio. Como ha reiterado la jurisprudencia[338], quienes ocupan la vivienda familiar en condición de precaristas no pueden obtener una protección posesoria superior a la que el precario proporciona a la familia. Si la posesión deriva, en cambio, de un título contractual, es preciso ajustarse a lo establecido por este, sin perjuicio de la posibilidad de subrogación que prevé la legislación de arrendamientos" (ep. III).

El *precario* puede constituir una forma de comodato o de préstamo de uso de una cosa, en cuyo caso, el comodante puede reclamarla a su voluntad (art. 1750 CC) o tratarse de una mera situación posesoria sin título que no sería nunca un contrato entre las partes, y legitima al titular dominical para recuperar la posesión (arts. 348 y 445 CC) y en su caso, proceder a una acción de desahucio o una acción reivindicatoria. En el supuesto de precario, "La doctrina de esta Sala [TS, civil] es que la situación posesoria de una persona que la tiene por atribución de una resolución judicial no puede sustentarse sobre la situación de un precario en que se hallaba antes de la resolución judicial" (STS 13 febrero 2014, FD 3).

> *STS 28 abril 2016.* Esta sentencia recuerda la jurisprudencia de la Sala civil, en especial, la del Pleno de 18 de enero de 2010 que confirmó la doctrina de la AP aportada en dicho caso, como sigue (FD 2):
>
> "2º Cuando se trate de terceros propietarios que han cedido el inmueble por razón del matrimonio, salvo que exista un contrato que legitime el uso de la vivienda, la relación entre los cónyuges y el propietario es la de un precario. Debe enfocarse el tema desde el punto de vista del derecho de propiedad y no del derecho de familia, porque las consecuencias del divorcio/separación no tienen que ver con los terceros propietarios. Esta solución ha sido mantenida por la jurisprudencia desde la sentencia de 26 de diciembre de 2005. [...]
>
> [...] Cuando el tercero propietario haya cedido el uso de forma totalmente gratuita y de favor al usuario de la vivienda, producida la crisis matrimonial y atribuido dicho uso al otro cónyuge, el propietario ostenta la acción de desahucio porque existe un precario. La posesión deja de ser

---

[338] *A.e.,* SSTS 26 diciembre 2005 y 2 octubre 2008 (nota añadida).

tolerada y se pone en evidencia su característica de simple tenencia de cosa sin título, por lo que puede ejercerse la acción de desahucio (SSTS de 26 de diciembre de 2005, 30 de octubre y 13 y 14 de noviembre de 2008 y 30 de junio de 2009)."

La regla será, por tanto, que los derechos del propietario para recuperar el local cedido como vivienda dependen de la existencia o no de un contrato con el cónyuge que la ocupa; si se prueba la existencia de contrato, se seguirán sus reglas, mientras que si la posesión constituye una mera tenencia tolerada por el propietario, se trata de un precario y el propietario puede recuperarla en cualquier momento".

*Doctrina constitucional.* De acuerdo con la STC 166/2003, de 29 septiembre, el procedimiento matrimonial es un proceso especial limitado al conocimiento de las pretensiones relacionadas con el estado matrimonial (nulidad, separación y divorcio), así como al de aquellas otras medidas personales y patrimoniales derivadas de la ruptura, por lo que legitimados en este procedimiento lo están únicamente los cónyuges a los que afectará la Sentencia que se dicte y, excepcionalmente, en los supuestos en que ello sea posible, las personas que legalmente los representen (STC 311/2000, de 18 de diciembre).

En concreto, por lo que se refiere a las medidas que se adopten sobre la vivienda familiar "la decisión que en esta materia se establezca [...] se debe establecer atendiendo al interés familiar más digno de protección con el solo objeto de resolver los problemas que plantea la crisis matrimonial y, en principio, sólo vinculará a los cónyuges, sin prejuzgar, por consiguiente, los derechos de contenido patrimonial que un tercero pueda ostentar sobre el inmueble que sirve o ha servido de domicilio conyugal, ya que respecto de estos terceros la resolución que se dicte en el proceso matrimonial no produce los efectos de la cosa juzgada y tiene carácter de *incidenter tantum*" (FJ 5).

En suma, el título previo referente a la vivienda familiar antes de la crisis matrimonial (propiedad, arrendamiento, comodato, precario, usufructo, etc.) es el que determina el contenido del derecho de uso, pues el acto de atribución del derecho no puede atribuir una titularidad distinta de la que se gozaba hasta dicho momento, ni puede generar un derecho nuevo, sino tal solo proteger el que ya se tenía constante matrimonio (STS 31 diciembre 2004).

Si el cónyuge y los hijos son objeto de una acción de desahucio de la vivienda familiar, se presentan nuevas necesidades de habitación lo que puede conllevar un aumento de la pensión de alimentos y también de la prestación compensatoria si la misma se imputaba a cuenta de dicho concepto. Como consecuencia de estos efectos, la doctrina ad-

vierte que la adecuación económica de estas nuevas necesidades puede desincentivar las acciones de desahucio que puedan pretenderse
por familiares del cónyuge no beneficiario del derecho de uso titulares
de la vivienda[339].

## 10. CRITERIOS LEGALES QUE RIGEN LA ATRIBUCIÓN DEL USO DE LA VIVIENDA FAMILIAR

El rigorismo que se observa en la atribución del derecho de uso
en el artículo 96.1 CC, esta relativizado en el derecho catalán, porque la atribución del derecho deberá determinarse "en atención a dos
principios —y no ya sólo uno—: el de *favor filii*, o interés o beneficio
del menor, y del ``interés más necesitado de protección´´, se entiende,
de cualquiera de los cónyuges con independencia de que sea los que
tengan la guardia y custodia de los hijos. Y no menos importante,
la medida se entenderá comprendida dentro del deber de alimentos
permitiendo que, atendiendo a los principios apuntados, la medida
pueda ser sustituida por una prestación económica que satisfaga cum-
plidamente las necesidades habitacionales de los menores". (Tamayo
Carmona, 2015: 275).

De acuerdo con el preámbulo a la Ley 25/2010 (ep. III, é.a.): "Las
reglas sobre la atribución del uso de la vivienda familiar presentan novedades importantes[340]. A pesar de partir de atribuirlo, *preferentemente, al
cónyuge a quien corresponda la guarda de los hijos, se pone énfasis en la
necesidad de valorar las circunstancias del caso concreto*. Por ello, se prevé
que, a solicitud del interesado, pueda excluirse la atribución del uso de la
vivienda familiar si quien sería beneficiario tiene medios suficientes para
cubrir sus necesidades y las de los hijos, o bien si quien debe cederlo puede
asumir y garantizar suficientemente el pago de los alimentos a los hijos
y la prestación que pueda corresponder al cónyuge en una cuantía que
permita cubrir las necesidades de vivienda de este. Inversamente, si pese
a corresponder a un cónyuge el uso de la vivienda por razón de la guarda
de los hijos es previsible que la necesidad de este se prolongue después de

---

339   Milà Rafel (2016: 157); Caso Señal (2011: 923).
340   Advierte Espiau Espiau (2014: 12), que una novedad fundamental no mencio-
      nada en el preámbulo, es la nueva regulación de los supuestos de disposición de
      la vivienda familiar por el cónyuge titular que se ha visto privado de su uso en
      beneficio de su consorte.

llegar los hijos a la mayoría de edad, la atribución del uso de la vivienda familiar puede hacerse inicialmente por este concepto. En todo caso, *la atribución por razón de la necesidad es siempre temporal, sin perjuicio de que puedan instarse las prórrogas que procedan. Quiere ponerse freno a una jurisprudencia excesivamente inclinada a dotar de carácter indefinido la atribución*, en detrimento de los intereses del cónyuge titular".

La atribución del uso de la vivienda familiar, "es una forma de protección, que se aplica con independencia del régimen de bienes del matrimonio o de la forma de titularidad acordada entre quienes son sus propietarios, por lo que no puede limitarse el derecho de uso al tiempo durante el cual los progenitores ostenten la titularidad sobre dicho bien (STS 14 de abril 2011)" (R. 20 octubre 2016, FD 4).

Según se examina seguidamente, existen dos criterios básicos para la atribución del uso: *a)* el acuerdo o voluntad de los progenitores; y *b)* a falta de acuerdo y subsidiariamente, la resolución judicial conforme a las correspondientes previsiones legales (art. 233-20).

## 10.1. *Atribución del uso mediante acuerdo de los progenitores*

"*Los cónyuges* pueden *acordar* la atribución del uso de la vivienda familiar con su ajuar a uno de ellos, *a fin de satisfacer*, en la parte que proceda, los *alimentos de los hijos comunes* que convivan con el beneficiario del uso *o la prestación compensatoria* de este. También *pueden acordar* la distribución del uso de la vivienda por períodos determinados" (art. 233-20.1) (é.a.). Este acuerdo debe ser aprobado por la autoridad judicial y ser conforme con el interés del menor (art. 233-3.1).

La norma solo prevé está posibilidad en caso de que lo acuerden los cónyuges. Por otro lado, en el supuesto de que la cesión de la vivienda sirva como pago de la prestación compensatoria, la doctrina advierte de la conveniente consideración por los interesados de las consecuencias tributarias derivadas de esta forma de cobro/pago[341].

En suma, la norma deja a la libertad de las partes la atribución del uso de la vivienda familiar, pero la autonomía de la voluntad debe ajustarse a los requisitos legales protectores que regulan el supuesto.

---

[341]  Caso Señal (2011: 911).

En consecuencia, la autoridad judicial debe rechazar fundadamente las peticiones, incidentes y excepciones que se formulen con manifiesto abuso de derecho o entrañen fraude de ley o procesal (art. 11.2 LOPJ).

Sin perjuicio de lo antedicho, a juicio de Caso Señal (2011: 912-913), los criterios legales para la no aprobación judicial de lo acordado por los cónyuges puede fundamentarse en alguno de los puntos siguientes:

*a)* Cuando no sean conformes con el interés de los hijos menores (arg. art. 233-3.1);

*b)* Cuando impongan obligaciones a terceros que no sean parte en el procedimiento; por ej., no es aceptable imponer la obligación de abandono de la vivienda de terceras personas —en el caso en cuestión, los suegros—, que son titulares de la vivienda y la habitan (SAP Madrid, Sec. 24ª, 28 febrero 2005); y

*c)* Cuando vulneren derechos fundamentales de las partes o exista una especial protección reconocida en una resolución judicial; por ej., no introducir el cónyuge beneficiario terceras personas en la vivienda asignada o en el supuesto de un acuerdo de uso simultáneo compartido de toda o parte de las dependencias de la vivienda, por la existencia de medidas de alejamiento dictadas en una resolución judicial vigente.

La atribución del uso puede estar prevista en los *pactos en previsión de una ruptura matrimonial*, pero en este caso, no son eficaces los pactos que: *a)* perjudiquen el interés de los hijos, ni tampoco, *b)* si no se han incorporado a un convenio regulador, los que comprometan las posibilidades de atender a las necesidades básicas del cónyuge beneficiario del uso (art. 233-21.3). Con estos requisitos se trata de proteger el interés de los hijos y al cónyuge que renunció anticipadamente para que, a la luz de las circunstancias del momento actual, pueda valorarse si la renuncia es o no procedente. El uso no se atribuye a los hijos, sino a uno de los progenitores. Salvadas las limitaciones antedichas, la duración del uso (temporal, o indefinida o vitalicia), queda al acuerdo de las partes. La atribución también puede convenirse con la constitución de un derecho real más estable, como, por ejemplo, un derecho de usufructo (temporal o vitalicio).

*Distribución del uso.* La norma también prevé que los cónyuges puedan acordar la distribución del uso de la vivienda por períodos determinados. En este punto debe distinguirse entre las nociones de:

a) *"uso compartido"*. En este caso, ambos cónyuges residen simultáneamente, con vida independiente, en la misma vivienda. Al amparo de la regulación precedente, que era menos taxativa, la STSJC 18 enero 2010 (*infra*), admitió la atribución conjunta una vez que los cónyuges habían convenido el cese de su convivencia. Con arreglo a la regulación vigente, como se expone más adelante, aunque pueda considerarse un supuesto excepcional, la posibilidad de acordar esta solución parece posible porque la norma no la excluye de modo taxativo y sólo prevé que los cónyuges "pueden acordar" la atribución a "uno de ellos" y aunque solo sea como "fórmula residual en muy pocos supuestos excepcionales" (STSJC 6 febrero 2017, FD 3, *infra*)[342].

b) *"uso distribuido"*. En este supuesto los cónyuges alternan, durante determinados días o período de tiempo, el uso de la vivienda (custodia de los hijos por turnos), sin que la habiten simultáneamente [SAP Barcelona, Sec. 18ª, 11 febrero 2016; v. STSJC 6 febrero 2017 (*infra*)]; RDGDEJ JUS/600/2018, de 20 de marzo).

Por lo que se refiere al denominado *domicilio nido ('bird´s nest' custody o 'bird's nest' co-parenting*[343] o "custodia de nido de pájaro"), la posibilidad de que ambos cónyuges compartan, alternativa y temporalmente, un mismo domicilio, ha sido examinada por las Audiencias Provinciales (*a.e*, SSAP Barcelona. Sec. 12ª, 18 julio y 1 octubre 2013, 25 febrero 2014, y 14 mayo 2015), y en varias sentencias del TSJC. Según las circunstancias del caso y la perspectiva que se adopte esta solución puede ser objeto de valoraciones y decisiones judiciales contradictorias. Como cuestiones más significadas del su-

---

[342] En contra, Espiau Espiau (2014: 17) entiende que "l'actual formulació de l'article 233-20.1 CCCat impedeix fins i tot l'equívoc: en el cas que els cònjuges pactin l'atribució de l'ús de l'habitatge familiar han de fer-ho sempre 'a favor d'un d'ells'".

[343] En la doctrina anglosajona se cita como precedente judicial el caso *Lamont v. Lamont*, 13 junio 2000, nº 0078-00-4, del Tribunal de Apelación de Virginia (EE.UU.), en que se había acordado un "bird's nest" custody arrangement in which the children, ages three and five, remained in the marital home with the mother during the week and with the father during the weekend...".

puesto, esta solución evita que los hijos en guarda tengan que cambiar periódicamente de domicilio, pero generalmente, ello es a costa de notables inconvenientes prácticos, personales y patrimoniales, entre los que se hallan, la necesidad de tener disponibles y mantener funcionalmente operativas tres viviendas distintas.

Según la STSJC de 6 febrero 2017, en primera instancia, por ser la solución preferida por las menores, se atribuyó la patria potestad y la guarda de las hijas compartida en los términos siguientes: "La guarda se ejercerá por períodos semanales, teniendo atribuido a las menores el uso del domicilio familiar, será [*sic*, serán (?)] los progenitores quienes se deberán trasladar cada uno en los períodos que ostentan la guarda. Corresponderá a la madre la guarda en las semanas pares...". En apelación, entre otras decisiones, la AP acordó la guarda materna de las dos hijas comunes y atribuyó la vivienda familiar, con su ajuar, a la madre por razón de la guarda y hasta que cesara ésta. Finalmente, el TSJ estimó parcialmente el recurso de casación, y atribuyó la custodia compartida con alternancia semanal de las menores por parte de sus padres y el uso del que fuera domicilio familiar a la madre hasta la mayoría de edad de las menores. No obstante, con carácter excepcional, el tribunal admite la posibilidad del uso compartido.

> *STSJC 6 febrero 2017*. Entre otras afirmaciones, el TSJ señala que "En la generalidad de los supuestos, el modelo de atribución compartida del uso del domicilio familiar tributario de una custodia por turnos ("domicilio nido") se ha demostrado conflictivo y altamente insatisfactorio para los propios progenitores, no solo porque exige de ellos un alto nivel de entendimiento para planificar la organización de la intendencia doméstica y un no menos alto grado de tolerancia recíproca de las nuevas relaciones de pareja que pretendan establecer con terceros, sino también porque les impone un modelo de vida nómada y de economía colaborativa para el que difícilmente pueden hallarse preparados o, simplemente, dispuestos quienes se encuentran empeñados en una contienda judicial, además de exigir un importante esfuerzo financiero para la economía familiar, obligada a mantener tres viviendas (cfr. STS1 593/2014 de 24 oct. FD 3). Y aunque aparentemente se trata de un modelo que pretende otorgar una mayor estabilidad a los menores, al facilitar su permanencia en el mismo medio en el que estaban antes de la crisis familiar ahorrándoles la necesidad de habituarse a ningún otro, en realidad favorece la pervivencia de una ficción familiar y, en su caso, alienta en los menores la idea errónea y perjudicial para su educación de que ambos progenitores son solo meros

visitadores y cuidadores por turno a su servicio, de ahí su denominación común como "domicilio nido".

No en vano la duplicidad de residencias familiares se ha demostrado consustancial a la custodia compartida (cfr. SSTS1 215/2016 de 6 abr. FD3 y 251/2016 de 13 abr. FD8), tanto como la no estabilidad del domicilio de los hijos (cfr. STS1 623/2009 de 8 oct. FD4).".

*Aceptación excepcional del uso compartido.* "... no contemplamos la alternativa dispuesta en la primera instancia respecto a uso del domicilio familiar, porque, aunque no estamos de acuerdo en la supuesta falta de amparo legal para disponer que pueda efectuarse en favor de ambos progenitores alternativamente, por turnos semanales que coincidan con los que les correspondan en la custodia de los menores (art. 233-20-1 *in fine* CCCat) —siempre que no hubiera podido detectarse un interés más necesitado de protección que otro (art. 233-20.3.a CCCat) y que no procediera la liquidación del patrimonio común (art. 232-12 CCCat)—, dicha forma de atribución solo sería aceptable razonablemente como fórmula residual en muy pocos supuestos excepcionales —el que se examina aquí no está entre ellos—, en los que las características específicas de la vivienda a compartir, producto de su adaptación a las especiales necesidades de los menores sometidos a custodia —p.e. menores con ciertas discapacidades, familias numerosas especiales—, lo hicieran prácticamente imprescindible" (FD 3).

*STSJC 18 enero 2010.* A pesar de que ambos cónyuges pactaron en el convenio regulador (en que el que se asignó la guarda de la hija menor de edad a la madre), continuar en el uso de la vivienda haciendo vida independiente hasta finalizar el pago de la hipoteca, basta la sola petición de la esposa de no querer continuar con este tipo de convivencia para dejar sin efecto lo acordado y aprobado judicialmente.

## 10.2. *Atribución del uso en defecto de acuerdo*

En defecto de acuerdo, existen dos criterios legales de atribución: Es preferente el criterio que atribuye el derecho de uso al *cónyuge que asume la guarda de los hijos menores*, pero este criterio no es exclusivo ni prevalece en todos los supuestos, pues según las circunstancias y la solicitud formulada, la autoridad judicial puede atribuir el derecho al cónyuge más necesitado, incluso aunque no asuma la guarda o no existan hijos menores. La posibilidad de distribuir por decisión judicial el uso de la vivienda no está especialmente contemplada en la norma, pero la doctrina se muestra favorable a este supuesto por entender que a pesar de que el legislador no ha querido favorecer esta fórmula, tampoco la ha prohibido y así puede deducirse de los títulos de la sección que regula esta normativa y del artículo 233-20[344].

## 1. Cónyuge que asume la guarda

Cuando no exista acuerdo entre los cónyuges o el mismo no sea aprobado, la *regla general* es que "preferentemente", la atribución del uso de la vivienda familiar se haga a aquel *a quien se otorga la guarda de los menores, "mientras dure esta"* (art. 233-20.2) (é.a.). El uso se atribuye al progenitor que tenga la guarda de los hijos comunes y no a estos; y los hijos deben ser menores de edad, circunstancia que justifica la atribución de la guarda, pero también deben incluirse los hijos mayores de edad incapacitados sujetos a patria potestad prorrogada (arg. STS 30 mayo 2012, *infra*). En caso de hijos no comunes que convivan en el domicilio, esta circunstancia puede amparar la atribución al cónyuge que tenga "más necesidad".

> *STS 30 mayo 2012.* "Los hijos incapacitados deben ser equiparados a los menores en este aspecto, porque su interés también resulta el más necesitado de protección, por lo que están incluidos en el art. 96.1 CC, que no distingue entre menores e incapacitados. A favor de esta interpretación se encuentra la necesidad de protección acordada en la Convención Internacional de los Derechos de las personas con discapacidad, de 13 de diciembre 2006, ratificada por Instrumento de 23 de noviembre 2007, y en la Ley 26/2011, de 1 de agosto, de adaptación normativa a la Convención Internacional sobre los Derechos de las Personas con Discapacidad" (FD 4).

El supuesto no es aplicable a los hijos mayores de edad que convivan en el domicilio aunque sean económicamente dependientes, lo que Caso Señal (2011: 915) justifica como sigue: porque el uso atribuido por razón de la guarda se extingue con la finalización de esta (art. 233-24.1); porque se prevé sobre dicho supuesto en el artículo 233-20.3.b, que se rige no por la guarda sino por el criterio del mayor interés entre los cónyuges; y porque el artículo 233-20.3c, permite ya una anticipación del momento en que se produzca la mayoría de edad de los hijos para paliar la situación de mayor necesidad del cónyuge.

> *STSJC 12 noviembre 2012.* Se considera ajustada a derecho la atribución de uso de la vivienda familiar (propiedad del padre) a la madre y a

---

344   Caso Señal (2011: 912).

los tres hijos pues aunque la madre poseía en propiedad una vivienda, esta era de menor extensión y obligaría a los hijos a compartir habitaciones. Por otra parte, dicha atribución fue tenida cuenta para minorar la pensión alimenticia.

La atribución es *temporal* (mientras dure la guarda). Como sea que la norma se refiere a un criterio preferente, no tiene carácter imperativo para la autoridad judicial (STSJC 6 febrero 2017). Cuando haya varios hijos comunes, el límite de la atribución se fija hasta el momento en que el último de ellos alcance la mayoría de edad (SAP Barcelona, Sec. 18ª, 4 mayo 2015). La custodia compartida no es obstáculo para que se atribuya el uso de la vivienda a la esposa, y además, en el caso examinado (interés de la esposa más necesitada de protección), sin limitación temporal alguna (STSJC 5 septiembre 2008). Cuando puede preverse ponderadamente la duración de la necesidad y sin perjuicio de instar la prórroga del uso, en los matrimonios sin hijos, la limitación temporal del uso es la regla general (SSTSJC 4 octubre 2006 y 8 mayo 2008).

> *STSJC 16 diciembre 2010.* No es ajustado a derecho otorgar al cónyuge no titular el uso sin limitación temporal de la vivienda familiar en base únicamente al tiempo de convivencia y a la edad de los litigantes, máxime en un caso en el que la esposa percibe una pensión de jubilación y rendimientos por el alquiler de inmuebles de su titularidad y una pensión compensatoria de seis mil euros. En consecuencia se limita el uso de la vivienda a cuatro años.

La atribución del uso de la vivienda puede ser más compleja cuando unos hijos queden en compañía de un progenitor y otro u otros en la del otro. En principio, el legislador catalán es contrario a esta posibilidad, pero la aplicación del principio del interés superior del menor puede aconsejar la adopción de esta solución y según se ha examinado en otro lugar de este trabajo[345], así lo previene el artículo 233-11.2: "En la atribución de la guarda, no pueden separarse los hermanos, salvo que las circunstancias lo justifiquen". Para decidir al respecto, la autoridad judicial debe tener en cuenta: el interés de los hijos y la opinión de estos (art. 233-11.1e), y el interés más necesitado

---

[345]   V. en este capítulo el apartado dedicado al ejercicio de la guarda y custodia de los hijos.

de protección, de modo que la atribución del uso se haga al cónyuge que se haga cargo de los hijos que tengan un interés más merecedor de tutela[346].

Por último, como supuesto excepcional y por motivos graves (violencia familiar, grave animadversión paterno-filial; causas legales de privación de la titularidad de la patria potestad[347]; o ante la imposibilidad de ejercer la guarda, de forma voluntaria o involuntaria y de manera beneficiosa para los hijos menores), puede suceder que la autoridad judicial conceda la guarda del hijo o hijos menores a una tercera persona ("...a los abuelos, a otros parientes, a personas próximas o, en su defecto, a una institución idónea, a las que pueden conferirse funciones tutelares con suspensión de la potestad parental", *ex* art. 233-10.4). Como dice la STSJC 13 diciembre 2012, "tanto el Código de Familia, en el artículo 134, como en el vigente Libro II del CCCat que entró en vigor el 1 de enero de 2011 (arts. 233-1 a); 233-10,4; 236-3) facultan a los Tribunales de justicia para acordar las medidas que estimen oportunas para proteger a los menores y evitarles todo tipo de perjuicios, decisiones sometidas al régimen de recursos ordinarios cuando han sido adoptadas y que lógicamente, requieren —si resulta posible— de la previa audiencia de las partes para evitar cualquier indefensión" (FD 2); en estos casos, los tribunales deben ponderar "la proporcionalidad de la medida a la situación real de los menores" (FD 3).

En consecuencia, en función del supuesto, deben considerarse: el carácter preminente del *favor filii*; las propuestas de los progenitores; en su caso, el parecer de los menores; la titularidad de la vivienda o alternativamente, la disponibilidad de medios económicos para hacer frente a las necesidades de la vivienda y el derecho de alimentos, y por lo que respecta a la atribución del derecho de uso, según se ha examinado, quedan abiertas las posibilidades previstas por el legislador que tanto puede suponer la atribución o no del derecho de uso de la

---

[346] Berrocal Lanzarot (2011: 487).

[347] Las causas más frecuentes apreciadas en la casuística de los tribunales se refieren a supuestos de drogodependencia y alcoholismo del progenitor, perturbaciones mentales, conductas indignas, malos tratos, ausencia de relación con los hijos, incumplimiento del deber de alimentos y condenas penales privativas de libertad (Castilla Barea, Cabezuelo Arenas, 2011: 408).

vivienda familiar, como prever la adopción de otras medidas no irreversibles e idóneas para satisfacer las necesidades de tutela y cuidado de los hijos y de vivienda e incluso constituir en la vivienda habitual un derecho real simultáneo de uso o habitación a favor del tutor[348].

## 2. *Atribución al cónyuge más necesitado*

La regulación examinada puede quebrar en favor del "*cónyuge más necesitado*" en cuyo caso, la autoridad judicial "debe" atribuirle el uso de la vivienda familiar. El concepto de cónyuge "más necesitado" puede referirse: al cónyuge de menor capacidad económica; al que se halla en situación de necesidad; o incluir ambas circunstancias. Con arreglo al tenor de las normas que regulan esta cuestión, el tercero de los supuestos previstos (art. 233-20.3.*c*) y el supuesto del artículo 233-24.2, se refieren a la situación de *estado de necesidad*, pero el artículo 233-20.4 tiene en cuenta la *capacidad económica*.

En estos supuestos, la atribución del uso de la vivienda a uno de los cónyuges debe hacerse con *carácter temporal* y si se mantienen las circunstancias que la motivaron, es susceptible de *prórroga*, también temporal. La prórroga debe solicitarse, como máximo, seis meses antes del vencimiento del plazo fijado y debe tramitarse por el procedimiento establecido para la modificación de medidas definitivas (arts. 235-20.5 y 775 LEC). Aunque la norma legal solo habla de "prórroga" en singular, el preámbulo de la ley habla de "prórrogas", pero corresponde al usuario solicitarla en los términos indicados.

Los supuestos legales para atribuir el uso de la vivienda familiar al cónyuge "más necesitado", son los cuatro siguientes:

*a)* "*Si la guarda de los hijos queda compartida o distribuida entre los progenitores*" (art. 233-20.3.a). Como sea que en el derecho catalán, salvo que resulte perjudicial para los hijos, la guarda se configura con carácter conjunto (art. 233-10.1), esta excepción puede terminar por convertirse en el supuesto más general, y conlleva la atribución de la vivienda al cónyuge más necesitado. La custodia compartida no es obstáculo para que se atribuya el uso de la vivienda a la esposa, además, en el caso examinado, sin limitación temporal alguna (STSJC 5 septiembre 2008).

---

[348]  V., *a.e.*, Berrocal Lanzarot (2011: 496-497).

De acuerdo con el artículo 233-20.6 —que prevé que la autoridad judicial puede sustituir la atribución del uso de la vivienda familiar por la de otras residencias si son idóneas para satisfacer la necesidad de vivienda del cónyuge y los hijos—, la STSJC 28 enero 2013, admite el uso temporal provisional de una segunda residencia familiar para que el padre pudiera vivir cerca de sus hijas y cumplir sus deberes parentales, pero advierte que el uso de esta segunda residencia "no tiene la misma condición jurídica, ni goza de idéntica protección, a efectos de terceros, que el uso del domicilio familiar propiamente dicho" y lo acepta con *carácter temporal*, hasta la liquidación de la comunidad de bienes propia del régimen holandés. Esta limitación temporal prevista para otras residencias se justifica con el fin de facilitar la transmisión de estos bienes libres de la carga del derecho de uso; en cambio cuando esta atribución se hace con la finalidad de sustituir la vivienda familiar, la duración del derecho se suele vincular con el tiempo de la guarda y custodia de los hijos comunes[349].

*b) "Si los cónyuges no tienen hijos o estos son mayores de edad"* (art. 233-20.3*b*). En este caso ningún cónyuge se haya en la tesitura de tener que asumir la guarda de los hijos. Los hijos mayores incapacitados se equiparan a los menores (STS 30 mayo 2012). Para que se produzca la atribución es preciso que se solicite por el cónyuge más necesitado. En los matrimonios sin hijos, cuando ponderadamente pueda preverse la duración de la necesidad y sin perjuicio de poder instar la prórroga del uso si llegado el momento subsistiese esta necesidad, la limitación temporal de uso es la regla general (SAP Girona, Sec.1ª, 12 febrero 2013, *infra*; STSJC 16 diciembre 2010). Así, por ejemplo, se considera razonable la valoración de que en tres años, la demandada estará en mejores condiciones económicas para subvenir con sus bienes a sus necesidades económicas (STSJC 8 mayo 2008, asim. en S. 4 octubre 2006). Por otra parte, cuando los hijos menores han sido el motivo de la atribución del derecho de uso al cónyuge que asume la guarda, la desaparición de tal necesidad por su mayoría de edad, no impide analizar la necesidad de vivienda del cónyuge usuario (STSJC 24 noviembre 2008).

---

[349]  Castells i Marquès (2014: 158).

*SAP Girona, Sec. 1ª, 12 febrero 2013.* "La atribución del uso a uno sólo de los litigantes encuentra su fundamento en la situación de necesidad que a éste afecta y tendrá carácter temporal mientras duren las circunstancias que la justifican. La situación de necesidad deberá ser valorada en cada caso concreto, no siendo bastante a tal fin que uno de los cónyuges esté en peor situación económica, sino que requiere que quien así lo pretenda no pueda por las circunstancias que sean (enfermedad, precariedad económica, situación profesional) procurarse una vivienda. Tal como tiene sentado esta Sala en sentencia de 16 de junio de 2005 'tal necesidad no puede basarse simplemente en el hecho de que un cónyuge tenga menos recursos que el otro, o tenga más gastos, sino en una verdadera necesidad". La atribución del uso del domicilio deberá ser temporal, fijando el plazo en que previsiblemente deberá haber desaparecido la causa en que la necesidad se funda, el plazo será en todo caso susceptible de prórroga si se mantienen las circunstancias que motivaron la atribución'" (FD 3).

En caso de copropiedad de la vivienda, la AP se muestra contraria a la atribución del derecho de uso a uno de los cónyuges y señala que "la regla general debería ser la no atribución del uso a ninguno de los dos, de modo que ambos pudieran disfrutar del bien de su propiedad, sea por la venta del mismo, el alquiler a un tercero o el uso temporal a favor de uno de ellos que vendría obligado a satisfacer al otro la cantidad que ambos estipularan en concepto de alquiler de la parte del inmueble que no es de su propiedad" (FD 3).

Si no se aprecia en ninguno de los cónyuges que exista un interés más digno de protección, no cabe conceder el uso de la vivienda familiar a ninguno de ellos (SAP Barcelona, Sec.18ª, 28 enero 2015). En caso de no apreciarse la necesidad, regirá el criterio de la titularidad y si esta es común, procederá la liquidación de la situación de cotitularidad. También integra dicho supuesto la circunstancia de que existan hijos menores que no se encuentran bajo la guarda de ninguno de los cónyuges, por lo que no existe un interés especial que deba ser protegido (arg. art. 233-3)[350].

c) "*Si pese a corresponderle el uso de la vivienda por razón de la guarda de los hijos es previsible que la necesidad del cónyuge se prolongue después de alcanzar los hijos la mayoría de edad.*" (art. 233-20.3.c). El objeto buscado con esta norma es que el derecho de uso se prolongue más allá de lo que dure la guarda evitando los efectos perjudiciales que para el cónyuge necesitado pueden derivarse de la

---

[350]   Egea Fernández (2014: 509); Berrocal Lanzarot (2011: 482).

extinción del derecho de uso. Para ello es preciso que se así se solicite
y que se acredite ante el órgano jurisdiccional la previsión de permanencia en el tiempo de la situación de necesidad más allá de la mayoría de edad de los hijos, lo que, en principio, será más atendible si los
hijos se hallan próximos a la mayoría de edad que en el supuesto de
hijos de muy pocos años.

d) *"Excepcionalmente, aunque existan hijos menores, la autoridad
judicial puede atribuir el uso de la vivienda familiar al cónyuge que
no tiene su guarda si es el más necesitado y el cónyuge a quien corresponde la guarda tiene medios suficientes para cubrir su necesidad de
vivienda y la de los hijos"* (art. 233-20.4). De acuerdo con la STSJC
16 febrero 2017, en este caso se pondera "la superior necesidad del
cónyuge que no tiene la guarda pero sin desatender las necesidades de
vivienda de los hijos y del otro cónyuge, razón por la cual se exige que
se den acumulativamente dos requisitos: a) la necesidad de habitación
del progenitor no guardador y b) la posesión de medios económicos
bastantes por el progenitor guardador para cubrir no solo su propia
necesidad de vivienda, sino también la de los hijos.".

> *STSJC 16 febrero 2017.* La actual regulación evidencia que el deber
> de prestar habitación *in natura*, esto es, mediante la atribución del uso del
> domicilio familiar, "pierde capitalidad cuando el art. 233-20.4 CCCat ad-
> mite que, excepcionalmente, aunque existan hijos menores, la autoridad
> judicial pueda atribuir el uso de la vivienda familiar al cónyuge que no
> tiene su guarda si es el más necesitado y el cónyuge a quien corresponda
> la guarda tiene medios suficientes para cubrir su necesidad de vivienda y
> la de los hijos; o cuando el art. 233-20.6 CCCat dispone que la autori-
> dad judicial puede sustituir la atribución del uso de la vivienda familiar
> por la de otras residencias, si son idóneas para satisfacer la necesidad de
> vivienda del cónyuge y los hijos; o aun cuando en el art. 233-21.1 CCCat
> autoriza a la autoridad judicial a que, a instancia de uno de los cónyuges,
> excluya la atribución del uso de la vivienda familiar: a) si el cónyuge que
> sería beneficiario del uso por razón de la guarda de los hijos tiene medios
> suficientes para cubrir su necesidad de vivienda y la de los hijos, o b) si
> el cónyuge que debería ceder el uso puede asumir y garantizar suficiente-
> mente el pago de las pensiones de alimentos de los hijos y, si procede, de
> la prestación compensatoria del otro cónyuge en una cuantía que cubra
> suficientemente las necesidades de vivienda de estos" (FD 2).

## 11. OBLIGACIONES POR RAZÓN DE LA VIVIENDA Y ACTOS DISPOSITIVOS SOBRE LA MISMA

*a) Obligaciones por razón de la vivienda*

> "Artículo 233-23. *Obligaciones por razón de la vivienda.*
> 1. En caso de atribución o distribución del uso de la vivienda, las obligaciones contraídas por razón de su adquisición o mejora, incluidos los seguros vinculados a esta finalidad, deben satisfacerse de acuerdo con lo dispuesto por el título de constitución.
> 2. Los gastos ordinarios de conservación, mantenimiento y reparación de la vivienda, incluidos los de comunidad y suministros, y los tributos y las tasas de devengo anual corren a cargo del cónyuge beneficiario del derecho de uso."

Este artículo distingue dos clases de obligaciones económicas por razón del derecho de uso:

1) La satisfacción de las obligaciones de la vivienda contraídas por causa de su adquisición y mejora, incluidos los seguros vinculados a esta finalidad, se rigen por lo que se prevea en el título de constitución. Este es el criterio general seguido por los tribunales (SSAP Barcelona, Sec. 12ª, 7 septiembre 2011 y 26 enero 2012, Sec. 18ª, 21 mayo 2013; Tarragona, Sec. 1ª, 3 abril 2013)[351].

2) Por lo que se refiere a los "gastos ordinarios" de conservación, mantenimiento y reparación, gastos de comunidad y suministros, y tributos sobre la vivienda, el apartado 2 de la norma, establece que "corren a cargo" del cónyuge usuario. Estos gastos suelen ser de devengo periódico (mensual, anual...), y estar vinculados directamente con el hecho de vivir en la vivienda.

En el supuesto de viviendas bajo el régimen jurídico de la propiedad horizontal (arts. 553-1 a 553-59), la imputación de gastos en concepto de "conservación y mantenimiento de elementos comunes" está prevista en el artículo 553-44. Los gastos comunes se imputan en

---

[351]   En contra, en atención a la pérdida del "valor de uso" que supone para el otro cónyuge copropietario por mitades de la vivienda, la SAP Girona, Sec. 1ª, 12 febrero 2013, establece un porcentaje no igualitario (75% para el usuario y 25% para el no usuario), en el pago de la hipoteca. Esta nueva situación no modifica la responsabilidad de los cónyuges frente al acreedor hipotecario.

proporción con la cuota de participación en la propiedad horizontal o de acuerdo con las previsiones establecidas en el título de constitución, los estatutos o los acuerdos de la junta (art. 553-45).

Por lo que se refiere a los *gastos extraordinarios* nada se prevé en el artículo 233-23. En principio, estos gastos no deben ir a cargo del cónyuge beneficiario del derecho de uso. Entre otras circunstancias, la solución que se adopte en ese punto y en los demás, puede depender de la titularidad compartida o exclusiva de la vivienda, o si este fuera el caso, someterse a las previsiones de la legislación de arrendamientos urbanos.

El hecho de que los gastos devengados en régimen de comunidad horizontal y los tributos locales de devengo anual se imputen al cónyuge usuario, no modifica el régimen legal de las personas obligadas a su pago. En el primer supuesto, el titular o titulares dominicales de la vivienda, siguen siendo responsables, en la proporción que les corresponda, de dichas obligaciones ante la comunidad y terceras personas (art. 553-37.2). En el segundo caso, el sujeto pasivo del tributo vendrá determinado por la legislación tributaria que proceda; en este sentido, en caso de cotitularidad del inmueble, los titulares quedan afectos en régimen de responsabilidad solidaria, lo que antecede, sin perjuicio de la repercusión y arreglos económicos internos que procedan entre los cónyuges (arts. 63 y 64 LRHL).

Aunque alguna sentencia sostiene que no es necesario que la resolución judicial prevea expresamente quien pagará cada concepto ya que esta cuestión está determinada por lo previsto en el CCC (SAP Barcelona, Sec. 18ª, 4 abril 2013) es preferible que se prevea al respecto en el correspondiente *convenio regulador* pues el examen de la jurisprudencia menor evidencia que, a pesar de dichas previsiones legales, pueden surgir controversias sobre la persona que, finalmente, está obligada al pago de estos gastos. En la doctrina de los tribunales, frente a una petición de la actora del pago por mitad de los gastos de la comunidad de propietarios y el IBI, la SAP Barcelona, Sec. 18ª, 28 enero 2015, remite a lo previsto en el artículo 233-23. Según el AAP Barcelona, Sec. 18ª, 30 abril 2012, el pago de los gastos de comunidad se somete a lo que pacten los otorgantes en convenio y subsidiariamente a lo establecido en la norma, y en caso de que lo pague uno de ellos y corresponda a ambos, el plazo de prescripción es el decenal y no el trienal.

*Subrogación en el débito hipotecario.* Otra cuestión que puede generar cierta conflictividad se refiere al incumplimiento de la obligación de la subrogación hipotecaria pactada en el convenio regulador sin el necesario consentimiento de la entidad acreedora ni su constancia registral.

*AAP Barcelona, Sec. 12ª, 24 mayo 2016.* "Cuando el juzgado advierte la falta de requisitos legales por cuanto la subrogación en un crédito frente a un tercero exige el consentimiento indubitado de éste, ha de excluir del convenio el acuerdo referido a este extremo por ser contrario a la legalidad y suponer un riesgo para la seguridad jurídica por cuanto la actora, como ha ocurrido en este caso, puede confiar erróneamente en que queda liberada de su posición como deudora (por la aprobación judicial) cuando, en realidad, la obligación suya para con el banco se conserva íntegramente.

Este mismo tribunal se ha pronunciado en diversas ocasiones sobre este particular, entre otras en la Sentencia de 3.10.2013, reiterada recientemente por la de 11.6.2016 [sic, 5 mayo 2016?] que confirma la no aprobación de un convenio regulador con una cláusula similar por cuanto la subrogación en las obligaciones del deudor derivadas de un crédito concertado con un tercero exige la aceptación de tal negocio jurídico por el acreedor, tal como establece el artículo 118 de la Ley Hipotecaria. En consecuencia con lo anterior, la aprobación de los referidos pactos adolece de un defecto esencial que impide su eficacia frente a terceros, y supone también la inviabilidad de la inscripción de tal pacto en el registro de la propiedad.

No obstante lo anterior, lo que las partes acordaron es plenamente eficaz como pacto entre los esposos y les obliga a responder frente al otro en los términos convenidos. Indudablemente no se está en presencia de la novación de la obligación hipotecaria, pero sí se perfeccionó entre ambos un pacto liquidatorio que es diferente a la obligación que ambos tienen concertada con la entidad bancaria que subsiste para ambos en tanto no se pague totalmente la deuda y se cancele la hipoteca, se acepte por el acreedor la novación de la obligación, o la subrogación propuesta por los deudores.

En el mismo sentido, la obligación del demandado de subrogarse en el crédito frente a la entidad bancaria, liberando de tal obligación a la esposa, es plenamente válida, eficaz y exigible, si bien, ante la contumacia respecto a su cumplimiento, podrá la actora ejercitar las acciones que dan protección a su derecho, bien solicitando la rescisión de la obligación por el incumplimiento notorio por parte del demandado de lo que le atañe, recuperando la parte de la finca transmitida o bien oponiendo ante una posible solicitud de títulos en escritura pública la excepción de contrato no cumplido. En el caso de tener que soportar el pago de la hipoteca, podrá reclamar contra el deudor los daños y perjuicios por tal incumplimiento, incluida la repetición de las cuotas hipotecarias no pagadas por el mismo. En cualquier caso, lo que no puede hacer el demandado es incumplir unilateralmente aquello a lo que se comprometió alegando con notoria mala fe y abuso de derecho que la obligación es inejecutable" (FD 2).

## b) Actos dispositivos sobre la vivienda sujeta al derecho de uso

"Artículo 233-25. *Actos dispositivos sobre la vivienda sujeta a derecho de uso.*

El propietario o titular de derechos reales sobre la vivienda familiar puede disponer de ella sin el consentimiento del cónyuge que tenga su uso y sin autorización judicial, sin perjuicio del derecho de uso."

El principio que se desprende del contenido del artículo 233-25, es que el propietario o titular de derechos reales de la vivienda que tenga asignado un derecho de uso como medida provisional o definitiva o en virtud de lo acordado en el convenio regulador aprobado judicialmente o cuando este consta en una escritura pública de separación o divorcio, puede *disponer libremente de la vivienda* sin precisar para ello del consentimiento del cónyuge (o ex cónyuge) usuario, ni tampoco autorización judicial. Cuando el acto dispositivo no cuente con dicho consentimiento o, en su caso, autorización judicial, el derecho de uso no queda afectado en modo alguno y es oponible al nuevo titular dominical. Sin perjuicio de la publicidad derivada de la posesión pública y pacífica del derecho de uso, para gozar de la protección y plena eficacia de este derecho es preciso que el mismo conste inscrito en el Registro de la Propiedad, pues la eficacia respecto de terceros del derecho de uso está supeditada a la legislación registral (arts. 32, 24 y 38 LH). Estas previsiones son igualmente aplicables en el supuesto de procedimientos de ejecución sobre el inmueble.

El tratamiento legal que reciben los actos dispositivos sobre la vivienda familiar es diferente según que se refieran a actos otorgados en ausencia de crisis matrimonial o con crisis matrimonial. En el primer caso, se precisa el consentimiento o asentimiento, de ambos cónyuges y el carácter o no de vivienda habitual descansa en la manifestación del disponente o en su defecto, se requiere autorización judicial. En estos supuestos, la protección del adquirente a título oneroso descansa en su actuación de buena fe (art. 231-9). En los supuestos de atribución del derecho de uso se prevé, sin más, la libre disposición del cónyuge propietario o titular pero "sin perjuicio del derecho de uso" (art. 233-25).

En la esfera registral el carácter o no de vivienda habitual no siempre constará en el Registro de la Propiedad. En el primer caso, su constancia registral se prevé expresamente para el supuesto de inscripción de escrituras de préstamo hipotecario o de pactos de sujeción al procedimiento de venta extrajudicial de la hipoteca (arts. 21, 114 y 129 LH). En el segundo supuesto, para que prospere eficazmente la publicidad registral y la oponibilidad del derecho de uso, es preciso que el mismo conste inscrito o esté anotado preventivamente.

Si el derecho está inscrito, como sea que se mantiene incólume la protección legal de este derecho, la norma prevé que el propietario o titular de derechos reales sobre la vivienda familiar puede disponer de ella sin el consentimiento del cónyuge que tenga su uso y sin autorización judicial. Análoga conclusión puede deducirse de la anotación preventiva del derecho de uso. El acto dispositivo será oponible al titular del derecho de uso cuando lo consienta (RDGRN 19 enero 2016, *infra*). A estos efectos, el artículo 562-4.2 dispone que: "La ejecución de una hipoteca sobre el bien comporta la *extinción* de los derechos de uso y habitación *si sus titulares consintieron su constitución*, sin perjuicio de lo establecido por los artículos 233-19 [régimen de la extinción del derecho a prestación compensatoria], a 233-24 y 234-8 [convivientes en pareja estable], en materia de vivienda familiar." (é.a.).

> *RDGRN 19 enero 2016.* "...cuando se enajena la vivienda a un tercero con el consentimiento del titular del derecho de uso, dicho derecho queda extinguido. Es más, si se constituye hipoteca con ese mismo consentimiento, la ejecución de dicha hipoteca llevará consigo la extinción del derecho de uso (cfr. Sentencias del Tribunal Supremo de 8 de octubre de 2010 y 6 de marzo de 2015, y Resoluciones de 31 de marzo de 2000 y 8 de abril de 2015)" (FD 4).
>
> *RDGRN 14 mayo 2009.* En la venta de la vivienda por la esposa titular del pleno de dominio de la vivienda por liquidación del REM de gananciales, en un procedimiento de separación, y en la que constaba previamente inscrito el derecho de uso a favor de la esposa y de los hijos, no es preciso el consentimiento al acto de disposición por parte del cónyuge no titular, padre de los hijos. Como dice la DG: "cuando el uso correspon-

de al mismo cónyuge que es titular exclusivo de dicha vivienda, es eviden-te que en ningún caso se producirá la enajenación sin su consentimiento, pues en tales hipótesis el consentimiento para enajenar siempre procederá del titular del derecho de uso, sin que, por consiguiente, resulte necesario recabar el consentimiento del ex cónyuge que ni es titular del dominio ni es titular del derecho de uso (vid. STS de 22 de septiembre de 1988). En definitiva, la facultad de limitar la libre disposición de la vivienda forma parte del contenido del derecho de uso que sólo a su titular corresponde.".

Según la RDGDEJ JUS/600/2018, de 20 de marzo, en relación con la constitución de una hipoteca sobre una vivienda, en el supuesto de un derecho de uso inscrito a nombre exclusivo de los hijos menores de edad atribuido en virtud de un convenio de separación matrimonial aproba-do judicialmente y en razón de la guarda (art. 233-24.1 CCC), dicho derecho queda sustraído a la autonomía de la voluntad y está sujeto a la normativa propia del derecho familiar con preferencia a la normativa de aplicación general sobre el derecho de uso (arts. 562-1 a 562-5). En consecuencia, no es admisible que la progenitora, en nombre de sus hi-jos menores de edad, aunque cuente con el asentimiento del acto de los dos parientes más próximos (arts. 236-27 y 236-30), pueda sustituir la aprobación judicial prevista en los artículos 233-20 y 233-21. Cuestión distinta sería que el derecho de uso se hubiera atribuido exclusivamente, como suele ser la solución más habitual, a la progenitora.

## 12. EXCLUSIÓN DE LA ATRIBUCIÓN DEL DERECHO DE USO A INSTANCIA DE UNA DE LAS PARTES

De acuerdo con el artículo 233-21.1, a instancia de uno de los cón-yuges, la autoridad judicial *puede excluir la atribución del uso de la vivienda familiar* en dos supuestos, aunque, como se verá, también son posibles otros supuestos no previstos explícitamente por la norma:

*a) "Si el cónyuge que sería beneficiario del uso por razón de la guarda de los hijos tiene medios suficientes para cubrir su necesidad de vivienda y la de los hijos".*

Se trata de un supuesto de exclusión propiamente dicha que pre-senta cierta proximidad con el previsto en el artículo 233-20.4 que ha sido anteriormente examinado. No obstante, ambas normas atienden supuestos diferentes: en el caso antes citado, se prevé la atribución de la vivienda familiar por razón de necesidad pero en el presente caso, se prevé la exclusión por disponer el excluido de medios económicos suficientes. A este respecto señala Díaz Fraile (2011: 436) que "puede haber exclusión sin paralela atribución cuando la vivienda familiar pertenezca al cónyuge más necesitado que no recibe la custodia de los hijos. Mientras que hay atribución y no exclusión cuando la vivienda pertenece al cónyuge que recibe la custodia de los hijos y que no se considera en situación de necesidad".

La STSJC de 16 febrero 2017, con apoyo en la sentencia de 3 febrero 2014, interpreta la norma en consideración a las siguientes dos cuestiones:

*1ª. Excepcionalidad del supuesto.* La admisión de la citada exclusión debe limitarse a aquellos casos de marcada desigualdad económica entre los progenitores, pese a que tal precisión solo se prevé de forma expresa en el supuesto especial de atribución recogido en el art. 233-20.4 o cuando resulte debidamente probada la solvencia económica del progenitor custodio, de manera que pueda considerarse plenamente asegurado que los menores no sufrirán ningún perjuicio por la exclusión del uso del domicilio familiar, atendida su necesidad de mantener una cierta estabilidad física en un momento en que su entorno familiar cambia de forma sustancial, dado que el interés del progenitor propietario de la vivienda familiar habrá de ceder en todo caso ante el de sus hijos menores a no sufrir más perjuicios que los que resulten inevitables y, por tanto, preferentemente, a no verse privados de dicha vivienda (STS, 622/2013 de 17 octubre, FD 1 y STSJC 74/2012 de 30 noviembre, FD 3).

*2ª. Exigencia de "medios económicos".* Por lo que se refiere a la exigencia de medios económicos suficientes de que debe disponer el progenitor custodio, el Alto Tribunal señala que "a diferencia de lo apuntado por algunos autores, *no es preciso que se trate de la titularidad de otros inmuebles en condiciones de ser habitados y situados en el mismo entorno* en el que se hallaba el domicilio familiar, aun cuando esto sea lo más deseable, *bastando con que sirvan para dicha finalidad* utilitaria, aun cuando no comporten la propiedad del inmueble en cuestión, lo que en todo caso obligaría a examinar cuales son los medios económicos de que dispone el cónyuge custodio para adquirir o alquilar una nueva vivienda" (FD 2) (é.a.).

2) *"Si el cónyuge que debería ceder el uso puede asumir y garantizar suficientemente el pago de las pensiones de alimentos de los hijos y, si procede, de la prestación compensatoria del otro cónyuge en una cuantía que cubra suficientemente las necesidades de vivienda de estos."*.

Este precepto permite "sustituir o conmutar el uso de la vivienda por un prestación consistente en su equivalente económico" (Díaz Fraile, 2011: 436). Este supuesto requiere que el cónyuge que debería ceder el uso pueda asumir y garantizar suficientemente el pago de las pensiones de alimentos de los hijos en una cuantía que cubra también los requerimientos de habitación. En este caso, "se prescinde del criterio de la necesidad para *disociar la atribución de la guarda de los hijos del uso de la vivienda* que, en estos casos, seguiría simplemente el de la titularidad al *perder su carácter de vivienda familiar*" (STSJC 16 febrero 2017, FD 2) (é.a).

"Por tanto, en el presente supuesto, en el que el recurrente cotitular no reclama la utilización de la vivienda para sí, debería analizarse si se da alguno de los supuestos del art. 233-21.1.a) CCCat y ello tanto si se pretende excluir desde un primer momento la atribución del uso de la vivienda, como si lo que se intenta es limitar temporalmente tal atribución hasta que alguno de ellos inste la división de la cosa común (en el caso de que la titularidad de la vivienda sea compartida)" (*ibdm.*).

3) *Otros supuestos posibles.* Siguiendo de cerca de Caso Señal (2011: 921-922), en síntesis, la exclusión también puede presentarse en los siguientes supuestos:

*a)* Cuando ninguna de las partes pretenda la atribución del uso de la vivienda, incluso en el supuesto que concurra el interés de los menores, pero esta cuestión debe ser examinada de oficio y la resolución judicial que se pronuncie no debe ser incongruente respecto del interés de los menores (SAP Barcelona, Sec. 18ª, 12 enero 2005 y asim. en S. 16 febrero 2005).

*b)* Cuando sin mediar el interés de los hijos menores, ninguno de los cónyuges presente una situación de más necesidad.

*c)* Cuando la vivienda ha perdido su carácter de vivienda familiar al no ser ocupada por quien tenía derecho a ello. Esta solución se acoge a la doctrina del retraso desleal como acto contrario a la buena fe (arts. 7.1 CC; 111-7 CCC) o figura de la *Verwirkung* en el derecho alemán, según la cual resulta inadmisible que el derecho se ejercite con un retraso objetivamente desleal y que la jurisprudencia del TS ha relacionado con la doctrina de los actos propios o la doctrina del abuso de derecho (STS 12 diciembre 2011)[352].

## 13. EXTINCIÓN DEL DERECHO DE USO

El artículo 233-24 prevé las siguientes causas de extinción del derecho de uso:

1. Por las causas pactadas entre los cónyuges. Producida la causa (venta del inmueble libre de cargas, mayoría de edad de los hijos...), el derecho de uso quedará extinguido.

2. Si se atribuyó por razón de la guarda de los hijos, por la finalización de esta. En general, terminada la guarda por la mayoría de edad de los hijos, la vivienda ya ha perdido el carácter de vivienda familiar (SSAP Barcelona, Sec. 18ª, 2 mayo 2014; Sec. 12ª, 11 julio 2012 y 14 mayo 2014). Si la atribución se hizo por dicha causa, y como sea que el legislador ha querido diferenciar entre distintas causas de extinción, entiende Caso Señal (2911: 931) que no es posible aplicar otras causas de extinción distintas a la finalización de la guarda (por ej., mejora de la situación del beneficiario, convivencia de tercero en el mismo hogar), pero lo que antecede no es óbice para que pueda instarse un procedimiento de modificación de medidas interesando el cambio en el criterio de atribución o incluso la exclusión de la atribución.

3. Si se atribuyó con carácter temporal y por razón de la necesidad del cónyuge, el derecho se extingue en los supuestos siguientes:

---

[352]  "...En el art. 7.1 CC se recoge uno de los aspectos principales de las consecuencias de la buena fe y comporta determinar lo que deba entenderse por retraso desleal en el ejercicio del derecho.
Se enuncia diciendo que `un derecho subjetivo o una pretensión no pueden ejercitarse cuando el titular no se ha preocupado durante mucho tiempo de hacerlos valer y ha dado lugar, con su actitud omisiva, a que el adversario de la pretensión pueda esperar objetivamente que ya no se ejercitará el derecho´" (STS 11 diciembre 2011, FD 4).
"Como afirma la STS 769/2010, de 3 diciembre `Se considera que son características de esta situación de retraso desleal (*Verwirkung*): a) el transcurso de un periodo de tiempo sin ejercitar el derecho; b) la omisión del ejercicio; c) creación de una confianza legítima en la otra parte de que no se ejercitará´" (*ibdm.*, FD 5).
Vaquer Aloy, Cucurull Serra (2005).

*a)* Por mejora de la situación económica del cónyuge beneficiario del uso o por empeoramiento de la situación económica del otro cónyuge, si eso lo justifica. No es suficiente cualquier modificación de la situación, sino que la misma ha de ser relevante (alteración sustancial de circunstancias). Respecto de este supuesto y el siguiente, es de aplicación lo doctrina expuesta al examinar las causas de extinción de la prestación compensatoria.

*b)* Por matrimonio o por convivencia marital del cónyuge beneficiario del uso con otra persona (STSJC 3 febrero 2014). Esta causa será accionable cuando la atribución se haya hecho por razón del mayor interés del cónyuge, pero no en el supuesto de que la atribución se haya hecho por razón de la guarda de los hijos (SAP Barcelona, Sec. 18ª, 14 febrero 2012, *infra*). La SAP Barcelona, Sec. 12ª, 5 septiembre 2016, declara nulo el pacto en el cual se acuerda que el uso de la vivienda no cesará en tanto su beneficiario no tenga una pareja; este pacto no cabe ampararlo en el principio de autonomía de la voluntad porque se trata de una condición resolutoria de carácter potestativo que al depender de la unilateral decisión de la interesada es nula (art. 1115 CC).

> *SAP Barcelona, Sec. 18ª, 14 febrero 2012.* El artículo 233-24, que regula la extinción del derecho de uso, en el ordinal 2.*b* establece "que el mismo se extingue por matrimonio o por convivencia marital del cónyuge beneficiario del uso con otra persona, pero solo cuando el uso de atribuyó con carácter temporal por razón de necesidad del cónyuge, no cuando se atribuyó por razón de la guarda y custodia de los hijos, como es el caso, lo que nos lleva en definitiva a desestimar este causa de extinción" (FD 2).

*c)* Por el fallecimiento del cónyuge beneficiario del uso.

*d)* Por el vencimiento del plazo por el que se estableció o, en su caso, de su prórroga. La RDGRN 1 marzo 2011, prevé que de acuerdo con el texto de la SAP que fijó la duración del derecho de uso por un plazo de cinco años sin condicionante alguno, transcurrido este plazo el propietario de la vivienda puede solicitar la cancelación del derecho de uso inscrito a favor de su ex cónyuge.

*e)* Por el común acuerdo entre los cónyuges o por renuncia del cónyuge beneficiario.

En defecto de causa concreta o de acuerdo común entre los cónyuges (o ex cónyuges) la extinción dependerá de su encaje en alguna de las situaciones legales de extinción o de exclusión del derecho de uso. En el caso de cambio del progenitor guardador, la SAP Barcelona, Sec. 12ª, 17 febrero 2003, señala que procede modificar la atribución del uso de la vivienda familiar, al considerarse que el cambio no fue arbitrario por parte de la hija en sus preferencias respecto a con cuál de los progenitores debía residir. No obstante, en un caso en que el padre, a quien se atribuyó la custodia, convivía con su compañera sentimental e hijos en otro domicilio, la SAP Tenerife, Sec. 3ª, 14 enero 2005, niega que la nueva atribución del derecho de uso, deba suponer la atribución automática respecto del disfrute del hogar conyugal.

*Efectos de la extinción del derecho de uso.* Una vez extinguido el derecho de uso, el cónyuge que es titular de la vivienda puede recuperar su posesión en ejecución de la sentencia que haya acordado el derecho de uso o de la resolución firme sobre la duración o extinción de este derecho, y puede solicitar, si procede, la cancelación registral del derecho de uso (art. 233-24.3). En el caso de vivienda en copropiedad la recuperación de la posesión no puede ser total y si no es deseada o aceptada la convivencia queda abierta la vía a la extinción del condominio o a la división de la cosa común y la vivienda habrá perdido su carácter de vivienda familiar.

Con arreglo a las previsiones legales, los cauces formales para proceder a la extinción del derecho pueden ser los siguientes:

*a)* Cuando la extinción dependa de un hecho objetivo no susceptible de valoración (por ej., la mayoría de edad de los hijos, la muerte del beneficiario, el vencimiento del plazo o de su prórroga), la ejecución de la sentencia de separación, divorcio o nulidad, acompañada, en su caso, del documento público que acredite el hecho.

*b)* Cuando sea preciso valorar las circunstancias concretas que dan lugar a la extinción del derecho (por ej., mejora o empeoramiento de la situación económica, convivencia marital con un tercero) es preciso instar un procedimiento de modificación de efectos (art. 775 LEC) y aportar prueba bastante al efecto.

*c)* El común acuerdo entre los cónyuges o la renuncia del cónyuge beneficiario formalizados en documento público notarial.

En el cuadro sinóptico adjunto nº 3, se ofrece un resumen de los distintos supuestos de atribución y extinción del derecho de uso y otras cuestiones de interés relativas a esta cuestión.

## Cuadro nº 3

| RÉGIMEN LEGAL DE LA ATRIBUCIÓN DEL USO DE LA VIVIENDA FAMILIAR CON SU AJUAR | | |
|---|---|---|
| SUPUESTO | ATRIBUCIÓN | DURACIÓN DEL USO |
| MUTUO ACUERDO (art. 233-20.1) | *Uso exclusivo*. Se atribuye el uso a uno solo de los cónyuges, a cuenta, en la parte que proceda de: <br> – la contribución a alimentos de los hijos comunes y, en su caso, <br> – la prestación compensatoria <br> *Uso compartido*. Puede acordarse la distribución del uso por períodos determinados | Según lo pactado <br> Si el uso se convino en un pacto en previsión de ruptura matrimonial, operan las limitaciones del art. 233-21.3 |
| SIN MUTUO ACUERDO O ACUERDO NO APROBADO (art. 233-20.2) | 1) *Preferencia*: Al progenitor con hijos comunes a su guarda <br> 2) *Excepciones*: <br>   *a)* Guarda compartida o distribuida entre ambos progenitores <br>   *b)* Cónyuges sin hijos o estos son mayores de edad <br>   *c)* Previsión de que el cónyuge sin guarda necesite la vivienda después que los hijos sean mayores de edad <br>   *d)* *Excepción especial*: Aunque haya hijos menores, puede atribuirse al cónyuge no guardador si es el más necesitado y el otro dispone de medios suficientes para cubrir la necesidad de vivienda de el y la de los hijos (requisitos cumulativos) | Ep. 1): *Mientras dure la guarda*, pero se admite la no limitación temporal de uso <br> Ep. 2): La atribución es de carácter *temporal* y susceptible de sucesivas prórrogas temporales solicitadas con antelación de seis meses antes del vencimiento del plazo |
| VALORACIÓN DE LA ATRIBUCIÓN DEL USO (art. 233-20.7) | Si la vivienda pertenece, en todo o en parte, al cónyuge que no es beneficiario, debe ponderarse como contribución en especie para la fijación de los alimentos de los hijos y de la prestación compensatoria que eventualmente devengue el otro cónyuge | --- |

| | | |
|---|---|---|
| EXCLUSIONES Y LIMITES DEL USO (art. 233-21.1) | A *petición de uno de los cónyuges*, la autoridad judicial puede *excluir* la atribución del uso en cualquiera de los siguientes casos: <br> a) Si el cónyuge que sería beneficiario del uso por razón de la guarda de los hijos tiene medios suficientes para cubrir su necesidad de vivienda y la de los hijos <br> b) Si el cónyuge que debería ceder el uso puede asumir y garantizar suficientemente el pago de las pensiones de alimentos de los hijos y, si procede, de la prestación compensatoria del otro cónyuge en una cuantía que cubra suficientemente las necesidades de vivienda de este. | Queda excluida *ab initio* la atribución del uso de la vivienda, pero puede preverse una atribución *temporal* (por ejemplo, previsión de venta de la vivienda o de extinción de condominio) y acordarse la exclusión posterior por cambio de las circunstancias sobrevenidas (STSJC 16 febrero 2017) |
| VIVIENDA DE PROPIEDAD AJENA (art. 231.21.2) | Si los cónyuges poseen la vivienda por *un título diferente al de propiedad*, los efectos de la atribución judicial de su uso quedan *limitados* por lo dispuesto por el título, de acuerdo con la ley. Si los cónyuges detentan la vivienda familiar por tolerancia de un tercero, los efectos de la atribución judicial de su uso acaban cuando este reclama su restitución. Para este caso, la sentencia puede prever la adecuación de las pertinentes prestaciones alimentarias o compensatorias (v. art. 233-7.2) | La duración del uso se limita a lo dispuesto por el derecho de uso a título no dominical y también por la extinción del precario |

| | | |
|---|---|---|
| OBLIGACIONES Y GASTOS DEL DERECHO DE USO DE LA VIVIENDA (art. 233-23) | En caso de atribución o distribución del uso de la vivienda, las obligaciones contraídas por razón de su adquisición o mejora, incluidos los seguros vinculados a esta finalidad, deben satisfacerse de acuerdo con lo dispuesto por el título de constitución. Los *gastos ordinarios* corrientes de conservación, mantenimiento y reparación de la vivienda, incluidos los de comunidad y suministros, y los tributos y las tasas de devengo anual corren a cargo del cónyuge beneficiario del derecho de uso | --- |
| ACTOS DISPOSITIVOS DE LA VIVIENDA (art. 233-25) | El propietario o titular de derechos reales sobre la vivienda familiar puede disponer de ella sin el consentimiento del cónyuge que tenga su uso y sin autorización judicial, sin perjuicio del derecho de uso | |
| EXTINCIÓN DEL DERECHO DE USO (art. 233-24) | 1) Según *causas pactadas* por los cónyuges 2) Por finalización de la *guarda* si se atribuyó por esta causa. 3) Causas de extinción cuando se atribuyó el uso con carácter *temporal por razón de necesidad* del cónyuge: a) Mejora económica del usuario o empeoramiento económico del atribuyente b) Matrimonio o convivencia marital del usuario con otra persona c) Fallecimiento del usuario d) Vencimiento del plazo o de su prórroga e) Común acuerdo de los cónyuges o renuncia del usuario | El titular de la vivienda puede recuperar la posesión del uso extinguido y solicitar, si procede, la cancelación registral del derecho de uso. |

| | El derecho de uso de la vivienda familiar atribuido al cónyuge se puede inscribir o, si se ha atribuido como medida provisional, anotar preventivamente en el Registro de la Propiedad. También se puede anotar en el Registro Civil (art. 102 CC) | |
|---|---|---|
| PUBLICIDAD DEL DERECHO DE USO (art. 233-22) | | --- |

## 14. ASPECTOS REGISTRALES DEL DERECHO DE USO

Según se ha expuesto, el derecho de uso de la vivienda familiar atribuido al cónyuge se puede inscribir o, si se ha atribuido como medida provisional, anotar preventivamente en el Registro de la Propiedad (art. 233-22). La inscripción del derecho "evita la aparición de eventuales terceros que, ante la falta de inscripción del uso, invoquen la protección que dispensa el artículo 34 de la Ley Hipotecaria" (RD-GRN 19 septiembre 2007, FD 2). De acuerdo con Goñi Rodríguez de Almeida (2013: 1904), "es buena la inscripción en el registro para conseguir o mejorar la oponibilidad o para ajustarla a derecho [...] y esto, porque [...] el derecho de uso no es solo una mera limitación de la facultad de disposición en el supuesto típico del artículo 96.4 [CC] sino, que también tiene un contenido de carácter positivo (uso ocupacional) que debe ser oponible en otros muchos casos".

De acuerdo con Cervilla Garzón (2017: 16-17): "el titular del derecho de uso, no solo tiene el derecho sino también el deber de residir en el inmueble[353]. Digamos que es un poseedor "forzoso", pues carece de una opción al respecto, ya que, de no hacerlo, el uso revertiría en el cónyuge propietario o, en caso de cotitularidad, cesaría procediéndose a la aplicación de las reglas de uso y disfrute de la comunidad de bienes o, en su caso, a la división y venta judicial" y, siguiendo a la autora citada, por tratarse de "una posesión pública y pacífica (no en concepto de dueño, por lo que no legitimada *ad usucapionem*)

---

[353] "La SAP Pontevedra, Secc. 6ª, 13.07.2015 (JUR. 192500; MP: Jaime Carrera Ibarzábal), entiende que existe una renuncia tácita cuando cesa el uso de forma voluntaria, lo que produce la extinción del derecho." [nota a pp. de la autora citada].

de la misma se genera una apariencia que debe ser respetada por los
terceros que la conozcan. De tal suerte que cualquier negocio jurídico
que otorgue al tercero un derecho incompatible con el del usuario, si
el tercero conociera de la existencia del tal derecho de uso, no podría
hacerlo valer frente al usuario, pues los derechos deben ejercitarse
conforme a la buena fe, que no concurriría en el supuesto apuntado,
por razones obvias".

Esta circunstancia, "puede, incluso, evitar la aplicación de la protección registral al tercer adquirente cuando el derecho de uso no se
hubiera inscrito. Pues, muy difícilmente podrá ser calificado como tercero de buena fe aquel que alega desconocer el derecho de uso, cuando este, efectivamente se está ejercitando sobre el inmueble[354]. No así
si lo desconociera, pues como derecho personal, no puede oponerse
fuera del ámbito de los implicados. En cuyo caso, el usuario vendría
obligado a abandonar la vivienda, con independencia de las acciones
resarcitorias que pudiera ejercitar contra el ex cónyuge titular" y del
ejercicio de la acción de anulabilidad (art. 96.4 CC) y de las acciones
de protección de la posesión (arts. 446 CC; 522-7 CCC y art. 250.4º
LEC) contra el despojante o perturbador (ex cónyuge titular del bien
o terceras personas) o de la oposición de la parte titular del derecho
de uso derivada de lo previsto en el artículo 233-25 CCC.

A efectos registrales, el derecho debe estar perfectamente concre-
tado en lo que respecta a sus elementos personales, reales y de contenido. Tratándose de derechos de vida limitada, como sucede con el
derecho de uso, debe concretarse por los interesados su duración o
término, fija o variable. Este requisito es aplicable a todo tipo de documento público (notarial, judicial o administrativo) que se presente
en el registro y sea objeto de calificación registral (art. 18 LH y 100
RH, en caso de títulos judiciales)[355].

> Señala la R. 20 octubre 2016 que, para ser inscribible, el derecho de
> uso "debe tener trascendencia a terceros y debe configurarse, conforme
> al principio de especialidad [art. 9 LH y 51 RH] con expresión concreta

---

[354] "Amén de la carga que impone el art. 36 LH que muy bien apunta José María
Miquel González, "La buena fe y su concreción en el ámbito del Derecho Civil",
*Anales de la Academia Matritense y del Notariado*, tomo XXIX, pp. 9 y ss. [nota
a pp. de la autora citada].
[355] Bañón González (2015: 124 y ss.).

de las facultades que integra, identificación de sus titulares, temporalidad —aunque no sea necesario la fijación de un día *certus*, salvo que la legislación civil especial así lo establezca, como ocurre con el Código Civil Catalán, artículo 233-20— y además debe establecerse un mandato expreso de inscripción. Ahora bien, ya se configure de una u otra forma, siempre que se pretenda configurar como un derecho de uso inscribible deberá estar claramente determinado, siguiendo en esto el principio general de especialidad propio de nuestro sistema registral" (FD 3).

De acuerdo con la citada R. de 19 septiembre 2007, los requisitos para inscribir se centran en los siguientes extremos:

*a)* Reconocimiento judicial del derecho de uso en un proceso de crisis matrimonial (arts. 90 y 91 CC; 233-20 a 233-22 CCC).

*b)* Atribución del mismo al cónyuge no propietario de la vivienda (si se atribuyera al que ya es dueño la inscripción del uso sería innecesaria porque se daría una confusión de derechos; cfr. R. 6 de julio de 2007 y 9 julio 2013, SAP Asturias, 3 mayo 2004); y

*c)* Inscripción registral de la vivienda a favor del otro cónyuge (si lo estuviera a favor de tercero el uso no sería inscribible, pues las resultas del proceso de separación o divorcio sólo pueden alcanzar a los cónyuges, no a terceros; cfr. STC 166/2003, de 29 septiembre, STS 26 diciembre de 2005 y RR. 28 noviembre de 2002, 28 mayo de 2005, 6 julio 2007 y 9 julio 2013).

No puede inscribirse un derecho de uso indeterminado (R. 1 septiembre 1998[356]). Respecto del plazo (en relación con el art. 96 CC; en el derecho catalán, *v.* art. 233-20) debe diferenciarse según se trate de atribución de la vivienda con hijos menores, en que no caben interpretaciones temporales limitadoras; y atribución del uso de la vivienda familiar en el caso de no existir hijos o cuando los hijos sean

---

[356] No se acepta la inscripción del derecho de uso por su indeterminación en cuanto a su duración. Según la R. citada: "En el caso de que la esposa falleciere durante la convivencia de sus hijos con ella, éstos podrán seguir ocupando la vivienda, tanto juntos como uno de ellos, *mientras razonablemente la necesiten en el orden económico...*". (é.a.). En este caso, "la indeterminación del derecho en cuestión, que no sólo pone en entredicho su alcance sino incluso su propio carácter real (más bien parece una anticipación del modo en que se prestaría un eventual derecho de alimentos respecto de esos hijos), impide acceder a su reflejo registral (cfr. artículos 2.9 de la Ley Hipotecaria y 51 del Reglamento Hipotecario)" (FD 5).

mayores de edad, en que, a falta de otro interés superior que atender, se tutela el derecho del propietario, imponiendo la regla de necesaria temporalidad del derecho (SSTS 18 mayo 2015, 29 mayo y 21 julio 2016; R. 20 octubre 2016).

El derecho no puede inscribirse a nombre del cónyuge y de los hijos (RR. 27 agosto y 10 octubre 2008), porque la titularidad del derecho corresponde exclusivamente al cónyuge al que le ha sido atribuido y debe distinguirse entre la titularidad del derecho y el interés jurídico protegido[357], pero si el juez aprueba en un convenio regulador (en el caso en cuestión, acordado según el art. 90 CC; en derecho catalán, v. art. 233-20), en que los cónyuges convinieron que "5º. En atención al interés más necesitado de protección, se atribuye el uso del domicilio familiar y su ajuar a los hijos menores que vivirán en compañía de su madre [...]", con arreglo al principio de determinación (arts. 9.e LH y 51.9 RH) sería necesario la aportación de los datos identificativos de los hijos (R. 19 mayo de 2012; RDGDEJ 16 febrero 2007). La admisión de este supuesto entorpece el tráfico posterior de la vivienda porque los actos dispositivos ulteriores deben someterse a las normas de disposición de bienes de los hijos menores.

> *R. 19 enero 2016.* Es inscribible el derecho de uso de una vivienda familiar atribuido en el convenio regulador aprobado judicialmente a la esposa, de una vivienda que era propiedad de los dos cónyuges por mitad, aunque cuando se presentó a la inscripción el testimonio de la sentencia, la vivienda constara inscrita exclusivamente a nombre del marido como consecuencia de la escritura de extinción de condominio, pues la extinción del condominio no puede entenderse como una renuncia implícita al derecho de uso. En este sentido, "la acción de división no extingue el derecho de uso atribuido a uno de los cónyuges cuando se trata de una vivienda en copropiedad de ambos cónyuges y uno de ellos la ejercita" (STS 5 febrero 2013, FD 2). Por tanto, en este supuesto no es oponible el principio de prioridad registral. Como dice la STS 14 abril 2011, "La atribución del uso de la vivienda familiar, es una forma de protección, que se aplica con independencia del régimen de bienes del matrimonio o de la forma de titularidad acordada entre quienes son sus propietarios, por lo que no puede limitarse el derecho de uso al tiempo durante el cual los progenitores ostenten la titularidad sobre dicho bien" (FD 2).

---

[357] Berrocal Lanzarot (2011: 488-489)

En el caso de *extinción del derecho de uso* (art. 233-24), el cónyuge titular de la vivienda puede solicitar su cancelación registral (art. 79.2 y ccdtes. LH). La separación, nulidad y divorcio deben inscribirse en el Registro Civil (arts. 4 y 61 LRC); cuando el convenio regulador vincula la atribución del derecho de uso de la vivienda familiar a la liquidación del REM es exigible la previa inscripción en el Registro Civil (art. 266 RRC).

A efectos registrales, cabe distinguir la siguiente casuística[358]:

*a) Finca inscrita como bien privativo y exclusivo del cónyuge que además es titular del derecho de uso.* La constancia registral del derecho de uso no es inscribible porque el uso y disfrute de la finca forman parte del contenido ordinario de su derecho de propiedad, por lo que carece de interés dicha constancia registral (*a.e.*, RR. 6 julio y 19 septiembre 2007; 19 julio 2011)[359].

*b) Finca inscrita a favor del cónyuge al que no se le ha atribuido el uso de la vivienda.* La inscripción del uso le confiere eficacia *erga omnes* más allá de la posesión implícita a la atribución del derecho.

*c) Finca inscrita a nombre de ambos cónyuges en copropiedad ordinaria o con carácter ganancial o de comunidad de bienes.* Dado el carácter de vivienda familiar, parece que la inscripción del derecho de uso no sería necesaria. No obstante, en el supuesto de *cotitularidad ordinaria*, el ejercicio de la acción de división podría dar lugar a la adjudicación de la finca a un tercero, que podría oponerse, por no constar inscrita la atribución del derecho de uso. La inscripción del derecho, aunque esté limitada a la parte indivisa del cónyuge que no tenga atribuido el derecho, impide que el rematante pueda alegar el desconocimiento del derecho o su buena fe adquisitiva.

Asimismo, en el supuesto de finca ganancial, si todavía no se ha liquidado el REM, la finca constará como ganancial y los actos dispositivos deben contar con el consentimiento de ambos cónyuges, pe-

---

[358]　Díaz Fraile (2011: 446-447); Bañón González (2015: 130-133); Egea Fernández (2014: 520-524); Goñi Rodríguez de Almeida (2013: 1898-1906).

[359]　Lo que antecede sin perjuicio, según se ha expuesto, de aquellos supuestos excepcionales en que el derecho se hubiera atribuido al cónyuge y a los hijos. En sentido crítico a la solución adoptada, Goñi Rodríguez de Almeida (2013: 1897), señala que no tiene en cuenta "la vertiente positiva del derecho de uso que, desde nuestro punto de vista, además de existir también debe ser oponible".

ro en el caso de un mandamiento de embargo en un procedimiento ajeno, por deudas del otro cónyuge, el embargo afectará a la mitad de la cuota global de la liquidación de gananciales, y si la finca acaba siendo adjudicada al deudor y se subasta, el tercer adquirente podría alegar desconocimiento del derecho de uso o su buena, fe, lo que no podrá hacer si el derecho estuviera inscrito[360].

*d) Derecho de uso sobre finca en nuda propiedad del otro cónyuge.* En el supuesto de inscripción de una sentencia de divorcio en la que se atribuye a la esposa el uso del domicilio familiar de una vivienda en la que el esposo demandado sólo posee la nuda propiedad de una cuarta parte indivisa, la R. 20 mayo 2005 (*infra*), deniega la inscripción del derecho respecto del pleno dominio y usufructos que no están a nombre del marido sino a nombre de personas distintas y admite la inscripción del derecho respecto de la cuarta parte en nuda propiedad inscrita a favor del marido.

> *R. 20 mayo 2005.* "El derecho de uso de la vivienda familiar es com-
> patible con el derecho de usufructo perteneciente a persona distinta, pues,
> siguiendo la doctrina del usufructo de la nuda propiedad, tal derecho de
> uso recae sobre la nuda propiedad. Ello significa que, si bien la utiliza-
> ción de la cosa podrá tener limitaciones como consecuencia del usufructo
> existente, tal utilización será perfectamente posible al menos cuando el
> usufructo inscrito se extinga y se consolide en la nuda propiedad. Además,
> y, en todo caso, la constancia registral solicitada impedirá que la esposa
> pueda verse afectada por un acto dispositivo del marido hecho sin su
> consentimiento" (FD 3).

*e) Vivienda arrendada a los cónyuges.* El cónyuge no arrendatario podrá continuar en el uso de la vivienda arrendada cuando le sea atribuida de acuerdo con lo dispuesto en la legislación civil aplicable al supuesto. El cónyuge a quien se haya atribuido el uso de la vivienda arrendada de forma permanente o en un plazo superior al plazo que

---

[360]  Como afirma Goñi Rodríguez de Almeida (2013: 1906): "si el uso está inscrito
        sobre una vivienda, no hay duda de que esa es la vivienda familiar, y sería más
        difícil que uno de los cónyuges dispusiera de la misma sin el consentimiento del
        otro. De este modo se facilita o evita el que el cónyuge disponente hubiera hecho
        una manifestación errónea del carácter de la vivienda familiar. Si el uso, y por lo
        tanto el carácter familiar de la vivienda, está inscrito, no podría alegarse la buena
        fe del adquirente, y la mala manifestación del disponente".

reste por cumplir del contrato de arrendamiento, pasará a ser el titular del contrato. La voluntad del cónyuge de continuar en el uso de la vivienda deberá ser comunicada al arrendador en el plazo de dos meses desde que fue notificada la resolución judicial correspondiente, acompañando copia de dicha resolución judicial o de la parte de la misma que afecte al uso de la vivienda (art. 15 LAU). Si el arrendamiento está inscrito, el derecho de uso es inscribible.

*f) Finca inscrita a nombre de un tercero.* El derecho de uso no podrá inscribirse por no haber sido parte en el proceso la persona a cuyo favor aparece inscrita la finca (principios de tracto sucesivo, salvaguarda jurisdiccional de los asientos y de legitimación) (STS 31 diciembre 1994, RRDGRN. 18 octubre 2003, 18 enero 2008 y 4 septiembre 2017; y RDGDEJ, 3 junio 2013, *infra*). Lo que antecede, según se examina más adelante, salvo en determinados supuestos.

> *RDGDEJ 3 junio 2013.* "... no només per aplicació dels principis registrals de legitimació i tracte successiu (articles 1, 2, 20, 38 de la Llei hipotecària) sinó també per aplicació dels principis generals del dret civil català i del que es preveu específicament a l'article 233-21.2, no es podrà inscriure un dret d'ús atribuït en un procediment matrimonial si la finca corresponent consta inscrita a favor de tercera persona. Per això, la qualificació recorreguda no només no contradiu la normativa civil catalana sinó que s'hi ajusta perfectament així com a les normes registrals." (FD 2.5).

*g) Finca usufructuada por un tercero.* Es incompatible la atribución del uso de la vivienda familiar si consta la existencia de un usufructo inscrito a nombre de persona destina de los otorgantes del convenio regulador (R. 21 junio 2004)[361].

*h) Finca usufructuada por el otro cónyuge.* El derecho de uso puede inscribirse y queda condicionado a la vigencia del derecho de usufructo. En consecuencia, la cancelación del usufructo dará lugar a la cancelación del derecho de uso.

*i) Vivienda disfrutada por mera tolerancia de un tercero.* Es aplicable el antes citado el artículo 233-21.2. Aunque el artículo 233-22, prevé la inscripción del derecho de uso de la vivienda, para ello es

---

[361] Advierte Díaz Fraile (*ibdm.*) que la DGRN no se pronuncia, por no ser objeto del recurso, sobre si sería posible o no la inscripción del uso como sucesivo del actual usufructo.

preciso que el derecho satisfaga los requisitos y principios registrales establecidos en la legislación hipotecaria, lo que en el presente supuesto no se produce. En defecto de inscripción, la eficacia posesoria del derecho de uso es la que resulta del precario.

> Como señala la R. 15 julio 2011 (derecho de uso en concepto de precario relativo a una plaza de garaje), incluso "aun cuando se tratara del denominado comodato-precario, tendría vedada su inscripción, por ser un derecho personal no asegurado especialmente (artículo 98 de la Ley Hipotecaria) [...]. Y, sin necesidad de entrar en la discusión doctrinal sobre si la posesión es un hecho o un derecho o sobre el derecho a poseer *ius possidenti* y el derecho de posesión *ius possessionis* no puede desconocerse que, según el artículo 5 de la Ley Hipotecaria, no son inscribibles los títulos relativos al mero o simple hecho de poseer, por lo que está vedado el acceso al Registro de los pactos como el presente que se traducen en la atribución de un estado posesorio absolutamente claudicante, en tanto que libremente revocable por el concedente" (FD 2). Para poder inscribirlo, en hipótesis, el derecho debería ajustarse a los requisitos expresados y convenirse, como sucede con el derecho de opción (art. 14 RH), con eficacia real.

*j) Derecho de uso e inscripción o constancia registral de determinados actos de gravamen*

La problemática más frecuente se presenta en relación con la compatibilidad u oponibilidad entre el derecho de uso y la existencia de una hipoteca sobre la finca gravada.

1) *Hipoteca otorgada por el dueño de la vivienda que no tiene atribuido el derecho de uso*. En relación con la inscripción de una hipoteca constituidas por persona separada judicialmente sobre una vivienda inscrita a su nombre, sin constar ni el consentimiento del consorte ni, en su defecto, la autorización judicial supletoria, la R. 31 marzo 2000, señala que si el derecho no está inscrito, no es preciso dicho consentimiento o autorización, pues "en modo alguno se establece una exigencia a observar en todo supuesto de disposición de vivienda privativa de un cónyuge separado judicialmente, en previsión de que pueda estar afecta a aquel gravamen y como garantía del mismo" (FD 2). La DGRN señala que: a) El derecho de uso es inscribible (arts. 1,2 LH y 7 RH, RR. 1 septiembre de 1998 y 25 de octubre de 1999); b) El derecho de uso deberá estar debidamente inscrito para que perjudique a terceros (art. 13 LH); y c) Se presume

legalmente que los derechos inscritos existen y pertenecen a su titular en los términos del asiento respectivo (art. 38 LH) y del mismo resulta el pronunciamiento registral de un dominio pleno y libre a favor del cónyuge disponente, que tampoco es contradicho, sino presupuesto por el documento calificado.

Cuando el derecho no ha sido inscrito, el Tribunal Supremo ha supeditado la protección del tercer adquirente a la subsistencia del derecho de uso, y a la buena o mala fe del adquirente. El derecho de uso le será oponible si, de un modo u otro, aquel actuó de mala fe y pudo tener conocimiento de la existencia del derecho (STS 4 diciembre 2000) y no le será oponible, si era de buena fe (STS 22 abril 2004).

2) *Hipoteca de fecha anterior al derecho de uso.* El derecho de uso posterior a la hipoteca no puede prevalecer a la ejecución (principio de prioridad con purga de los derechos inscritos con posterioridad). Si la carga hipotecaria se constituyó sobre un bien privativo del marido cuando este era soltero, el derecho de uso convenido por causa de divorcio, posterior al crédito hipotecario, no es oponible al adquirente de la vivienda en subasta pública en un procedimiento de ejecución hipotecaria (STS 6 marzo 2015). Se aplica el mismo efecto si la hipoteca se constituyó constante el matrimonio y el otro cónyuge consintió en el acto de disposición del marido sobre la vivienda familiar, en garantía de deuda propia del marido (STS 8 octubre 2010) o si el uso, aun habiéndose concedido antes, hubiera accedido al Registro con posterioridad a la inscripción de la hipoteca (principio de prioridad registral)[362].

Aunque el artículo 562-4.2 establece que la ejecución de una hipoteca sobre el bien comporta la extinción de los derechos de uso y habitación si sus titulares consintieron su constitución, sin perjuicio, en materia de vivienda familiar, de lo establecido por los artículos 233-19 a 233-24 y 234-8, dicho precepto debe entenderse referido a los derechos constituidos con anterioridad a la hipoteca, con el fin de no hacer imposible la constitución de hipotecas, pues de aceptarse la eficacia de dicha carga, frente al acreedor hipotecario, la finca perdería gran parte de su valor a efectos de su ejecución por vía forzosa y limitaría el acceso al crédito hipotecario. La excepción que se prevé en

---

[362]  Bañón González (2015: 136-140).

dicho supuesto debe concordarse con lo previsto en el artículo 233-20, lo que implica que podría no ser bastante el consentimiento del usuario, sino que, según las circunstancias del caso, también podría ser necesario el consentimiento del otro cónyuge o incluso el de la autoridad judicial[363].

> *RDGRN 8 marzo 2018*: "el hecho incontestable de que el derecho de uso sea inscribible implica la aplicabilidad de los principios reguladores del sistema hipotecario cual es el de prioridad, por lo tanto lo procedente es la purga del derecho de uso, como consecuencia de la ejecución de una hipoteca inscrita con anterioridad" (FD 3).
>
> "… si el usuario, como en este caso, pudiendo hacerlo no ha inscrito su derecho en el Registro no podrá oponerlo frente a terceros que sí hayan inscrito los suyos. Esto supone que si el derecho de uso no está inscrito, no podrá oponerse al adquirente del inmueble que cumpla los requisitos del artículo 34 de la Ley Hipotecaria y, en cuanto al procedimiento de ejecución, no podrá tener intervención en el mismo, en la forma prevista en el artículo 662 de la Ley de Enjuiciamiento Civil antes relacionado que exige que acredite la inscripción de su título de adquisición.
>
> Por tanto, a estos efectos, la inscripción es un requisito para la intervención en el procedimiento, salvo que haya acreditado al acreedor previamente su adquisición, a fin de tener la consideración de parte.
>
> En cualquier caso, no constando inscrito el derecho, la correcta intervención de su titular queda circunscrita exclusivamente al ámbito procesal, sin que le alcance la calificación registral en tanto esta implica la defensa del titular inscrito, no de quien ha dado la espalda a la protección derivada del registro. Así resulta expresamente del artículo 132 de la Ley Hipotecaria en sus apartados 1.º y 2.º que hacen referencia a titulares inscritos; y en el ámbito procesal (artículo 662 de la Ley de Enjuiciamiento Civil antes relacionado), la referencia al tercer poseedor se realiza igualmente por la condición de titular inscrito en el Registro de la Propiedad" (FD 5).
>
> En el ámbito procesal y respecto de la situación del usuario no inscrito *v.* R. citada y artículos 661, 662 y 675.2 LEC.

3) *Hipoteca de fecha posterior al derecho de uso inscrito.* Si el derecho de uso consta inscrito, el adjudicatario de la finca debe respetar dicho derecho. No obstante, en el caso de que al constituirse la hipoteca el o la titular del derecho de uso hubiera prestado su consen-

---

[363]  Egea Fernández (2014: 535); Boletín. Servicio de Estudios Registrales de Cataluña, nº 157 (2012: 28).

timiento, el derecho de uso no será oponible al tercer adquirente por causa de una ejecución hipotecaria (art. 233-25).

## 15. MONOPARENTALIDAD Y NULIDAD DEL MATRIMONIO

La nulidad del matrimonio se puede definir como "aquella inefi-cacia caracterizada por la destrucción retroactiva del vínculo matri-monial por concurrir algún vicio o defecto en su celebración" (Bosch Capdevila, 2013:85); "la total ineficacia del matrimonio declarada judicialmente por una causa coetánea a su celebración y con efecto retroactivo a tal momento. La nulidad viene determinada por la au-sencia o el defecto de alguno de los requisitos personales, materiales o formales del matrimonio" (Vela Sánchez, 2005: 31).

Si como consecuencia de la nulidad matrimonial los ex cónyuges dejan de vivir en común y se dan los requisitos que definen la mono-parentalidad se tendrá una familia monoparental. La declaración de nulidad no invalidará los efectos ya producidos respecto de los hijos y del contrayente o contrayentes de buena fe (art. 79 CC) y tampoco exime ni altera las obligaciones y responsabilidades con los hijos (arts. 92 CC; 233-8.1 CCC).

La nulidad del matrimonio y sus efectos se determinarán de con-formidad con la ley aplicable a su celebración (art. 107.1 CC). La ley reguladora de la presunta nulidad del matrimonio debe ser la que regule su presunta validez (reverso de la validez de un acto jurídico). Esta Ley rige las causas o motivos de nulidad y la legitimación para el ejercicio de la acción. Las sentencias extranjeras de nulidad se rigen por diversos instrumentos legales [Reglamento (CE) nº 2201/2003 del Consejo de 27 de noviembre de 2003 relativo a la competencia, el reconocimiento y la ejecución de resoluciones judiciales en materia matrimonial y de responsabilidad parental, por el que se deroga el Reglamento (CE) nº 1347/2000 o Reglamento Bruselas II-bis; cier-tos Convenios bilaterales firmados por España con otros países; y los arts. 41-61 de la LCJI][364].

---

[364]    Calvo Caravaca, Carrascosa González (2017, II: 369 y ss.).

Las *causas de nulidad* civil están previstas en el CC[365]. Con arreglo al artículo 73 CC, es nulo cualquiera que sea la forma de su celebración:

1.º El matrimonio celebrado sin consentimiento matrimonial (matrimonios de complacencia[366]; reserva mental; SAP Barcelona, Sec. 18ª, 17 mayo 2016).

2.º El matrimonio celebrado entre las personas a que se refieren los artículos 46 y 47 (impedimentos para contraer matrimonio), salvo los casos de dispensa conforme al artículo 48 (dispensa judicial en los casos previstos en la norma citada).

3.º El que se contraiga sin la intervención del Juez de Paz, Alcalde o Concejal, letrado de la Administración de Justicia, notario o funcionario ante quien deba celebrarse, o sin la de los testigos[367].

4.º El celebrado por error en la identidad de la persona del otro contrayente o en aquellas cualidades personales que, por su entidad, hubieren sido determinantes de la prestación del consentimiento; y

5.º El contraído por coacción o miedo grave.

Cuando concurra alguna de las causas citadas las personas legitimadas (arts. 74 a 76 CC) podrán ejercitar la acción judicial de nulidad del matrimonio. A diferencia de los supuestos de separación o divorcio, que exigen que haya transcurrido un plazo mínimo de tres meses desde la celebración del matrimonio para accionar con dicha finalidad, la demanda de nulidad matrimonial puede ejercitarse a partir del momento de su celebración y, salvo el supuesto previsto en el artículo 75 CC (matrimonio de menor de edad[368]), no se prevé un plazo de caducidad para el ejercicio de la acción, sin perjuicio de su posible

---

[365]  V., *a.e.*, Serrano Gómez (2011: 45 y ss.); Díaz Martínez (2013: 800 y ss.). Ysàs Solanes (2013: 269 y ss.); Bosch Capdevila *et al.* (2013: 85 y ss.).

[366]  *Vid.* Instrucción DGRN de 31 enero 2006.

[367]  Apartado tercero con nueva redacción según DF 1.16, Ley 15/2915, de 2 julio, con entrada en vigor el 30 junio 2017.

[368]  Art. 75 [CC]. Si la causa de nulidad fuere la falta de edad, mientras el contrayente sea menor sólo podrá ejercitar la acción cualquiera de sus padres, tutores o guardadores y, en todo caso, el Ministerio Fiscal.

convalidación. En el caso de que la demanda sea estimada la resolución judicial declarará la nulidad del matrimonio. Las resoluciones judiciales firmes sobre nulidad del matrimonio deben inscribirse en el Registro Civil y pueden ser objeto de anotación hasta que adquieran firmeza (arts. 4.7° y 61 LRC).

En el derecho catalán, el capítulo III del libro segundo del Codi, "se dedica a los efectos de la nulidad del matrimonio, del divorcio y de la separación judicial y comienza con una regulación específica de las medidas provisionales que se ajusta más a las necesidades propias del derecho civil catalán [... y] se introduce como norma que la nulidad, el divorcio o la separación no alteran las responsabilidades de los progenitores sobre los hijos" (preámb. ep. III).

*Nulidades canónicas.* Según el artículo 80 CC "Las resoluciones dictadas por los Tribunales eclesiásticos sobre nulidad de matrimonio canónico o las decisiones pontificias sobre matrimonio rato y no consumado tendrán eficacia en el orden civil, a solicitud de cualquiera de las partes, si se declaran ajustados al Derecho del Estado en resolución dictada por el Juez civil competente conforme a las condiciones a las que se refiere el artículo 954 de la Ley de Enjuiciamiento Civil"

## 15.1. Matrimonio putativo

La declaración de nulidad del matrimonio viene a significar que el matrimonio no ha existido nunca, de modo que se considera que los contrayentes no han estado casados ni han asumido este estado civil. Se trata de una nulidad que tiene efectos retroactivos. No obstante, cuando concurran los requisitos legalmente exigidos, el legislador prevé la producción de determinados efectos para evitar que de la declaración de nulidad se deriven perjuicios para el contrayente o contrayentes que actuaron de buena fe y los hijos. Este es el caso del denominado "matrimonio putativo" que fue una solución ofrecida por el Derecho Canónico que tuvo especial significación cuando no existían Registros Públicos y por la que se pretendía conferir efectos

---

Al llegar a la mayoría de edad sólo podrá ejercitar la acción el contrayente menor, salvo que los cónyuges hubieren vivido juntos durante un año después de alcanzada aquélla.".

a los matrimonios declarados nulos, generalmente a causa del impedimento de parentesco que alcanzaba a un mayor número de grados que los previstos actualmente.

La figura del matrimonio putativo tuvo especial relevancia en relación con los hijos (*favor prolis*) según se las calificara de matrimoniales o legítimos, o como no matrimoniales o ilegítimos, debido a la discriminación que estos últimos sufrían en lo personal, patrimonial, sucesorio y en su consideración social, En la actualidad, de conformidad con los artículos 14 y 39.2 CE, no es admisible la discriminación según la naturaleza de la filiación, matrimonial o no matrimonial. Como dice el artículo 235-2.1 CCC "Toda filiación produce los mismos efectos civiles, sin perjuicio de los efectos específicos de la filiación adoptiva". Los efectos en favor de los hijos se producen con independencia de la buena o mala fe de los cónyuges.

Según el artículo 79 CC (é.a.): "La declaración de nulidad del matrimonio *no invalidará lo*s efectos ya producidos respecto de los hijos y del contrayente o contrayentes de *buena fe*. La buena fe se presume". En suma, debe entenderse que el matrimonio declarado nulo por sentencia firme nunca existió, pero se le tiene por existente (matrimonio putativo) y valen los efectos que con anterioridad hubiera producido en cuenta a los hijos y al cónyuge o cónyuges de buena fe.

La doctrina entiende que existe *buena fe* en el caso de ignorancia de la causa determinante de la nulidad matrimonial o, en los supuestos de coacción o miedo grave, y falta de voluntad de contraer un matrimonio nulo, lo que se presupone al pedir la declaración de nulidad. Con independencia de la buena o mala fe de uno o ambos cónyuges, los hijos serán en todo caso matrimoniales. Es precisa la buena fe del cónyuge para que se mantenga en cuanto a él, o ambos, si concurre en los dos contrayentes, los efectos que el matrimonio hubiera producido antes de la declaración de nulidad[369].

Los efectos jurídicos alcanzan a cualquier supuesto de declaración judicial de nulidad, lo que conlleva una situación un tanto paradójica, pues, para que existan los efectos del matrimonio putativo se "requiere que exista una sentencia firme que declare una nulidad ma-

---

[369]  *A.e.*, Díez-Picazo, Gullón (2012, IV: 113); Pedro de Pablo Contreras (2013: 135-142).

trimonial, es decir, que conste lo no existencia de un matrimonio [...] es necesario que judicialmente se confirme que no existe matrimonio" (Serrano Gómez, 2011: 108). Por otro lado, la eficacia de la nulidad solo opera de cara al futuro (eficacia *ex nunc*, pero no *ex tunc*).

Siguiendo al autor citado, para que sea aplicable lo previsto en el artículo 79 CC es preciso:

*a)* Que exista un matrimonio (sea en forma civil o religiosa) o una apariencia del mismo, pero sin que el supuesto sea equivalente o equiparable a la existencia de situaciones convivenciales *more uxorio* (en la CE "el matrimonio y la convivencia extramatrimonial no son realidades equivalentes", STC 184/1990, 15 noviembre, FJ 3, *infra*); y no es necesario que el matrimonio se haya inscrito en el RC (RDGRN 23 mayo 1994).

> *STC 184/1990, 15 noviembre.* "... en la Constitución, el matrimonio y la convivencia extramatrimonial no son realidades equivalentes. El matrimonio es una institución social garantizada por nuestra norma suprema, y el derecho a contraerlo es un derecho constitucional (art. 32.1), cuyo régimen jurídico corresponde a la ley por mandato constitucional (art. 32.2) mientras que "nada de ello ocurre con la unión de hecho *more uxorio*, que ni es una institución jurídicamente garantizada ni hay un derecho constitucional expreso a su establecimiento" (FJ 3).

*b)* Que al menos en uno de los cónyuges concurra el requisito de buena fe, que ha de entenderse como "no sólo la falta de conciencia de que se contrajo un matrimonio nulo (sentido subjetivo), sino también el haber guardado un comportamiento jurídicamente correcto en el sentido de que no se le pueda imputar (al cónyuge) el no haberse abstenido de celebrar un negocio inválido (sentido objetivo) (Gete-Alonso, 1992; 332)". El artículo 79 CC presume la existencia de buena fe con carácter *iuris tantum*, por lo que admite la prueba en contrario. Por último,

*c)* Tiene que haber una sentencia firme de nulidad. En el caso de una sentencia de nulidad dictada por los tribunales eclesiásticos, debe obtenerse su eficacia civil de acuerdo con lo previsto en el artículo 80 CC.

## 15.2. Efectos jurídicos de la nulidad matrimonial

En general, es de aplicación la normativa referente a los procedimientos judiciales relativos a las crisis matrimoniales: medidas provisionales (art. 233-1); medidas definitivas (art. 232-2) referentes al convenio regulador, el plan de parentalidad, derecho de alimentos, relaciones de los hijos con los abuelos y los hermanos que no convivan en el mismo domicilio; y si procede, acuerdos o decisiones judiciales sobre la prestación compensatoria, atribución o distribución del uso de la vivienda familiar con su ajuar, compensación económica por razón de trabajo, liquidación del régimen económico matrimonial, división de los bienes en comunidad ordinaria indivisa, acuerdos alimentos para los hijos mayores de edad o emancipados que no tengan recursos económicos propios; y lo previsto en materia de pactos fuera del convenio regulador, mediación familiar y régimen de modificación de medidas[370].

En síntesis, los efectos jurídicos más relevantes se centran en los siguientes puntos:

*a) Nulidad del matrimonio.* La sentencia firme de nulidad significa que, salvo los *efectos ya producidos* respecto de los hijos y del contrayente o contrayentes de buena fe, el matrimonio nunca ha existido (art. 80 CC). La sentencia firme de nulidad no tiene efectos retroactivos.

*b) Efectos específicos del matrimonio.* La declaración de nulidad no invalida los efectos del matrimonio respecto de: la nacionalidad española por residencia de un año (art. 22.2.d CC); la vecindad civil por opción (art. 14.4 CC); el permiso de residencia; y la emancipación (art. 211-8.1.a CCC). La subsistencia de los efectos para ambos cónyuges, si los dos son de buena fe, se extiende a su régimen económico matrimonial (STS 25 noviembre 1999).

> *STS 25 noviembre 1999.* "… dada la buena fe declarada que en sus efectos debe amparar a los cónyuges, los mismos han de tener consecuencias sobre régimen económico matrimonial que en su momento debe ser liquidado. Y con total acuerdo con la sentencia recurrida, el régimen económico matrimonial en el evento de unión acaecido —matrimonio nulo

---

[370]   V. *a.e.*, Serrano Gómez (2011: 109-116); Díaz Martínez (2013: 823 y ss.); Ysàs Solanes (2013: 274-276).

de E.L.L. y L.S.R.— ha de ser el de la sociedad legal de gananciales, pues así se desprende de lo dispuesto en el artículo 9 en relación al artículo 1315 del Código Civil en aquel tiempo, entonces vigente, confirmado con lo dispuesto en los artículos 72 y 1417 de aquél Cuerpo legal, en relación a que la ejecutoria de nulidad matrimonial producirá en cuanto a los bienes matrimoniales los mismos efectos que su disolución por muerte" (FD 2).

*c) Efectos generales de la nulidad.* La nulidad matrimonial extingue: el pacto de supervivencia (art. 231-18.b); los regímenes económicos matrimoniales (*a.e.*, arts. 232-16.1.a y 232-36), y los capítulos matrimoniales, salvo las excepciones previstas en el artículo 231-26. Asimismo, cualquiera de los contrayentes puede ejercitar simultáneamente la acción de división de cosa común respecto a los bienes que tengan en comunidad ordinaria indivisa (art. 232-12); la paternidad matrimonial se determina con arreglo a lo previsto en el artículo 235-5 y ss.; y la impugnación del reconocimiento de paternidad está regulada en el artículo 235-27.

*d) Situación de los hijos.* La situación de los hijos respecto de sus progenitores no se ve alterada ni de presente ni de futuro. En los hijos nunca podrá concurrir mala fe. Según se ha indicado, la nulidad del matrimonio, el divorcio o la separación no alteran las responsabilidades que los progenitores tienen hacia sus hijos de acuerdo con el artículo 236-17.1 (art. 233-8). Los hijos tendrán la condición de hijos matrimoniales y respecto del futuro, se mantienen los deberes y obligaciones de los progenitores con sus hijos. Siguen vigentes los efectos relativos al nombre y apellidos de los hijos; los deberes y obligaciones de la patria potestad, los derechos sucesorios y el derecho de alimentos.

*e) Buena fe de uno o de ambos contrayentes.* En el caso de que solo uno de los contrayentes fuera de buena fe, en los matrimonios sujetos al CC, el cónyuge que hubiere obrado de buena fe podrá *optar* por aplicar en la liquidación del régimen económico matrimonial las disposiciones relativas al *régimen de participación* y el de mala fe no tendrá derecho a participar en las ganancias obtenidas por su consorte (art. 95.II CC). En régimen de sociedad legal de gananciales de derecho civil común, el artículo 1395 CC establece que cuando uno de los cónyuges hubiera sido declarado de mala fe, podrá el otro optar por la liquidación del régimen matrimonial según las normas de esta

Sección o por las disposiciones relativas al régimen de participación, y el contrayente de mala fe no tendrá derecho a participar en las ganancias obtenidas por su consorte.

La legislación catalana no prevé una norma parecida en relación con el artículo el artículo 95.II CC y por tratarse de una previsión de régimen económico matrimonial la doctrina se inclina por la no aplicación de dicho precepto, por lo que la liquidación del REM deberá hacerse conforme al régimen que hasta aquel momento haya regido el matrimonio. No obstante, en el *Codi* existen determinadas previsiones sobre las prestaciones compensatorias sin distinguir si la parte acreedora o deudora son de buena o mala fe, y el régimen legal supletorio catalán es el de separación de bienes.

Por lo que atañe a los demás regímenes matrimoniales, Bosch Capdevila *et al.* (2013: 98) entienden que de acuerdo con el citado artículo 79 CC, si ambos cónyuges son de buena fe, el régimen económico se liquidaría con arreglo a las reglas generales. Si ambos cónyuges son de mala fe, cabe entender que el régimen no ha existido; y si solo uno es de buena fe, a efectos de la liquidación del régimen matrimonial, el interesado podría accionar como estime más conveniente y conceder o no eficacia al matrimonio nulo, esto es, decidir, por ejemplo, si existió o no régimen de participación en las ganancias.

*f) Prestación compensatoria.* El cónyuge de buena fe cuya situación económica, como consecuencia de la nulidad del matrimonio, resulte más perjudicado tiene derecho a solicitar en el primer proceso matrimonial una prestación compensatoria que no exceda del nivel de vida de que gozaba durante el matrimonio ni del que pueda mantener el cónyuge obligado al pago, teniendo en cuenta el derecho de alimentos de los hijos, que es prioritario (art. 233-14.I CCC). Los cónyuges con derecho a percibir una prestación compensatoria en forma de pensión o una pensión alimentaria, en caso de nulidad del matrimonio, pueden exigir que se les garantice la percepción por medio de una hipoteca sobre los bienes de los cónyuges deudores (art. 569-36.1).

*g) Compensación económica por razón de trabajo.* Según se examina más ampliamente en otro lugar (cap. IV), en el régimen de *separación de bienes*, regulado por el derecho civil catalán, si un cónyuge ha trabajado para la casa sustancialmente más que el otro, tiene derecho a una compensación económica por esta dedicación siempre y cuando en el momento de la extinción del régimen por nulidad, el otro haya obtenido un incremento patrimonial superior de acuerdo con lo establecido en la regulación de este régimen económico matrimonial. Para determinar la cuantía de la compensación económica por razón de trabajo, debe tenerse en cuenta la duración e intensidad de la dedicación, teniendo en cuenta los años de convivencia y, concretamente, en caso de trabajo doméstico, al hecho que haya incluido la crianza de hijos o la atención personal a otros miembros de la familia que convivan con los cónyuges. La compensación tiene como límite la cuarta parte de la diferencia entre los incrementos de los patrimonios de los cónyuges, calculada de acuerdo con las reglas establecidas por el artículo 232-6 (diferencias entre el patrimonio inicial y el final, de ambos cónyuges, calculadas según lo previsto en el artículo citado). En caso de que el cónyuge acreedor pruebe que su contribución ha sido notablemente superior, la autoridad judicial puede incrementar esta cuantía (art. 232-5 CCC). La norma tiene en cuenta la aportación de trabajo y no distingue si hubo o no mala fe en uno o ambos cónyuges[371].

Por otra parte, la DA 3ª del libro segundo, prevé los mecanismos que deben seguirse para determinar, en el procedimiento matrimonial, la compensación por razón de trabajo, así como la titularidad de los bienes cuando ello sea preciso para establecer la procedencia y cuantía de la compensación (presentación de una propuesta de inventario que incluya los bienes propios y los del otro cónyuge, con la indicación de su valor, y el importe de las obligaciones, y demás documentación de relevancia patrimonial de que se disponga y en caso de no carecer de información relevante para fundamentar sus pretensiones, antes de la vista puede solicitarse a la autoridad judicial que la obtenga utilizando los medios de que dispone).

*h) Alimentos.* Se extingue la obligación de prestar alimentos (art. 237-13.1.b). Esta norma es de carácter subsidiario respecto de los alimentos legales (art. 237-14).

*i) Donaciones por razón de matrimonio.* Debe distinguirse entre donaciones por razón de matrimonio hechas en capítulos matrimo-

---

[371]   Calleja Gómez (2015).

niales y donaciones por razón de matrimonio y la razón o causa que las justifica[372]:

1. *Donaciones fuera de capítulos matrimoniales.* En este caso procede distinguir entre los siguientes dos supuestos:

1.1. *Donaciones que no sean por causa de matrimonio.* Se trata de donaciones reguladas por las reglas generales no otorgadas en capítulos y sin causa específica. En cuando a su revocabilidad estas donaciones se someten a las "causas generales de revocación de donaciones [art. 531-15] aunque, en el caso de supervención de hijos, solo lo son si se trata de hijos comunes" (art. 231-14 CCC).

1.2. *Donaciones por causa de matrimonio.* En este supuesto la causa de la donación es el matrimonio. Como dice el artículo 231-27 CCC: "Las donaciones que uno de los contrayentes otorga fuera de capítulos matrimoniales a favor del otro en consideración al matrimonio y las que otorguen otras personas por la misma razón se rigen por las *reglas generales de las donaciones* [arts. 531-7 a 531-22], *salvo lo establecido por la presente sección*" (é.a.). Estas donaciones pueden someterse a condiciones y modos. Si el bien donado está sujeto a carga o gravamen, el donante no está obligado a su correspondiente liberación (art. 231-28 CCC). En razón de su causa específica, el artículo 231-29 CCC prevé las siguientes *causas de revocación*: a) Falta de celebración del matrimonio en el plazo de un año desde la donación; b) Declaración de *nulidad del matrimonio*, si el donatario es de *mala fe* y el donante es su cónyuge; c) Incumplimiento de cargas; e ingratitud del donatario.

La acción revocatoria caduca al año contado desde el momento en que se produce el hecho que la motiva o, si procede, desde el momento en que los donantes conocen el hecho ingrato. Es nula la renuncia anticipada a la revocación. Cuando la causa revocatoria constituye una infracción penal, el año empieza a contarse desde la firmeza de la sentencia que la declara. La acción revocatoria puede intentarse contra los herederos de los donatarios y pueden ejercitarla los herederos de los donantes, salvo que, en este último supuesto, la causa de revocación sea la pobreza de los donantes. En la revocación por causa de ingratitud, la acción no puede intentarse contra los herederos de los donatarios y solo pueden ejercitarla los herederos de los donantes si estos no lo han podido hacer.

---

[372]  Serrano de Nicolás (2012: 277-278)

Las enajenaciones a título oneroso y los gravámenes hechos por los donatarios antes de que los donantes hayan notificado fehacientemente la voluntad de revocación, en los supuestos de superveniencia y supervivencia de hijos, de ingratitud y de pobreza, conservan la validez, sin perjuicio de la obligación de restituir el valor en el momento de la donación de los bienes de que hayan dispuesto o de que se vean privados los donantes por razón de los gravámenes que hayan impuesto los donatarios. En el supuesto de incumplimiento de cargas, las terceras personas titulares de derechos sobre el bien dado se ven afectadas por la revocación de acuerdo con las normas generales de oponibilidad de derechos a terceras personas (art. 535-15.3, 4 y 5 CCC). Finalmente, las donaciones podrán ser deducidas si perjudican la legítima de los herederos forzosos (art. 451-22 y ss.)[373].

2. *Donaciones en capítulos matrimoniales.* Dice el artículo 231-19.1 CCC que "En los capítulos matrimoniales, se puede determinar el régimen económico matrimonial, convenir pactos sucesorios, hacer donaciones y establecer las estipulaciones y los pactos lícitos que se consideren convenientes, incluso en previsión de una ruptura matrimonial". Según el artículo 231-25 "Las donaciones otorgadas en capítulos matrimoniales únicamente son revocables por incumplimiento de cargas". Este régimen jurídico debe completarse con las normas relativas a los capítulos matrimoniales (arts. 231-10 a 231-26) y las referentes a la donación (arts. 531-7 a 531-22). Como sea que la nulidad produce la ineficacia de los capítulos (art. 231-26), cabe defender que ello determinará la ineficacia de la donación (Bosch Capdevila, 2011: 660)[374].

*j) Derechos reales.* En materia de derechos reales, puede solicitarse la acción de división en las comunidades ordinarias de bienes entre los cónyuges (art. 552-11.6).

*k) Derechos sucesorios.* Deben distinguirse los siguientes supuestos:

*Sucesión testamentaria.* La institución de heredero, los legados y las demás disposiciones que se hayan ordenado a favor del cónyuge

---

374   Matiza este efecto, Jou i Mirabent (2014: 183), que entiende que "se puede defender que las donaciones que se hacen en capítulos, que también puedan hacerse fuera de capítulos, conservarán igualmente su eficacia".

del causante devienen ineficaces si, después de haber sido otorgados, los cónyuges se separan de hecho o legalmente, o se divorcian, o el matrimonio es declarado nulo, así como si en el momento de la muerte hay pendiente una demanda de separación, divorcio o nulidad matrimonial, salvo reconciliación. Las disposiciones a favor del cónyuge mantienen la eficacia si del contexto del testamento, el codicilo o la memoria testamentaria resulta que el testador las habría ordenado incluso en los casos antes indicados. Este efecto también se aplica a los parientes que solo lo sean del cónyuge, en línea directa o en línea colateral dentro del cuarto grado, tanto por consanguinidad como por afinidad (art. 422-13)[375].

*Sucesión abintestato.* El cónyuge viudo no tiene derecho a suceder abintestato al causante si en el momento de la apertura de la sucesión estaba separado de este legalmente o de hecho o si estaba pendiente una demanda de nulidad del matrimonio, de divorcio o de separación, salvo que los cónyuges se hubieran reconciliado (art. 442-6.1). Si la sentencia es desestimada no existirá nulidad matrimonial, pero en una mayoría de supuestos puede suceder que exista separación de hecho. Carece de relevancia la buena o mala fe del cónyuge fallecido.

*Pactos sucesorios y heredamientos.* La nulidad del matrimonio, no altera la eficacia de los pactos sucesorios, salvo que se haya pactado otra cosa; no obstante, los heredamientos o las atribuciones particulares hechas a favor del cónyuge o de los parientes de estos, devienen ineficaces en los supuestos regulados por el artículo 422-13.1, 2 y 4, salvo que se haya convenido lo contrario o ello resulte del contexto del pacto (art. 431-17).

*l) Pensiones de viudedad.* En caso de nulidad matrimonial, el derecho a la pensión de viudedad corresponderá al superviviente al que se le haya reconocido el derecho a la indemnización *ex* artículo 98 CC, siempre que no hubiera contraído nuevas nupcias o hubiera constituido una pareja de hecho en los términos a que se refiere el artículo 221 LGSS (art. 220.3 LGSS).

*m) Derecho transitorio.* Los efectos de la nulidad del matrimonio decretados al amparo de la legislación anterior a la entrada en vigor de la presente ley se mantienen, con la posibilidad de modificar las

---

[375]  V., *a.e.*, Miralles Bellmunt (2016: 284-304).

medidas por circunstancias sobrevenidas en aplicación de las normas vigentes en el momento de su adopción. Estos efectos se mantienen sin perjuicio de la aplicación del Código civil en los procesos matrimoniales que puedan entablarse entre los propios cónyuges después de la entrada en vigor del libro segundo del CCC.

Asimismo, a petición de parte puede acordarse la revisión de las medidas adoptadas con relación al cuidado y guarda de los hijos comunes o el régimen de relaciones personales, la sustitución de la pensión compensatoria acordada con anterioridad por la entrega de un capital en bienes o en dinero, y la sustitución de la atribución judicial del uso de la vivienda familiar por el abono de una prestación dineraria, de acuerdo con lo establecido por los artículos 233-10, 233-17 y 233-21 del Código civil. La revisión debe tramitarse por el procedimiento establecido para la modificación de medidas definitivas (DT 3ª Ley 25/2010).

# BIBLIOGRAFÍA[628]

---

[628]  *V.* Volumen III.

# Nota biográfica de Josep Mª Fugardo Estivill

- Notario honorario (Colegio Notarial de Cataluña). Licenciado en Derecho. Graduado Social. Profesor Mercantil, Dr. en CCEE y CC (UB). Colegiado del Ilte. Colegio de Abogados de Girona.
- Ha publicado numerosos artículos y coordinado y escrito diversas obras jurídicas, especialmente en relación con el Derecho Civil, Mercantil, Fe Pública, Derecho Internacional Privado y Comunitario.

# LIBROS PUBLICADOS

1. Las propiedades horizontales especiales en el Código civil de Cataluña
   *Emilio González Bou*

2. Los regímenes matrimoniales de comunidad en Cataluña
   *Elías Campo Villegas*

3. Derechos reales de garantía y garantías posesorias: Retención, prenda y anticresis
   *Víctor J. Asensio Borrellas*

4. Del Derecho de superficie, una visión general desde el Codi Civil de Catalunya
   Vol I: Aspectos generales y elementos personales y reales
   *Javier Micó Giner*

5. Del Derecho de superficie, una visión general desde el Codi Civil de Catalunya
   Vol II: Elemento formal, régimen de derechos y obligaciones y aspectos registrales y fiscales
   *Javier Micó Giner*

6. Fideicomisos y fiducias en el Derecho Catalán
   *Martín Garrido Melero*

7. Los pactos sucesorios en el derecho civil de Cataluña
   *Enric Brancós i Núñez*

8. El poder preventivo
   *Josep María Valls i Xufré*

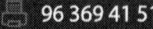